3판

골반의 검진과 치료

The Pelvic Gridle

An approach to the examination and treatment of the lumbopelvic-hip region

저자 **Diane Lee**

역자 **강순희 · 구희서 · 김호봉 · 박흥기 · 안소윤 · 유병규 · 윤범철 이완희 · 임인혁 · 장정훈 · 정진우 · 최병옥 · 최재청**

장별 역자명단

번 역	성 명	직 위
서문, 1, 2, 3장	정진우	인제대학원 대학 겸임교수
4장	이완희	삼육대학교 물리치료학과 교수
5장	강순희	충주대학교 물리치료학과 교수
6장	윤범철	고려대학교 물리치료학과 교수
7장	정진우	인제대학원 대학겸임교수
8장	김호봉	제주한라대학 물리치료과 교수
8장	최병옥	을지대학교 물리치료학과 교수
8장	임인혁	여주대학 물리치료과 교수
9장	구희서	안산제1대학 물리치료과 교수
9장	안소윤	부산가톨릭대학교 물리치료학과 교수
10장	박흥기	김천대학 물리치료과 교수
10장	유병규	신구대학 물리치료과 교수
10장	장정훈	원광보건대학 물리치료과 교수
10장	최재청	대전보건대학 물리치료과 교수

CHURCHILL LIVINGSTONE

도서출판 대학서림

This edition of ***The Pelvic Girdle, 3/e*** by ***Diane G. Lee*** is published by arrangement with Elsevier Ltd, The Boulevard, Langford Lane, Kidlington, OX5 1GB, England.

Translated version ISBN : 9812598642

Translated by Dae-Hak Publishing Co.
Printed in Korea

머 리 말

과학과 실제임상 사이의 틈을 메우는 것은 하나의 거대한 도전을 의미한다. 때로 우리는 생역학적 및 생신경생리학적 소견의 사소한 생각에서 발달된 임상테크닉과 직면하게 되거나 반대로, 실제임상의 진행과정에서 약간 기여하게 되는 기초과학과 직면하게 된다. 여기에 Diane Lee와 그녀의 동료들은 과학과 실제 사이의 하나의 성공적인 공동연구를 시도하였고 그 뜻을 성취하였다. 그 결과는 여러 가지 개념을 병합하는 통합된 임상 어프로치로서, 많은 환자들의 관찰에 기초를 두고 있다. 기능과 비기능 패턴의 관찰에 기초한 Diane의 임상추론은 많은 사람들의 관심을 끌게 되었고, 사고력을 촉발시키게 되었다.

이 책의 신판에서 명백하게 나타나는 주된 특징은 어떻게 과학에 있어서 새로운 향상과 실제를 받아들이고, 접목하고, 도전하여 임상의 작업모델로 다듬어 가야하는가 라고 하는 것이다. 그것은 더 이상 새로운 도전이나 아이디어가 없이는 주목받지 못하고 사라진다는 것을 의미하는 것이다. 이 책의 위대한 힘은 이러한 아이디어의 혁신적인 열린 토론에서 비롯된 것이다.

많은 사람들은 골반대 시스템의 평가와 관리에 대한 발전되고 세련된 임상적 테크닉을 가지고 있다. 이 책은 이러한 아이디어를 병합하여 통합된 하나의 꾸러미로 나타내고 있다. 이 책의 힘은 하나의 어프로치에서 다음 어프로치로 어떻게 이끌어갈 것인가 하는 것이다. 이 방법의 약점은 단지 무엇을 적응하고 누가 진행할 것인가라고 하는 점에서는 혼동을 가져올 가능성이 있다.

주된 힘은 성취된 모델의 추론과 연장이다. 예를 들면, Diane은 Mens에 의하여 발달되어온 능동 하지직거상 테스트에 복잡하고 새로운 레벨을 도입하였다. Diane은 골반을 통하여 전달된 부하를 간단히 평가하기 위한 테스트로만 사용하기 보다는 근활동의 특수한 패턴을 이루기 위한 다양한 변위(multiple variant)에 문제가 있거나 이득이 되는 다음 레벨까지 테스트를 이용하였다. 다른 예로는 Panjabi의 중성대 가설(neutral zone hypothesis)의 Diane의 해석이다. 판

자비의 모델은 운동관절(motion segment)의 행동을 설명하기 위한 특수한 디자인으로 되어 있으며, 통증과 장애에 기여하게 될 척추운동의 조절 내에서의 변화를 설명하기 위한 모델로서 마련된 것이다. Diane은 안정과 이탈구의 간헐적인 소실처럼 부가적인 비기능을 포함하기 위하여 모델을 연장하는 것이다.

마지막에는 요실금으로 인한 잘못된 부하의 개념에 대한 추론이다. 나의 그룹으로부터 얻어진 최근의 데이터는 골반저 근육의 자세기능을 정의하고 요실금은 요통의 증가된 위험을 동반하는 것과 동일하다는 것이다(Smith et al, 공인되지 않은 데이터). 이 데이터의 통합과 잘못된 부하 전달의 개념은 요실금의 증가된 관리에 따르게 되는 것 같다. 비록 이러한 발달의 모든 것은 변위와 지지가 요구되지만 그들은 미래의 연구에 대한 원동력이 될 것이다.

나는 운 좋게도 Linda-Joy Lee와 더불어 수년 동안 임상적으로 함께 동료로서 일해 왔다. 그녀는 근육계의 평가와 트레이닝을 하기 위하여 나의 그룹의 어프로치를 받아들이고 성실하게 기술하였으며, 골반거들의 특수한 논쟁에 역점을 두기위하여 부가적인 기술을 통합하였다. Linda-Joy는 현재 다른 쪽(other side)을 이해하기 위한 비평의 단서를 갖게 되었으며 제간의 운동조절에 관한 연구 그리고 요부골반계통의 상호작용을 연구하여 나의 연구실에서 이학박사를 취득하게 되었다. 만일 이 책이 어떠한 지침이 있다면, 이것은 실제임상에 있어서 새로운 추정을 따르게 될 것이라는 확신을 가지고 있다.

요약하면 나는 Diane Lee를 격찬하며, 이 분야의 지식을 요약하기 위한 그녀와 그녀의 동료들의 생각은 임상적으로 과학을 가지고 실제임상에 적용한다는 것이다. 발전은 실제임상 과정이고, 다음 단계는 미래를 위하여 생각해야 한다는 것이라는 점을 나는 확신한다.

2004년 브리스베인에서

폴 핫지(Paul Hodges)

서 문

출판사로부터 본 교재의 제 3판을 쓰는 것에 관한 말을 들었을 때 새로운 판을 출판할 만큼 충분한 자료가 있지 않다고 생각했다. 이 최신판을 완결하고 난 후 나는 지난 5년에 걸쳐 허리(low back)와 골반에 대한 우리의 이해에 상당한 진전이 있었기에 2판에 꽤 많은 수정이 있었다는 것을 이제야 알게 되었다. 1장-4장들은 골반대에 관한 관심을 보인 과정과 시간의 흐름에 따른 종(種)과 개체에서 이 부분의 신체적 진화 그리고 교재의 나머지 자료의 이해에 필요한 관련 해부학을 재검토하고 있다. 4장과 9장에는 Frank William, Serge Gracovetsky, Carl DeRosa, Lance Twomey, James Taylor 등이 나에게 그림을 사용하도록 허락해준 해부 도해들이 있다. 이분들과 함께 멋진 작업을 공유할 수 있게 되었음에 고마움을 표한다.

5장은 본 교재를 위한 완전히 새로운 장으로, 함께 많은 시간을 논의와 교수를 통해 Andry Vleeming과의 협력으로 개발된 기능의 통합 모델을 아주 상세하게 소개하고 있다. 그와 이 작업을 함께 하였듯이 나는 그가 내게 지닌 신뢰에 언제나 신세를 지고 있다고 생각한다. 이 모델은 본래 요부골반통(lumbopelvic pain)이 있는 환자들을 치료한 임상경험은 물론 골반에 관한 해부학적, 생체역학적 연구들로부터 얻어졌다. 이러한 접근법은 통증을 발생시키는 구조들을 확인하려는 접근법과는 반대되는 것으로 요부골반-고관절(lumbopelvic-hip) 부분이 고통스럽고 하중을 지탱하고 옮길 수 없는 이유에 역점을 두고 있다. 신체적 요인들이 관절 기능에 영향을 끼친다는 것은 오래 동안 알고 있었다. 이 모델은 관절 역학(joint mechanics)이 다수 요인들에 의해 영향을 받을 수 있음을 시사하는 것으로 이 요인들 중 일부는 관절 자체가 지닌 내재적인 것이고 반면에 일부는 근육 활동에 의해 발생되는 것으로 이 또한 감정 상태에 의해 영향을 받는다. 본 교재는 이 모델의 처음 세 가지 구성요소인 형태폐쇄(form closure), 힘폐쇄(force closure), 운동조절(motor control)의 평가와 치료를 요추와 골반대 그리고 고관절의 적용에 초점을 맞추고 있다.

6장은 요부골반-고관절 부분의 생체역학을 업데이트 하였다. 호주 시드니 출신 물리치료사 Barbara Hungerford의 최근 박사학위 논문은 중요하다. Hungerford는 2판에서 시도했던 생체역학적 면들(뼈운동학과 관절운동학 모두)과 특히 건강한 사람들이 한 발로 서있는 동안 골반의 체중을 받지 않는 부위에서 발생하는 것들을 확인하였다. 또한 그녀의 연구 덕분에 한발로 서있는 동안 힘폐쇄(force closure) 기전이 유효할 때 체중을 싣고 있는 부위에 천장관절의 관절운동면에서 미끄럼 운동(전에는 몰랐고 예측도 못한)이 일어난다는 것을 알게 되었다. 계속해서 그녀는 골반에 압박이 충분하지 않을(유효하지 않은 힘폐쇄) 때는 천장관절에서 잠겨서(locking-in) 미끄럼 운동이 일어나지 않는다는 것을 알려주었다. 이 연구는 골반과 엉덩이를 통한 하중 이동을 분석하는 임상적으로 특별한 실험들(8장)로 발전되었다.

요부골반-고관절(lumbopelvic-hip) 부위의 평가(8장)는 Linda-Joy Lee와 공동집필 하였다. 지난 3년 동안 나는 Linda-Joy와 함께 일하고 가르치는 것을 즐거워 했으며 그녀의 명석함과 학업 기간을 능가하는 임상에서의 지혜로움에 나는 계속 놀라고 있다. 그녀는 내가 오래 견지해온 패러나임들에 상냥하게 이의를 제기하면서 나의 집필과 파워포인트 프레젠테이션들을 개선하였고 그녀가 환자들에게서 이루어낸 결과들을 통해 나로 하여금 때로는 나를 놀라게 하는 실제 임상 분야(dry needling)를 연구하도록 고무하였다. 함께 우리는 터치(touch), 심상(imagery) 그리고 운동(movement)을 통한 가동안정성(mobile stability) -운동하는 다른 방법- 을 다른 사람들에게 가르치는 방법을 익혔다. 이 부분에서 함께 해준 Linda-Joy에게 감사하며, 그녀의 비상을 기대한다.

8장에 제시된 평가는 통합 모델을 따르고 있으며 형태폐쇄(form closure)와 힘폐쇄(force closure) 그리고 운동조절(motor control)의 분석을 위한 특정한 부분적 실험들은 물론 기능적 실험(하중 이동)들을 포함한다. Vleeming과 Buyruk 그리고 Damen의 작업은 형태폐쇄(form closure)를 위한 관절 역할의 해석에 관한 우리의 지식에 상당한 영향을 끼쳤다. 개인적으로 그들의 연구를 통해 개인의 천장관절이 얼마나 많은 움직임을 가져야 하는지를 예측할 수 없고 그러므로 관절 역할 실험들만으로는 저운동성(hypomobility)과 과운동성(hypermobility)을 신뢰할 수 있을 만큼 진단할 수 없다는 것을 알게 해주었다. 아마도 이것은 생체에서 운동 분석에 관한 실험자 상호간에 신뢰성이 극히 부족했던 이유일 것이다. 그들이 알게 해준 것은 건강상태에서는 좌우 천장관절의 움직임은 대칭적이어야 하는 것과 비대칭이 기능장애와 통증의 전조가 된다는 점이다. 이러한 연구의 임상에서 중요성은 8장과 9장 모두에서 더욱 확장되었다. 활동하는 하지직거상테스트(ASLR)는 몸통과 하지(lower limb : 下肢)들 사이에 유효 하중 이동을 측정하는 입증된 임상 실험이다. 원래 이것은 Mens & Vleeming이 도입한 것으로 지난 5년간의 임상 경험에 의거하여 더 발전시킨 것이다. 이것은 ASLR 중에 손으로 압박을 가하는 위치를 변경하면 더 많은 정보를 얻을 수 있으며 이 정보는 움직임과 안정성 그리고 운동조절(motor control)을 개선하기 위한 수기(manual) 치료와 운동들을 처방할 때 임상의에게 도움이 된다는 점을 제시하고 있다(10장).

본 판의 주요 변화는 부분적 그리고 총체적 근육 체계의 분류와 평가와 치료이다. 이것은 특히 Paul Hodges, Lorimer Moseley, Peter O'Sullivan과 다른 사람들에 의한 이 분야의 연구 확산에 부응하는 것이다. 운좋게도 우리는 그들이 우리 진료소를 방문(우리가 그들의 진료소들을)하는 동안 이들 선구자들에게서 직접 배웠고 우리 중에 하나(Linda-Joy Lee)가 Paul Hodges의 북미 순회에서 그를 보조했다. 본서와 같은 임상 교재에 우리가 그들의 자료를 잘 나타내리라는 신뢰와 확신에 힘입은 바 있다. 국부 계통에 관한 신경근육 연구로 우리는 허리와 천장관절 그리고 고관절의 압박(또는 무압박)에 민감성과 가변적 압박이 허리와 골반 그리고 엉덩이의 기능에 미칠 수 있는 영향을 인식하였다. 이제 우리는 '안정성'의 진단이 하나의 실험만으로 도달될 수 없다는 점과 안정성에 대한 Panjabi의 상호의존성 개념(1992b)을 이해하게 되었다. 이것은 참으로 복잡한 개념으로 우리는 자주 연구를 목적으로 단순화 시켜보려 했다.

또한 총체적 계통은 근본적으로 힘을 발휘하는 몇몇 근육들로 이루어진 통합된 슬링시스템(sling system)이라는 점이 분명해졌다. 하나의 근육은 하나 이상의 슬링에 관여할 수 있으며 슬링은 필요한 작업에 따라 겹치거나 상호연결 할 수 있다. 슬링은 시작도 끝도 없지만 힘의 이동을 보조하기 위하여 연결한다는 점이 제시되었다. 모든 슬링은 상호연결된 근육근막 체계의 부분이며 어떤 동작 중에 확인되는 특정슬링은 단지 전체슬링의 선택적인 부분들의 활성화 때문일 가능성이 있다. 이점은 우리로 하여금 근력에 대한 '특정' 실험의 타당성과 이것이 정말로 가능한가에 대한 의문을 갖게 하였다. 8장은 슬링의 확장성 분석은 물론 슬링들을 통한 유효 힘의 이동 분석에 관한 다른 방법을 제시하고 있다.

2002년에 Jackie Whittaker는 우리 팀에 합류하여 요부골반(lumbopelvic)에 대한 국소 계통의 근육들의 평가와 치료 모두에서 실시간 초음파 화상을 이용한 그녀의 임상 경험을 함께 하였다. 8장에서 그녀는 이 분야에서 임상적 의미를 제시하였고 이것은 틀림없이 임상 평가와 치료의 다른 차원에 대한 나의 시각과 방법을 열어주었다. 이러한 일을 맡아주고 나의 수차에 걸친 편집들을 참아준 Jackie에게 감사한다. 귀하의 열정은 전염성이 있어서 내가 귀하의 속도를 좀 늦추게 할 수 있을 때 비로서 나는 그 열정을 이해할 수 있을 것이라고 생각한다.

9장은 통합 모델에 따라 특성 허리와 골반대와 고관절 손상에 관한 주관적 객관적 테스트로부터 얻은 임상 결과들을 고찰한다. 이 장은 스트레스 요실금 또는 요도의 유효하지 못한 힘폐쇄(force closure)에 대한 논의로 끝을 맺고 있다. 내가 생각하기에는 허리와 골반의 국소적 계통에 기능을 회복시키는데 초점을 두는 정형외과적 수기 치료사들과 골반저(pelvic floor)기능장애를 전문으로 하는 치료사들은 기관들을 포함한 요부골반(lumbopelvic) 부위를 통한 실패한 하중 이동이라는 같은 조건을 치료하고 있다. 기능장애는 허리와 골반 관절들의 유효 힘폐쇄의 상실(통증과 움직임/안정성의 상실)이나 요도의 유효 힘폐쇄의 상실(실금 : 失禁) 둘 중에 하나로 인한 것은 분명하다. 연구에 따르면 우리는 부분이 아니라 골반 전체의 기능과 기능장애 양면에 대한 일반적인 이해로 바뀌고 있음이 분명하다.

요부골반–고관절(lumbopelvic–hip) 부위의 특정 손상 치료가 10장의 주제이며 또한 Linda–Joy Lee와 함께 집필한 것이다. 손상된 요부골반–고관절 부위의 치료는 모든 개인이 독특한 임상적 현상을 보이므로 규범적(prescriptive)이어야 한다. 한 가지 기능장애(한 관절이 뻣뻣하든가 한 관절의 조절이 제대로 안되는)만 나타나는 일은 드물고 더 일반적으로는 다수의 문제들이 공존하여 가장 효과적인 치료는 각 환자에 맞는 특정 기법들과 운동들의 독특한 결합으로 이루어진다. 요부골반-고관절의 통증과 기능장애의 효과적인 관리는 형태폐쇄(form closure), 힘폐쇄(force closure), 운동조절(motor control) 그리고 정서 네 가지 요소들에 대한 주의를 요한다. 궁극적으로 기능은 개개인이 하고자 하는 여하한 노력을 위한 관절들과 기관들의 움직임(경직성이 아닌)이 있는 안정성을 필요로 한다. 이 장에서 요부골반-고관절 부위에 대한 유연한 안정성 회복을 위한 특정 수기치료법들과 운동들을 제시한다. 증식 요법을 위한 외적 지원들과 조치들의 역할을 논의한다.

끝으로 이 개정판의 변경사항들이 도움이 되길 바라며 2판을 업데이트할 때라는 인식을 함께하길 바란다.

감사의 글

서문에서 언급한 임상치료사들의 기여에 더하여 본 작업이 완결되도록 도움을 준 분들에게 감사를 표하고 싶다. 모든 임상 사진들은 Goran Basaric(사진작가)과 Melanie Coffey(모델) 덕분이며 몇몇 해부학 생체역학 그림들은 Frank Crymble 덕분에 좋게 수정되었다. 9장에 해부 도면들은 Primal Pictures로부터 구한 것이다. Sloan Hickman, 귀하의 관대한 통합된 견해와 이를 활용하도록 허락해 준 점에 감사한다. 본 개정판의 표지 그림은 Les Grands Ballets Canadiens de Montréal의 공식 사진작가인 Roland Loremte의 후원으로 제공되었다. 그 분은 이 사진에 관한 판권을 지니고 있으며 여기서 그것을 이용하도록 친절하게도 허락해 주었다. 훌륭한 자세를 취해준 무용수들이 유연한 확실한 안정성 회복이라는 본 서의 목적을 명확하게 표현하고 있다. Lisa Davies(오른편 무용수)는 Les Grands Ballets의 중요 솔로이스트로 Linda-Joy와 나는 그녀와 함께 작업하는 기회를 진실로 즐겼다. 끝으로 이 개정판의 완결을 기다리는 동안 인내하고 지원 해준 Mary Law와 Churchill Livingstone에 감사한다.

언제나 그렇듯이 시간을 허락해주고 이 같은 작업에 없어서는 안될 격려를 해준 가족 Tom, Michael과 Cheksea에 감사한다. 이 개정판을 생애에서 알츠하이머(Alzheimer)라는 질병으로 역경을 맞았던 어머니와 어머니의 간호를 맡았던 아버지에게 바친다. 내게 있어서 교훈은 이 두 분을 회상할 시간을 갖게 되었다는 것이다.

역자 서문

골반은 상체와 하체를 연결해 주는 가교역할을 하는 뼈로서 운동학상 상당히 중요한 기능을 하고 있어서 항상 좀 더 깊이 있는 공부가 요하는 부분이었는데 마침 Diane Lee의 "The Pelvic Girdle"이라는 책을 접하게 되어 번역을 하고 싶은 마음이 들게 되었다. 특히 이 분의 Web site(http://dianelee.ca)에 들어가 보면 교육과정과 골반과 기능장애에 대한 여러 정보가 자세하게 설명이 되어 있고 사진과 더불어 소개가 되어 있어서 더욱 흥미를 끌게 되었다.

원서는 이미 2판을 걸쳐 3판이 개정되어 나와 있으나 아직 국내에는 소개가 되어 있지 않은 상태여서 번역을 해서 소개할 생각을 하게 되었다. 먼저 Churchill Livingstone사로부터 번역의 허락을 흔쾌히 얻어 내었고, 이 부분에 관심을 가지고 계신 여러 물리치료과 교수님들의 호응을 얻어 분담하여 번역에 착수하게 되었다. 골반에 대한 기초해부에서부터 평가와 치료에 이르기까지 다양한 방법의 접근과 새로운 치료방식들이 수록되어 있고, 새로운 용어들이 제시되어 있어서 전체적인 통일을 기하는데 다소 어려움이 있었다. 아직 약간은 용어상의 문제에 있어서 미진한 부분이 없지 않으나 이러한 점은 차차 개선해 나아갈 것이다. 어떠한 용어는 마땅히 대체할 한글용어가 없어 그대로 원어를 사용한 부분도 있다. 번역의 목적은 원서자체를 읽기 힘들어 하는 독자들에게 보다 쉽게 이해할 수 있도록 도움을 주는 것이겠지만 정독을 요하는 분들은 원서와 같이 읽어나가면 더욱 좋은 밑거름이 될 것으로 생각된다.

끝으로 이 책이 출간되기까지 번역에 참여해 주신 물리치료과 교수님들의 노고와 시간 할애에 감사를 드리며 대학서림 윤진영 회장님과 임직원 여러분에게도 깊은 감사를 드리는 바이다.

2007년 5월 25일

역자대표

목 차.....

4장 해부학 19

8장 요추골반 - 고관절 기능장애의 진단 97

9장 손상의 정의 159

1 장

역사적 재고

Weisl(1955)에 의하면 골반대에 흥미를 보인 최초의 의학자는 Hippocrates(460-337BC), Vesalius (AD 1543), Pare(AD 1643) 등이었다. 역사적 기록(Weisl 1955)에 의하면, 히포크라테스와 베살리우스는 천장관절은 움직이지 않는 관절이라고 생각하였으며, 파레는 천장관절은 여성의 임신기 동안에는 움직임이 일어난다고 하였다. 그리고 1698년 De Diemerbroeck는 임신기에는 골반이 벌어진다는 것을 입증하였다. 이러한 논쟁은 17세기에서부터 오늘날에 이르기까지 하지와 몸통의 움직임에 수반해서 일어나는 특수한 생역학, 운동의 양은 비록 논쟁의 대상이 되고 있지만 천장관절의 분류와 구성은 그대로 존속하고 있다.

천장관절은 좌골신경통을 포함한 많은 증후군의 원인과 관련되어 있다.: 실제로 20세기의 전환점에서 Albee(1909)와 Goldthwait & Osgood(1905)은 좌골신경통은 천장관절의 앞쪽을 가로지르는 요천추 신경총의 직접적인 압박으로 인하여 발달되는 것이며, 이러한 압박은 천장관절의 아탈구, 이완, 질병으로 인한 것(Meisenbach 1911)이라고 하였다. 치료는 6개월간 척추과신전으로, 석고붕대를 하여 천골을 고정하며 비가동성이 된 천골을 도수정복을 하는 것으로 구성되어 있었다. 뒤이어 Mixter&Barr (1934)에 의한 전통적 논문은 추간판 탈출증과 척수의 요천추 신경근의 압박의 임상적 결과, 천장관절은 별로 중요하지 않은 것으로 취급되었으며 천장관절의 병변은 흔히 다루어지지 않았다(Cyriax 1954).

지난 50년 동안의 연구는 골반대의 해부와 기능에 적합한 중요한 정보가 들어나게 되었다. 1992년에, 요통과 골반통(Vleeming et at 1992b)에 대한 세계협의회에 의해 현재와 같은 골반에 대한 지식이 알려지게 되었으나 그것은 거의 대부분 경험적인 것이었다. 따라서 연구를 더욱 진전시켜 요추와 골반의 비기능에 대한 가장 좋은 치료방법을 결정하기위한 것과 유효한 평가테스트를 발전시키는 것, 생역학적인 이해를 하는 것에 대한 필요성이 명백하게 되었다. 3년 후에 개최된, 제 2차 세계 협의회(Vleeming et al 1995c)에서는 미래의 정보가치, 연구를 통한 유효성, 요추골반 부위의 재활에 대한 기초를 설립하게 되었다. 2회 이상의 세계협의회(Vienna 1998, 몬트리올 2001)는 이 책의 제 2 판이 발행되었을 때 개최되었으며 개인의 손상된 요추골반부위의 치료와 진단을 위한 특수한 근거를 통합하는데 도움이 되었다.

허리(요부), 골반대, 그리고 사지의 통합된 기능은 좀 더 명확하게 되었다. 가장 신뢰할 수 있고 민감한 특수 진단테스트/방법과 치료기술/운동은 아직 숙고하기 위하여 개방되어 있다.: 그러나 우리는 손상을 정의하기위한 충분한 기준을 포함해야 하고 지지를 얻기 위한 입증을 해야 하며, 골반에서 발생될 수 있는 통증으로부터 독립적으로 이것을 검사할 수 있어야만 한다. 그렇게 하기 위해서는 일단 다시, 해부학, 생역학, 사정(평가) 그리고 요추골반고관절 복합체의 치료에 대한 현재의 생각을 기록하기 위하여 충당해야만 하며, 기능의 통합모델(Lee & Vleeming 1998, 2003)은 이 작업에 대한 근거를 확립해야 할 것이다.

이 모델의 일부분은 연구에 의하여 확실한 지지를 받아야 하고 그밖에 유효성이 인정된 것들은 그대로 유지해야 할 것이다. 세월이 흐르게 되면 미래에는 오늘의 아이디어들도 역사적 재고가 될 것이다. - 이 책은 1998년부터 2004년까지의 역사적인 격차를 다리 놓기 위하여 시도된 것이다.

2 장

진화와 비교해부학

제임스 메도우 MCPA MCSP FCAMT
캐나다 물리치료 협회의 정형분과와 정형도수치료의 북아메리카 협회의 교육자. 스워딤 콘설팅(Swodeam Consulting)의 설립자 겸 과장.

목　　차

도입

세상 모든 동물의 관점에 있어서 독특하게 똑바로 서서 두발보행을 하도록 진화 적응된 인간의 요추골반-고관절은 거의 5억년 전부터 그 디자인의 기초가 시작된 것으로 생각된다.

5천만년 이전에서의 화석에서 인간의 골반이 발견되지 않았다는 것은 인간의 두발보행의 적응이 최근의 일이라는 추정을 뒷받침해 주고 있다.

이 장에서는 촉진된 인간보행에 대한 진화단계의 개요에 대하여 잠시 설명하고자 한다. 따라서 여기에서는 두발보행의 결과로서의 인간구조와 자세에서의 변화를 언급할 것이다.

골반대의 진화

골반대가 처음 나타나게 된 것은 원시 물고기의 복부에 가로놓여있는 한 쌍의 작은 연골성분으로부터 시작되었음을 보여준다(Romer 1959, 대영백과사전 1981, Young 1981, Stein & Rowe 1982, Nelson & Jurmain 1985, Gracovetsky & Farfan 1986). "접은 지느러미"이론은 고대물고기에 있어서 형성된 측면 지느러미는 물결치는 물고기의 몸이 뒤집어 지거나 구르는 것을 방지하기 위한 것이라는 주장이 받아지게 되었다. 양쪽의 지느러미는 물속에서 전진하고 조정하는 역할로서 그것은 점차 분화되기 시작하였다. 이러한 분화로부터 두 쌍의 측면 지느러미, 가슴과 꼬리지느러미가 형성하게 되었다. 가슴지느러미는 일차적으로 전진하는 역할을 담당하게 되었고 가장 안정된 두 개의 지느러미를 갖추게 되었다. 이 때까지 안정성은 골반대의 기능으로 필요하지는 않았으며, 축의 연결장치의 필요성도 양측사이의 연결로서의 역할도 필요치 않았다.

지상으로의 이주와 함께, 골반지느러미는 빠르게 이동과 골반대의 필연적으로 증가된 안정성의 최강의 역할로서의 발달이 요구되었다. 가슴지느러미(그리고 이것의 측면발달과 앞다리)는 조정의 역할에서의 기능이 소실되었다. - 처음에 해왔던 역할의 반전

골반대의 안정화

골반대는 치골결합과 천장관절에서 모두 증가된 안정화를 향하여 진화되었다. 처음 골반뼈(무명골)는 치골과 좌골이 동시에 형성된 두 성분이 포함되어 있었다. 안정화가 진행되는 동안 치골과 좌골은 커지게 되고 치골과 좌골 결합의 반대측에서 서로 결합하게 되었다. 따라서 골반대의 안정성은 증가되었다. : 그러나, 원시적인 골반뼈와 양측의 골격사이의 안정성이 필요하게 되었다. 후방으로의 돌출은 치골과 좌골의 발달(결국 장골로 형성되었다) 축의 골격을 향하여 바로 형성하게 되었다.

동시에 축 골격의 늑골성분은 커지게 되었고 그리고 하나(또는 그 이상)의 꼬리뼈로서 좌골이 형성되었다. 원시 골반뼈의 장골로의 돌출과 원시적인 좌골의 확장된 연골과정(costal process)은 처음으로 천장관절을 형성하게 되었다. 첫 번째의 결합은 인대에 의해서였다. 그러나 축과 부속 골격 사이에서 곧바로 관절(articulation)이 이루어지게 되었다. 이 단계에서, 골반대는 오늘날 볼 수 있는 모든 네발동물의 완전한 성분의 골반을 지니게 되었다.

천골에 공여하는 척추뼈의 수는 종에 따라 다양하고 천장관절에서 요구되는 안정성 또는 운동성의 정도에 따르게 된다. 많은 양서류와 파충류는 단지 하나 또는 두 개의 천골뼈를 가지고 있는 반면 고등포유동물들은 5개의 천골뼈를 가지고 있다. 과도한 천골의 발달은 새들에게서 발견되며 이들은 천골, 요추, 꼬리쪽 흉추일부가 붙어있는 천장유착(synsacrum)을 가지고 있다. 이것은 거대한 흉골과 더불어 날개를 움직이는 근육의 앵커로서 필요한 안정성에 대비하기 위한 것이다.

척추의 이동운동 패턴(locomotion pattern)은 네발기기로 기어 다니는 동물과 비교해 볼 때, 고등의 포유동물은 두발보행으로 진보해 나아가게 되어, 장골의 역할은 좀더 중요한 의미를 지니게 되었다. 뼈는 주로 골반에 부착되어 있으며 근육은 천장관절의 관절면 뿐 아니라 다리의 근육들을 위해서도 주로 골반에 부착되어 있다.

비교해부학

인간 골반대의 구조는 두발보행에 적합하도록 반영되어 있다(Keagy & Brumlik 1966, Tuttle 1975, Farfan 1978, Goodall 1979, Rodman & McHenry 1980, Stein & Rowe 1982, Swindler & Wood 1982, Basmajian & Deluca 1985, Nelson & Jurmain 1985, Williams 1995)(그림 2.1). 장골의 표면은 증가되어 있는 반면 좌골과 치골의 길이는 감소되어 있다. 후방의 근육들은 천장관절의 안정성을 증가하기 위하여 이차적으로 약간 두툼한 모양을 소실하고 있다. 천장관절의 충분한 가동성은 두발보행을 위하여 유지되고 있다.

천골

천골은 크기가 증가되고 따라서 대둔근은 뼈에 부착을 증가시켜 편의를 도모한다.

천장관절의 관절면은 또한 크기가 증가되고, 두발보행서기(bipedal stace)에서 일어나는 증가된 압력을 촉진한다. 압력 그 자체는 좀 더 부조화를 이루게 될 것이며(3장) 골반내의 안정성은 촉진된다.

무명골(INNOMINATE)

장골은 두발보행에 반응으로서 극적인 변화를 경험하게 된다. 뼈는 뒤틀리게 되고(그림 2.1) 그와 같은 것은 좌측면이 이제 바로 전방으로 향하게 된다. 중둔근과 소둔근은 전방으로 이동하게 되고 그 기능은 그에 따라 변화하게 된다. 원숭이에 있어서, 중둔근과 소둔근은 대퇴신전근으로 작용하지만, 인간에 있어서는 대퇴 외전근(그림 2.2)으로 작용하며 따라서 트렌델렌버그 보행을 방지하게 된다.

장골을 재인식을 하는데 있어서 부수적인 설명으로, 와(fossa)는 발달되어 장골와를 이루고, 이것은 둔부근과 장골근(iliacus)이 잘 부착할 수 있도록 이용할 수 있다는 것이다. 중둔근과 소둔근의 전방이동에 대한 신전근 파워에 있어서 정복은 그런 이유로 인하여 그것을 보상하는 동작을 하게 된다. 또한 장골와는 장골근의 확대를 촉진하고, 이것은 인간이 똑바로 서는 자세를 유지하는 역할에 중요한 작용을 하게 된다.

좌골에 있어서 해부학적인 명백한 변화는 슬괵근(hamstrings)의 기능을 변화하는데 반영된다(아래를 보라). 비록 이들 근육들은 대퇴 신전근으로 작용하는데 포함되지만, 지속적인 활동은 인간들에 있어서 두발보행서기를 요구하지 않는다. 따라서 좌골뼈와 결절은 길이와 넓이가 감소하게 된다(그림 2.1). 치골결절의 척추의 규모도 또한 효율적인 두발보행의 진화와 함께 감소된다.

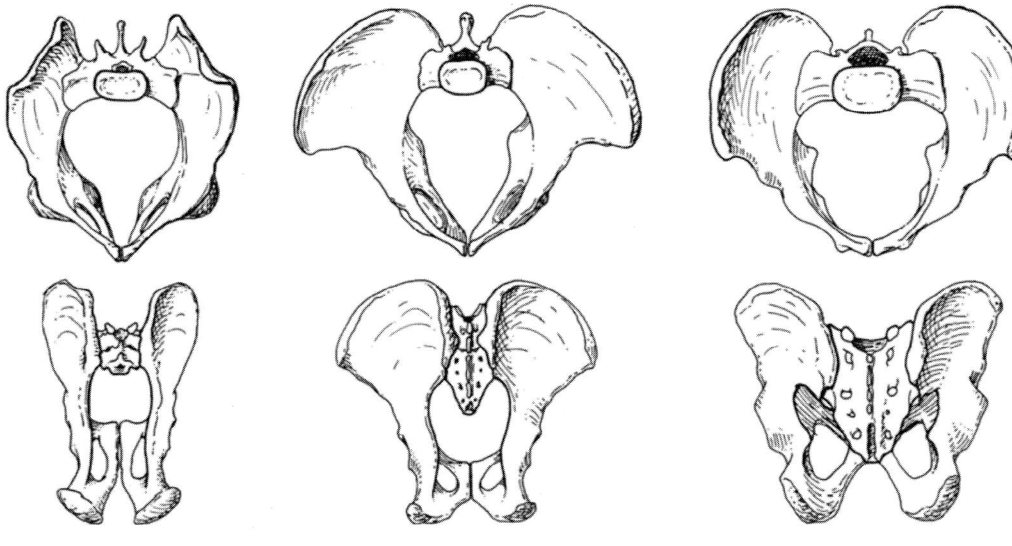

그림 2.1 골반대의 비교해부학 (1982년 Stein& Rowe가 다시 그린 그림임)

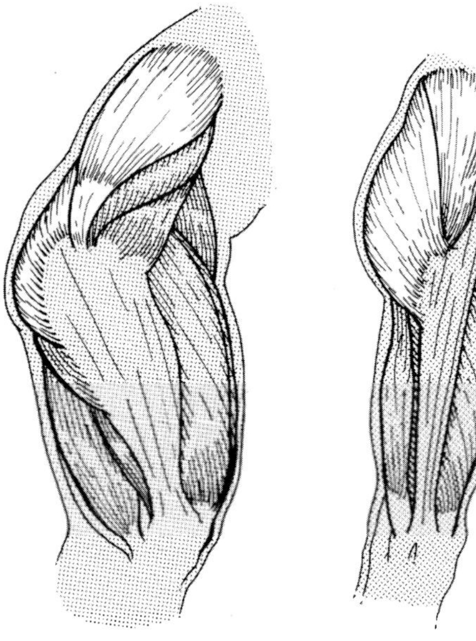

그림 2.2

관골구

관골구(acetabulum)는 점점 깊어질 뿐 아니라 전측방향으로 재인식하게 된다. 이 재인식은 대퇴경이 전방으로 돌출되고 기울기의 각도와 더불어 비구 바로아래 발이 놓이는 곳까지 뒤꿈치닿기(heel strike)에서 다리를 내전시키는 것이 확실하다. 고관절의 인대(그림 4.23과 4.24)는 원숭이의 그것과 비교해 보면 넓게 분포되어 있는데 반하여 원숭이들은 거의 존재하지 않는다.

자세

다른 영장류와 비교하여 인간의 척주는, 우선 자세에서부터 다르다. 인간의 척주와 무명골은 양 다리 위에서 머리 쪽으로 올라가지만 천골은 후방으로 90° 회전되어 있다(그림 2.3). 천골기저는 인간이 아닌 포유동물처럼 수평으로 이루어진 것은 아니지만 90°로 회전되어 있는 것도 아니다(Abitbol 1995, 1997). 제 5요추와 더불어 천추갑각(엉치뼈곶)(sacral promontary)은 예각(뾰죽하게)으로 되어 있다. 따라서, 척추를 구성하고 있는 천골은 일반척추보다 좀 더 수평의 한 줄로 합쳐서 이루어져 있다고 하더라도 꼬리쪽으로보면, 요천추 각(lumbosacral angle)과 요추전만이 발달되어 있다. 이 커브는 흉추후만을 발달시켜서 보상하게 된다.

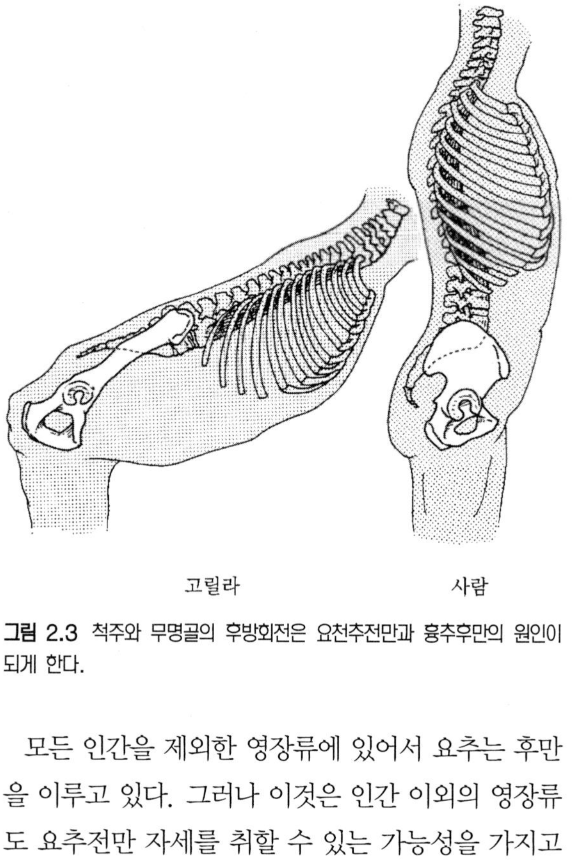

그림 2.3 척주와 무명골의 후방회전은 요천추전만과 흉추후만의 원인이 되게 한다.

모든 인간을 제외한 영장류에 있어서 요추는 후만을 이루고 있다. 그러나 이것은 인간 이외의 영장류도 요추전만 자세를 취할 수 있는 가능성을 가지고 있다고 Gmbe Stream Reserve 연구소에서 Goodall (1979)에 의해서 입증되었다. 이 연구에서 한 마리의 원숭이가 영아 때, 소아마비에 걸렸었는데, 한쪽 팔의 기능이 소실되어, 특징적으로 "손가락관절 보행(knuckle walk)"이 불가능했으며, 이 원숭이는 이동활동(locomotion)을 하기 위하여 두발보행으로 발달하게 되었다. 이것을 촉진하기 위하여, 뚜렷한 요추전만이 발달되었다. 그러나 원숭이의 대둔근의 부착은 요추와 대퇴의 신전을 방지하였고 그 이후 뼈와 근육의 구조도 변화되었으며, 양쪽의 고관절과 무릎의 굴곡이 증가되었고 지지면의 기저면 안으로 중력선(line of gravity)을 유지할 수 있게 되었다.

원숭이의 두발보행 자세는 둔근과 슬괵근에 의존하였고 주 역할은 골반대와 몸통을 굴곡된 양 고관절에 안정시키는 것이었다. 양쪽 근 그룹에 있어서 지속적인 활동은 요구되었고 따라서 중심선은 고관절의 관상축(coronal axis)에서 전방으로 떨어지게 되었다. 따라서 원숭이에 있어서 후방근육의 부착은 넓게 퍼지게 되었고 좌골뼈와 좌골결절은 육중하게 되었다. 반대로, 사람에 있어서는 중심선이 약간 고관절의 관상축에서 후방으로 떨어지며(그림 8.1), 그에 따라 자세 밸런스를 위한 조건은 양측이 감소되고 역전되었다. Abitbol(1997)에 따르면, 똑바르게 선 자세는 천장관절의 중심(biauricular line)과 비구의 중심에 있을 때 그리고 골반의 시상면을 측면으로 보았을 때 수직선을 형성하면 가장 힘을 적게 들여 서 있을 수 있다고 하였다. 체중은 좀더 효율적으로 균형을 취할 수 있고 대퇴에서 골반대는 신전을 취하는 경향이 있다. 이것을 방지하기 위하여, 대요근을 약간 감소시키면 최적의 두발자세를 유지하는데 요구되는 동작이 된다. 오직 간헐적인 활동은 슬괵근 그룹과 필연적으로 일어나는 좌골과 좌골결절은 크기에 있어서 상당히 줄일 수 있게 될 것이다.

Summary

인간의 요추골반-고관절복합체는 나무모양의 라이프스타일로 진화된 영장류의 골반대로부터 발달되어 왔다. 현재의 척추커브는 비교적 최근의 일이다.: 초기 인간화(다른 영장류와 인류를 구별하는 특질의 진화론적 발달)와 네안델탈인 조차도 척추커브가 다르다. 커브는 다른 것에 보상하는 변화에 따른 하나의 결과로서 변화의 원인이 되는 요소와 서로 의존하는 것이다. 인류(Homosapiens)에 있어서 주된 구조의 변화는 지구상에 네발기기 동물 가운데 생에너지적으로 효율적인 보행을 촉진하기 위하여 진화되어 왔다는 것을 나타낸다.

감사

나의 이 기고문은 Jim Meadows의 덕분임을 밝혀둔다.

3 장

골반 - 발생과 연대순 발달

목 차

발생학과 발달

뼈의 발달

천골

천골은 라틴어의 sacer로부터 파생된 이름으로서, 신성하다라는 의미를 지니고 있었으며 이것은 단지 마녀의 열정을 보존하는 뼈로서 신성시해야만 하는 것으로 되어 있었다. Fryette는 골반은 “고대 남근 숭배로서 척추의 기저부를 신성한 뼈”로 믿어왔다(Fryette 1954)고 하였다. 골반뼈는 다섯 개의 중배엽 분절(mesodermal somites)의 결합으로부터 파생된다. 발생 4주 동안, 42-44분절의 쌍은 축옆 중배엽(paraxial mesoderm)으로부터 일어난다. 비록 31번째에서부터 35번째까지 진화되는 천골과 일치하지는 않더라도 각각 경절(sclerotome), 근절(myotome), 피절(dermatome)의 3개의 구성성분으로 나누어진다(그림 3.1).

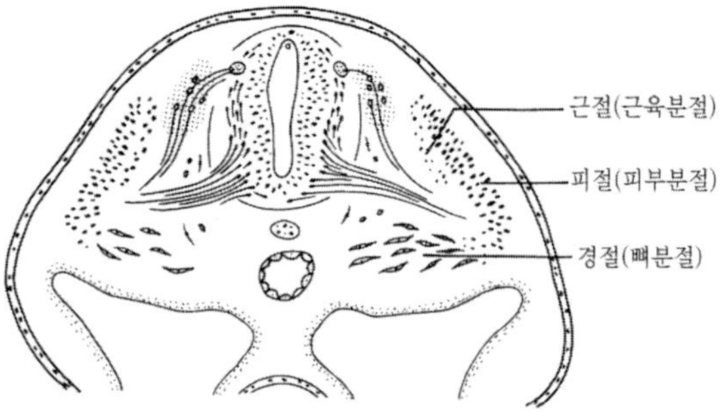

그림 3.1 중배엽 분절의 구별. 경절, 근절, 피부절 (1995년 윌리암의 재도해)

경절은 척삭(notochord)을 에워싸기 위하여 모두 수직으로 그리고 등쪽으로 증식되고 확산, 이주되고 척수로 진화된다. 따라서 개개의 경절은 머리쪽 성분과 꼬리쪽 성분으로 똑같이 나누어지게 되며, 섬유성연골의 퇴화된 추간원판의 발달로 진행된 천골로서 경절열구(sclerotomic fissure)에 의해서 분리된다. 인접한 경절마디(sclerotomic segment)는 척추체의 중심을 형성하여 연접한다. 경절의 등쪽면은 후방으로 이주하며, 척추 아취(신경아취는 이것의 일부이다)를 형성한다. 반면에 배외측면(ventrolateral aspect)은 연골돌기를 낸다 (ala of the sacrum) (그림 3.2). 이 과정은 단지 상부의 둘 또는 세 개의 천골마디에서만 나타나고 귀모양의 천골면(auricular sacral surface)을 형성한다.

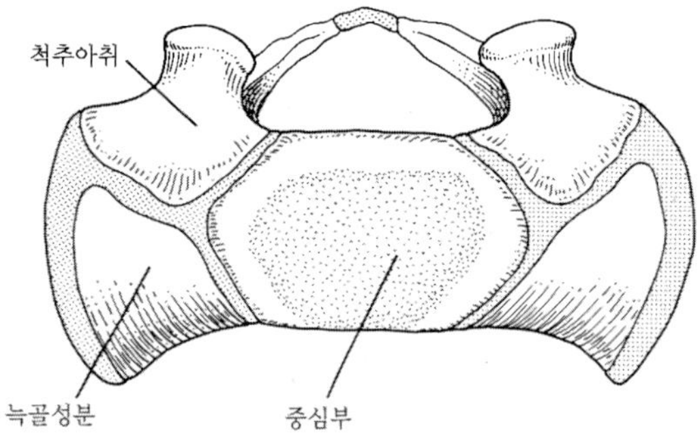

그림 3.2 중심부, 척추아취, 돌기의 늑골성분(costal element)의 세 부분으로 구별되는 미래천골의 경절

천골의 연골발생중심은 골화가 진행되고 발생 6주 동안 시작된다(Rothman & Simeone 1975). 척추체를 위한 일차적 골화 중심과 척추아취의

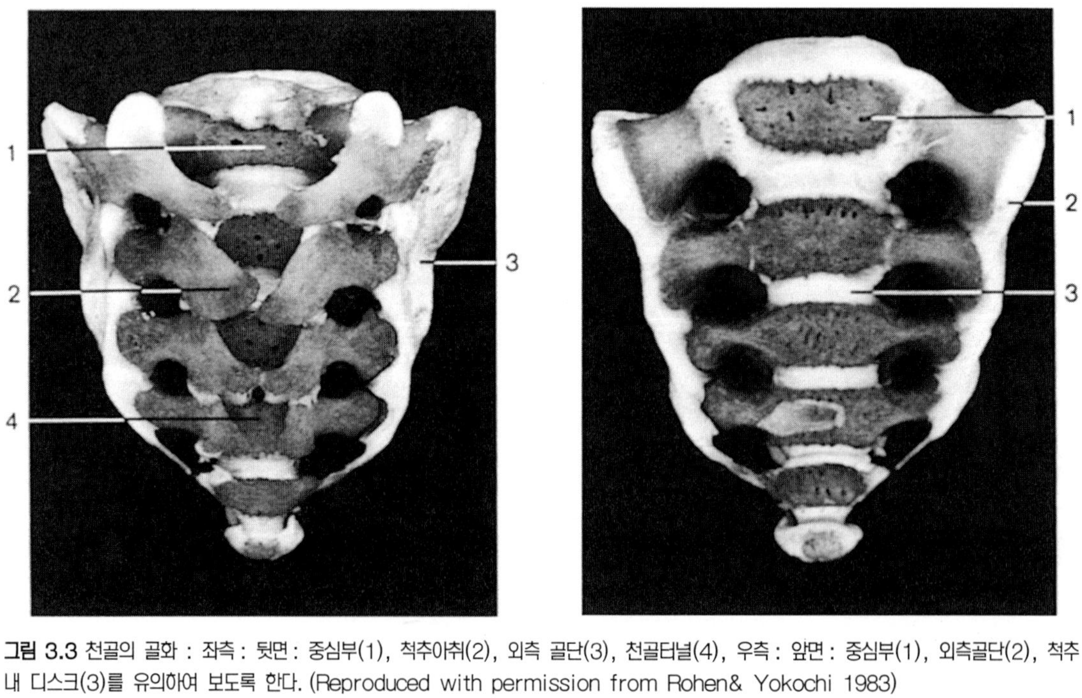

그림 3.3 천골의 골화 : 좌측 : 뒷면 : 중심부(1), 척추아취(2), 외측 골단(3), 천골터널(4), 우측 : 앞면 : 중심부(1), 외측골단(2), 척추내 디스크(3)를 유의하여 보도록 한다. (Reproduced with permission from Rohen& Yokochi 1983)

각각의 절반은 10주와 20주 사이에 나타나며, 늑골성분에 대한 일차적인 중심은 늦게 나타나서 6-8개월 사이에 나타나게 된다.

천골 마디(그림 3.2)의 3개의 구성성분– 늑골성분, 척추아취, 그리고 천골은 늑골성분(천골날개)이 척추아취에 연결될 때의 나이인 2-5세까지 초자연골로 분리되어 남는다. 이 단위는 그 다음에 중심까지 연접되고 8세에 이르면 다른 척추까지 연접된다.

합쳐진 늑골성분, 척추아취, 그리고 개개의 천골 마디의 중심은 측방으로는 초자연골에 의하여 상하로 분리되어 남게 되고 내측으로는 섬유연골에 의하여 분리되어 남는다(그림 3.3).

연골골단(cartilaginous epiphysis)은 천골의 외측면의 전체길이에 연장된다. 천골마디의 연접은 꼬리쪽 머리쪽으로 사춘기 이후에 일어난다. 동시에 척추체에 대한 이차적인 골화중심, 극돌기, 횡돌기, 늑골 성분으로 나타난다. 천골에 인접한 면은 20세 이후에 골화가 일어나게 된다. : 그러나 추간원판의 중심부위는 중년기 이후가 되어도 골화되지 않은 채로 남아있을 수 있다.

관골(무명골)

관골은 라틴어로 innominatus이며 이것은 이름이 없다는 의미이다(그래서 무명골이라고 불리운다.). 이것은 발생 7주에서 나타나며 –장골, 좌골, 치골– 발달되는 지체의 봉우리내의 벽쪽장막(somatopleure)으로부터 중배엽의 작은 증식체로부터 파생된다, 세 개의 일차적인 골화 중심은 출생 전에 나타나며, 좌골절흔 위의 장골에 대한 하나는 자궁내의 8주에 나타나며, 뼈의 몸체 안에서 좌골은 4개월 때에, 그리고 상지(superior rumus)에서 치골은 4-5개월 사이에 나타난다. 출생시에, 장골능, 비구와(acetabral fossa), 그리고 하부좌골치골지(inferior ischiopubic ramus)는 섬유골화 된다(그림 3.4). 하부좌골치골지는 7-8세가 되어야 비로서 골화된다. 장골능과 비구와는 사춘기에 2차적인 골화중심으로 발달된다. 그러나 25세까지 골화되지 않고 남을 수 있다. 청년기에 치료를 할 때, 이것은 심한 모빌리제이션 또는 도수치료기술을 가하기 전에 발달단계에 철회하기 위하여 적절히 시행해야 한다.

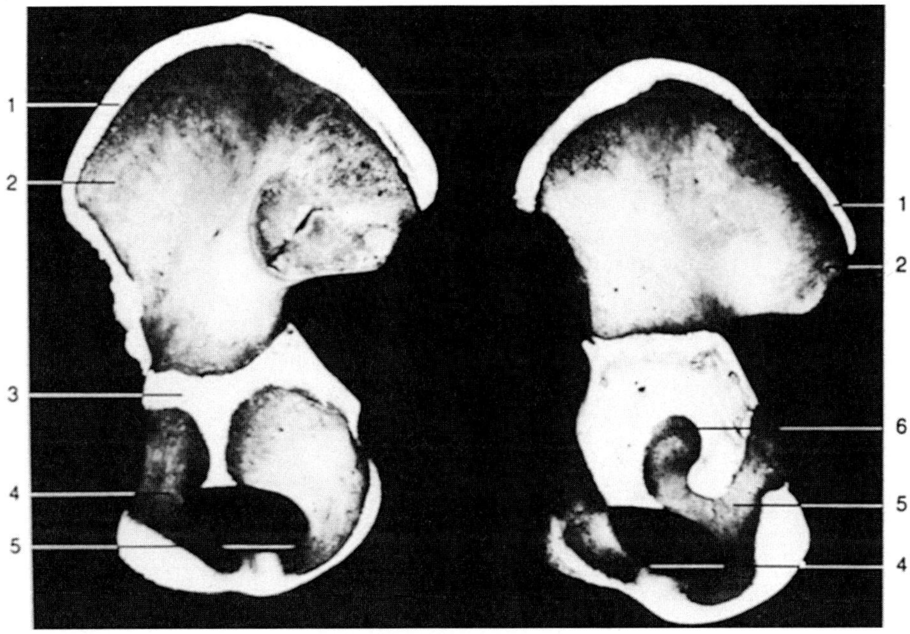

그림 3.4
좌측 무명골의 내측(좌측)과 외측(우측)면 그리고 골화과정. 장골능(1), 장골(2), 장골, 치골, 좌골이 분리되는 연골(3), 치골(4), 좌골(5), 비구(관골구)(6)를 유의해 보도록 한다. (Reproduced with permission from Rohen & Yokochi 1983)

관절의 발달

천장관절

Bellamy등(1983)에 의하면, 천장관절(SIJ)의 발달은 자궁내에서 8주에 시작된다고 하였다. 다른 윤활관절과 마찬가지로 세 겹의 구조로 되어 있으며, 처음에는 장골과 천골의 늑골성분 사이의 중배엽에서 나타난다. 공동화(cavitation)는 10주와 13주경에 말초와 중심에서 시작되며 확대된 공동화는 섬유질 격막에 의해서 분리된다. 이러한 소견들은 Walker's (1984, 1986)의 연구와 일치하지 않는다. 이들의 연구는 36명의 태아의 연구로서 공동화는 32주까지는 시작되지 않았다고 기록하고 있다(그림 3.5). 공동화가 완전하게 일어나는 단계와 섬유성밴드의 소멸은 논쟁의 여지가 있다. Bellamy등(1983)은 공동화는 8개월에 완전히 발달된다고 주장하였으며 그것은 섬유성 격막으로 곧 사라진다고 한 반면 Walker (1986)는 12주가 되어도 대부분 완전한 공동화를 볼 수 있는 활막관절은 거의 없었으며 천장관절은 출생시에 섬유성 밴드에 의해서 분리된 채로 남아 있었고 성인이 되어도 일부 관절에서는 이것이 그대로 잔존하고 있음을 의문시하고 있다. Bowen&Cassidy(1981)는 이 단계의 그룹에서 10명의 실례를 보고 하였는데 그것은 말기의 태아에서는 섬유성 격막이 미리 포함되어 있지 않았다는 것이었다. Schunke(1938)는 먼저 이들 관절내 밴드들(intraarticular bands)을 언급하였으며 이것은 첫돌이 되기도 전에 사라진다고 하였다.

원시강(primordial cavity)의 가장자리에서 중배엽으로 발달된 관절의 활막은, 이 단계에서 얇고 유연한 관절낭처럼 발달된다고 하였다(Bowen & Cassidy 1981). 모든 과학자들(Schunke 1938, Bowen & Cassid 1981, Walker 1986, Kampen & Tillmann 1988)은 천골과 장골의 관절면에서 선에 있는 연골사이의 거시적과 미시적 차이를 기록하였다.

장골은 섬유연골의 타입으로 경계선이 되어 있고 이것은 천골(plate 1과 2)의 경계를 이루는 초자연

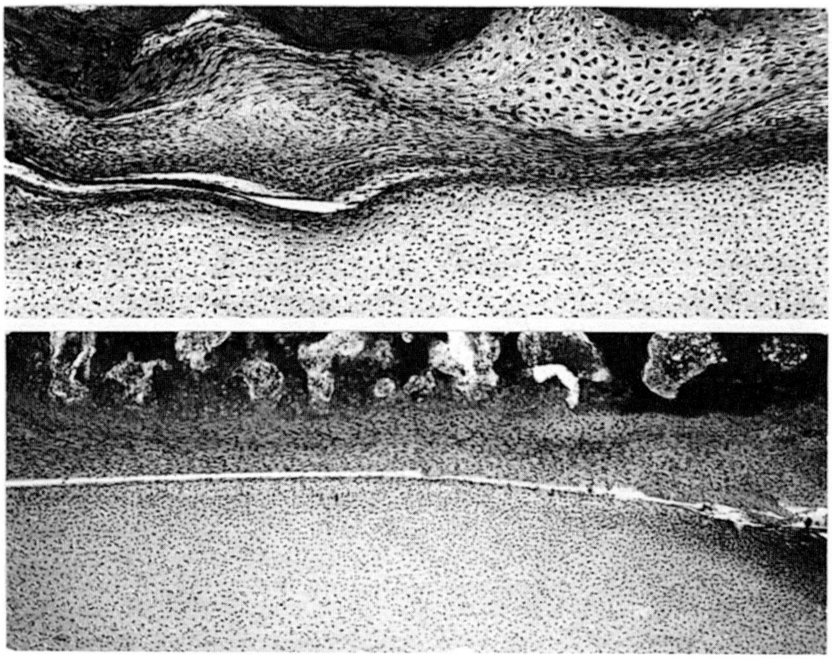

그림 3.5
천장관절의 공동화(cavitation).
위 : 임신 16주의 자궁에서의 천장관절. 장골의 근위부에서 관절면까지를 보면서 관절의 부분적인 공동화와 두 면 사이에 연결되어 있는 섬유밴드의 존재를 유의해 본다.
아래 : 임신 34주의 태아에서의 천장관절. 공동화는 몇 개의 느슨한 밴드를 제외하고는 거의 완전하다.

골보다 좀더 일직선상으로 되어 있고, 청색이고 흐릿하게 되어 있다. 그리고 이 차이는 출생시부터 뚜렷한지를 주목해야 한다(Kampen & Tillmann 1998). 연골의 깊이도 차이가 있다. Bowen & Cassidy(1981)에 의하면, 천골의 초자연골은 장골의 연골보다 서너배가 두껍다고 하였다. 이것은 Schunke(1938), MacDonald & Hunt(1951) 그리고 Kampen & Tillmann(1998)의 연구소견과 일치한다. 그러나 Walkr(1986)의 연구와는 차이가 있다. 그는 천골의 초자연골은 장골의 섬유연골보다 1.7배 두껍다고 하였다. 비록 이들 소견은 연구의 관절면에 따라 다양하다. 모두 동의하는 것은 이 단계에서는 관절면이 부드럽고, 편평하다는 것이다. Walker(1984)는 만삭으로 태어난 영아(full term infants)도 충분히 상승과 하강하는 것을 발견하였고, Bowen & Cassidy(1981)는 태아의 골반을 다루는 동안 관절이 다양한 방향으로 활주의 가능성이 있다는 것을 발견하였다.

치골결합과 고관절

치골결합은 비활막관절로서 초자연골의 얇은 층사이에 두꺼운 섬유연골디스크를 포함하고 있다. 이 치골결합은 출생 시에 두꺼운 섬유성 종판(9-10mm)을 가지고 임신 2개월 말에 나타난다(Gamble 등 1986). 그러나 그것은 골격이 성숙됨에 따라 얇아지게 된다(200-400um). 이차적 골화중심은 조기 사춘기와 청년기 중간에 나타나며, 이 관절의 성숙된 크기에 도달하게 된다. 고관절의 자세한 발생학적인 설명은 이 교과서의 영역을 벗어나 있지만 흥미를 가지고 있는 독자들은 여러 가지 문헌을 참고하기 바란다(Strayer 1971, Watanabe 1974 Siffert & Feldman 1980, Walker 1980a, b, 1981).

천장관절과 나이

출생 시에 골반대는 완전하게 발달하지는 않는다. 단위의 중요부위는 섬유성으로 되어 있고 연골해부는 골반대의 안정성에 약간 도움이 되고 있다. 다음과 같이 70년 동안 천장관절 내에서 일어나는 변화는 생역학적, 사정(assessment), 다양한 연령그룹에 따른 골반대의 치료에 특별한 의미가 있다.

10대 (0-10세까지)

Bowen & Cassidy(1981)는 이 나이의 그룹의 7명의 골반을 연구하였고, 천장관절이 일차적으로 편평하게 되어 있다는 것을 보고하였으며(plate 2) 매우 강한 골간인대에 의하여 둘러쌓여 있어서 수동운동에 주된 저항을 한다는 것을 보고하였다. 관절연골은 출생전의 상태대로 나타나 있음을 기록하였다.

20대와 30대 (11세에서부터 30세까지)

이 연령그룹에 있어서의 연구를 위한 시체의 이용성은 제한이 있다. : 데이터는 얻을 수 있으나 매우 작은 시료에 기초를 하고 있다. 이 나이와 관련된 관절내의 변화에 대한 Sashin's(1930)의 연구는 아마 가장 광범위하다고 할 수 있다. : 이 연구의 그룹에 속한 시료는 42명이었지만, Resnick등(1975)은 단지 두 명의 표본만 포함되었으며, MacDonald & Hunt's(1951)는 7명, Bowen & cassidy's(1981)은 7명 그리고 Walker's(1986)는 표본이 없었다.

20대 초기에는 천장관절이 평면으로 나타나 보인다. : 그러나 30대가 시작되면 모든 표본은 명백하게 볼록한 능선을 보이며 장골의 관절면의 전체 길이를 따라 볼록하게 나타난다. 반대로 천골의 구(groove)는 그와 상응하게 나타난다(Bowen&

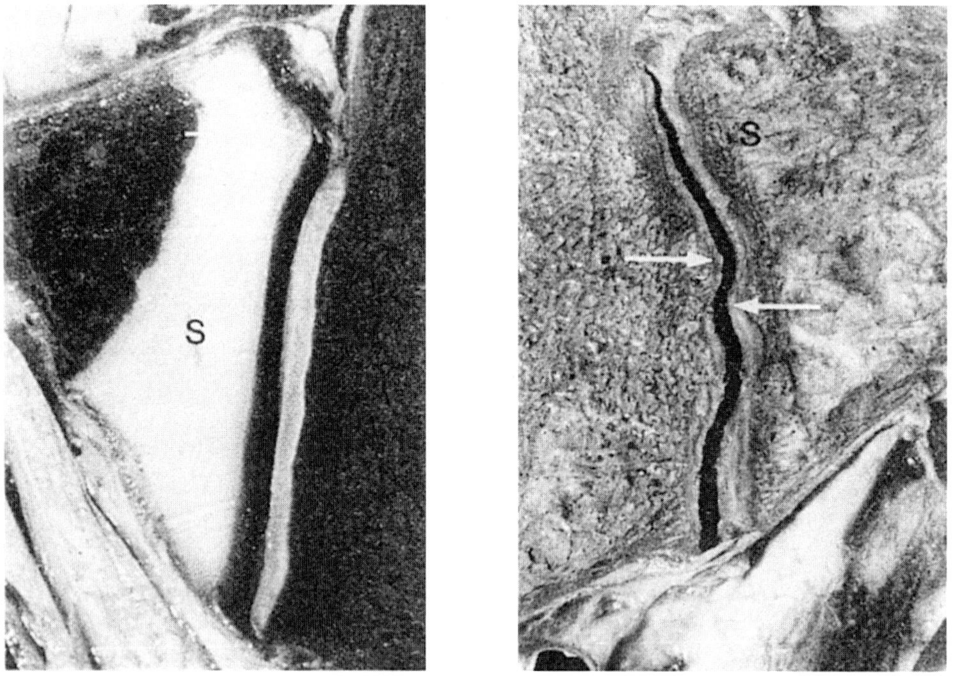

그림 3.6 두 개의 방부 처리된 남성 사체표본을 통한 관상 단면도 : 좌측 나이 12세 그리고 우측 60세 이상. 젊은이의 천장관절의 평면특성(planal nature)을 유의해 보고 고령자의 능선과 도랑(화살표)을 유의해 보도록 한다. S. 천골 (Reproduced wity permission from Vleeming et al 1990a).

Cassidy 1981, Vleeming등 1990a)(그림 3.6). 장골의 섬유연골면은 흐릿하고, 거칠며, 간헐적으로 섬유성 플라그로 입혀져 있다(plate 3). 심부의 관절 연골은 미시적으로 정상이며 그러나 표층은 세동(fibrillated)되고 약간 갈라진 틈을 형성하고 있다. 그리고 마모는 30대의 말기에 일어난다. 천골의 초자연골은 노르스름한 빛깔을 나타내며, 비록 거시적인 변화는 이 단계에서 명백하지는 않다. 섬유성 낭의 콜라겐은 증가되며, 확장성이 감소된다. 수동관절운동은 수밀리미터의 활주로 매우 작은 각운동의 커플로 제한된다. Shibata 등(2002)은 전산화단층촬영(CT)으로 천장관절에 대한 나이와 관련된 변화(관절낭의 협소, 경화, 골화, 낭종, 그리고 마모)를 연구하였으며 30대에서 시작되는 변화를 발견하였다.

40대에서 50대 (31세에서 50세까지)

여러 학자들(schunke 1938, Bowen & Cassidy 1981, Walker 1984, 1986, Faflia 등 1998, shibata 등 2002)은, 이 단계에서는 관절면에 변성과정을 나타낸다는 것을 알게 되었으며, 남자(40대)는 여자(50대)보다 조기에 변화가 일어난다고 하였다. Vleeming등(1990a,b)은 이러한 변화는 대부분 증상없이 일어나며 그들은 사춘기에 체중의 증가로서 이차적으로 기능의 적합에 반영하며 그리고 변성은 진행하지 않는다고 하였다. 그들은 관절의 마찰계수로 연골조직의 효과를 연구하였다(Vleeming 등 1990b). 그리고 능선과 구(도랑)의 발달과 더불어, 세동면은 마찰을 증가시킨다는 것을 발견하였다. 따라서 천장관절의 안정성이 증가된다. 이것은 두발보행의 적합에 반영된다고 생각하였다.

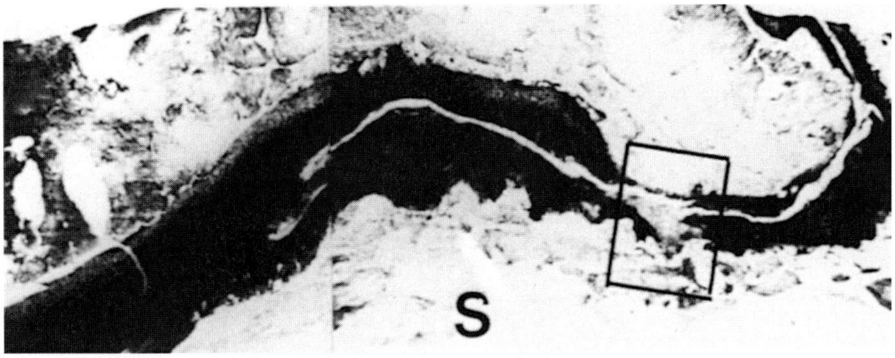

그림 3.7
60세 남성의 천장관절. 차이가 나는 부위에서 장골연골과 양측 천골(S)의 깊이의 다양성을 유의해 본다. (Reproduced with permission from walker 1986)

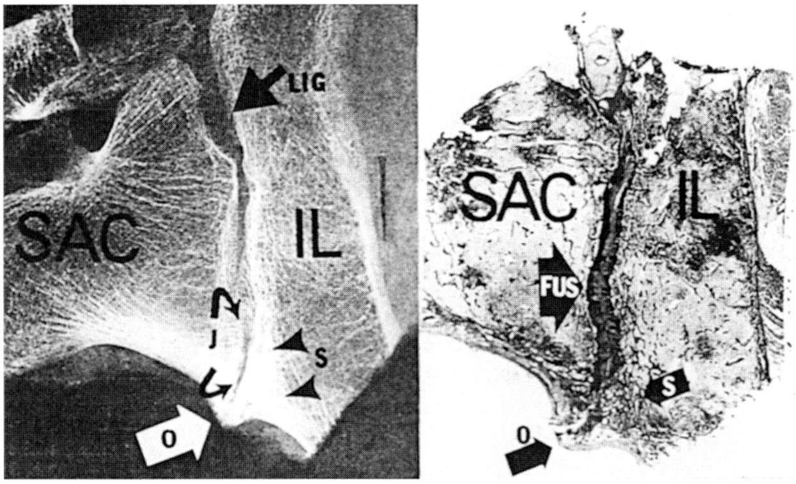

그림 3.8
좌측 : 70세 남성의 천골의 관상 단면도의 방사선 영상은 관절강(J)의 협소, 뼈의 경화(S) 그리고 골화형성(osteophyte formation)을 보여주며, 이차적인 변성과정을 보여주고 있다. 뼈 사이의 인대의 공간(LIG)을 유의해 보도록 한다. SAC는 천골을 IL은 장골을 의미한다.
우측 : 이 방사선 영상은 경화된 부위(S)의 두터워진 골주(traveculae)를 나타내고 있으며, 관절내의 섬유성 유합(FUS)부위와 이전에 관찰된 골형성을 보이고 있다. (Reproduced with permission from Resnick et al(1975)and the publishers J.B. Lippincott)

관절면은 불규칙한 면이 증가되었고, 40대에는 현저하게 세동은 장골측에 일어났다(plate 4). 연골의 플라그 형성과 말초성 마모는 진행되고 장골측의 뼈의 연골하 경화(subchondral sclerosis)가 진행된다. 관절의 공간은 벗겨지기 쉽게 되고 무정형의 부스러기가 생긴다. 관절낭은 두꺼워지지만 아직 20대와 30대에서 볼 수 있는 활주운동(translatory motion)을 허용하며(Bowen & Cassidy1981), 천골관절면이 입술처럼 도드라지며(lipping) 더불어 뼈의 비대는 50대의 일부 표본에서 주목되었다. Shibata 등(2002)은 이 연령그룹에서 좀 더 흔히 변성을 발견하였다. 그리고 장골의 관절면의 상부와 중앙전면에 일반적으로 경화가 있음을 발견하였다. 그에 반하여 골극(osteophyte)은 천골의 앞쪽면에 일반적으로 나타났다. 여성은 변성의 진행된 징후를 보였으며, 출산가능 한 여성은 비출산 가능한 여성보다 진행이 빠른 경향을 보였다.

60대에서 70대 (51세 – 70세)

이 단계(그림 3.7과 3.8)에서, 관절면은 전체적으로 관절의 심한 마모와 불규칙하게 되고 때로 연골하의 뼈가 노출되기도 한다. 말초성 골화(peripheral osteophytes)는 확장되고 때로 관절의 전면과 하면에 브릿지를 형성하게 된다. 관절면사이의 섬유성상호연결은 일반적으로 나타나는 현상이다. : 그러나 스트레스를 받았을 때, 비록 젊은 청년의 표본들과 비교해 볼 때 제한이 있기는 하지만 모든 표본은 어

그림 3.9
81세 여성의 천장관절. 관절내 섬유성 연결(화살표)과 관절연골의 마모를 유의해 보도록 한다(Reproduced with permission from walker 1986).

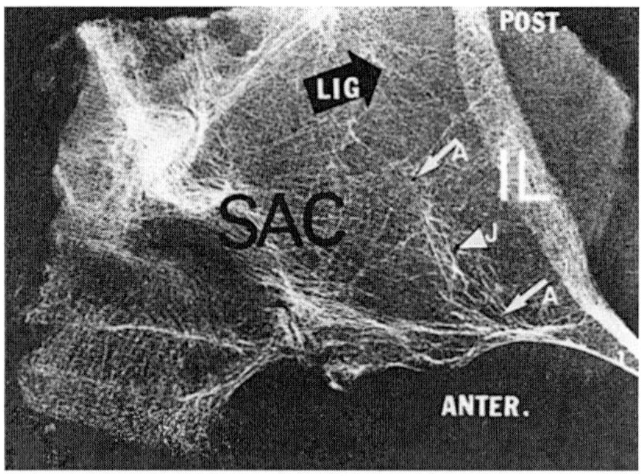

그림 3.10 천장관절(J)을 관통한 횡단면의 방사선 영상(ANTER.는 골반의 전면이고 POST는 후면이다)은 강직성 척추염의 섬유내 강직의 도해이다. SAC는 천장관절을 IL은 장골을 의미한다. (Reproduced with permission from Resnick et al(1975)and the publishers J.B. Lippincott)

느 정도의 가동성을 유지하고 있다(Bowen & Cassidy 1981). Vleeming등(1992a)은 고령에서조차도 천장관절의 작은 움직임의 가능성이 있으며 이 관절의 강직은 정상이 아니라는 것을 발견하였다. Faflia등(1998)은 또한 천장관절의 강직은 드물다고 기록하였고, Shibata등(2002)은 모든 표본에서 관절 변화는 이 단계의 연령그룹에서는 아주 비슷한 양상을 나타낸다는 것을 발견하였다. 흥미롭게도, Faflia등(1998)은 정상 체중의 여성, 다산의 여성, 남성과 연령대가 같은 여성, 정상체중의 여성 그리고 아이를 많이 낳지 않은 여성 그리고 비만인 여성의 경우 모두에서 넓은 범위의 연골하 경화(subchondral sclerosis) 그리고 비대칭 불균일성 천장관절의 협소의 이환율이 높다는 것을 발견하였다.

80대 (70세 이상)

관절내 섬유성 연결은 때로 좀더 규칙적이고 일부에 있어서는 관절주위의 뼈가 과성장으로 나타난다(plate 5, 그림 3.9). 연골성 마모와 프라그 형성은 광범위하고 일반적이며, 관절의 공간내에 부스러기(debris)가 차게 된다. 따라서 관절의 공간은 현저하게 줄어들게 된다. 관절내 뼈의 강직은 드물게 보고 되었지만 그리고 보통 강직성 척추염(그림 3.10)이 동반되는 것으로 생각되고 있다. Schunke(1838)는 뼈의 강직을 가지고 있는 표본의 평균연령은 대개는 병리적 원인과 일치하며, 관절융합 보다는 상당히 적다는 것을 보고하였다.

Walker 등(1986)은 49세에서 84세 사이의 15명의 성인표본으로 연령과 연관된 변화에 대한 연구를 하였다. 성인 표본에서 관찰된 변화들은 이전의 보고들과 유사하였으며 이 보고서는 어떠한 연령의 연구에서도 모두 관절사이와 관절내의 천장관절의 본

래부터 가지고 있던 변이성(inherent variability)을 강조하였다.

치골결합과 연령

40대의 치골결합은 관절의 면을 따라 부드럽고 기복이 있는 면을 나타내며 뼈는 촘촘히 밀집하게 된다. 이러한 과정은 지속되고 60대에서 치골결합의 상하면의 가장자리에서 명백하게 방사선상 경계가 뚜렷해짐을 알 수 있고 경화성 줄무늬가 나타나는 것을 볼 수 있다. 이것은 경화가 지속되고 관절면상의 골화(marginal osteophyte)가 나타나는 것이다(Gamble등 1986).

Summary

천장관절의 시간에 따른 변화는 이 관절에서만의 독특한 것은 아니다. 기능에 대한 이러한 변성의 의미심장함은 잘 알 수가 없다. 임상적으로, 이것은 나이가 많다고 하여 운동성을 소실한다는 것을 의미하는 것은 아니다. 현재 입증할 수 있는 것은 천장관절의 존재와 부재 그리고 환자가 호소하는 의미심장함을 임상평가에 의해서 가장 올바르게 판단하는 것에 대한 견해를 지지해 줄 수 있는 것이다.

4 장

해부학

목 차

역사

다음의 역사적 자료는 Lynch(1920)로부터 유래된다. 골반대에 관한 가장 최근의 역사적 자료의 기록은 Bernhard Siegfried Albinus(1697–1770)와 William Hunter(1718–1783)로부터 시작된다. Lynch(1920)에 따르면, 이 해부학자들은 천장관절(SIJ)이 실제로 윤활관절이라는 것을 처음으로 증명하였고, 1816년에 Meckel에 의해 이 사실이 명확하게 되었다. 1854년에 Von Luschka는 처음으로 가동관절로서 관절을 분류하였다(Lynch 1920). 1909년 Albee에 의해 50개의 사후견본으로 더 많은 해부학적 연구가 시행되어 이 관절이 윤활막으로 채워져 있고, 모양 좋은 관절낭을 포함하고 있음을 증명하였다. 그의 발견은 1924년 Brooke에 의해 확증되었다. 장골의 여러면이 관절연골로 채워져 있다는 것은 1938년에 알려졌다. 1957년 Solonen은 골반대의 골학과 관절학에 대한 광범위한 연구를 시행하였고, 몇몇 사실은 이 단원 뒤에 기록될 것이다.

골반대는 복부와 하부골반의 기관을 지탱하는 한 단위이며, 척주와 하지사이의 율동적인 고리 역할을 한다. 이것은 두 개의 무명골과 천골을 포함한 6개 내지 7개의 뼈, 미골을 형성하는 1개 내지 2개의 뼈와 두 개의 대퇴골 뿐만 아니라 두 개의 천장관절, 천미관절, 종종 미추골간관절, 치골결합관절, 2개의 고관절을 포함한 6-7개의 근접한 골연골 고리로 구성되어 있다.

골학 : 뼈

천골(SACRUM)

고대 남근숭배자(Phallic worshipers)들이 척추 기저부를 성골(sacred bone)이라고 한 것은 약간 놀라운 것이다. 이것은 횡축 중력중심, 골반의 중추, 척추의 기본이 되는 곳에 위치한다. 이것은 우리의 무한한 능력과 무능력, 로맨스와 비극, 즐거움과 고통과 밀접하게 연관되어 있다(Fryette 1954).

천골은 두 개의 무명골 사이에서 쐐기형태를 하고 있는 척추의 기저부에 위치한 큰 삼각형의 뼈이다. 이것은 5개의 천추의 융합에 의해 형성되어 있고(그림 3.3), 척추와 같이 연결되어 있다는 것을 쉽게 알 수 있다. 천골은 각각의 뼈 사이와 천골의 좌우면 사이에서 변화가 쉽게 일어남에도 불구하고, 해부학적 특징은 확실히 일치하며, 그에 대한 근본적인 기능평가와 설명을 여기에서 서술할 것이다.

첫 번째 천추골(sacral vertebra)의 머리 쪽 모습(그림 4.1), 즉 천추 기저부는 앞부분의 척추체와(앞으로 뾰족하게 튀어나온 모서리는 천골갑각이다.) 뒷부분의 척추궁으로 이루어져 있다. 바깥쪽으로, 첫 번째 천추골의 횡돌기는 천골의 익상(alae)들로 형성된 늑골돌기(그림 3.2 참조)와 융합되어 있다. S1 척추체와 마찬가지로 천골 익상의 높이에 관하여 변수들이 존재한다(Grieve 1981). S1 척추의 상관절돌기에 관한 개념 또한 다양하다.

천골의 후면(그림 4.2)은 시상면과 수평면 양 면에서 모두 볼록하다. S1-S4 척추 극돌기는 내측천골릉을 형성하기 위하여 정중선에 융합한다. 바깥쪽에서 정중천골릉과 중간천골릉까지는 S1-S5 척추 추궁판의 융합에 의하여 형성된다. S5 척추(가끔 S4와 함께)의 하관절돌기와 추궁판은 정중선에서

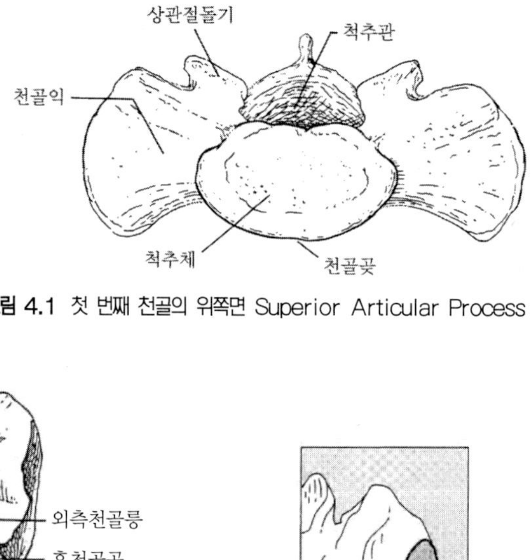

그림 4.1 첫 번째 천골의 위쪽면 Superior Articular Process

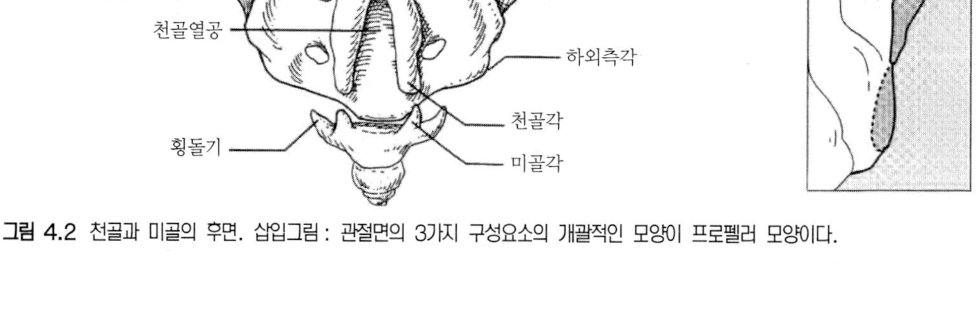

그림 4.2 천골과 미골의 후면. 삽입그림 : 관절면의 3가지 구성요소의 개괄적인 모양이 프로펠러 모양이다.

결합되지 않고 남아있다. 그것은 꼬리쪽으로 돌출되어 천골각을 형성하고, S5 척추의 척추체의 뒤쪽면과 더불어 천골공을 형성한다. 외측천골릉은 S1-S5 척추의 횡돌기의 융합으로 형성된다. 이 능과 중간천골릉 사이에는 배측천골지에서 각각의 천골척수신경을 보내는 배측천골공이 놓여있다. S1, S2, S3 척추수준에서 외측천골릉에는 3개의 깊은 하강이 있다 .이러한 하강은 골간천골인대의 부착을 강하게 한다(그림 4.2와 4.13을 참조).

외측천골릉은 천골의 바깥면을 형성하는 늑골요소와 융합한다(그림 4.3). 위쪽으로 천골의 바깥면은 넓은 반면에, 아래쪽으로 전후방향은 치수가 좁고 S5 척추체와 연결되는 안으로 굽어진 테두리가 얇다. 이 각도를 천골의 하외측각이라고 한다(그림 4.2와 4.4). 천골의 관절면은 귀모양이고(L자 형태) 1-3번째 천골 분절의 늑골요소에 의해 완전히 포함된다.

L자 형태 표면의 단상지는 수직면에 놓여있고(그림 4.3) 첫 번째 천골 분절 내부에 포함된다. 장상지는 2, 3번째 천골 분절 내부의 전후방향면에 위치한다. 관절면의 외형은 매우 변화하기 쉽다고 보고되고 있으며(Weisl 1954, 1995, Slolnen 1957, Kapandji 1970, Vleeming et al 1990a), 나이에 따라 차이가 크다고 보고되어 있다(3장 참고). 연구자는 장골의 관절면 위에 두 종릉(longitudinal crests)에 대응하는 볼록한 종릉에 굽은 고랑모양의 면이 존재함을 보고하였다(Kapandji 1974). 그러나 Solonen(1957)은 30개의 뼈를 가지고 실시한 그의 연구에서 "다수의 하강, 상승 그리고 다른 불규칙함, 결정된 뚜렷한 이랑-고랑 또는 융기-하강 형성이 없었다는 결론을 내렸다. 이에 반해, 표면 형성에 관련되어 큰 불규칙함이 우세하다는 인상을 받았다."(Solonen 1957)고 결정하였다. 그러나 그의 연구는 견본들의 현재 나이와 관계된 변화를 고려하지 않았다.

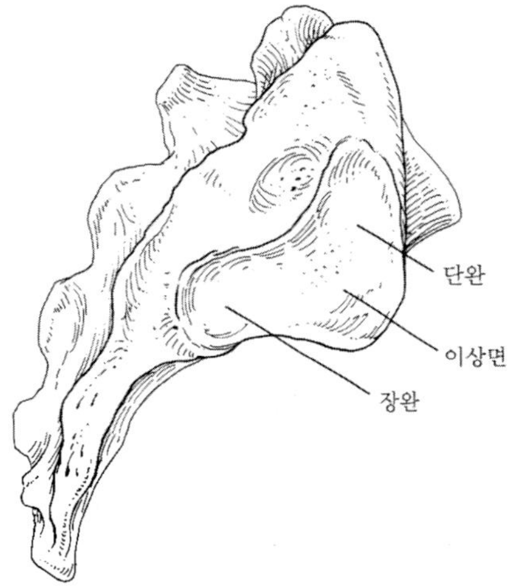

그림 4.3 천골의 외측면

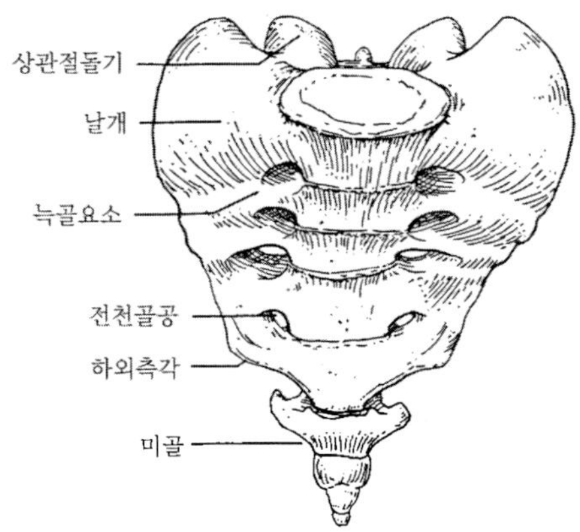

그림 4.4 천골과 미골의 전면

천골(그림 4.4)의 앞쪽 표면은 시상면과 수평면에서 모두 오목하다. 정중선에서, 4개의 몸체 사이의 이랑은 항상 완벽하게 결합되지 않은 굽어진 틈을 의미한다. 척추체에 융합되어진 바깥면은 배쪽가지의 각 천골척수신경뿐 아니라 각 분절의 배측천골동맥으로 보내는 4개의 배측천골공이다. 늑골요소는 척추체와 배측천골공 사이의 가운데에서 바깥쪽으로 툭 튀어나오고 그것의 위와 아래뿐만 아니라 천골의 바깥쪽 면에 형성된 횡돌기의 아래쪽과 융합한다.

표 4.1 관상면과 횡단면에서 천추의 관절면에 대한 개관(Solonen, 1957) - 그림 4.5 참조

관상면	
표본의 90%가 S1에서 아래로 좁다.	그림 4.5A, 4.5B
표본의 85%가 S2에서 아래로 좁다.	그림 4.5B
표본의 80% S3에서 위로 좁다.	그림 4.5A
횡단면	
S1과 S2가 위로 좁다.	
S3가 앞쪽으로 좁다.	

관상면과 수평면 양 쪽에서 천골의 관절면의 방향은 Solonen(1957)에 의해 연구되었고, 그의 발견에 대한 요점은 표 4.1에 나타내었다. 이 관찰은 평범한 발견을 의미하지만, 변화는 주목해야 한다. Solonen에 의해 연구된 두 골반의 용적측정 작성은 그림 4.5에 설명하였다. Vleeming 등(1997)은 프로펠러에 비유하여 관절면의 세 구성의 방향을 묘사하였다(그림 4.2 삽입도).

Fryette(1954)는 23개의 천골의 뼈를 조사하였고, 이 뼈를 A, B, C 의 세 개의 유형으로 분류하였다(그림 4.6-4.8). 이 분류는 그가 S1 척추의 상관절돌기의 방향과 관련시켜 발견한 관상면에서의 천골 관절면의 방향에 따른다. 유형 A 천골은 S1, S2 의 아래쪽, S3의 위쪽이 좁다. 이 그룹의 상관절돌기의 방향은 관상면이다. 유형 B 천골은 S1의 위쪽이 좁고, 이 그룹의 상관절돌기의 방향은 시상면이다. 유형 C 천골은 한 면은 유형 A에 가깝게 S1 아래쪽이 좁고, 다른 면은 유형 B와 가깝게 S1 위쪽이 좁다. 상관절돌기의 방향은 유형 A에 인접한 관상면과 유형 B에 인접한 시상면이다.

결과적으로, 관절면의 모양 외에도 관상면, 수평면 양 쪽에서 천장관절의 면은 변화의 기능성이 높다. Grieve(1981)는 "천장관절은 하나 혹은 종종 세 개에서 약간 각이진 난 최소한 두 면을 나타낸다. - 그들의 배열과 영역은 같은 개체에서 한 면을 비교하였을 때, 항상 비슷하지는 않다."고 하였으며 임상의로서, 우리는 개개인을 사정할 때, 해부학적으로 불확실하게 주어져 있다고 해도 임상평가를 위한 필요성을 절대로 경감시키지는 않을 것이다.

미골(COCCYX)

미골(그림 4.2와 4.4)은 4개의 미골분절의 결합으로 구성되어 있지만 보통 첫 번째 미골은 확실히 구별이 된다. 이 뼈는 투박한 삼각형모양이고, S5 척추체의 아래쪽 면과 함께 유기적으로 연결된 난원면(oval facet)이 기초를 지탱한다. 첫 번째 미골분절은 천골각과 함께 위쪽으로 유기적으로 연결되어져 튀어나온 두 개의 미골각과 더불어 두 개의 미완성인 횡돌기를 포함한다.

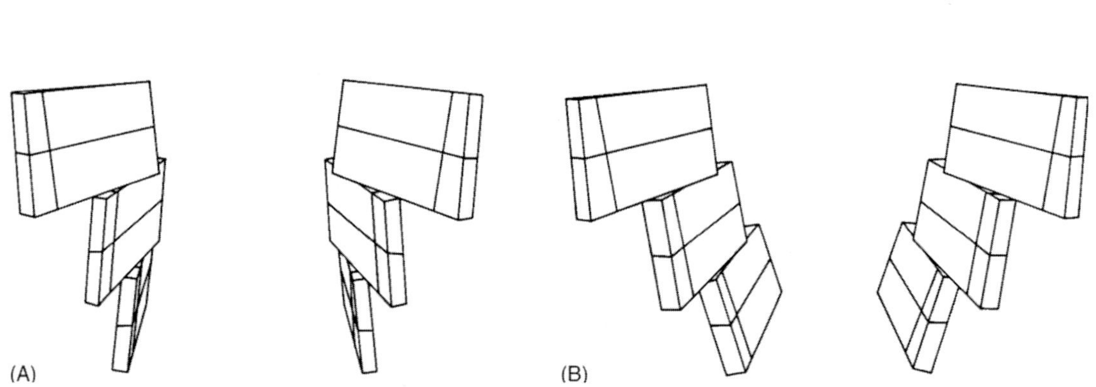

그림 4.5 1957년 Solonen이 그린 전체적인 천골 관절면의 입체적 모형

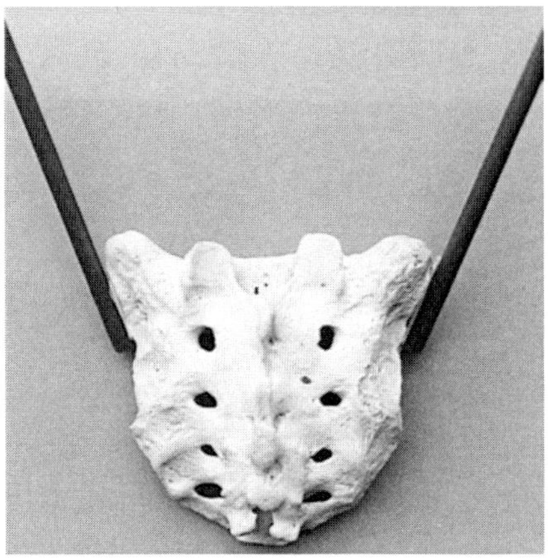

그림 4.6 유형 A

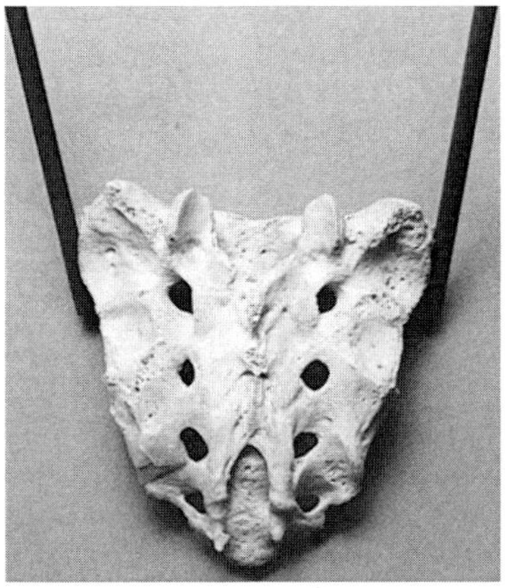

그림 4.7 유형 B

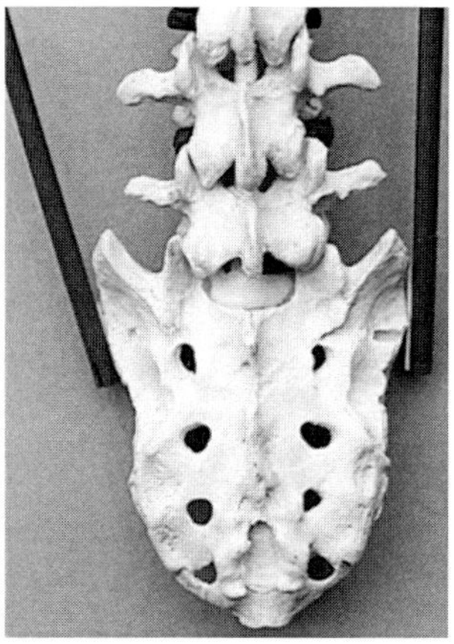

그림 4.8 유형 C

그림 4.6 - 4.8 천골의 형태

무명골(INNOMINATE)

무명골은 성인이 되어 하나의 뼈로 융합되어 형성되는 장골, 좌골, 치골이라는 세 부분으로 되어 있다(그림 4.9, 4.10, 3.4). 타당한 해부학적 특징과 기능의 평가를 여기에서 서술해 보겠다.

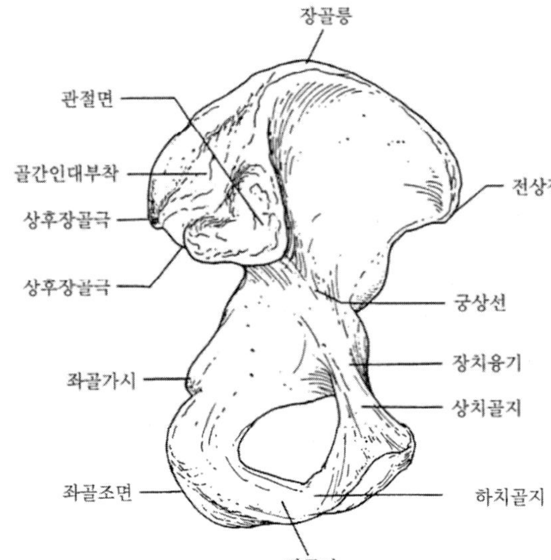

그림 4.9

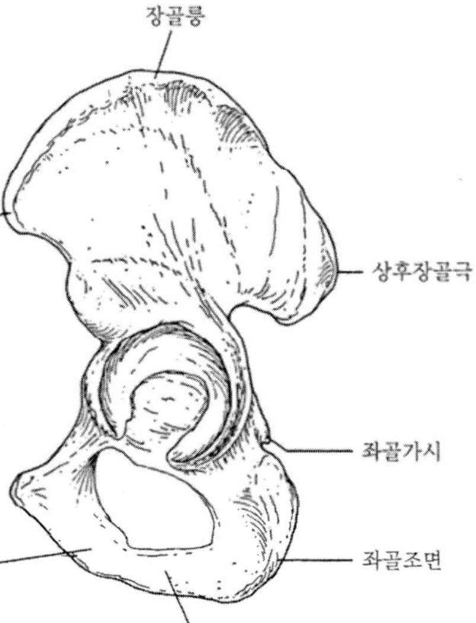

그림 4.10

그림 4.9 - 그림 4.10 무명골의 내외측 모양

장골(Ilium)

장골은 무명골의 윗부분을 형성하며 관골구의 윗부분은 부채꼴구조로 되어 있다. 장골능은 시상면에서 볼록하고, 수평면에서 유동구조이다. 앞부분은 중간으로 오목하며, 뒤쪽은 중간으로 볼록하다. 굴곡을 뒤집으면 같은 관상면에서 L자형의 단상지와 같은 모양이 발생한다. 전상장골극(ASIS)과 후상장골극(PSIS) 은 장골능의 양쪽 끝에 있다. 전상장골극의 아래, 울퉁불퉁한 장골굴곡이 후하장골극(PIIS)에서 끝난다. 이것은 종종 보조적인 천장관절의 위치에 있다(Trotter 1937, Solonen 1957).

몇몇 해부학적으로 뾰족한 부분은 장골 안쪽 면에서 주목할 가치가 있다. 관절면은 내측면의 후상 방향에 놓여있다. 천골과 같이, 관절면은 두미면(craniocaudal plane)에서의 단상지의 축과 장상지가 가지는 전후방향 축과 같은 L자형이다. 상승, 하강, 이랑, 고랑의 변화는 보고 되어 있으며, 나이에 따라 발전된다(3장 참고). 관절면의 윗부분, 장골의 내측면은 매우 울퉁불퉁하고, 강한 골간 천장인대가 부착되어 있으며 이 인대는 시체에서 무명골과 천골을 억지로 따로 떼어낼 때도 손상되지 않고 남아있다는 보고(Colachis ea al 1963)가 있다. 천장관절은 관절 심부에 있기 때문에 촉진할 수 없으므로 해부학 연구 시 유념해야 한다.

위쪽으로 장골의 아치모양 선이 관절면의 단상지와 장상지 사이의 각도에서 나타나고, 이것은 전하방향 쪽으로 장골치골융기에 이르며, 이 부분에서 치골과 장골은 하나가 된다. 천장관절과 장골치골융기 사이의 이 선은 척주에서 하지까지 힘의 이동 선을 나타내고, 골막아래의 섬유주(superiosteal trobeculae)에 의해 강화된다(Kapandji 1974).

치골(Pubis)

무명골의 하내측면은 치골결합관절을 거쳐 반대쪽 치골과 관절로 이어진 치골에 의해 형성된다. 이것은 관골구의 앞쪽 1/5을 구성하는 치골상지를 지나 위쪽으로 장골과 합쳐진다. 아래쪽으로, 치골하지는 후외측으로 돌출되어, 폐쇄공의 내측면에 좌골이 합쳐진다. 치골의 외측면은 하지쪽으로 향하게 되어 대퇴부에 많은 내측근육을 부착시킬 수 있다. 치골결절은 중간결합선(mid symphyseal line)에서 바깥쪽으로 1cm 정도로 가까운 치골릉의 외측면에 존재한다.

좌골(Ischium)

무명골의 하외측의 1/3은 좌골에 의해 형성된다. 좌골체의 윗부분은 고관절의 관절면 아래쪽 2/5와 더불어 관골구의 바닥부분을 형성하며 좌골체의 몸의 아랫부분으로부터, 좌골지가 전내측 쪽으로 돌출되어 치골하지와 합쳐진다. 좌골조면은 좌골체의 뒷면과 아랫면의 울퉁불퉁한 지역이고, 근육과 인대의 강한 부착 장소이다. 조면의 윗부분, 좌골극은 안쪽으로 돌출되어 있다. 이 돌기 또한 근육과 인대의 부착장소이다(그림 4.12와 4.18 참조).

관골구(Acetabulum)

관골구(그림 4.10과 4.22 참조)는 무명골로 구성된 3개의 뼈의 융합으로 형성된다. 이것은 반구모양으로 거칠고, 전외측과 하측 방향으로 돌출되어 있다. 반달면(lunate surface)은 관골구의 관절모양의 부분을 나타내고, 비관절성 부분은 바닥 또는 관골구와를 구성한다. 이 와는 두 반달면 끝 사이에 위치한 관골구 패임과 함께 연속되어 있다.

대퇴골(FEMORA)

임상적으로, 대퇴골간에서 대퇴경의 기울기 각도는, 대퇴경과 관상면사이에서 높은 변화를 가지는 전경의 각도와 더불어 중요하게 언급된다. 이 변화는 양쪽의 유형과 고관절 관절가동 범위의 이용가능성을 반영할 수 있다(Kapandji 1970).

관절학 : 관절

천장관절(SACROILIAC JOINT)

천장관절(그림 4.11)은 윤활관절 또는 가동관절로 분류된다(Bowne & Cassidy 1981). Bowne & Cassidy(1981)에 의하면, Albinus와 Hunter는 관절의 내부에서 윤활막의 존재를 처음으로 언급하였다. 1850년, Koelcher은 해부체에서 관절안의 윤활액을 확인하였다(Bowne & Cassidy 1981).

관절연골과 마찬가지인 이 형상은 이미 설명하였다(3장 참조). 요약하면, 천골면은 초자연골로 덮여있으며, 장골면은 섬유연골 유형으로 덮여있다(3장 참조, 삽화 1-4). 관절연골의 심층은 같은 관절면 내부와 근접된 면 위쪽 모두와 다르다(그림 3.7). 대부분의 연구자들은 장골과 천골면사이의 비율이 1 : 3이라고 보고하였다(MacDonald & Hunt 1957, Bowne & Cassidy 1981).

관절낭은 수없이 많은 섬유모세포, 혈관, 교원섬유를 포함한 외측섬유층과 내측 활액층의 두 층으로 구성되어 있다. 관절낭의 연대학적 변화는 이미 설명되었다(3장 참조). 앞쪽으로, 낭은 과도한 전천장인대(ventral sacroiliac ligament)로부터 명확히 구별되며, 뒤쪽으로, 낭의 섬유와 심골간인대는 깊게 혼합되어 있다. 아래쪽으로, 낭은 천골과 무명골에 인접한 골막과 혼합한다.

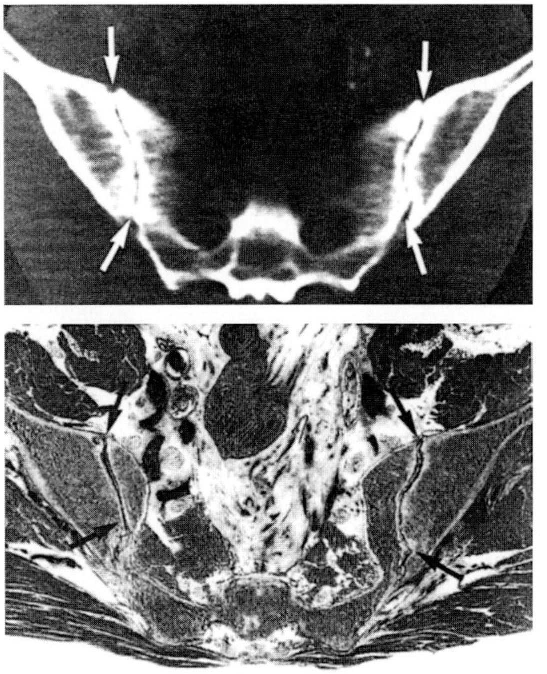

그림 4.11 컴퓨터 영상 스캔(위)과 해부학적 단면에 해당하는 사진(아래)

다른 윤활관절처럼 천장관절낭은 인대와 근막이 가로놓여 있고 이들 중 일부는 신체에서 가장 강한 것이다. 이러한 것들은 전천장인대, 골간천장인대, 장후천장인대, 천골결절인대, 천극인대, 장요인대를 포함한다.

전천장인대(Ventral sacroiliac ligament)

전천장인대(그림 4.12)는 그룹 중 가장 약하고 관절낭의 전하 부분의 두께보다 작다(Bowne & Cassidy 1981, Williams 1995).

골간천장인대(Interosseous sacroiliac ligament)

골간천장인대는 그룹 중 가장 강하고, 외측천골릉과 장골조면 사이의 공간을 완벽히 가득 채운다(그림 3.8 & 4.13). 섬유는 모든 방향으로 향해 있고, 심부와 천부 그룹으로 나눌 수 있다. 심부층은 천골

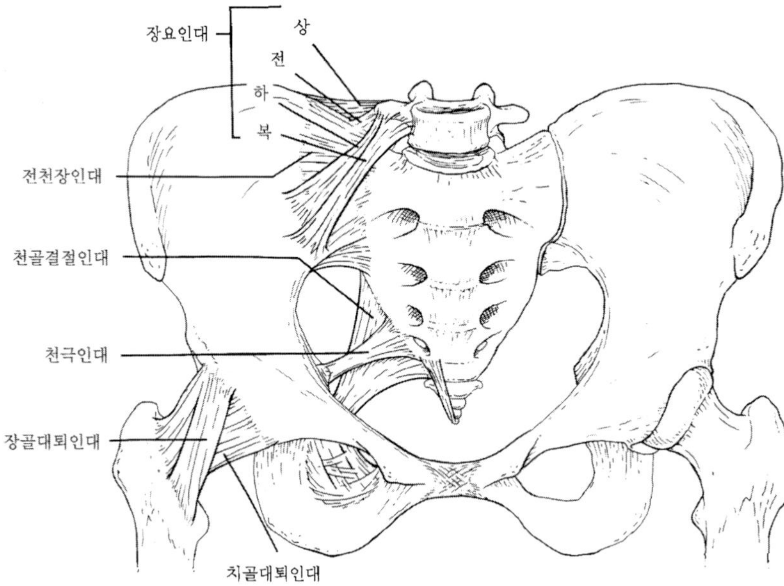

그림 4.12 앞쪽에서 본 골반대의 인대

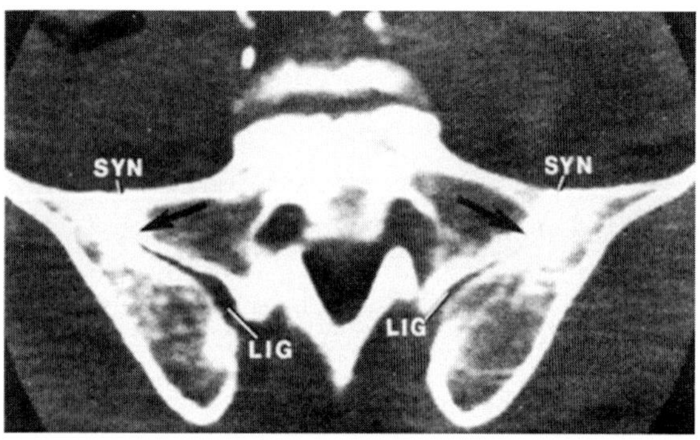

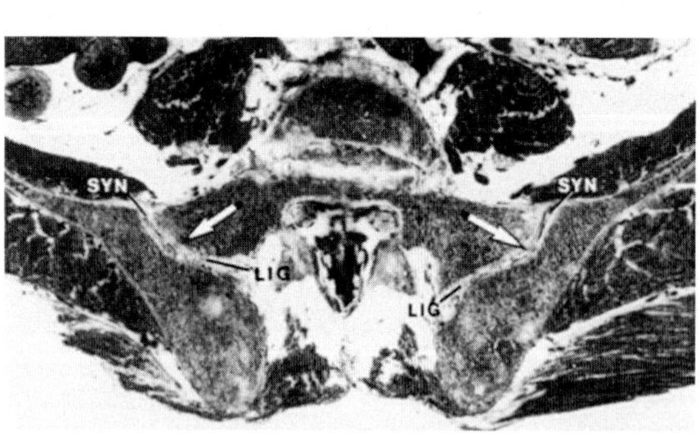

그림 4.13 천장관절을 통한 컴퓨터 영상 스캔(위)과 해부학적 단면에 해당하는 사진(아래)관절의 활액 부분 깊이(SYN)와 골간 인대(LIG)를 주목하라.

후면의 외측면 위의 3개의 와(fossae)의 안쪽면과 장골조면에 인접한 바깥면에 부착한다(그림 4.2). 이 인대의 천부층은 S1-S2의 외측천골릉과 장골릉의 내측면에서 부착되어 섬유로 온통 뒤덮여 있다. 이 구조물은 이것의 상부분 천장관절의 직접적인 촉진을 저해하는 기본적인 장애물이며 농도가 짙어 관절강내 주사를 매우 어렵게 한다.

장후천장인대(Long dorsal sacroiliac ligament)

장후천장인대(그림 4.14)는 S3, S4와 후상장골극(PSIS) 바깥면, 장골릉의 안쪽 내부 가장자리에서 외측천골릉 안쪽으로 부착된다. 이것은 골간인대의 뒤쪽에 놓여있고, 천수신경의 배측가지와 혈관이 들어가는 곳에서 이것으로부터 분리된다. 이것은 두꺼운 띠로서 후상장골극의 꼬리 부분에서 직접 촉진할 수 있고, 이 부분은 대둔근의 근막에 의해 덮여있다. 안쪽으로, 인대섬유는 척추기립근의 건막 흉배근막의 후층의 심부판에 부착한다(Vleeming et al 1996). 심층부에서는, 다열근과 장후인대 사이가 결합되어 있다(Willard 1997). 바깥쪽으로, 섬유는 천골결절인대의 상부띠와 혼합된다.

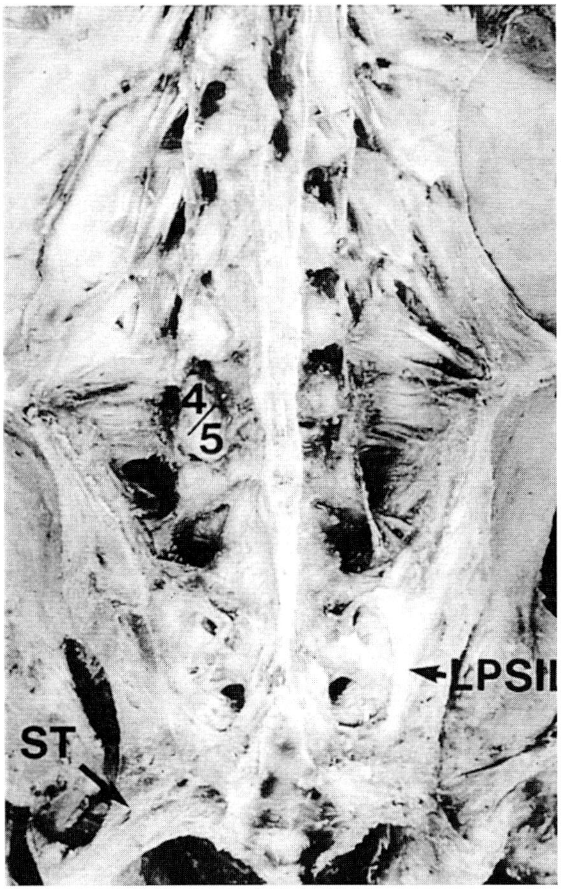

그림 4.14 여성 골반대의 후면. 장후천장 인대(LPSIL), L4-L5 사이의 소관절, 천골결절인대(ST)

장골을 움직이면 이 인대의 장력은 증가되고 이 인대와 혼합된 근육의 수축으로 증가할 수 있다. 천골의 후굴(counternutation)로 인대는 당겨지며(그림 4.15)(Vleeming et al 1996) 천골의 전굴(nutation)로 인대는 느슨해진다. 또한 척추기립근의 수축과 더불어 천골결절인대의 부하는 이 인대의 장력을 증가시킬 것이고, 이에 반해, 광배근과 대둔근의 수축은 장력을 감소시킨다고 하였다(Vleeming et al 1997). 인대위에 놓여진 피부는 요천추와 골반대의 기능이상 환자에게서 통증이 빈번하게 일어나는 지역이다(Fortin et al 1994a, b, 1997, 1999). 장후천장인대의 촉진 시 민감한 것은 반드시 이 조직 때문이 아니라, 천장관절과 요추의 양 쪽으로부터 자연적으로 주어진 통증 때문이다. 이 구조를 위해 8장에서는 특수 스트레스 검사(special stress test)의 개요를 언급할 것이다.

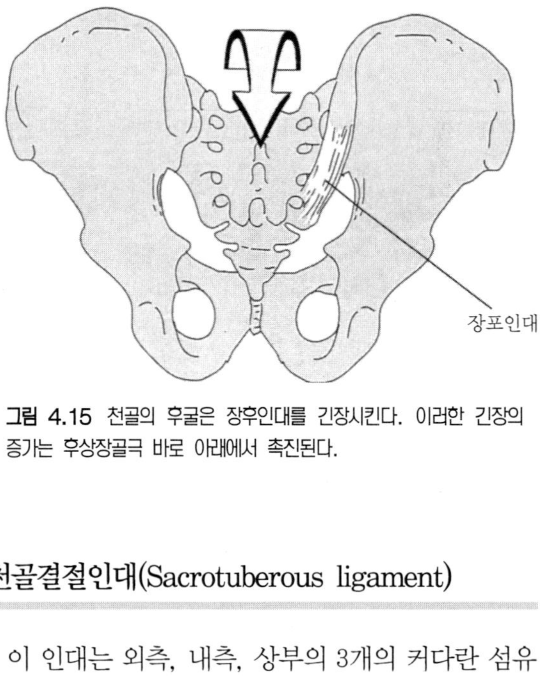

그림 4.15 천골의 후굴은 장후인대를 긴장시킨다. 이러한 긴장의 증가는 후상장골극 바로 아래에서 촉진된다.

천골결절인대(Sacrotuberous ligament)

이 인대는 외측, 내측, 상부의 3개의 커다란 섬유띠로 구성된다(그림 4.16)(Willard 1997). 외측띠(lateral band)는 장골조면과 후하장골극을 연결하고, 몇 개의 섬유의 수용으로부터 이상근 사이에 걸쳐있다. 내측띠(medial band)(아래쪽 아치모양의 띠)는 S3, S4 그리고 S5의 횡결절과 하부천골과 미골의 외측 모서리에 부착한다. 이 섬유는 전하외측 쪽으로 뻗어 좌골조면에 이른다. 이 나선형 띠의 섬유는 좌골조면의 외측면에서부터 천골의 꼬리부분 안쪽으로 부착되고, 좌골조면의 내측면으로부터 두개방향으로 부착되어 생기게 된다(Vleeming et al 1996). 상부 띠는 골간인대의 천층쪽으로 뻗어있고, 미골과 후상장골극을 연결한다. 대둔근 또한 천골결절인대에 부착하고, 이것의 수축은 천골결절인대에서 장력을 증가시킬 수 있다(Vleeming et al 1989a,b).

계통발생학적으로 볼 때, 천골결절인대는 하부 척추의 대퇴이두근건이 부착되는 곳을 의미한다(Williams 1995). 일부 사람들은 이 인대에 아직도 대퇴이두근으로부터 소수의 근섬유가 부착되어 있다(그림 4-17)(Vleeming et al 1989s, 1995b). 대퇴이두근의 섬유는 천골결절인대를 똑바로 부착하여 완벽하게 좌골조면에서 다리역할을 할 수 있다.

다열근의 심부판의 건 또한 천골결절인대의 상부면 안쪽으로 섞여있다(그림 4.16)(Willard 1997). 이 인대는 둔부의 내측, 하부 부분의 상피덮개를 지지하는 대둔근의 하부면 둘레를 가까이에서 감싸는 피신경(S2, S3)에 의해 꿰뚫어지게 되고, 압박이나 눌렸을 때 이상감각의 원인이 될 수 있다.

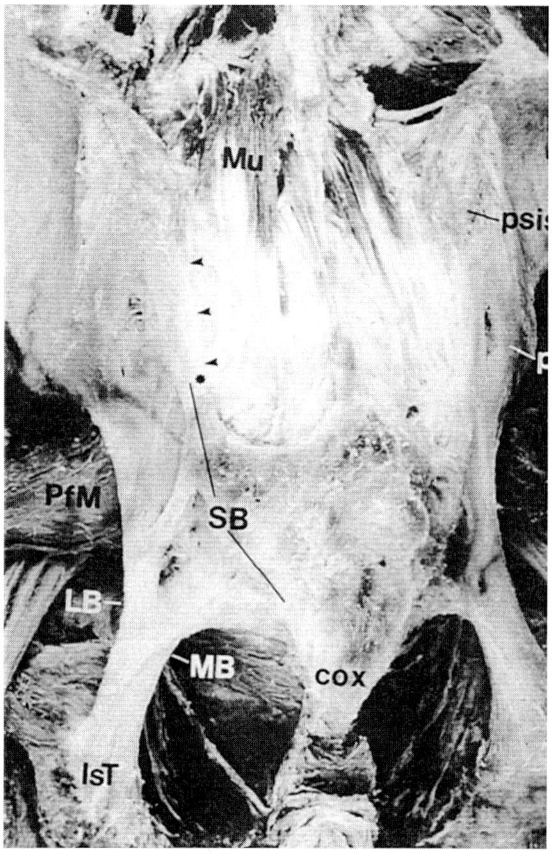

그림 4.16 뒤에서 본 남자 골반대, 인대와 다른 모든 것은 정상이지만 가장 깊은 다열근(Mu)의 판은 제거하였다. 화살표머리는 천골결절인대의 바깥쪽 띠(LB) 아래 후인대를 표시한다. 천골결절인대의 안쪽 띠(MB)는 치골결절(IsT)과 미골을 가로짓는다. 천골결절인대(SB)의 위쪽 띠는 후상장골극과 함께 미골에 연결하기 위하여 장후인대 표면으로 주행한다. 다열근(Mu) 건은 천골결절 인대의 본체 속으로 들어가기 위하여 상부 띠와 장후 인대 사이를 지나간다.

천극인대(Sacrospinous ligament)

천극인대(그림 4.12 & 4.18)는 천골과 미골의 외측면의 아래쪽에서 안쪽으로 부착한다. 외측으로, 이 삼각형 모양의 인대의 꼭대기가 무명골의 좌골극에 부착한다. 근위부 쪽으로, 섬유는 천장관절의 낭과 함께 혼합된다. 이것은 퇴화된 부분을 의미할 수도 있는 미골근육과 가깝게 연결되어 있다(Williams 1995).

장요인대(Iliolumbar ligament)

Bogduk(1997)는 장요인대의 5개의 띠 : 전부, 상부, 하부, 수직부(그림 4.12), 후부(그림 4.19)에 대해 묘사했다. 전부 띠(anterior band)는 L5 척추의 횡돌기의 전체 길이로 전하측으로 부착한다. 이것은 상부 띠(superior band)의 앞쪽에서 장골릉의 앞쪽 가장자리에 부착한 요방형근과 혼합된다. 이 상부 띠는 L5 척추의 횡돌기의 끝에서 나타난다. 외측으로, 이 띠는 장골릉 위에 부착되기 전에 요방형근을 싸서 나눈다. 후부 띠(posterior band) 또한 L5 척추의 횡의 끝에서 기인한다. 외측으로, 이것은 상부 띠의 후하부측에 있는 장골조면에 부착한다. 하부 띠(inferior band)는 L5 척추 횡돌기의 하부면

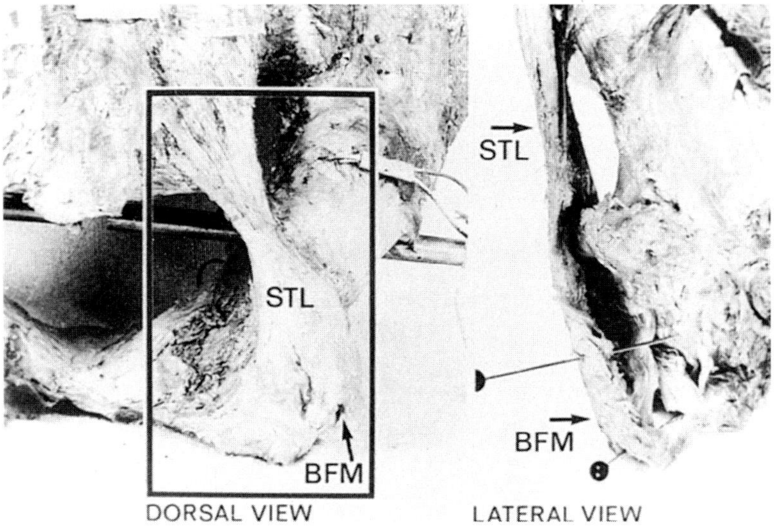

그림 4.17
대퇴이두근(BFM)은 천골결절인대(STL)에 정상적인 긴장에서 발견된다.

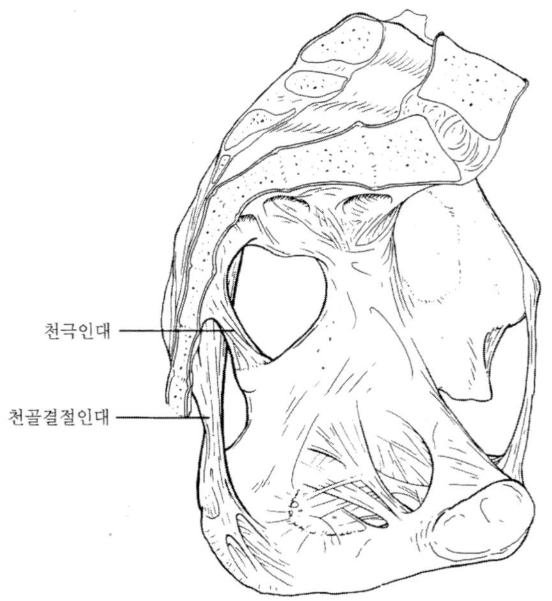

그림 4.18 천골 기저면 위에서 천골결절 인대가 단단하게 붙어 있는 효과를 그린 골반대의 시상면

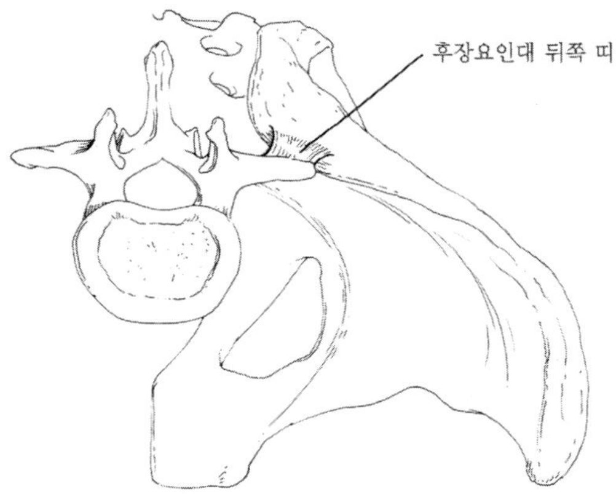

그림 4.19 장요인대 뒤쪽 띠의 부착을 그린 요천골 접합부의 횡단면도

과 몸 양쪽에서 나타난다. 아래쪽으로는, 사선방향으로 장골와에 부착하는 전천장인대와 교차한다. 수직부 띠(vertical band)는 L5 척추 횡돌기의 전하면에서 기인한다. 이 섬유는 뒷면의 활꼴선(arcuate line)에서 수직으로 내려가서 부착한다.

Willard(1997)은 장요인대의 각각의 띠는 수량과 형태가 매우 다양하며, L4, L5 척추의 횡돌기에 일치하여 나타나고 천장관절의 하부쪽과 장골릉의 외측에서 함께 섞인다고 보고했다. 인생의 20대에 요방형근에서 이 인대가 진화한다는 이전의 설명(Luk et al 1986)은 태아에서 이 인대가 발견됨으로써 종식되었다(Uhtoff 1993, Hanson & Sonesson 1994). Bogduck(1997)과 Willard (1997)는 이 인대는 관상면과 시상면에서 요천추 접합부 안정 유지의 원인이 된다고 추측하였다.

천미관절(SACROCOCCYGEAL JOINT)

비록 윤활관절이 천미관절에서 생성되었을지라도 천미관절은 섬유연골결합으로 분류된다. Maigne(1997)은 9개의 견본을 조사하여 한 개의 섬유성연골 관절과 4개의 윤활관절, 4개의 문합(윤활부분과 섬유성연골부분)을 발견하였다. 이 견본은 모두 나이가 많고, 가령 천미관절이 일생동안 하나의 모습으로부터 다른 것으로 변화할 수도 있다는 것을 알지 못했다. 천미관절을 지지하는 인대는 전천미인대(복측천미인대), 배측천미인대, 외측천미인대를 포함한다.

전천미인대는 척주의 전종인대의 연장을 의미한다. 배측천미인대는 두 층을 가졌다. 심층은 S5 척추와(후종인대와 닮은) 미골의 몸의 후면에 부착한다. 이에 반해, 천층은 천골열공의 가장자리와 미골의 후면에서 가교역할을 한다. 이렇게 천골관은 완전하다. 외측으로, 각간인대 또는 외측천미인대는 천골과 미골각을 연결한다.

미추골간관절(INTERCOCCYGEAL JOINT)

미추골간관절은 섬유성연골 디스크를 지나서 처음으로 두 개로 구분되는 시작된지 얼마 안되는 결합선으로 분류되었다. 마침내, 이 관절은 평상시에는 뼈가 형성되지만 때때로 윤활이 남는다.

치골결합관절(PUBIC SYMPHYSIS)

이 관절은 윤활조직이나 액이 아닌 섬유성연골 디스크를 내포한다(그림 4.20a). 따라서, 섬유연골결합으로 분류된다. - 섬유연골결합은 "함께 자란다"는 그리스 용어(Gamble et al 1986). 뼈의 표면은 초자연골의 얇은 층에 의해 덮여있다. 그러나, 그들은 섬유성 연골에 의해 분리된다. 디스크의 후상면은 종종 10살 이전에는 볼 수 없는 구멍을 포함한다(Williams 1995). 이것은 활액강이 아니고, 연대학적인 퇴행성 변화를 의미할 수 있다. 이 관절을 지지하는 인대(그림 4.20a-c)는 상치골인대, 하활꼴(궁상)인대, 후치골인대와 전치골인대를 포함한다.

상치골인대는 치골의 치골결절 사이를 횡단하여 뻗어있는 두꺼운 섬유 띠이다. 아래쪽으로, 활꼴인대는 치골하지 양 쪽으로 부착된 섬유성연골 디스크와 섞인다. Gamble 등(1986)에 의하면, 이 인대는 관절 안정성의 대부분을 제공한다. 후치골인대(그림 4.20b)는 막으로 이루어졌고, 매우 두꺼우며, 횡과 사선(oblique)의 섬유를 모두 포함한 치골결합관절의 전인대와 인접한 골막(periostem)과 함께 섞인다(Kapandji 1974). 이것은 복근조직의 건막 확장과 더불어 관절을 가로질러 십자형으로 교차한 장내전근으로부터 섬유를 받아들이다(그림 4.20c).

고관절(HIP JOINT)

고관절(그림 4.21a)은 변형되지 않은 계란 모양의 윤활관절로 분류된다(MacConaill & Basmajian 1977). 대퇴골의 머리는 대략 구체의 2/3로 형성되고, 작은 와(fovea)를 제외하면 외부표면에서 깊은 쪽으로 갈수록 감소하는 초자연골에 의해 덮여있다(그림 4.21b). 관골구는 이미 서술되었다(위의 골학 참조 : 뼈). 관골구의 반달면(그림 4.22)은 비관절성 부분인 관골구와가 느슨한 윤문상 조직(areolar tissue)으로 채워지고 활액으로 덮이는 동안 초자연골로 가득 채워진다. 관골구는 교차부분에서 삼각모양의 섬유연골성 순(labrum)에 의해 깊어진다. 순의 부착부는 관골구횡인대에 의해 가교로써 연결된 관골구 패임의 부족한 아랫부분을 제외한 관골구의 가장자리에 부착한다. 순의 꼭대기는 관절연골로 가득 채워져 있고, 자유면에서 고관절 안에 놓여있다

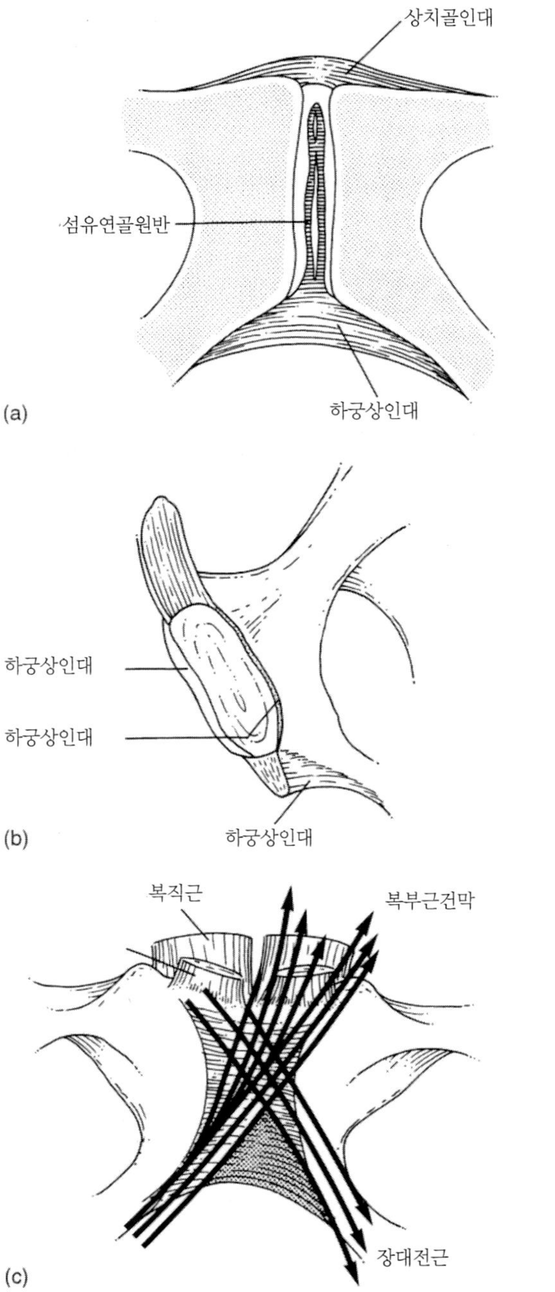

그림 4.20 치골결합 (a) 관상면 (b) 섬유연골원반을 통한 시상면 (c) 전면

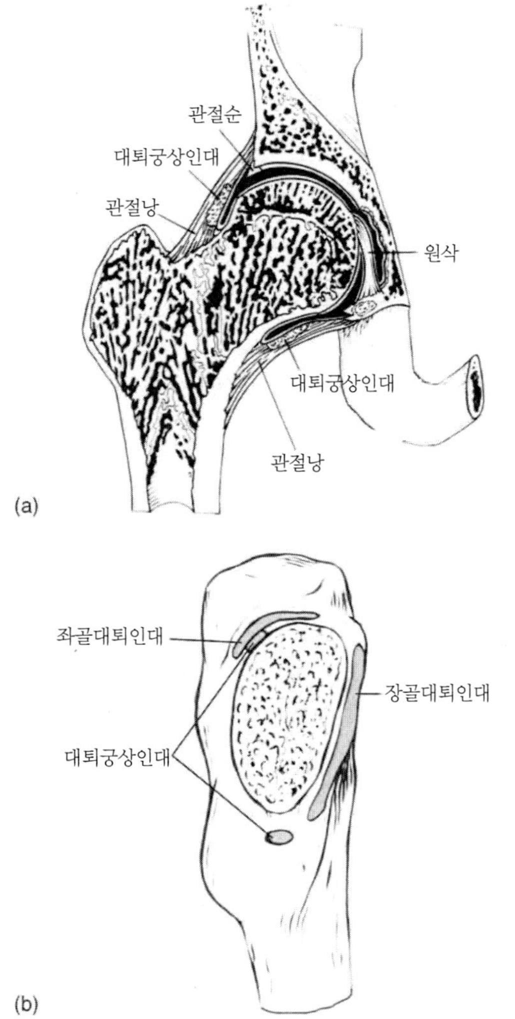

그림 4.21 (a) 고관절을 통한 관상면 (b) 근위 대퇴골의 내측면

: 관절낭은 순의 주위에서 순을 부착해서 원형의 와를 만든다.

이 관절낭은 관절과 대부분의 대퇴경을 둘러싼다. 내측으로, 관골와순의 바닥(base)을 부착하고, 무명골에서는 이 부분을 5-6cm 넘어서 뻗어있다. 아래쪽으로, 중간 연결장치는 관골구횡인대이다. 외측으로, 낭은 대퇴골의 앞쪽으로 전자선의 완전한 길이를 따라서, 뒤쪽으로는 전자능의 위쪽의 대퇴경, 위쪽으로는 대퇴경의 부착점과, 아래쪽으로는 소전자의 위쪽에 있는 대퇴경을 부착한다. 낭섬유의 천층 띠(superficial band)는 심층 띠(deep bands)가 원형인 한편, 현저하게 세로방향이다(Hewitt et al 2002). 이 인대와 깊이 혼합되고, 지지하는 낭은 장골대퇴인대, 치골대퇴인대, 좌골대퇴인대, 대퇴궁상

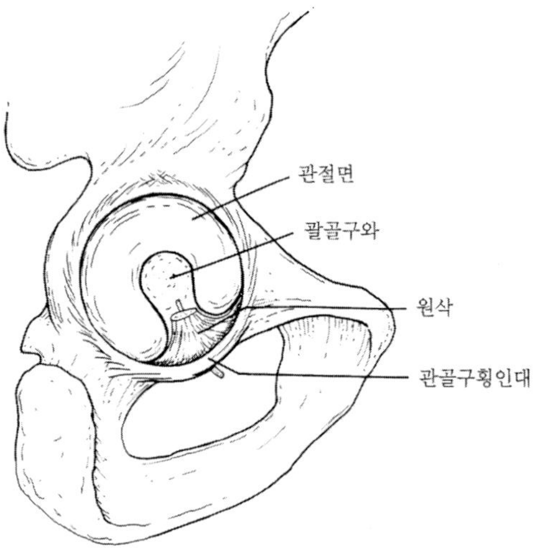

그림 4.22 관골구

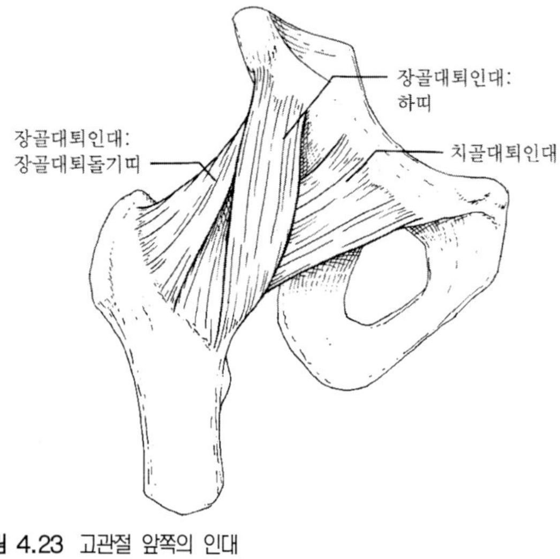

그림 4.23 고관절 앞쪽의 인대

인대를 포함한다. 원형인대와 관골구횡인대라는 두 개의 관절내인대가 있다. Hewitt 등(2002)은 몇몇의 이 인대에서의 장력의 부족을 실험하였고 이 부분의 쇠약에 있어서 강도의 평가(힘/전위) 또한 보고하였다.

장골대퇴인대(Iliofemoral ligament)

장골대퇴인대(그림 4.12, 4.23, 4.24)는 매우 강하고 고관절의 앞면을 강화시킨다. 이것은 삼각형 모양이며 전하장골극의 정점에 부착한다. 하외측으로, 이것은 두 개의 띠로 갈라진다. 외장골대퇴돌기띠(lateral iliotrochanteric band)는 전자선의 상면으로 부착하고, 내측하띠는 전자선의 하면으로 부착한다. 이 두 띠를 함께 뒤집으면 Y모양을 형성하고, 그 중심에는 약한 인대조직으로 가득 채워져 있다. Hewitt 등(2002)은 장골대퇴인대의 양 띠는 좌골대퇴인대와 대퇴궁상인대보다 커다란 장력의 힘을 견딜 수 있고, 최소한의 전위에 의해서는 약해지는 것에 주목하였다. 이 인대는 가장 뻣뻣하게 보인다. 장골대퇴인대는 둔부의 신전을 제한한다.

치골대퇴인대(Pubofemoral ligament)

치골대퇴인대(그림 4.12, 4.23)는 장골치골융기, 치골상지 외에도 폐쇄능과 막(membrane) 내부에 부착한다. 외측으로는 전자선의 전면에 부착한다. 고관절의 낭은 치골대퇴인대와 장골대퇴인대의 아래띠(inferior band) 사이의 어떤 인대에 의해서도 지탱되지 않는다. 그러나 대요근의 건은 이 부근에서 관절과 교차하고, 그것의 역동적인 지지에 기여한다. 낭(bursa)은 요근의 건과 낭 사이에 놓여있고, 때로는 고관절의 윤활강과 직접적으로 교통할 것이다. Hewitt 등(2002)은 그들의 연구에서 이 인대를 실험하지 않았다.

좌골대퇴인대(Ischiofemoral ligament)

좌골대퇴인대(그림 4.24)는 관골구의 좌골의 가장자리와 관골와순에서 내측에서 기시한다. 외측으로, 상전방향의 나선을 가진 섬유는 대퇴경의 뒷면을 넘어 장골대퇴인대에서 깊은 전자와의 앞쪽으로 부착한다. 이 인대에 있는 몇 개의 섬유 또한 대퇴궁상인대를 형성하여 섞이면서 횡적으로 뻗어있고, 이전에는 "윤대(zona orbicularis)"라고 불리웠다(Hewitt et al 2002). 좌골대퇴인대는 일차적으로 둔부의 내회전 뿐만 아니라 굴곡된 둔부의 내전을 제한한다. 이 인대는 장골대퇴인대보다 작은 장력부하에서 약해지고 약해진 부분에서 커다란 전위(displacement)가 나타난다(Hewitt et al 2002).

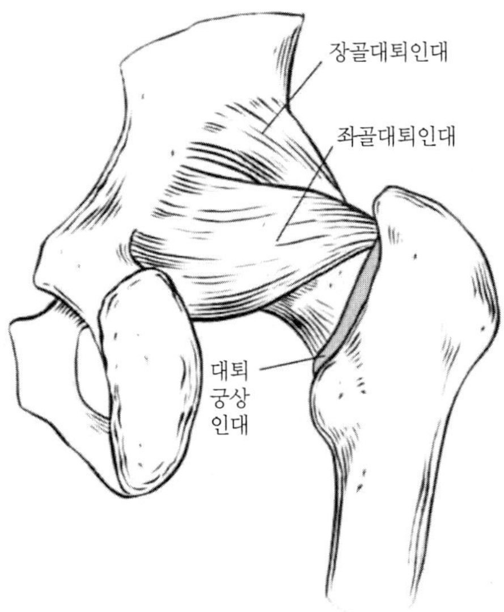

그림 4.24 고관절 뒤쪽의 인대 : Iliofemoral

대퇴궁상인대(Femoral arcuate ligament)

이 인대는 예전에 "윤대"라고 불리웠고, 이것의 해부학적 측면이 보고되면서 약간 변화되었다(Hewitt et al 2002). 이 섬유는 원형이고, 심부후낭에 위치하고 있다(그림 4.21 & 4.24). 이것은 대전자에서 시작하고, 좌골대퇴인대 뒤쪽으로 깊게 지나가며, 소전자의 아래쪽으로 부착한다. 고관절과 교차하지 않으나, 기능은 신전과 굴곡의 제한으로 낭을 긴장시킨다. 긴장에 대한 연구에서(Hewitt et al 2002), 이 인대는 최소한의 강도를 나타내고 작은 힘에서 약해진다.

원형인대(Ligamentum teres)

원형인대(그림 4.21a & 4.22)는 외측으로 대퇴골두와의 전상부분에 부착하고, 관골구 아래쪽으로 반달면의 끝과 관골구횡인대의 위면에서 안쪽으로 3개의 띠를 지난다.

관골구횡인대(Transverse acetabular ligament)

이 인대는 관골와순의 아래쪽으로 연장되며, 대퇴골두를 통과하여 공급하는 관절내혈관 사이의 구멍 안쪽으로 관골구패임을 변화시킨다(그림 4.22). 또한 이 인대는 무수한 근육인 장골근, 대퇴직근, 치골근, 소둔근, 이상근, 외폐쇄근, 내폐쇄근, 상·하 쌍자근과 더불어 대퇴의 근막장근, 관절낭에 부분적으로 부착하는 모든 것에 의해 역동적으로 안정되는 고관절을 지탱한다.

근육학 : 근육

천골과 무명골에 35개의 근육이 직접적으로 부착되고 인대와 근막은 몸과 사지의 움직임과 안정성을 동시에 유발하는 기능을 한다. 이 본문의 목적은 각 근육의 해부학을 설명하는 것은 아니지만 이 본문의 다음 단원에서 여러 가지 어려움을 설명할 수 있는 다소의 근육은 오히려 강조하고자 한다.

복횡근(TRANSVERSE ABDOMINIS)

복횡근(그림 4.25)은 가장 깊은 복근이고 샅고랑인대의 외측 1/3, 장골릉 내부 구순(lip)의 앞쪽 2/3, 흉배근막의 외측봉선으로부터 기시하고, 아래쪽의 6개의 늑연골의 내측면과 횡경막의 늑골섬유는 서로 맞물린 모양으로 형성되어 있다. 이 붙여진

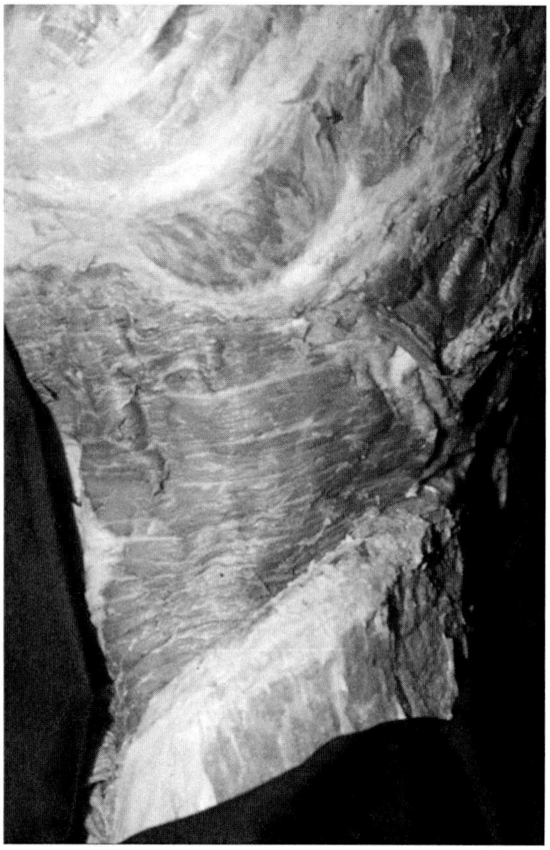

그림 4.25 횡복근의 외측 면

면에서부터, 이 근육은 몸 주위로 횡적으로 뻗어있다. 이것의 상하부 섬유는 복직근의 근막 덮개와 혼합되고, 복합적이고 다양한 이층건막(bilaminar aponeurosis)을 지나 정중선에서 백선(linea alba)에 이른다(그림 4.26). 배꼽의 위쪽에서, 복횡근의 건막섬유는 반대측복횡근과 내복사근의 건막섬유와 혼합하여 위와 아래 양쪽방향에서 복직근의 뒤쪽으로 지나간다(그림 4.26b 위). 배꼽의 아래쪽에서, 모든 건막섬유는 복직근의 앞쪽으로 통과하는 전판과 복직근의 뒤쪽으로 통과하는 후판과 함께 아래쪽으로 뻗어있다. 꼬리쪽으로, 후판섬유는 전판섬유를 따라 복직근의 앞쪽으로 차례로 지나간다(Rizk 1980)(그림 4.26b 아래). 아래쪽으로, 복횡근의 샅고랑섬유는 후치골릉의 얕은샅굴구멍에 부착하여 결합된 건을 형성하는 내복사근의 부착점에서 혼합된다. Urguhart 등(2001)은 복횡근의 상,중,하부 영역에 있는 섬유의 기원은 차이가 있다고 언급했다. 상부섬유는 상내측, 중부섬유는 하내측, 하부쪽은 하내측 방향으로 향한다(중부섬유보다 훨씬 더 하내측으로). 복횡근은 T7-T12, L1의 전방일차가지에 의해 신경지배를 받는다.

다열근(MULTIFIDUS)

요추(판섬유)에서 다열근의 가장 깊은 섬유는 판의 후면과 척추관절돌기관절(zygapophyseal joint)의 관절낭에서 나타나고 유두돌기의 두 단계 아래에 부착한다(Bogduk 1997)(그림 4.27 & 4.33). 이 근육의 나머지는 판섬유와 외측으로 혼합되어 극돌기로부터 가운데로 나타난다. 아래쪽으로, 다열근의 얕은 다발은 3단계 아래에서 붙는다. L1 척추에서 형성되어, 장골릉의 내측면 뿐 아니라, L4, L5와 S1척추의 유두돌기에 부착한다. 아래쪽으로, 이 섬유는 L2 척추 극돌기에서(얕은 다열근) L5, S1척추의 유두돌기와 무명골의 후상장골극에 부착한다. 이 섬유는 L3 척추의 극돌기로부터 S1 관절돌기, S1, S2 분절의 상가측면(늑골 요소), 그리고 장골릉에 부착한다. 이 섬유는 L4 척추극돌기로부터, 가측천골릉과 이 능과 후천골공(dorsal sacral foramina) 사이의 뼈 있는 지역에 붙는다. 그리고 L5 척추로부터 중간천골릉선 아래쪽의 S3에 붙는다. 골반의 안쪽에서, 다열근 또한 대둔근을 구별하는 봉선(raphe)에서 후흉배근막의 깊은 추궁판으로 부착한다(Willard 1997). 여기서 다열근으로부터 섬유는 천결절인대와 혼합된 후천장인대의 아래쪽으로 통과한다. 요천추 접합부에서, 다열근은 가장 큰 근육이다. 요추에서, 얕은(그리고 외측보다 더) 다분절섬유(multisegmental fiber)는 기능적인 형상(각의 움

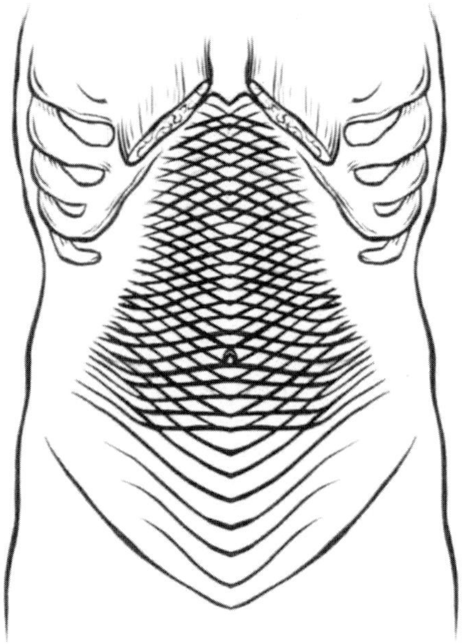

(a)

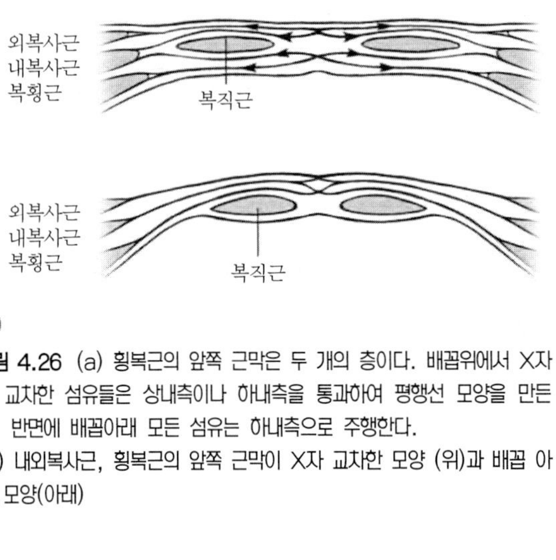

(b)

그림 4.26 (a) 횡복근의 앞쪽 근막은 두 개의 층이다. 배꼽위에서 X자로 교차한 섬유들은 상내측이나 하내측을 통과하여 평행선 모양을 만든다. 반면에 배꼽아래 모든 섬유는 하내측으로 주행한다.
(b) 내외복사근, 횡복근의 앞쪽 근막이 X자 교차한 모양 (위)과 배꼽 아래 모양(아래)

직임의 원인이 되는)을 알고 있다. 이에 반해, 깊은 섬유는 더 큰 강직성의 기능을 가진다(특별한 방향이 없고 안정성의 원인이 되는).

근다발(fascicles)은 등쪽가지의 내측가지에 의해 신경지배를 받는다. 같은 극돌기로부터 생성되는 모든 다발은 그들의 아래쪽의 부착 범위에 개의치 않고 같은 신경에 의해 신경지배를 받는다.

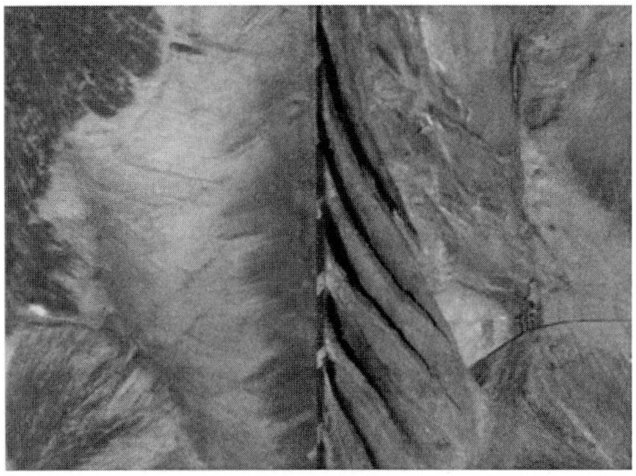

그림 4.27 오른쪽 : 요추 다열근의 표층 섬유 왼쪽 : 배흉부 섬유

심부 등벽과 골반저근(THE DEEP BACK WALL AND FLOOR OF PELVIS)

골반의 깊은 등 바닥은 이상근과 같은 면에 놓인 좌미골근육(ischiococcygeal muscel), 깊은 등 벽의 또 다른 근육으로 구성된다. 골반저근은 항문거근(치골직장근, 치골미추근, 장골미추근)과 "올림판"(levator plate)이라고 집합적으로 알려진 근막으로 구성된다(그림 4.28과 그림 4.29).

골반근막(Pelvic fascia)

골반저근은 내부골반 주변의 뼈 외에도, 다소의 근막 구조물로부터 기원한다. 골반근막건궁(arcus tendineus fascia)은 앞과 뒤 연결 장치사이에 매달린 두꺼운 근막띠(종종 백선이라 불린다)이다. 이것은 내폐쇄근의 근막 위에 놓여져서 안쪽으로 위치한다. 앞쪽으로, 골반근막건궁은 치골결합관절의 하면정중선(inferior border midline)에서 외측으로 1cm, 위로 1cm에 부착된 윤곽이 분명한 건이다(DeLancey 1994). 궁의 뒤쪽 부착점은 장골극에 있다. 궁이 치골의 건 부착지점에서 아래쪽으로 이르는 동안 그것은 주변 구조물과 연합하고, 내골반

근막과 혼합되어 넓찍한 건막띠가 된다. 내골반근막은 질전벽과 요도 사이에 놓여진 치밀한 수평근건막(hoizontal fascial aponeurosis)이고, 이 구조물의 지지를 제공한다. 외측으로, 내골반근막은 골반근막건궁의 양측으로 부착하고, 요도와 질을 위해 달아매는 침대처럼(hammock-like) 지지하여 공급한다(그림 4.29)(DeLancey 1994). 뒤쪽으로, 내골반근막은 치골미추근, 치골직장근, 장골미추근의 내부면과 혼합한다. 이 근육은 내골반근막을 지지하고, 기능적으로 "달아매는 침대처럼(hammock)" 굳어져버린 요도와 질을 지지한다.

좌미골(Ischiococcygenus)

좌미골은 천극간인대의 배쪽면과 좌골극에서 기시하고 S4, S5 사이의 천골의 꼭대기에서 부착한다. 이상근, 좌미골과 함께 골반의 깊은 등 벽을 형성한다. 이 근육은 S3, S4 천골신경총의 배쪽 가지에 의해 공급된다.

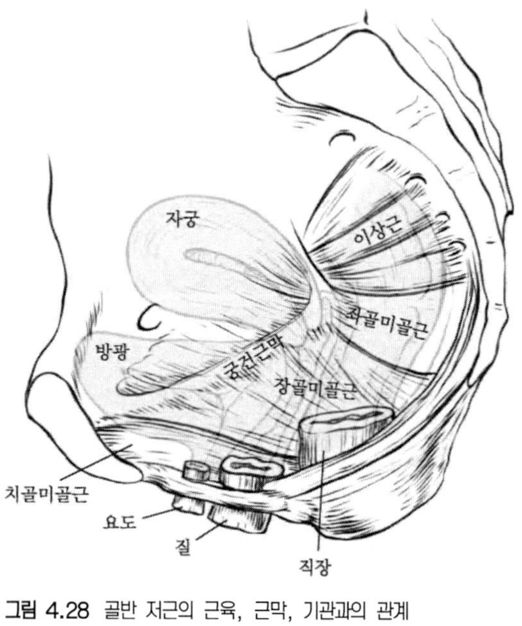

그림 4.28 골반 저근의 근육, 근막, 기관과의 관계

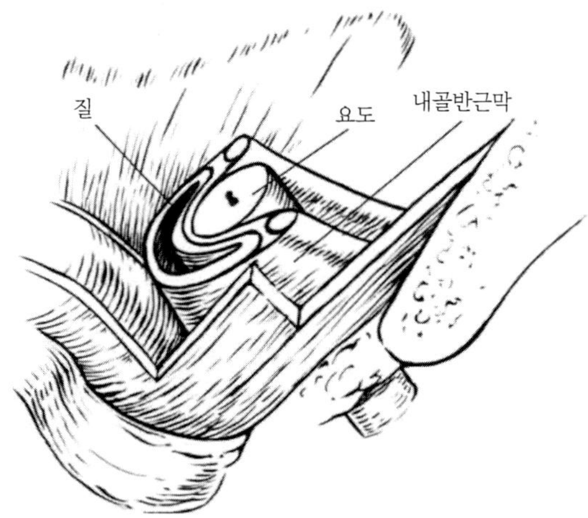

그림 4.29 "기능적 해먹"(달아매는 침대). 아래로 누르는 압박은 내골반근막에 저항하여 자궁을 압박하고 이 구조물에 대한 힘을 효과적으로 제어한다. 섬유 지지 시스템의 약화는 요도를 폐쇄시키는 힘이 약해져 긴장성 요실금을 일으키는 원인이 된다.

이상근(Piriformis)

이상근은 천골의 S2, S3, S4 분절의 앞면 외에 천장관절의 배쪽낭과, 장골의 후하장골극의 앞면, 종종 천골결절인대의 상부부분에서 형성한다. 골반으로부터의 이것의 출구는, 대좌골공을 지나고, 대퇴골의 대전자에 부착한다. L5,S1의 배쪽가지로부터 신경 공급한다.

항문거근(Levator ani)

항문거근은 골반상의 일부분이고, 치골미추근, 치골직장근, 장골미추근 3개의 근육으로 구성된다. 치골미추근과 치골직장근은 골반근막건궁에서 2.5-4cm 위의 치골의 안쪽 면에서 형성된다(그림 4.28). 치골미추근의 후섬유는 골반근막건궁의 앞쪽 반에서 발생한다. 치골미추근은 치골직장근의 아래쪽인 뒤쪽으로 지나가고, 후직장의 안쪽면에서 형성된다. 봉선(raphe)을 지나서 섬유는 마지막 2개의 미수분절의 앞면에 부착되어지는 항문직장굴곡 뒤쪽에서 하나로 통합되고 연장된다. 치골직장근은 뒤쪽으로 요도, 질(여자)의 외측과, 항문직장굴곡(anorectal flexure)에서 근현수(muscular sling)를 형성하는 반대쪽부분과 하나로 통합되는 직장을 지나간다. : 이것은 뒤쪽의 뼈에 부착되지 않는다.

장골미추근은 좌골극의 내측면과 골반근막건궁의 뒷부분에서 기원한다. 이 근육으로부터 섬유는 미골의 앞면에 부착한다. 항문거근의 전내측 부분은 후외측 지역이 S3, S4 천골척수신경으로부터 직접 공급받는 동안 음경신경의 가지에서 공급받는다(Williams 1995).

횡격막(DIAPHRAGM)

횡격막은 복강으로부터 흉곽을 구별하는 변화된 반돔형 지붕이다(그림 4.30). 이것은 검상(xyphoid)과 아래쪽 6개의 늑골의 내측면(복횡근과 서로 맞물린다), 그리고 요추에서 넓은 부착점을 가진다. 횡격막의 음핵각은 몸의 전외측면과 오른쪽의 L1–L3와 왼쪽 L1–L2의 추간판에서 기인한다. 외측으로, 섬유는 대요근과 요방형근 위쪽 아치에 있는 두꺼운 근막띠인 내측, 외측 궁상 인대에서 기인한다. 이 기시점 주위로부터, 섬유는 두껍고, 강한 교원질 섬유의 널힘줄인 중심건 위에 집중된다. 횡격막에서 운동섬유는 가로막신경(C3–C4)으로부터 나오며, 감각신경은 아래쪽 6–7개의 늑간신경(T6–T12)으로부터 나온다.

외복사근(EXTERAL OBLIQUE)

외복사근은 아래쪽 8개의 늑골의 외측면과 하부면으로부터 발생한 8개의 손가락 모양의 가장 큰 복근이다. 전거근과 광배근의 섬유가 맞물려서 기시한다. 외복사근의 위쪽 부착점은 늑골늑연골관절(costochondral joint) 가까이에서 발생하며, 중간 부

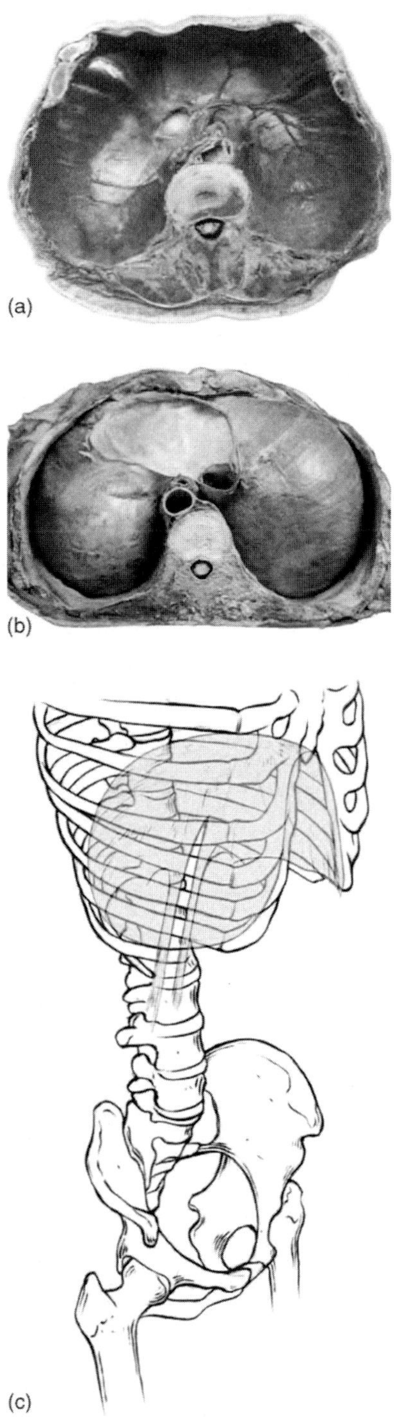

(a)
(b)
(c)

그림 4.30 (a) 아래에서 본 횡격막의 해부도. (b) 위에서 본 횡격막의 해부도 (c) 횡격막 호흡의 3차원적 모형도

착점은 늑골의 몸과 12번째 늑골연골의 가장 아래쪽 끝이다. 아래쪽으로, 하부섬유는 수직으로 하강하여 장골릉 앞쪽 반의 외측 가장자리에 부착한다. 상부, 중부섬유는 전복부건막에서 끝난다(그림 4.31). Rlzk (1980) 41개의 견본에서 이 구조물을 조사하고, 양측으로 이루어진 외복사근의 널힘줄을 발견했다(그림 4.26b). 두 층은 반대쪽의 근막과 반대쪽 내복사근이 연장된 심층이 함께 혼합되어 정중선에서 교차한다. 천층은 대측측방면의 천층과 통합한다. 심층과 천층은 또 다른 곳으로 90° 돌아간 그들의 방향과 같은 망선모양을 생산한다. 외복사근은 T7-T12 척수신경의 배쪽가지에 의해 신경 지배를 받는다.

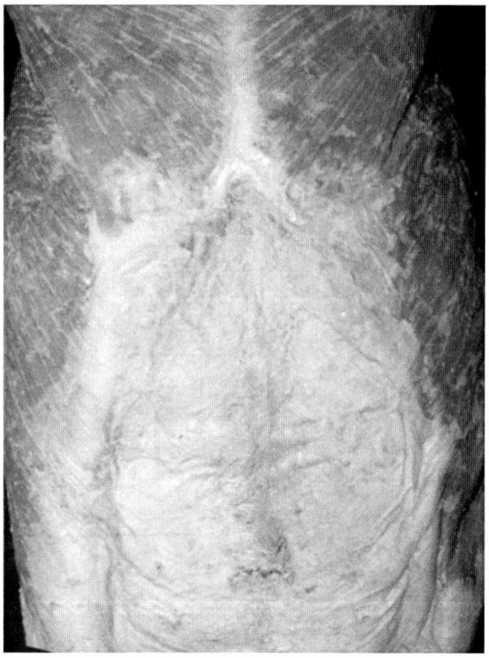

그림 4.31 전복근건막안으로 외복사근의 기시

내복사근(INTERNAL OBLIQUE)

내복사근은 외복사근과 복횡근 사이에 놓여있고, 샅고랑인대의 가쪽 2/3, 장골릉의 중앙선의 앞쪽 2/3, 흉배근막의 외측 솔기에서 발생한다. 후섬유는 옆쪽으로 올라가서 11, 12번째 늑골의 끝부분에 도착하고, 늑골늑연골관절 가까이에 위치한 10번째 늑골에 이른다. 전섬유는 복횡근의 건막과 혼합된 샅고랑인대궁의 하내측 방향으로 형성되고, 치골릉에 부착된다. 중앙선은 양측의 건막 안쪽으로 부착되고 (Rizk 1980), 외복사근과 복횡근의 건막과 함께 혼합하며, 몸의 정중선을 가로질러 근막에 십자형의 그물망을 형성하면서 상내측 방향으로 지나간다(그림 4.26b). 내복사근은 T7-T12, L1 척수신경의 배쪽가지에 의해 신경 지배를 받는다.

복직근(RECTUS ABDOMINIS)

복직근은 긴 근육의 가죽 끈이며, 배의 앞쪽 정중선에서 약간 옆쪽에 있다. 치골결합관절의 인대에서 형성되었다. 이 근육의 건막 확장은 복횡근, 내복사근, 추체근, 장내전근, 앞쪽의 맞물린 모양의 결합선을 따라서 섬유의 치밀한 그물망을 형성하고, 이 관절의 안정성에 기여한다(그림 4.20c 참조) (Kapandji 1974, Williams 1995). 이 근육은 5번째에서 7번째까지의 늑골연골(때때로 3번째 늑골연골처럼 높은)과 검상돌기에 부착한다. 복직근은 외복사근으로부터 부착을 받아들이는 3개의 수평건띠 (horizontal tendinous band)(그림 4.32)에 의해 구분된다(DeRosa 2001). 복직근은 외, 내복사근의 건막과 더불어 복횡근 양 측 널힘줄의 십자형 모양의 교차에 의해 형성된 근막초로 인해 둘러싸여졌다. 복직근의 내부면은 양 측의 건막을 지나 연결되고, 백선으로 분명하게 알려져 있다. 아래쪽 6개 혹은 7개의 가슴척수신경의 배쪽가지를 통해 신경이 공급된다.

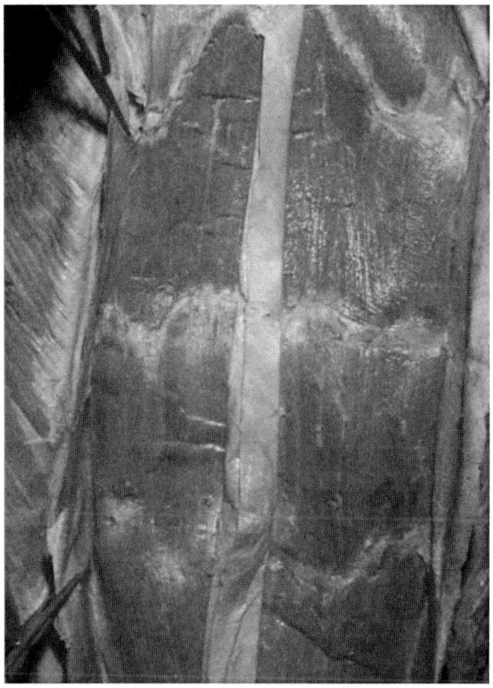

그림 4.32 복직근. 외복사근으로부터 부착부위를 받는 3개의 수평건막 띠를 관찰하라.

추체근(PYRAMIDALIS)

이 삼각형 모양의 근육은 복직근의 하면에서 앞쪽으로 위치하고, 이것의 초(sheath) 안쪽으로 둘러싸여져 있다(그림 4.20c). 바닥은 치골의 뼈 뿐 아니라, 배꼽과 치골 사이의 백선 중간과 혼합된 꼭대기 쪽의 결합선과 더불어 부착한다. 이 근육은 T12 척수신경의 배쪽 가지인 늑하신경에 의해 신경지배를 받는다.

척추기립근(ERECTOR SPINAE)

요부의 흉최장근(Longissimus thoracis pars lumborum)

이 근육은 5개의 근육다발, L4로부터 L3, 그리고 L2, 마지막으로 L1 에 의해 L5 척추에 겹쳐진 가장 깊은 것에서 형성한다(Bogduk 1997). 내측으로, 이 추궁판은 덧돌기와 횡돌기의 배내측 끝에서 기인한다. L4 척추의 섬유는 L5로부터 섬유속(fascicle)에 바깥쪽으로 후상장골극 내측면에 아래쪽으로 부착한 요추근간널힘줄의 내측면 안에서 일반적 건을 지나 부착한다.

흉부의 흉최장근(Longissimus thoracis pars thoracis)

흉최장근의 흉부 구성요소는 흉추의 척추기립근 그룹의 가장 큰 부분이고, 척추에 근접한 척추곁근육(paravertebral muscle) 집단의 부피를 형성한다. 이것은 늑골과 T1–T12의 횡돌기에서 기시하고

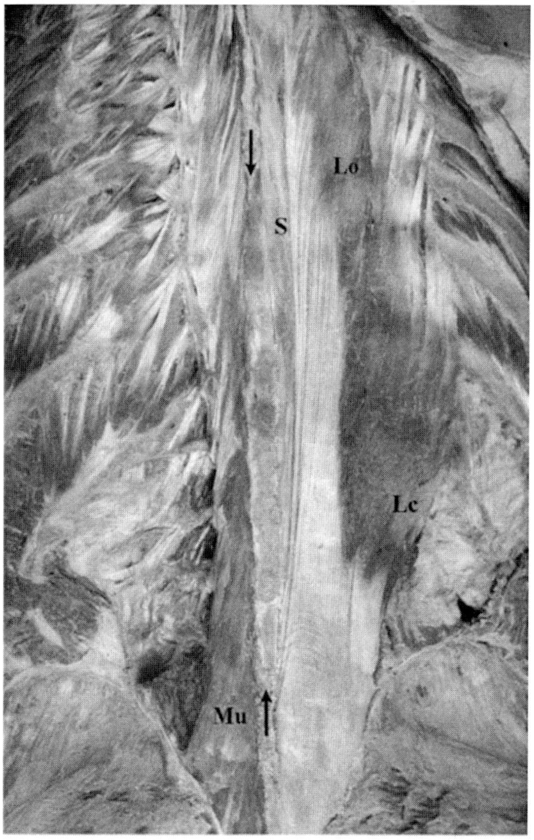

그림 4.33 최장 흉부 흉추(Lo), 장늑골 요추부 흉추(Lc), 다열근(Mu)의 표층 섬유가 선명하게 보인다. 척추(S)

하강하여 척추기립근의 건막을 지나서 요추의 극돌기와 천골에 부착한다(그림 4.33). 각 섬유속은 하부 섬유속이 요추에 완벽하게 다리역할을 하는 동안 상부흉곽으로부터 L3에 이르기까지 다양한 길이로 하강한다.

요부의 요장늑근(Iliocostalis lumborum pars lumborum)

이 근육은 L1-L4 척추(요추최장근의 외측)의 횡돌기의 끝과 흉배근막의 중부층에서 겹쳐진 4개의 근다발에서 발생한다. 아래쪽으로, 이 근육은 장골릉의 외측 방향에 있는 후상장골극에 부착한다.

흉부의 요장늑근(Iliocostalis lumborum pars thoracis)

요장늑근의 흉부 구성요소는 크고 척추기립근 그룹 외측부분의 대부분이다. 아래쪽 7-8번 늑골의 아래쪽 면의 귀퉁이에서 근다발은 흉장늑근의 부착점의 가쪽으로 기시한다. 그리고 하강하여 척추기립근의 널힘줄을 형성하는 흉최장근의 흉부 구성요소와 함께 장골과 천골에 부착한다(그림 4.33). 이 흉수다발은 흉곽과 골반 사이의 빈곳을 메우는 요추에 부착하지 않는다. 척추기립근 널힘줄은 흉부의 흉최장근의 건과 흉부의 요장늑근에서 발생한다. 이 근육은 분절등척수가지의 외측과 정중앙가지로부터 신경 지배를 받는다.

흉배근막(THORACODORSAL FASCIA)

흉배근막은 체간에서 하지로 부하의 이동을 고려할 때 가장 중요한 구조물이다(Vleeming et al 1995a). 골반대의 안정성을 제공하는데 중요한 몇몇 근육은 이 근막에 부착하고 범위 안에서 장력에 영향을 줄 수 있다. 그것은 복횡근, 내복사근, 대둔근, 광배근, 척추기립근, 다열근, 대퇴이두근을 포함한다.

이것에 대한 해부학은 복잡하다(Vleeming et al1995a, Bogduk 1997, Barker & Briggs 1999). 근막에는 전,중,하의 3개의 층이 있다. 전층은 얇고, 요방형근의 앞면으로 덮여있다. 그것은 횡돌기의 중앙으로 부착하고, 횡돌기간인대와 혼합된다. 중층은 요방형근 뒤쪽이다. 이것은 횡돌기의 끝에서 중앙으로 발생하고, 복횡근의 건막에 기시점을 제공한다.

흉배근막의 후층은 두개의 추궁판(laminae)으로 구성된다. 천판은 광배근의 건막(그림 4.34)에서 유래하여 퍼지고, 미내측 방향으로 뻗은 사선섬유

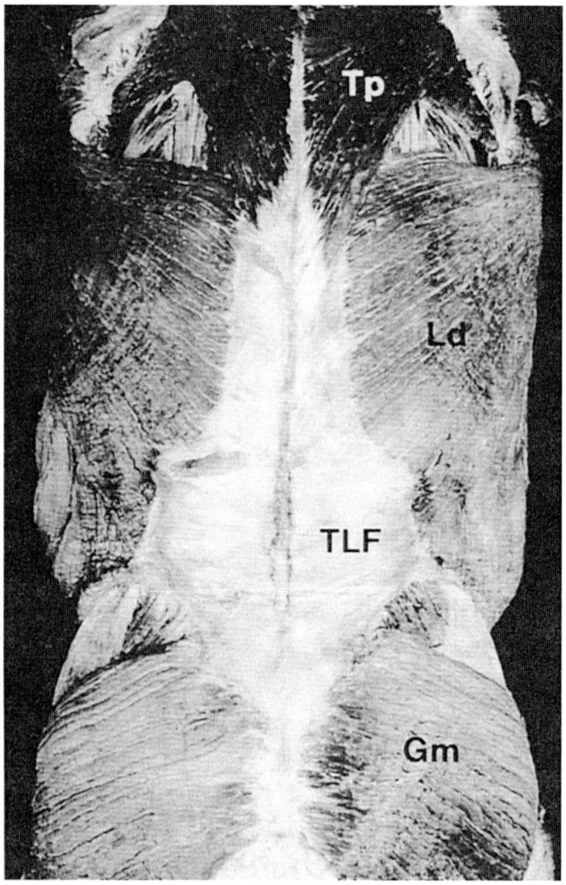

그림 4.34 광배근과 대둔근이 배층을 형성하기 위하여 흉요추 근막에 부착되어 있는 뒤쪽 모습. 하승모근 섬유의 작은 부착을 관찰하라.

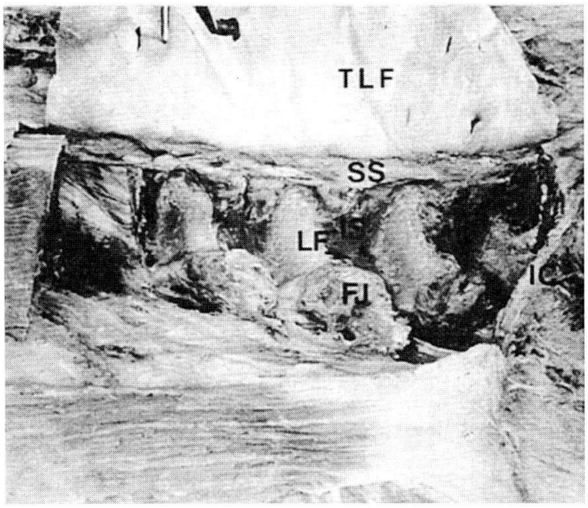

그림 4.35 요추의 후외측면. 흉요추 근막(TLF)이 극상와 인대(SS)와 극간인대(IS), 황색인대(LF), 소관절(FJ) 낭과 융합되어 있다. 장골능(IC)

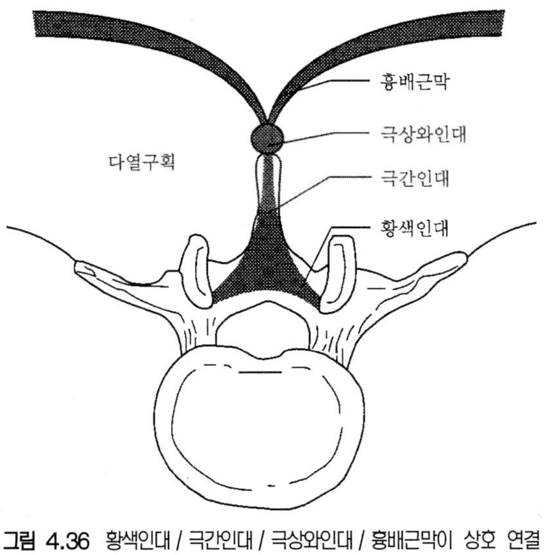

그림 4.36 황색인대 / 극간인대 / 극상와인대 / 흉배근막이 상호 연결된 요추부의 횡단면. 이러한 기전은 요추 - 골반 - 고관절 부위의 안정화 훈련에 매우 중요한 역할을 한다.

(oblique fiber)를 포함한다. 정중선에서, 강한 결합은 극상인대와 L4에서의 요척추의 극돌기에서 근막에 부착하여 존재한다. Willard(1997)에 의하면, 황색인대의 후면은 흉배근막에 정박하고 있는 회전한 극상인대처럼 되어간다(그림 4.35와 그림 4.36). Willard (1997)에 의하면 이 부착으로 인해, 흉배근막의 장

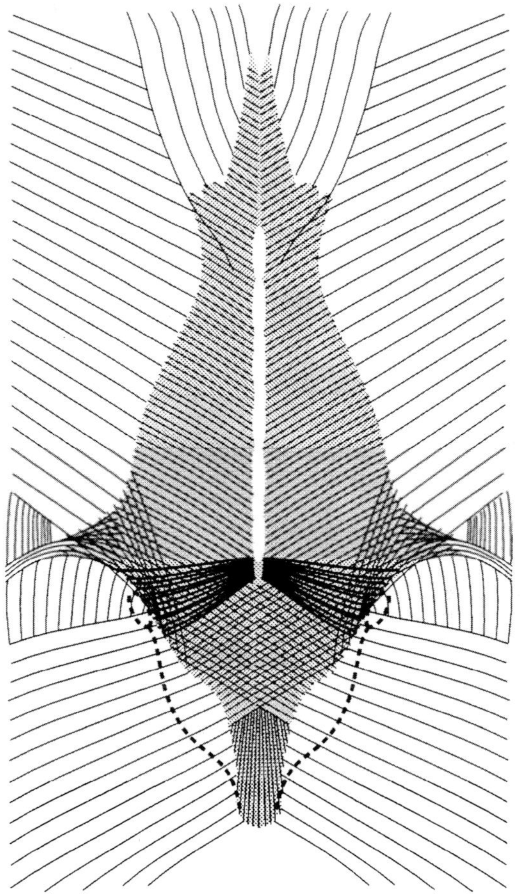

그림 4.37 흉배 근막의 표층

력은 황색인대로 이동하고, 요척추의 협력을 돕는다고 한다. 천판은 또한 외복사근과 하부승모근으로부터 몇 개의 섬유를 받아들인다(Vleeming et al 1995a).

꼬리부분에서 L4까지 정중선 연결은 매우 느슨하고, 실제로는 반대편의 장골릉과 천골에 이르기까지 정중선에서 교차한다. 천골 위쪽에서, 천판은 대둔근의 근막과 혼합한다. 이 섬유는 안쪽의 부착점으로부터 정중천골릉과 때때로 두 개처럼 먼 L4 극돌기에까지 미외측 방향으로 뻗어있다(그림 4.37).

흉배근막의 후층의 심판 또한 몇몇 근육의 연결에 의해 복잡하다(그림 4.38). 이 섬유는 극간인대에서 내측으로, 후상장골극, 장골릉, 후천장인대에서 미측으로 부착하여 미외측 방향으로 뻗어있다. 골반의 위

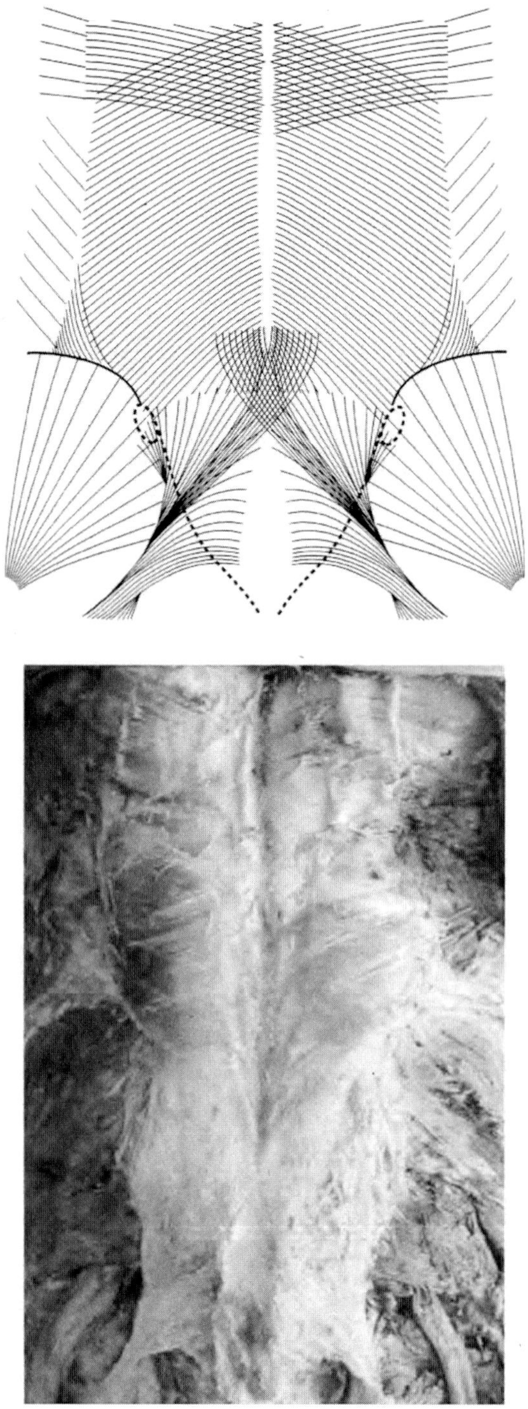
(a)

(b)

그림 4.38 (a). 흉배 근막의 심층 (b). 흉배 근막의 심층은 다열근의 꼭대기를 형성하고 천골결절 인대와 융합한다.

쪽에서 심판은 외측 솔기에 부착하고 흉배근막의 중층과 함께 혼합된다. 내복사근과 복횡근은 이 외측 솔기에 부착한다. 골반 바로 위에서, 몇몇 섬유는 척추기립근(천골 다열근의 위에서 지붕을 형성한다. 그림 7.1 참조)의 심근막과 천결절인대와 함께 혼합된다.

흉배근막의 장력은 상지, 몸, 하지의 움직임을 통하여 증가시킬 수 있다. 근막 안에 부착한 많은 근육의 수축, 또는 신장은 이 장력에 영향을 줄 수 있다. 전 근육(anterior musculature)과 전복근막은 쌍으로 연결되어(그림 4.39) "완전한 모양의 원이 창조되었다"라고 한다. 이와 같이, 골반대와 하부 등(lower back)의 안정성은 강화되고 부하는 효과적으로 몸과 하지로 이동된다.

다리의 근막

하지의 근막은 근육을 감싸고 기능에 영향을 줄 수 있고, 그 결과로서 기능 장애의 증후가 생길 수 있는 골반대의 광대한 부착점을 통과한다. 근막은 천골, 미골, 장골릉, 샅고랑 인대, 치골상지, 치골하지, 좌골조면, 천골결절인대의 부착에 의해 골반대를 둘러싼다. 위쪽으로, 몸의 흉배와 복근막과 혼합된다. 장골릉으로부터 근막은 대둔근을 감싼 것이 찢어지기 전에 중둔근의 위쪽으로 하강한다. 이 근육의 하부면에서 두 띠는 만나고 근막의 외측에서 두껍게 된 부분을 의미하는 장경인대에서 그것의 부착을 용이하게 한다.

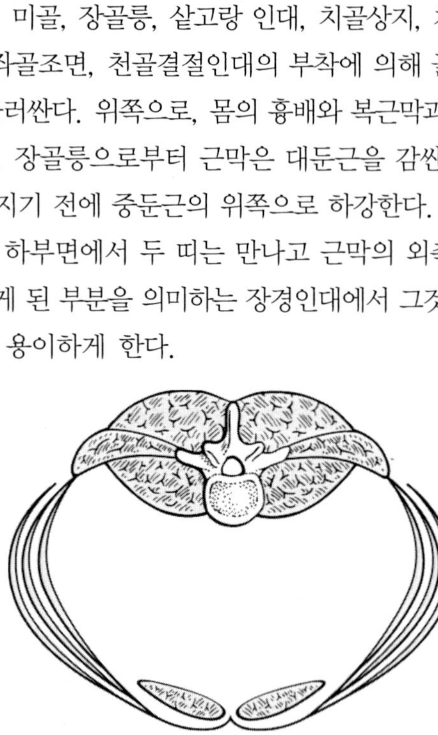

그림 4.39 완전한 원형(circle of integrity)이라 불리는 구성 요소의 모형적 표현

장경환은 아래쪽으로 대퇴골의 과와 경골, 비골두에 부착하고, 하퇴근막과 대퇴근의 건막 확장과 혼합된다. 근막은 조선(linea aspera)에 부착한 두 개의 근간 표면과 함께 대퇴부에서 연속되어 있다.

대퇴근막장근은 대둔근의 부착점에서 장경환 앞쪽으로 부착한다. 이 근육은 근막의 두 층에 의해 감싸진다. 천층은 이 근육에서 외측의 장골릉에 이르고 그 동안 심층은 고관절의 낭과 내쪽에서 섞인다.

신경학 : 신경

요추골반 – 고관절 부분의 신경학의 이해는 필수적이다. 왜냐하면 재활은 최적의 신경학적 기능회복을 포함해야 하기 때문이다. 자세에서의 근조절과 이동은 중추신경계와 말초신경계 모두가 직접 관여한다.

Janda(1986)는 "근기능의 성질은 중추신경계의 활동에 직접적으로 의존하기 때문에 근육에서 변화되거나 손상된 중추신경의 조절로 인한 이차적 반응으로부터 일차적인 변화를 구별한다는 것은 임상적으로 대부분 불가능한 것이다."고 언급했다. 더욱이, 감성적 상태는 기초적인 근육의 톤과 패턴에 영향을 준다고 알려져 있다(Holstege et al 1996). Wyke (1981, 1985)는 관절신경학은 국소적이으로나 전체적으로 근긴장도에 직접적이고 반사적인 영향을 미친다고 하였으며, 관절의 구조물에서의 구심성의 입력(afferent input)은 자세와 움직임의 지각에 기여한다.

관절의 기계적수용체로부터 변화된 구심성의 입력은 정적과 동적인 골반대의 기능 모두에 깊은 영향을 미칠 수 있다. 몇몇 연구에서(Mattila et al 1986, Bullock–Saxton et al 1994, Uhlig et al 1995, Hides et al 1996, Hodges & Richardson 1996, Dangaria & Naesh 1998, Hodges & Moseley 2003) 근 섬유의 유형과 근 크기, 동원방식의 변화는 통증과 병리를 발생시킨다고 증명하였다. 그러나 단순히 경감된 통증은 최선의 기능 회복에 필요하지 않다. : 이러한 변화는 통증이 가라앉을 때 남아있을 수 있다(Bullock–Saxton et al 1994, Hides et al 1996).

고유수용기와 운동조절체계의 변화는 움직임의 방식과 부하의 이동방법을 변화시킨다. 이 결과로 보다 적은 효과적인 움직임, 약간의 기능회복, 통증과 부상의 재발에 대한 높은 위험(Hides et al 2001)이 있고, 이른 퇴행성 변화와 통증을 일으킬 수 있는 관절의 힘이 변화한다(관절의 회전축 변화에 의해서).

육안적 관절 신경학

천장관절의 거시적인 신경지배에 대한 대부분의 광범위한 연구는 1957년 Solonen에 의해 행해졌다. 그는 9개의 시신에서 18개의 관절로 실험하였고, 뒤쪽의 모든 관절은 S1, S2 척수신경의 후지의 가지로부터 신경지배 된다는 것을 발견하였다. Bradlay (1985)는 후천추인대는 L5, S1, S2, S3 척수신경의 등쪽 가지의 외측 부분으로부터 공급받고 있음을 보고하였다. 이것은 이후에 Grob 등(1995)에 의해 확실해졌다. Willard 등(1998)에 의하면, 배측 천골신경절(S1, S2, S3)은 천골 도랑(gutter) 아래쪽의 다열근의 천골 부착점과 천결절 인대의 표면에서 형성되고, 내, 외측 부분으로 구분하여 나누어진다. 내측 경계는 외측 경계가 매우 얇은 층을 평평하게 하는 배측장인대의 가운데로 통과하거나 아래로 통과하는 동안에 다열근에서 공급한다. 천장관절의 후면에서 이 가지는 신경 지배된다. 앞쪽으로, Solonen (1957)은 관절 신경지배는 항상 일치하거나, 대칭일 필요성이 없다는 것을 발견했다. 18개의 견본 실험으로, 모든 관절은 L5 척추신경의 배쪽 가지로부터 가지를 따라 신경 지배를 받고, L4에서 17개, S1에서 11개, S2에서 4개, L3에서 1개, 상둔신경에서 15개의 신경분포를 받아들인다. Grob 등(1995)은 배측지로(ventral rami)부터 모든 신경 지배를 할 수 없다고 확신하였다. Fortin 등(1999)은 Grob의 견해에 동의하고 천장관절은 오직 S1-S4의 등쪽 가지로부터 신경지배를 받는 것을 알게 되었다. 그들은 배쪽 가지로부터 관절의 신경 지배를 보고한 연구자들은 같은 기술적 오점으로 인해 혈관을 신경으로 생각하는 잘못을 저질러 실수를 했다고 제안하였다. 신경지배의 넓은 분포는 천장관절의 기능이상을 가진 환자에 의해 보고되어진 다양한 통증유형에서 임상적으로 반영되었다(Fortine et al 1994a).

치골결합관절은 음부와 음부대퇴신경의 가지로부터 신경지배를 받는다(Gamble et al 1986).

고관절은 폐쇄신경(L2, L3, L4), 대퇴방형근의 신경(L2, L3, L4)과 상둔신경(L5, S1)의 가지에 의해 신경 지배된다(Grieve 1986). 마찬가지로, 이 관절은 관절을 교차하는 근육에 공급되는 신경의 가지를 받아들인다. 고관절은 L2에서 S1으로의 조력과 함께 주로 중배엽의 L3에서 기원한다. 그러므로 보내진 통증 유형의 변화를 위한 가능성이 있다.

요추 추간판의 외부 1/3은 동척추신경에 의해 후쪽으로 신경 지배되고(Bogduk 1983, 1997), 배쪽 가지와 척수 신경의 전달자인 회백교통지에 의해 외측으로 신경지배 된다. 자극기(아래에서 볼 때)는 여기에 위치하고 이것으로 인하여 최초의 디스크 통증에 대한 해부학적 가능성을 가진다. L5와 S1 척추의 추간관절은 L4, L5와S1 척수신경의 배측 가지의 내측 가지를 지나 신경 지배된다.

현미경적 관절 신경학

관절에서 기계적수용기에 대한 정확한 정보는 중추신경계에 의해 움직임을 동작을 통합하기 위해 필요하다. 관절의 위치, 움직임, 안정성에 대한 필수적인 것은 협응력이다(Hodges &Moseley 2003). 이러한 장치는 과도한 움직임과 협응력으로부터 관절을 보호한다. 습관적인 움직임에서의 운동동원의 타이밍은 효과적이고, 생체역학적으로 안전한 방법으로 생성된다.

관절 수용기의 분류는 하나이상이다(Wyke 1981, Rowinski 1985). 근본적으로, 수용기는 낭의 모든 층 안에, 모든 인대와 근막 안에, 근육의 모든 부분 안쪽에 있다. 몇 개는 방출(discharge)을 위한 낮은 역치를 가지고 있고 적용한 경우에 느려진다. 그들은 관절의 정적인 상태에서 근육 길이와 긴장, 관절 사이의 압력을 보고했다. 또 다른 것은 낮은 방출을 위한 역치를 가지고 매우 빠르게 적용한다. 이 수용기는 관절 상태(방향, 양, 빠르기)의 변화를 포함한 환경에서 역동적인 변화를 나타낸다. 이 수용기는 높은 방출을 위한 역치를 가지고 매우 느리게 적용하며 보호하는 것이다. 이 수용기의 결과로 근육의 심한 수축을 억제시키고, 관절낭의 심한 신장을 금하도록 반사시킨다. 수초화(myelinated) 되었거나 그렇지 못한 경우 축삭 모두 천장관절 낭의 배쪽 부분에서 발견되었다(Fortin et al 1999).

자극기는 관절과 근막 체계 전체에 걸쳐서 위치한다. 그것은 말단의 기계적 손상과 화학적 자극(나트륨이온, 젖산, 폴리펩티드 키닌, 5-하이드록시트로펩타인, 아세틸콜린, 노어에피네프린(노어아드레날린), 프로스타그란딘, 히스타민)에 반응하고, 수용체를 적용하지 않는 높은 역치가 있다. 이 수용체는 통증(자극기)의 지각에 기여한다. 그러나 구심성의 입력은 말초 쪽과 중추 양쪽을 중요하게 변화시킬 수 있다.

Wyke(1981)에 의하면, 관절의 기계적수용기 활동에서 중추적 효과는 반사, 지각, 통증의 억제 등 세 부분으로 이루어진다.

반사 효과

관절의 기계적 수용기의 낮은 역치로부터의 구심성 섬유의 소극작용(depolarization)은 방추운동신경에서 많은 시냅스 쪽으로 다다르고, 이 결과로 관절 운동을 하는 동안과 쉬는 동안 양 쪽에서 근방추로부터 감마 피드백 고리가 기여한다. "이러한 의미로 인해 관절의 기계적 수용기는 근 긴장도와 모든 가로무늬근에서 흥분선의 신장반사에서 상호 협응하는 반사적 효과를 발휘한다"(Wyke 1981). 이 관절낭 반사가 활동할 때, 수용체의 방출은 움직임을 발생시키는 길항근을 용이하게 한다. 관절의 기계적 수용기의 높은 역치가 방출되었을 때, 반사의 효과는 α-운동뉴론에서 많은 시냅스쪽으로 방출하는 것이고, 이 결과는 국소적인 근육의 억제이다. 자극기는 α-운동뉴론으로부터 방출에 영향을 미치고, 정상, 협응력, 기계적 수용체 반사계통을 왜곡시킬 수 있다.

지각효과

관절의 기계적 수용체로부터의 구심성 입력은 많은 시냅스쪽으로 후방등쪽 척주를 지나서 대뇌피질의 두정의 지역과, 중심엽(paracentral)에 이르기까지 이동하며, 그 결과는 좌우 양측의 자세와 운동지각의 각성에 중요하게 기여한다.

고관절 전치술의 코스에서 시행되는 고관절의 관절낭 절제술은 남아있는 고관절에서 자세 감각의 전체적 소실을 초래하지는 않는다. 반면에 관절낭 기계수용기는 정적관절자세의 인식에 기여하지만 인지경험의 유일한 원천이 되는 것은 아니다. 그리고 다른 최근의 연구에서 주목하는 것은 그들의 기여는 협응을 보충하고 지각과 근고유감각(근방추) 기계수용기에 의해서 예비되어 있다는 것을 암시하는 것이다 (Wyke 1981).

통증

Grieve에 의하면(1981) :

신체 어디엔가 통증이 느껴지고 통증의 원인이 무엇 때문이던 간에 - 통증은 임상에서 만나는 신경학적 기능장애에 나타나는 모든 임상증후군에 가장 일반적인 것이다.

미각, 촉각, 후각, 통증이 같지 않은 것은 신경학적 감각이 첫 번째가 아니라 복잡한 신경학적 손상이 과거와 현재의 경험과 더불어 특별한 구심성 계통의 활동 방식에 의해 영향을 받기 때문이다.

통증에 도움을 주는 자극은 단지 작은 직경의 섬유에 의해 중심쪽으로 이동하지 않는다. 구심성 섬유의 완전한 스펙트럼은 말초독성자극에 의해 자극될 것이고, 자극의 강렬함에서 결정될 수 있다. 통증의 경험은 척수의 말초 쪽, 뇌간과 피질의 중추쪽 양쪽에서 수렴, 합계, 가감의 과정으로 결정된다.

말초 변조 또는 척수 관문의 이론은 Melzak & Wall(1965)에 의한 가정에서 기원했다. 간단히, 관문조절 과정은 아교질에 있는 소섬유 자극기로부터 시냅스 전 자극의 이동을 억제시키는 대섬유 활동(기계적수용기)에 의존한다. 따라서 "몸의 율동적인 움직임이나 몸의 일부분에 의해 피부접촉과 때리기, 누르기 같은 연조직 압착에 의해, 그리고 율동적인 손 또는 기계의 기술의 동원에 의해 큰 직경

(6-12와 3-17㎛)의 기계적 수용체는 자극된다." (Grieve 1981). 그리고 그 후 자극기 활동의 이동을 조절한다.

중심 쪽으로, 통증의 지각은 과거의 경험, 고통, 문화, 카페인, 알코올, 바르비투르산과 같은 약물을 포함한 심인성요인에 의해 영향을 받고, 이러한 모든 것은 통증의 경험을 증가시킨다(Butler 2000, Butler & Moseley 2003). 통증의 존재와 통증의 공포는 운동조절의 충돌로 알려져 있다(Hodges & Moseley 2003).

혈관학 : 혈관 공급

고관절은 폐쇄 동맥과 정맥, 내측과 외측대퇴회선 동맥과 정맥 그리고 상과 하둔동맥과 정맥에 의해 공급된다(Singleton & LeVeau 1975, Crock 1980, Grieve1981). 관골구와, 이것은 원형인대를 지나 폐쇄와 내측대퇴회선 혈관의 절구가지로부터 공급받는 대퇴골두를 포함하고 있다. 이 혈관의 해부는 일치하지 않고, 다른 혈관이 차단되면 대퇴골두의 생존능력은 거의 불가능해 진다.

경험적 소견(Astrom 1975)은 쑤시는 통증(ache pain)의 연결지점, 뼈 사이의 압력증가, 손상된 정맥배수를 확인해야 한다. 관절의 율동적 가동화(rhythmic mobilization)는 관절염과 관련된 지속적인 통증을 경감시키는데 아주 효과적이다. 이 테크닉은 유해수용기의 방출효과와 함께 혈액순환을 증진시키고 통증을 억압하는 목적으로서의 역할을 할 것이다(Grieve 1981).

천골을 위해 영양분을 나르는 동맥과 정맥은 외측과 정중 천골 체계에서 기인한다. 외측 천골 혈관은 속장골의 후체에서 기인하고, 천골의 전외측 방향으로 바로 위까지 내려온다. 2개의 세로 동맥은 내쪽으로 정중천골동맥과 문합하여 진행하는 중심 가지를 앞쪽으로 낸다. 전중심가지는 천골의 중추 안에서 공급해주는 혈관에 보내진다. 배쪽 천골 구멍의 수준에서, 척수 가지는 마미 외에도 천골관의 내용물에도 공급한다. 후천골궁의 구석구석을 통과한 이후에 공가지(foraminal branch)는 내측과 중간천골릉의 후면 외에도 뒤쪽의 근육조직에 공급한다. 정맥혈의 배수구역은 동맥을 동반한 혈관을 지나고, 그 후에 총장골체계에서 배출한다.

무명골에 영양을 공급하는 것은 상둔정맥 이외에 폐쇄와 장요혈관의 장골 가지에서 나온다(Willams 1995).

5 장

기능의 통합모델의 원리와 요추골반-고관절 영역에의 적용

목　차

도입

이 장은 손상된 기능을 관리하기 위한 통합모델(integrated model)의 원리를 소개한다. 이 모델은 요추골반통 환자의 임상적 치료경험 뿐만 아니라 골반의 해부학적 연구와 생체역학적 연구들로부터 나온 것이다(Lee 2001b, Lee와 Vleeming 2003). 이 접근법은 통증을 유발하는 구조를 확인하기 위해 찾기보다 왜 골반에 통증이 있고 부하를 더 이상 유지할 수 없으며 이동할 수 없는지에 대해 언급하고 있으며, 여러 연구에서 골반의 기능을 이해하려고 하였다. 천장관절과 요추골반 근육간의 관계에 대한 해부학적 연구(Vleeming 등 1990a,b, 1995b, 1996, Snijders 등 1993)에서는 골반의 안정화(관절의 형태폐쇄와 힘폐쇄)에 기능하는 수동적, 능동적 요소들의 역할에 관한 결론을 내리고 있다. 요통환자(Hidges 등 1994, 1996, Hodges와 Richardson 1996, O'Sullivan 2000, Hungerford 2002, O'Sullivan 등 2002, Hodges 2003, Hodges와 Moseley 2003)로부터 특정 근활성화의 타이밍(Hodges 1997, 2003, Hodges과 Richardson 1997, Hodges 등 1999, 2001a, 2003b, Hungerford 2002)과 근육의 동시수축 패턴은 나아가서 힘폐쇄이론을 발전시켰고 운동조절이 중요한 역힐을 한다는 것을 제시하였다. 이런 지식을 기초로 하여 골반에 대한 기능적 검사들이 개발되었고(Buyruk 등 1995a, b, 999, Lee 1999, Mens 등 1999, 2001) 치료 프로토콜이 확립되었다(Lee 1999, Richardson 등 1999, O'Sullivan 2000). 임상적으로 환자의 정서상태가 의미있게 결과에 영향을 줄 수 있다는 점이 명백해졌다. 후에 기능의 통합모델이 개발되었다(Lee와 Vleeming 1998, 2003).

기능의 통합모델

기능의 통합모델(그림 5.1)은 네 가지 요소 중 세 가지가 신체적인 것이다.

1. 형태폐쇄(구조)
2. 힘폐쇄(근막활동에 의해 생산된 힘)
3. 운동조절(부하를 주는 동안 근 행동과 비행동의 특정 타이밍)과 정신적인 것
4. 정서

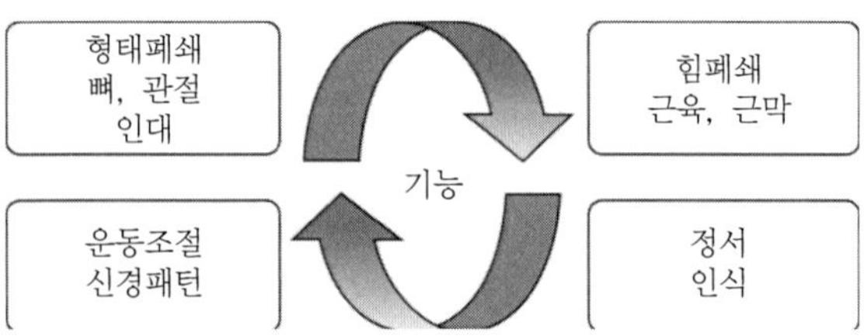

그림 5.1 기능의 통합모델(Lee Et Vleeming 1998).

그 제안에 의하면 관절역학은 다중요인들(관절, 신경근과 정서)에 의해 영향을 받을 수 있고 관리는 모든 요인들에 대한 주의를 필요로 한다는 것이다.

기능부전에 대한 관리를 하려면 기능의 이해를 필요로 한다. 요추골반-고관절 영역의 일차적 기능은 서기, 걷기 및 앉기를 하는 동안 체중과 중력에 의해 발생되는 부하를 이동하는 것이다(Snijders등 1993a, b)(그림 5.2). 이 부하가 얼마나 잘 관리되는지는 얼마나 효율적인 기능이 될 것인지를 설명한다.

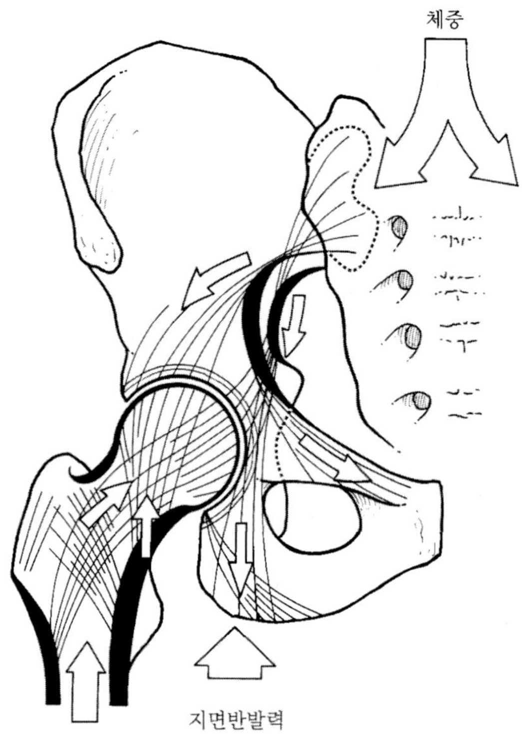

그림 5.2 골반대내에 골격의 정위는 골반대를 통해 부하이동을 하는 동안 만나는 힘선에 상응한다(Kapandji 1970).

Panjabi (1992a,b)에 의하면 수동시스템, 능동시스템 및 조절시스템(passive, active, and control system)이 함께 일할 때 안정성(효과적인 부하이동)은 이루어진다(그림 5.3)고 하였다.

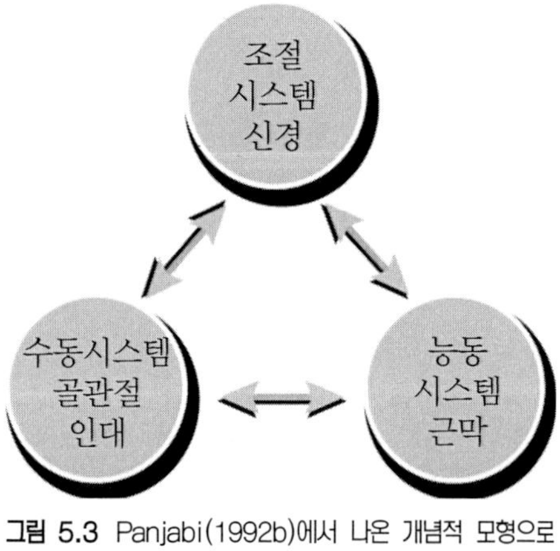

그림 5.3 Panjabi(1992b)에서 나온 개념적 모형으로 안정성을 제공하는 요소를 그린 것임.

Snijders 등(1993a, b)은 관절면의 접근이 이루어지게 하고 안정성이 보장되기 위해서는 수동시스템, 능동시스템 및 조절시스템이 필수적이라고 믿었다. 어느 정도로 접근해야 되는지는 수동시스템, 능동시스템 및 조절시스템이 조절되는 데 필요한 힘과 개별구조(형태폐쇄)에 달려 있기 때문에 다양하고 양적으로 표시하기가 어렵다. "적당한(adequte)"이라는 용어는 얼마나 많은 접근이 필요한지를 측정의 비양적인 측면을 기술하기 위해 사용되어 왔다(Lee와 Vleeming 2003). 그것은 근본적으로 너무 "많지도 않고" 너무 "적지도 않음"을 의미하고, 다시 말하면 존재하는 상황에 충분히 맞추는 것을 의미한다. 결론적으로 골반을 통해 효과적으로 부하를 이동하는 능력은 동적이고, 다음과 같은 요인들에 의해 좌우된다.

1. 뼈, 관절과 인대의 적정 기능(형태폐쇄 또는 관절 일치성)(Vleeming 등 1990a,b)
2. 근육과 근막의 적정 기능(힘폐쇄)(Vleeming 등 1995b, Richardson 등 1999, 2002, O'Sullivan 2000, Hungerford 2002)
3. 적당한 신경기능(운동조절, 정서상태)(Bo와 Stein 1994, Holstege 등 1996, Hodges 1997, 2003, Hodges 등 1999, 2001c, 2003b, Hodges와 Gandevia 2000b, Hungerford 2002).

형태폐쇄(FORM CLOSURE)

형태폐쇄(form closure)란 용어는 Vleeming과 Snijders(Vleeming 등 1990a,b, Snijders 등 1993a,b)에 의해 만들어졌고 관절의 구조, 방향(orientation) 및 형태가 어떻게 안정성과 잠정적 운동성에 기여하는지를 기술하기 위해 사용된다(그림 5.4). 모든 관절은 형태폐쇄의 다양한 양(variable amount)을 가지고 개인의 선천적인 해부학적 구조는 부하가 증가될 때 얼마나 많은 추가적인 힘(힘폐쇄)이 안정화를 보장하기 위해 필요한지를 설명할 것이다. 요추, 골반대와 고관절(뼈, 관절과 인대)의 형태는 4장에 상세하게 기술되어있고 각 영역에 대한 잠정적 운동성(생체역학)은 6장에서 논의할 것이다.

요추

요추의 "형태"는 다음과 같은 방법으로 일상생활동작을 하는 동안 만나는 압박, 염전(torsion)과 전후 전단에 저항하기 위한 능력에 기여한다.

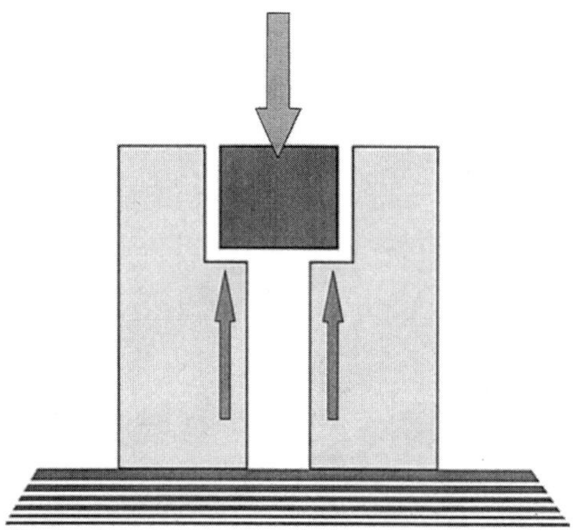

그림 5.4 형태폐쇄의 도식적 묘사(Vleeming 등 1990a,b, Snijders 등 1993a).

압박(Compression)

어떤 물체의 압박은 두 힘이 서로를 향하여 작용할 때 일어난다. 척추돌기관절은 축압박부하의 20%까지 지지하는 것으로 알려져 있지만(Farfan 1973, Kirkaldy–Wilis 1983, Gracovetsky 등 1985, Gracovertsky과 Farfan 1986, Bogduk 1997) 요추의 압박에 대한 중요한 억제요인은 추체와 섬유륜–수핵단위(annulus–nucleus unit)이다(그림 5.5).

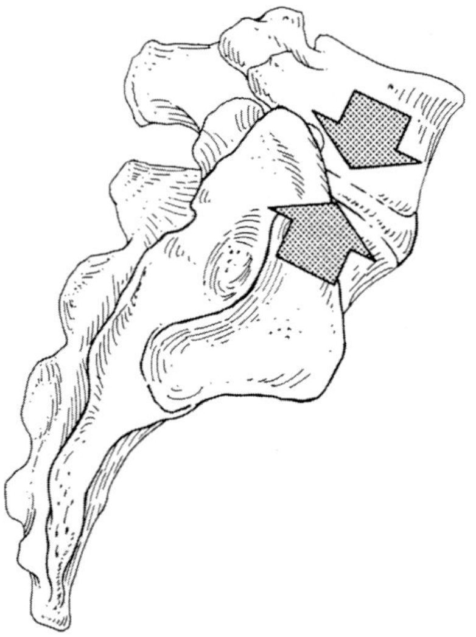

그림 5.5 요추천골 연접부의 압박

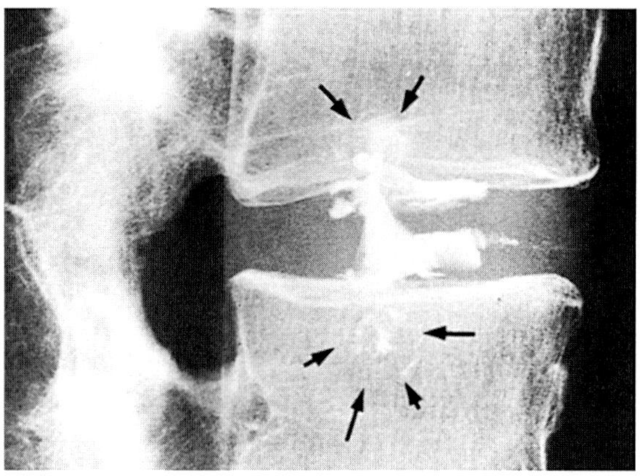

그림 5.6 diskogram을 통하여 탐지된 상하 종판골절(쉬몰결절). 종판(화살표)을 통해 상하척추체 모두에서 염료의 통과를 주목하라(Farfan 1973에서 허가되어 재생).

섬유륜과 수핵은 추체의 종판에 동등하게 부하를 전달한다. 얇은 추체의 피질성 외피(cotical shell)는 망상조직의 중심부내의 수압기전에 의해 동시에 지지되는 압박력의 부피를 제공하는데, 그것의 기여하는 정도는 압박율에 좌우된다. 압박이 천천히 적용되면(정적 부하) 수핵이 압박되어 섬유륜과 종판에 대한 힘이 분배된다. 섬유륜은 주변으로 팽창되고 종판은 추체를 향하여 구부러지고, 수액(fluid)은 정맥을 거쳐서 망상조직의 중심부 밖으로 유출된다. 그러나 압박율이 증가되면 추체의 내적 압박이 발생하여 크기가 작은 혈관은 섬유륜-수핵단위의 압박력을 증가시킴으로써 유출율을 지연시킬 수 있다. 이런 방법으로 추체는 압박부하에 대하여 추간판을 지지하고 보호한다(McGill 2002). 처음으로 높은 압박부하를 받는 해부학적 구조는 종판의 유리질 연골(hyaline cartilage)인데, 이러한 구조는 종판의 말초부위보다 더 약하다는 것을 암시하는 것이다(Bogduk 1997). 이 부위의 골절은 방사선상에서 쉬몰결절(Schmorl's node)로 나타난다(그림 5.6)(Kirkaldy-Willis 등 1978, Kirkaldy-Willis 1983). 이러한 병변은 일반적으로 더 높은 위치에 있는 요추레벨에서 나타난다. McGill은, 추체요소는 높은 부하율에서 약해지는 반면에 종판(어떤 부위에 대해 특정한지 않음)은 낮은 부하율에서 약해진다(McGill 2002)고 하였다. 척추돌기관절의 시상요소와 관상요소가 수직으로 방향을 이룰 때 척추돌기관절은 중립위치에서 체중부하를 받지 않게 된다. 분절이 신전될 때 상부추체의 하관절돌기에서 하방활주가 일어나고 관절에 영향을 준다. 축압박이 이러한 전만위치에 적용되면 부하는 추궁판(lamina)으로 하관절돌기를 통해 전이될 수 있다(Bokduk 1997).

염전 또는 회전(Torsion or rotation)

힘이 회전중심이 아닌 다른 위치에서 어떤 물체에 적용되면 이런 추축지점을 통하여 물체가 축에 대하여 회전이 일어날 것이다. 회전력의 크기는 추축으로부터 힘이 작용하는 거리와 힘의 양을 곱해서 계산될 수 있다. 뼈가 체중심을 통하여 수직축 주위로 회전할 때 요추의 축 회전은 일어나고(그림 5.7) 추체와 추간판 단위의 구조(35%) 뿐만 아니라 척추궁내에 위치한 해부학적 요인들(65%)에 의해 저항을 받는다(Gracovertsky과 Farfan 1986, Bogduk 1997).

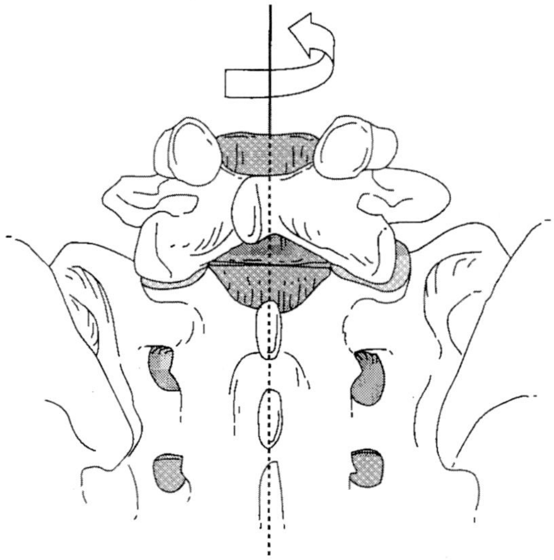

그림 5.7 L5척추의 우측 축 염전은 분절인데, 추간판 및 근막 뿐만 아니라 우측 척추돌기관절의 관절낭 분산과 좌측 척추돌기관절의 골성 밀착에 의해 저항을 받는다.

요천추 연접부에서 천골의 상관절돌기(그림 4.2)는 좀 더 긴 L5의 하관절돌기에 비하면 짧고 뭉툭하고 강하며 척주경(pedicle)으로부터 지지를 덜 받는다. 따라서 하관절돌기는 그 관절면에 대해 90°로 위치해 있을 때 좀더 쉽게 편위된다. 이 돌기는 소주 골절(trabecular fractures)과 남아있는 좌상 변형이 일어나지 않고 축 회전이 일어나는 동안 8–9° 내측으로 편위될 수 있다(Farfan 1973, Bogduk 1997).

섬유륜(annular fibers)의 구조와 방향(orientation)은 회전에 저항하기 위한 추간판의 능력에 있어서 중요하다. "추간판이 긴장이 되거나 전단력 또는 회전력을 받게 되면 섬유륜의 교원질 층의 구심성 배열을 보장하게 된다"(Kirkaldy–Willis 1983). 정적부하 상태에서와 손상은 축 회전 2°에서는 작게 일어나지만 축 회전 3.5°에서는 확실히 일어난다(Gracovertsky과 Farfan 1986). 장요인대(그림 4.12와 4.19)는 요천추연접부에서 회전력을 최소화하는 데 중요한 역할을 한다. L5 척추의 횡돌기가 더 길면 길수록, 결과적으로 장요인대가 더 짧으면 짧을수록 염전에 대한 분절의 저항은 강해진다(Farfan 1973).

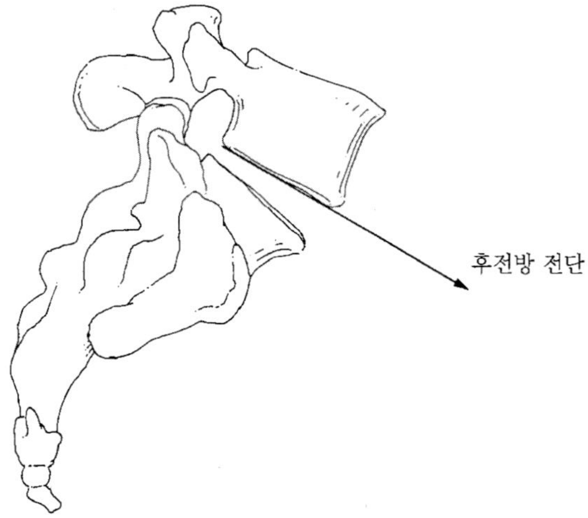

그림 5.8 천골에 대한 L5 척추의 후전방 전단

또한 축압박은 35%까지 분절의 염전력을 증가시킨다(Gracovertsky과 Farfan 1986). 요추의 전방굴곡이 일어나는 동안 동시에 회전중심은 전방으로 움직이게 되어(그림 6.3) 압박부하가 증가되고 결과적으로 염전에 저항하기 위한 관절의 능력이 증가된다(Farfan 1973, Gracovertsky과 Farfan 1986).

후전방 전이(Posteroanterior translation)

전이는 적용된 힘이 두 면 사이에서 활주를 발생할 때 일어난다. 어떤 힘이 상부 척추가 하나 밑의 척추보다 전방으로 이동하도록 할 때 후전방 전이가 요추에서 일어난다(그림 5.8). 요천추연접부에서 후전방 전단에 저항하는 해부학적 요인들은 일차적으로 천추의 상관절돌기와 장요인대에 대하여 L5의 하관절돌기를 밀착하게 만든다(Bogduk 1997). 이차적 요인들은 추간판, 전종인대, 후종인대 및 중앙선 후방인대시스템(midline posterior ligamentous system)을 포함한다(Twomey와 Taylor 1985).

이 시스템에서 동적으로 장력을 발생하는 후중앙선인대, 흉배근막(thoracodorsal fascia), 근육들은 큰 부하를 들어올릴 때(힘폐쇄) 일어나는 전방 전단력에 균형을 맞추는 데 중요하다(Gracovertsky과 Farfan 1986, Vleeming 등 1990a,b, 1995a, 1997, Hildes 등 1994, 1996, Richardson과 Jull 1995, Hodges와 Richardson 1996, Adams와 Dolan 1997, Bogduk 1997, Hodges 등 2003b). 척추의 적정 방법의 부하는 결과적인 힘의 크기가 관절의 힘을 초과하지 않도록 압박과 전이의 균형을 맞춰야 한다. 결과적으로 관절(형태폐쇄)과 근막요소(힘폐쇄) 모두 큰 외적 부하의 모멘트에 균형을 맞추는 것이 필요하다.

골반대

골반대의 "형태"가 어떻게 천장관절의 안정성에 기여하는가? 천장관절은 큰 부하를 이동시키고 그 형태는 이 과제에 적응하게 된다. 관절면은 비교적 평편하고 이것은 압박력과 굴곡 모멘트를 이동하도록 돕는다(Vleeming 등 1990a,b, Snijders 등 1993a,b). 그러나 상대적으로 평편한 관절은 이론적으로 전단력에 대해 더 손상받기 쉽다. 천장관절은 해부학적으로 세 가지 방법으로 전단으로부터 보호된다. 첫째, 천골은 전후면과 수직면이 모두 쐐기모양으로되어 있어서(그림 4.1과 그림 4.2) 장골에 의해 고정된다. 천장관절의 관절면은 두 개내지 세 개의 천골분절로 이루어져 있고 각각 다른 방향으로 위치하고 있다(그림 4.5)(Solonen 1957). 둘째, 다른 활막관절과는 반대로 관절연골은 특히 장골에서 부드럽지 않고 불규칙하다(Sashin 1930, Bowen과 Cassidy 1981)(Plates 1-5, 3장). 셋째, 천장관절을 통한 전두면 절개는 관절(Vleeming 등 1990a), 융선(ridges), 및 구(grooves)안으로 돌출되는 연골로 덮여있는 뼈의 확장을 나타낸다(그림 3.6). 그것들은 불규칙하지만 평행하다. 이 세 가지 요인들에 의한 압박(힘폐쇄)이 골반에 적용되면 천장관절의 안정화는 증진된다. 다시 관절요소(형태폐쇄)와 근막요소(힘폐쇄)들은 큰 외적부하의 모멘트에 균형을 맞추는 것이 필요하다.

치골결합은 관절면이 비교적 평편한 천장관절보다 형태폐쇄가 덜하다. 관절면은 상부, 하부, 전부 및 후부인대들에 의해 외적으로 지지되는 섬유연골판에 의해 경계가 정해진다. 치골결합은 수직면과 수평면 모두에서 전단력에 취약하고 안정성을 위해 수동적 구조와 함께 동적 요소(근막)에 의존한다.

고관절

고관절은 체중의 몇 배나 되는 힘을 받게 되기 쉽기 때문에 안정성을 위해 뼈, 관절 및 근막의 통합을 필요로 한다. 고관절에서 안정성에 기여하는 형태폐쇄의 요인들은 습관적인 움직임을 하는 동안 관절낭과 인대의 방향과 소주(trabeculae)의 방향 뿐만 아니라 관절의 해부학적 형태를 포함한다.

직립서기를 하는 동안 상체의 체중은 대퇴골두와 대퇴경에 대해 골반대를 통해 동일하게 분배된다. 각 고관절은 대퇴경과 대퇴골간(shaft) 사이의 굴곡 모멘트를 후속적으로 발생하는 체중의 약 33%를 지지한다(Singleton과 LeVeau 1975). 골소주(bony trabeculae)의 복합시스템은 직립서기를 하는 동안 대퇴골두의 상하 전단을 방지하기 위해 대퇴골두와 대퇴골경내에 존재한다(그림 5.2)(Kapandji 1970). 고관절은 변경되지 않은 난형관절로서 깊은 구상관절이고 그 형태는 움직임을 촉진하는 어떤 방향에서 의미있는 분배를 방해한다(6장).

힘폐쇄(FORCE CLOSURE)

요추, 골반대, 고관절의 관절면은 지속적으로 완전히 압박을 받게 된다면 운동성은 가능하지 않을 것이다. 그러나 부하를 받는 동안 압박은 다양하게 변화되어 움직임은 가능하게 되고(6장) 안정화가 필요하게 된다. 이것은 부하의 모멘트에서 관절면을 가로지르는 압박이 증가됨으로써 이루어진다(힘폐쇄- 그림 5.9). 필요로 하는 힘폐쇄(force closure)의 양은 부하의 크기와 개별 형태폐쇄에 좌우된다. 힘폐쇄에 해당되는 해부학적 구조는 인대, 근육과 근막이다.

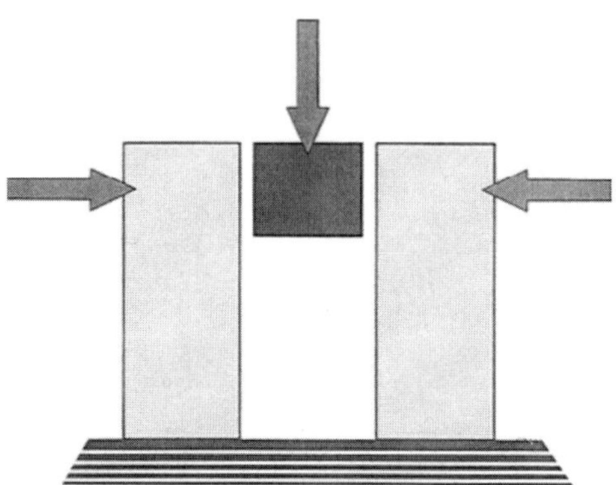

그림 5.9 힘폐쇄의 도식적 묘사(Vleeming 등 1990a,b, Snijders 등 1993a).

각 관절의 관절면이 최대로 일치하고 주요 인대에 최대 긴장을 일으키는 닫힘(closed-packed)위치 또는 자가 잠김(self-locked) 위치가 있다. 이러한 위치에 있는 관절은 의미있는 압박하에 있고 전단력에 저항하는 능력은 수동적 구조의 장력과 관절면사이의 마찰에 의해 증가된다(Vleeming 등 1990b, Snijders 등 1993a,b). 요추의 척추돌기관절에 대한 이러한 위치는 천장관절에 대해서 무명골(innominate)의 후방회전, 천골 전체의 전굴(nutation) (Vleeming 등 1989a,b, van Wingerden 등 1993), 외전과 내회전과 연합된 고관절 신전에 대한 끝 범위(end range)에서의 신전시에 볼 수 있다.

연구들(Egund 등 1978, Lavignolle 등 1983, Sturesson 등 2000, Hungerford 2002)에서 요추골반척추(lumbopelvic spine)가 부하를 받을 때 마다 천골의 전굴(nutation)이 양측에서 일어나는 것을 보여주고 있다. 천골 전굴의 양은 부하의 크기에 따라 다양하다. 전체 천골 전굴(자가 잠김 또는 닫힘)은 체간의 전후방 굴곡을 하는 동안 일어난다(Sturesson 등 2000). 천골의 후굴(counternutation), 무명골의 전방 회전은 천장관절에 대해서 비교적 안정이 덜된 위치가 되는 것으로 생각된다. 긴 배측인대는 이런 움직임을 하는 동안 긴장된다(그림 4.15). 그러나 다른 주요한 인대들[(천결절인대(sacrotuberous), 천극인대(sacrospinous), 골간인대(interosseus)]은 긴장이 덜 된다(Vleeming 등 1996). 고관절의 관절낭과 관절인대의 방향(그림 4.23과 4.24)은 기능적으로 움직이는 동안 관절의 힘폐쇄에 기여한다(표 5.1). 대퇴 신전은 대퇴골경 주위의 관절밖에 있는 모든 인대들을 긴장시키게 만든다. 대퇴골인대의 하부밴드는 신전시에 가장 큰 장력을 받게 된다. 고관절 굴곡과 약간의 내전이 연합될 때 만약 강력한 힘이 대퇴의 원위 끝에 적용된다면 대퇴골두가 후방으로 탈구되기 쉽다[예를 든다면 계기판 충격(dashboard impact)].

표 5.1 대퇴가 움직이는 동안 고관절의 인대들의 긴장에 대한 이차적 힘폐쇄

대퇴 움직임	인대	장력
신장	모든관절외 인대	긴장된
굴곡/내전	모든 인대	느슨한
외회전	장골전자인대	긴장된
	치골대퇴인대	긴장된

대퇴 움직임	인대	장력
외회전	좌골대퇴인대	느슨한
내회전	장공대퇴인대	느슨한
	치골대퇴인대	느슨한
	좌골대퇴인대	긴장된
	치골대퇴인대	기장된
	하밴드인대	긴장된
	좌골대퇴인대	긴장된
	장골전자인대	느슨한
내전	장골전자인대	긴장된
	하밴드인대	느슨한
	좌골대퇴인대	느슨한
	치골대퇴인대	느슨한

고관절을 외회전을 하는 동안 장골대퇴인대(iliofemoral ligament)와 치골대퇴인대(pubofemoral ligament)의 장골결절밴드(iliotrochanteric band)는 긴장되는 반면 좌골대퇴인대(ischiofemoral ligament)는 느슨하게 된다. 반대로 대퇴가 내회전되는 동안 전방인대들은 느슨한 반면 좌골대퇴인대는 긴장하게 된다(Hewitt 등 2002).

대퇴의 외전은 좌골대퇴인대 뿐만 아니라 장골대퇴인대의 하부밴드와 치골대퇴인대를 긴장시킨다. 외전의 끝에서 대퇴골경은 관골구 가장자리에 충돌하게 되어 순(labrum)을 왜곡시키고 외번시킨다(Kapandji 1970). 이런 방법으로 관골구순은 관절강을 깊게 하고(형태폐쇄를 증진함) 그래서 운동성을 제한하지 않고 안정성을 증가시킨다. 내전은 장골대퇴인대의 장골결절밴드를 긴장되게 하는 반면 다른 것들은 비교적 느슨하게 남아있게 된다. 굴곡된 고관절의 내전은 좌골대퇴인대를 팽팽하게 만든다(Hewitt 등 2002). 원인대(ligamentum teres)는 고관절을 내회전과 외회전을 할 때뿐만 아니라 선 자세에서도 중간 정도의 긴장하에 있게 된다.

만약 관절들이 잠김위치로 안정되어 있다면 기능은 심각하게 손상될 것이다. 중립 척추위치에서 골인대성 척추(osteoligamentous spine)(T1이 근육이 없는 천골까지 부착된)는 약 20N(약 4.4 lb)의 압박부하 하에 있게 될 것이다(Lucas와 Bresler 1961, Panjabi 등 1989, Panjabi 1992a,b). 부하전이를 위한 안정성은 전 관절가동범위를 통하여 요구되고 이것은 능동시스템 또는 신경근막시스템에 의해 제공된다. 1989년 Bergmark는, 근육들은 국소 시스템과 전체 시스템 – 두 시스템으로 분류될 수 있다고 제안하였다. 국소 시스템(local system)은 분절 또는 골반내의 안정성을 위한 필수적인 근육들에 속하는 반면 전체 시스템(global system)은 국부 안정화(흉곽과 골반 또는 골반과 다리)와 움직임(Bergmark 1989, Richardson 등 1999, Comerford와 Mottram 2001)을 위한 근육들에 속해있는 것으로 보인다. 이런 두 근육시스템들의 수축 타이밍에서 의미있는 신경생리학적 차이가 있다. 즉, 부하가 예측되면 국소 시스템은 움직임의 방향(Hodges 1997, 2003, Hodges와 Richard 1997, Hodges 등 1999, Mosely 등 2002, 2003)에도 불구하고 교란(예측시)이 일어나기 전에 수축하는 반면, 전체 시스템은 나중에 수축하고 방향에 좌우된다(Radebold 등 2000, 2001, Hodges 2003). 몇몇 연구자들은 이러한 분류를 채택하였고(Richardson 등 1999, Comerford와 Mottram 2001) 어떤 연구자들은 채택하지 않았다(McGill 2002).

연구는 아직 부족한 상태이지만 이 시스템에 따라 모든 근육들은 분류되고 임상적으로는 어떤 근육들은 두 시스템에 속하게 될 것이다. 요추골반영역에 있어서 다음 근육들은 국소 고정근으로 분류하기 위한 기준에 적합하다. 골반저근육(Constantinou와 Govan 1982, Bo와 Stein 1994, Sapsford 등 2001, Hodges 2003), 복횡근(Hodges와 Richardson 1997, Hodges 2003), 횡격막(Hodges와 Gandevia 2000a,

그림 5.10 요추골반영역의 국소 시스템은 골반저근육, 복횡근, 횡격막과 다열근의 심부섬유들로 구성된다(Diane G. Lee 물리치료사 협회로부터 허가를 받아서 재생). (Diane G. Lee 물리치료사 협회로부터 허가를 받아서 재생)

b, Hodges 2003)과 다열근의 심부 섬유들(Mosely등 2002, 2003)(그림 5.10). 연구가 계속된다면 더 많은 근육들이 이 목록에 추가될 것이다. 요근(psoas)의 심부(내측) 섬유(Gibbons 등 2002), 요방형근의 내측 섬유(Bergmark 1989, McGill 2002) O'Sullivan 2000), 요장늑근(lumbar iliocostalis)과 요최장근(longissimus)(Bergmark 1989)의 요추 부분과 내복사근의 후방섬유(Bergmark 1989, O'Sullivan 2000)가 그 후보자들인 것 같다. 이 교재에서는 국소 고정근을 분명히 지적해서 연구를 강조하고 있지만 국소 고정근들이 이런 역할에만 적합한 근육들이라고 말하려는 의도는 아니다.

국소 근육시스템의 역할

요추골반 국소 시스템의 기능은 외적 부하를 추가하기 위한 준비(또는 반응으로)로 척추관절들과 골반대를 고정한 것이다. 이것은 여러 기전을 통하여 이루어지는 데 그 기전은 다음을 포함한다.

- 복부내압의 증가(McGill과 Norman 1987, Cresswell 1993, Hodges와 Gandevia 2000a, b, Hodges 등 2001a, 2003b, Hodges 2003)
- 흉배근막의 긴장의 증가(Cresswell 1993, Vleeming 등 1995a, Willard 1997, Hodges 2003, Hodges 등 2003b) 그리고 / 또는
- 관절강직(articular stiffness)의 증가(Hodges 등 1997a, Richardson 등 2002, Hodges 2003).

연구는 중추신경계가 부하의 타이밍을 예측할 수 있을 때, 그리고 국소 시스템은 기능이 적절할 때 예측이 가능하다는 것을 보여주었다(Constantinou와 Govan 1982, Bo와 Stein 1994, Hodges 1997, 2003, Hodges와 Gandevia 2000a, b, Sapsford 등 2001, Hungerford 2002, Moseley 등 2002, 2003). 바꾸어 말하면 이러한 근육들은 어떤 부하나 움직임이 일어나기 전에 모든 시간에서 낮은 수준으로 일해야 하고 그들의 작용을 증가시켜야 한다는 것이다.

복횡근(Transverse abdominis)

Paul Hodges 박사는 요통환자들의 이 근육의 반응과 건강한 사람들의 복횡근(transverse abdominis)의 역할을 강조했다(Hodges와 Richardson 1996, 1997). 또한, 복횡근은 요부의 안정화를 위한 예측성 근육(anticipatory muscle)이고, 상지 또는 하지의 어떤 움직임을 시작하기 전에 동원된다고 보았다. 그리고 복횡근의 이러한 예측성 동원은 요통환자에서는 없거나 지연된다고 보았다. Paul Hodges 박사는 이 논문으로 두 번째 박사학위(2003 : 척추의 신경역학적 조절)를 취득했다. 이런 일련의 연구들은 요추골반의 안정성이 어떻게 이루어지는지에 대한 더 나은 정보를 제공한다. Hodges(2003)의 연구로부터의 얻어진 중요한 결과는 다음과 같다.

상지가 빨리 빛에 반응하여 움직였을 때 예측성 자세조정은 체간을 뻣뻣하게 만들지는 않았으나 사지의 움직임의 방향에 따라 특정적인 지속적 체간 동작 패턴을 나타내었다.

안정성은 움직임을 통해 이루어지지만 뻣뻣해진다는 것을 의미하는 것은 아니다. 척추의 작은 각 이동은 사지의 움직임보다 선행되었고 분절의 예측된 움직임(결과적인 움직임)의 반대방향(준비된 움직임)으로 일어났다. 즉, 양쪽 상지의 빠른 굴곡시 팔이 움직이기(굴곡)전에 요추에서 작은 양의 분절적 신전이 일어났다[준비 움직임(preparatory movement)]. 이 모든 실험에서 동원된 첫 체간근육이었던 복횡근은 체간을 뻣뻣하게 만들지 않았다. Hodges(2003)는 움직임이 교란의 결과로 일어나는 부과된 내적인 힘과 외적인 힘을 흩뜨리거나 기를 꺾게 하는데 사용된다고 제안한다. 그래서 적정 안정성은 운동성과 미세하게 조율된 운동조절시스템을 필요로 한다. 이 연구의 임상 적용(10장)은 경직(rigidity)과 긴장되는 것과는 반대로 움직임이 있는 안정성(mobile stability)(조절을 하면서 움직임)을 조장하는 운동프로그램을 지지한다.

매우 흥미로운 돼지 연구의 일부로서 Hodges 등(2003b)은 첫째, 복부내압, 둘째, 횡격막각(crura of diaphragm)의 척추 부착부, 그리고 셋째, L3-L4에서 안정성에 대한 흉요근막(thoracolumbar fascia)의 중간층의 막성 부착부(굴곡과 신전에 대한 저항)의 역할을 분류하였다. L3-L4의 분절 굴곡과 신전에 대한 저항은 다른 조건하에서 측정되었다.

1. 횡격막신경은 자극되었고 L3-L4에서 결과적인 강직(consequential stiffness)(굴곡과 신전에 대한 저항)과 복부내압에 대한 횡격막의 분리된 수축의 영향이 주목되었다. 복부내압은 약 5cm H_2O을 증가시켰고 L3-L4에서 굴곡에 대한 저항은 약 10% 증가시켰다. L3-L4에서 신전에 대한 저항은 차이가 없었다.
2. 복횡근의 양측을 전기적으로 자극하였다. 자극의 강도는 복부내압이 횡격막신경을 자극할 때(#1 : 아래를 보라)와 유사한 수준까지 증가하도록 설정하였다. L3-L4에서 강직에 대한 이런 자극의 영향(굴곡/신전에 대한 저항)이 주목되었다. 다시 L3-L4에서 굴곡에 대해 저항은 증가되었으나 신전에 대해서는 통계적으로 증가되지 않았다(경향은 나타났을지라도). 복횡근을 편측으로 자극하였을 때 L3-L4에서 굴곡이나 신전에 대한 저항에서는 어떤 변화도 없었다. 그래서 복횡근의 양측성 수축은 L3-L4에서 강직이 증가될 필요가 있다.
3. 횡격막각(crura of diaphragm)의 역학적 역할과 복횡근의 막성 부착부에서 복부내압의 역할을 구분하기 위해 다음 세 가지 실험이 이루어졌다.
   a. 복벽을 약간 절개하여 횡격막의 분리된 수축을 발생하기 위해 횡격막신경을 자극하였다. 절개한 복부는 봉합했을 때 복부내압이 17%까지 감소되었음을 주목하게 되었다. 결과적으로 굴곡과 신전에 대한 저항은 L3-L4(횡격막이 횡격막신경을 통해 자극되었다.)에서 측정되었고 변화가 없었다. 따라서 복부내압은 L3-L4에서 굴곡저항에 기여하는 중요한 요인이 된(복부내압을 증가시켰던 횡격막의 수축은 다음에는 신전근 모멘트를 발생하였다.).
   b. 그런 다음 횡격막각을 잘랐고 복부는 봉합했다. 횡격막의 수축은 횡격막신경을 경유한 자극을 통해 일어났고 복부내압은 이전 측정의 87%까지 되돌아 왔다(#1 이상). 결과적으로 굴곡과 신전에 대한 저항이 L3-

L4에서 측정되었고 이전에 관찰된 것 같이 굴곡에 대한 저항이 증가되었다. 그러나 추가로 신전에 대한 저항은 의미있게 감소되었는데, 이것은 횡격막각이 어떤 것을 제공한다는 것을 암시하는 것이다.

c. 흉요부막의 중간층은 L2–L5에서 횡돌기로부터 처음에는 한쪽, 다음에는 양쪽을 잘랐다. 복횡근에 양측성 자극을 한 다음, 두 시도에서 굴곡과 신전에 대한 저항이 L3–L4에서 측정되었다. 복부내압이 복횡근의 수축과 함께 증가되었을지라도 굴곡에서는 강직 효과에 차이가 없었고 신전에서는 강직의 감소가 있었다. 복횡근은 L3–L4의 신전저항에서 그 근막부착부를 통해 역학적 역할(횡격막각을 따라서)을 하는 것으로 나타난다.

결론적으로 복부내압, 복횡근의 근막부착부 및 횡격막각은 요추에서 굴곡과 신전을 조절하는 중요한 역할을 한다(L3–L4에서만 측정된). 복부내압은 횡격막과 복횡근 둘 다의 수축을 통해 증가되고 신전모멘트를 발생한다(굴곡에 대한 저항). 신전은 복횡근의 근막 부착부와 횡격막각 부착부에 의해 저항을 받는다.

복횡근은 천장관절을 직접 가로 지르지는 않지만 부분적으로 흉배근막의 후방층의 심부 추궁판(lamina)과 중간층의 큰 부착부를 직접 끌어 당김으로서 복횡근은 천장관절의 강직에 영향을 미친다(Barker와 Briggs 1999)(그림 4.37과 4.38). Richardson 등(2002)은, 복횡근의 수축은 시상면에 대해 직각으로 장골(ilia)에 작용하는 힘을 발생한다고 하였다(예를 들면, 전방으로 장골에 접근한다.)(그림 5.11). 그들은 또한 "복횡근의 수준에서 복벽 앞에 골반벨트의 역학적 작용이 이런 근육의 작용과 상응한다."고 제안하였다. 이 시점에서 복횡근의 분리된 수축(즉, 다열근의 공동 활성화 없이)에 의해 발생된 힘의 특정 방향은 연구에 의해 타당화되지는 않았지만 이런 가설은 진단과 운동처방을 위한 수단으로서 임상적으로 발전되었다(능동 직거상을 참조, 8장).

만성요통환자들에 대한 한 연구에서, 복횡근이 발이나 다리의 움직임의 시작을 예측하지 못했을 때 타이밍 지연이나 부재가 발견되었다(Hodges와 Richardson 1997a, 1999, Hodges 2001, 2003). 복횡근의 지연된 활성화는 흉배근막이 외적 부하에 대한 준비로서 미리 긴장되지 않아서 요부의 관절과 골반이 뻣뻣해지지 않고 내적 안정성의 상실에 대해 잠정적으로 취약할 수 있다.

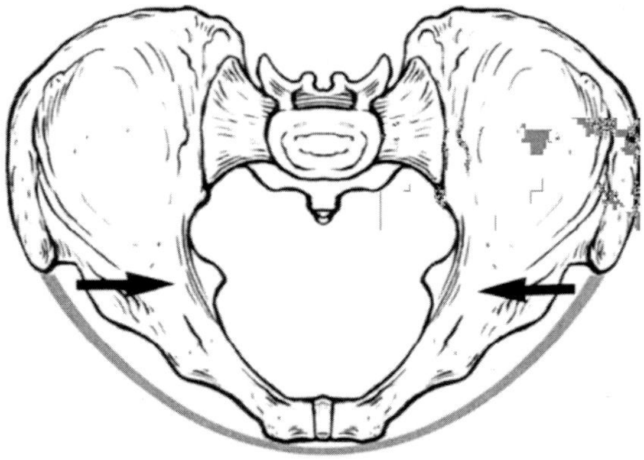

그림 5.11 복횡근의 수축으로 시상면에 대해 직각으로 장골에 작용하는 힘이 발생한다(즉, 장골에 전방으로 접근된다. : 화살표). (Diane G. Lee 물리치료사 협회로부터 허가를 받아서 재생)

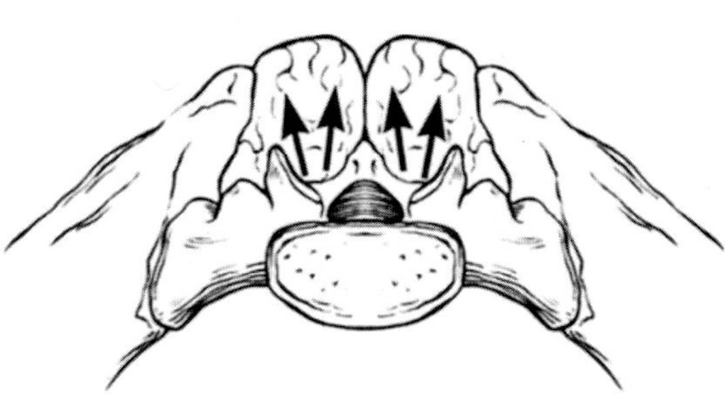

그림 5.12 다열근의 심부섬유가 수축할 때 근육은 넓어지거나 팽창되는 것이 느껴질 수 있다(근육의 심부층의 화살표에 의해 묘사). 이런 수압식 증폭기전(Gracovetsky 1990에 의해 제안된)은 풍선 안으로 공기를 부는 것 같은 흉배근막을 주입한다(Vleeming 등 1995a). (Diane G. Lee 물리치료사 협회로부터 허가를 받아서 재생)

다열근의 심부 섬유(Deep fibers of multifidus)

Moseley등(2002)은 다열근의 심부섬유는 또한 요부의 안정화를 위해 예측적이고 부하의 타이밍이 예측 가능할 때 상지의 움직임이 시작되기 전에 동원된다는 것을 보여주었다(Moseley 등 2002). 반대로 다열근의 표층섬유들과 외측섬유들은 방향의존성(direction-dependent)이 있는 것으로 나타났다. 골반에서 이런 근육은 흉배근막의 심부층과 천골의 배측면 사이에 포함된다(그림 4.16과 4.27). 다열근의 심부섬유들이 수축할 때 근육은 넓어지거나 팽창되는 것으로 느낄 수 있다(그림 5.12). 다열근의 심부섬유가 넓어지면 흉배근막은 풍선 속으로 공기를 부는 것처럼 부풀어지게 된다(Gracovetsky 1990, Vleeming 등 1995a). Richardson 등(2002)은 도플러영상시스템을 사용하여 다열근과 복횡근의 동시수축이 천장관절의 강직을 증가시킨다는 것을 주목했다. 이런 연구자들은 이 근육들을 "중력부하 하에서 천장관절의 안정성을 유지하고 장골사이의 천골을 압박하는 작용을 해야 하는 근육으로서의 역작용을 하는 근육"이라고 한다. 다열근이 역으로 지향하지 않을지라도 다열근의 수축은 흉배근막을 긴장시키고 이런 구조는 후방 골반에 대한 압박에 기여하는 것 같다. 이것은 과학적으로 입증되어야 한다. 그러나 이런 가설은 임상적으로 진단과 운동처방을 위한 수단으로서 발달되었다(Lee 2002)(능동 직거상 참조, 8장).

여러 연구자들(Hides 등 1994, Danneels 등 2000, O'Sullivan 2000, Hungerford 2002, Moseley 등 2002)은 요통과 골반통 환자들의 다열근에 대한 반응을 연구했는데, 다열근은 이런 사람들에서 억제되었고 크기가 감소되었다고 한다. 정상 흉배근막에서 다열근의 팽창효과와 골반에 대한 압박능력은 다열근의 크기나 기능이 손상될 때 잃어버리게 된다. 재활은 요추골반영역의 적당한 힘폐쇄의 회복을 위한

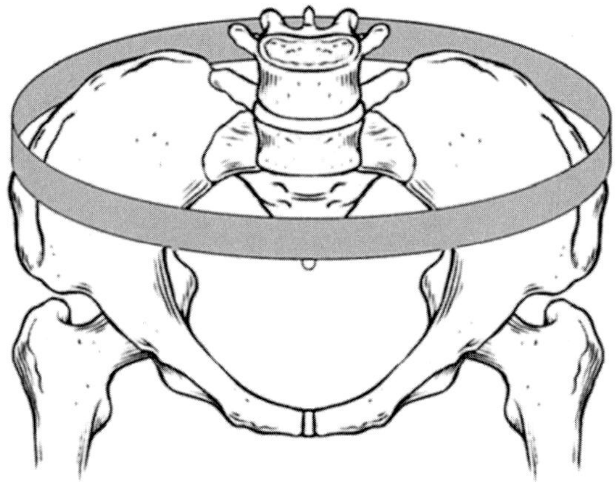

그림 5.13 다열근과 횡복근은 함께 요부골반부위를 지지하는 코르셋을 형성하며 뭉뚱그려서 "통합의 써클"이라고 부르기도 한다.

재훈련(Hides 등 1996, O'Sullivan 1997)과 다열근의 비대(Danneels 등 2001)를 필요로 한다. 다열근과 복횡근은 함께(두 근육의 근막을 따라서 요추골반영역을 위한 지지코르셋을 형성한다.)(그림 5.13) "통합의 써클"(circle of integrity)을 이룬다.

골반저(Pelvic floor)

이런 국소 시스템의 "지붕과 바닥"(roof and floor)은 골반저 근육들과 호흡성 횡격막에 의해 지지된다. 골반저 근육들(그림 4.28, 4.29)은 골반대의 안정화와 요실금과 배변실금의 유지 등 두 가지의 중요한 역할을 한다(Constantino와 Govan 1982, Bo와 Stein 1994, Ashton-Miller 등 2001, Peschers 등 2001a, Sapsford 등 2001, Dietz 등 2003). Constantino와 Govan(1982)은 기침과 발살바(Valsalva)를 하는 동안 건강한 여성들의 요도내압과 방광내압을 측정한 결과, 기침을 하는 동안 요도내압은 방광내에서 어떤 압력증가의 요인이 없었음에도 불구하고 약 250ms가 증가되는 것을 발견하였다. 연구자들은, 기침을 하는 동안 요도는 다가오는 부하를 예측했지만 요도의 압력상승은 발살바를 하는 동안 방광압력의 상승과 함께 동시에 일어났다(요도 예상없이)고 하였다. Constantino

와 Govan은 기침하거나 발살바가 일어나는 동안 요도와 방광내의 압력발생에서 타이밍의 차이는 기침을 하는 동안 골반저가 수축되고 발살바가 일어나는 동안 골반저가 수축하기 때문일 것이라고 제안하였다.

Sapsford 등(2001)은 복근에 대해서 침 근전도와 골반저에 대해서 표면 근전도를 통해 골반저와 복근의 동시활성화 패턴을 연구하였다. 두 피험자들에서 미세침 근전도는 외측 질벽을 통하여 우측 치골미골근(pubococcygeus)의 활성화를 탐지하는 데 사용되었다. 피검자는 골반저 수축명령에 대한 반응으로 수축하고, 골반저는 "우묵하게 꺼짐"(hollowing)과 "조임"(bracing)의 복부명령 모두에 대한 반응으로 수축한다는 것을 발견하였다. 이 연구의 결과는 골반저는 복근의 동시활성화에 의해 촉진될 수 있고 또한 복근도 골반저의 동시활성화에 의해 촉진될 수 있음을 제안한다. 골반저와 요도사이는 반사관계(reflex connection)일 것이라는 Constantino와 Govan의 제안은 이 연구에 의해 지지되고 있다.

횡격막

횡격막은 전통적으로 호흡근이라고 생각되고 있다. Hodges(2003; Hodges 등 1997a, b; Hodges와 Gandevia 2000a, b)는 한번의 빠른 견관절 굴곡(Hodges 등 1997b, 2001c)과 반복적인 빠른 견관절 굴곡(Hodges와 Gandevia 2000b, Hodges 등 2001c)을 포함한 교란연구에서 체간의 고정근인 횡격막의 역할을 연구하였다. 그들은 횡격막의 늑골부위와 각부위에서 모두 근전도 활동이 삼각근에서 나타나기 전에 약 20ms의 복횡근과 함께 동시에 일어났음을 발견하였다. 그들은 또한 횡격막의 예측적 활동은 교란의 크기에 달려있고 팔을 빠르게 움직였을 때 호흡단계에 관계없이 일어났음을 주목했다(Hodges 등 1997b). 이 연구는, 횡격막은 호흡에 대한 책임과 체간의 국소 고정근으로서 작용한다는 횡격막의 분류(classification)를 지지하였다.

Hodges와 Gandevia(2000a, b)는 또한 체간에 대한 부하가 계속될 때 횡격막은 체간의 자세지지를 위한 호흡주기를 통해 긴장되는 반응을 보이고 동시에 호흡을 위해 필요한 흉곽내압을 조절하기 위해 이런 긴장성 활성화를 조정한다고 하였다. 횡격막과 복횡근의 활성화의 크기 사이의 흥미로운 패턴이 초기 연구에는 주목을 받았다(Hodges와 Gandevia, 2000a).

> 근전도에서 복횡근의 크기는 흡기시 보다는 호기시에 더 크다. 활동조정(*activity modulation*)의 반대 패턴은 우측과 좌측의 복횡근 모두에서 발견되었다. 횡격막과 유사하게 복횡근은 호흡주기를 통해 활동적이고 호흡과 함께 조정되었으나 근전도에서 복횡근의 크기는 호기 시 더 컸다(*Hodges와 Gandevia 2000a*).

체간의 반복적이고 지속적인 동요(10s)(perturbation)를 시험에 첨가하였다(Hodges & Gandevia 2000b). 횡격막 활동의 별개의 조정(modulation)을 볼 수 있었다. 호흡계와 긴장/자세 활성화(그림 5.14)에 부가된 다리의 움직임의 빈도에서 발생되는 활동의 위상성 조정(phasic modulation)도 있었다.

우리들의 데이터에 의하면 횡격막 근전도는 3가지로 구성된다는 것을 시사한다. : 그것은 증가된 긴장성 활동성(increased tonic activity), 호흡과 함께하는 위상성 조정(phasic modulation) 그리고 움직임과 함께하는 위상성 조정이다(Hodges & Gandevia 2000b).

후속 연구(Hodges 등 2001c)에서 저자들은 횡격막과 복횡근 모두의 긴장성 기능(팔 움직임과 연관된 위상성 조정 뿐만 아니라)은 단지 과잉탄산

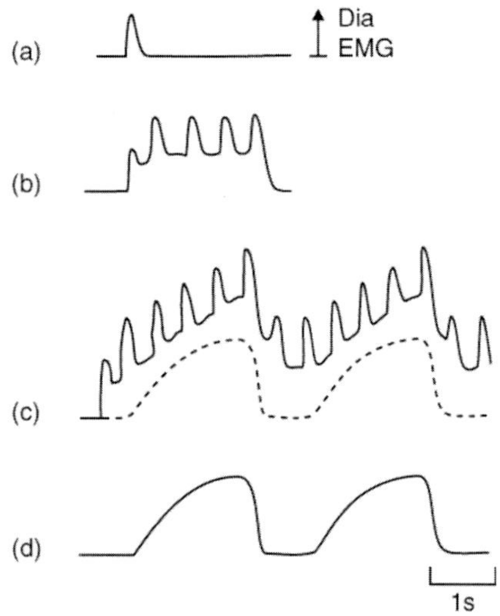

그림 5.14 호흡하지 않고 상지굴곡에 의하여 단일 및 반복적 체간부하를 하는 동안 횡격막의 근전도 활동. (a) 호흡하지 않고 단일 사지운동(견관절 굴곡). (b) 호흡하지 않고 반복적인 상지운동. 이런 선(tracing)은 반복적 팔 운동에 대한 반응으로 반복적 위상성 폭발과 함께 횡격막의 긴장성 활성화의 증가를 보여준다. (c) 호흡하면서 반복적인 팔 운동을 하는 동안 횡격막의 긴장성 및 위상성 연합 근전도 조절. (d) 사지의 운동을 하지 않고 호흡하는 동안의 횡격막 근전도 활동. (Hodges와 Gandevia 2000b로부터 나옴)

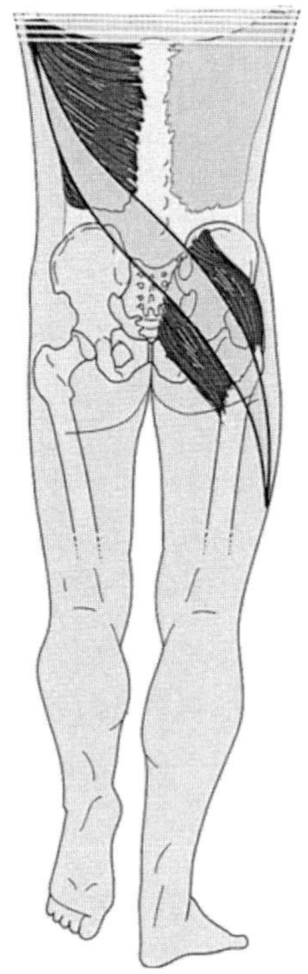

그림 5.15 전체 체계의 후방경사 슬링은 광배근, 대둔근 및 개재 흉추배부근막을 포함한다. (Vleeming 등 1995a으로부터 재생)

(hypercapnea)이 발생된지 60초 후에 감소되거나 없어졌다고 하였다.

Blaney와 Sawyer(1997)는 상복부 수술을 한 피험자들의 최대 흡기에 대한 기능적 잔여능력으로부터 횡격막 하강의 크기를 측정했고 수술 전에 각 부분의 평균이동이 5.5±1.1cm이었음을 발견했다. 복식호흡패턴과 외측 늑골팽창호흡패턴 사이에 의미있는 차이가 없었다. 수술 후에 횡격막 하강의 크기는 2.0±1.0cm(58% 감소) 감소하였고 다시 두 호흡패턴 사이에 의미있는 차이가 없었다. 그러나 저자들은 피험자에게 심호흡을 하도록 지시했을 때 하강의 크기는 훨씬 적었고 그들은 치료사의 손으로부터 들어오는 고유수용성 입력은 횡격막의 왕복운동(excursion)에서 중요한 역할을 할 수 있다고 결론을 내렸다. Blaney 등(1999)은 후속적으로 주기적으로 변하는 호흡(강제적이거나 전체 호흡이 아닌 이완성 호흡)을 하는 동안, 횡격막의 이동을 측정하였고 횡격막의 왕복운동은 호흡패턴에 따라 다양하다는 것에 주목했다. 그들은 상흉부, 복부 및 외측 늑골호흡을 하는 동안 횡격막의 이동을 측정하였고 평균 크기가 각각 2.2cm, 3.1cm 및 2.4cm임을 발견했다. DeTroyer(1989)는 적정 이완시 호흡은 상복부 움직임이 40%와 외측 늑골팽창이 60%를 포함해야 됨을 발견했다.

Summary

결론적으로 국소 시스템은 적정하게 기능할 때 국소 시스템은 요추관절(Hodges 등 2003b)과 골반(Richardson 등 2002)의 예측적 분절내 강직을 제공한다. 이런 외전 힘(힘폐쇄)은 형태폐쇄(관절의 형태)를 증가시키고 부하시기에 과도한 분배를 막는 것을 도와준다. 이런 강직/압박은 어떤 움직임이 시작하기 전에 일어나고 전 시스템으로부터 추가적인 부하에 대해 요추부와 골반을 준비한다.

전체 근육시스템(GOLBAL MUSCLE SYSTEM)의 역할

과거에 골반을 국부적으로 고정하는 근육 시스템의 4개의 슬링(sling)이 기술되었다(Vleeming 등 1995a,b, Snijders 등 1993a). 후방경사 슬링(posterior oblique sling)(그림 5.15)은 흉배근막을 통해 광배근과 대둔근 사이의 연관을 포함한다. 전방경사 슬링(그림 5.16)은 외복사근, 전방 복부근막 및 반대쪽 내복사근와 대퇴내전근 사이의 연관을 포함한다. 종적 슬링(그림 5.17)은 비골근, 대퇴이두근, 천골결절인대, 흉추배부 근막의 심부층과 척추기립근과 연관된다. 외측 슬링은 고관절을 위한 일차적 고정근 즉, 중둔근/소둔근, 대퇴근막장근 및 흉추골반 영역의 외측 고정근을 포함한다.

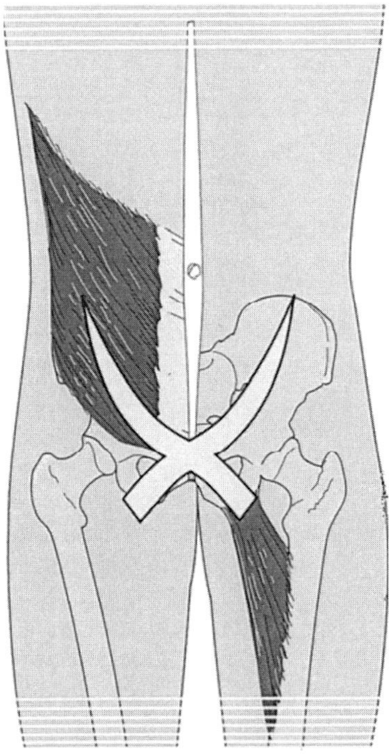

그림 5.16 전체체계의 전방경사 슬링은 외복사근, 반대쪽 내복사근, 대퇴 내전근 및 개재 전방 복부근막을 포함한다.

이런 근육슬링은 처음에 어떻게 골반의 국소 안정성과 전체 안정성이 특정 근육에 의해 이루어질 수 있는지에 대해 더 잘 이해하기 위해 분류되었다. 그것은 개별 근육들이 운동성 뿐만 아니라 국부 안정화(regional stabilization)를 위해 중요할지라도 어떻게 그것들이 연관되고 함께 기능하는지를 이해하는 것이 중요하다고 지금 인식되고 있다. 근육수축은 활동근육의 기시와 정지 밖으로 퍼지는 힘을 발생한다. 이런 힘은 활동근에 대해 병렬과 직렬로 위치하는 다른 근육, 건, 근막, 인대, 관절낭 및 골격으로 전달된다. 이런 방법으로 힘은 첫 근수축의 기시로부터 아주 떨어진 곳에서 발생된다. 이런 통합된 근육시스템은 부하의 전이를 보조하는 힘의 슬링을 발생한다. Van Wingerden 등(2001)은 천장관절의 압박에 대한 대퇴이두근, 척추기립근, 대둔근 및 광배근의 수축 효과를 분석하기 위하여 도플러영상시스템을 사용하였다. 천장관절을 직접 가로 지르는 이 근육들 모두 천장관절의 압박(강직을 증가시킨다)에 영향을 주지 않는 것으로 밝혀졌다.

근육들의 전체 시스템은 여러 근육으로 구성된 통합된 슬링시스템이고 그것은 힘을 발생한다. 근육은 하나 이상의 슬링에 참여할 수 있고 슬링들은 중복될 수 있고 요구되는 과제에 따라 서로 연락할 것이다. 가정은 슬링들이 시작이나 끝도 없지만 힘의 전이를 도와주기 위해 연결한다는 것이다. 슬링은 상호 연락된 근막체계의 모든 부분이고 어떤 동작을 하는 동안 확인되는 특정 슬링(전방 경사, 후방 경사, 외측, 종적)은 단지 전체 슬링의 선택적인 부분의 활성화에 의한 것이라는 것이 가능하다.

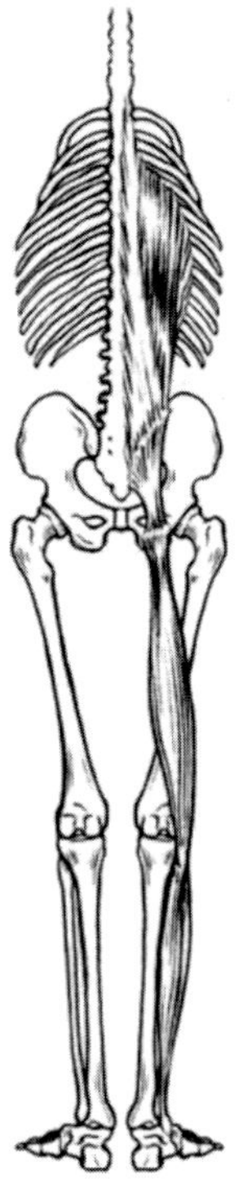

그림 5.17 종적 슬링은 비골근, 대퇴이두근, 천골결절인대, 흉추배부 근막의 심부층 및 척추기립근과 연결된다(Diane G. Lee 물리치료사 협회로부터 허가를 받아서 재생).

특정 근 기능부전[약화, 부적당한 동원, 팽팽함(tightness)]의 확인과 치료는 전체 안정화와 운동성(흉곽과 골반 사이 또는 골반과 다리 사이)을 회복할 때와 왜 슬링의 부분들이 길어지지 않는지 또는 너무 유연한지(지지의 부족)를 이해하기 위해서 중요하다.

운동조절(MOTOR CONTROL)

운동조절은 근활성화의 패턴(patterning)(Hodges와 Richardson 1996, Hodges 2000, O'Sullivan 등 1997, Richardson 등 1999, O'Sullivan 2000, Comerford와 Mottram 2001, Danneels 등 2001, Moseley 등 2002, Hodges 2003), 바꾸어 말하면, 특정 근 활동과 비활동의 타이밍과 관련된다. 효과적인 운동은 안정성은 보장되는 반면 움직임은 조절되거나 억제되지 않는 협응된 근 활동을 필요로 한다(Hodges 등 2001b, Hodges 2003). 요추골반에 관하여는 자세의 경직(rigidity)없이 붕괴하지 않고 안정성을 보장하는 국소 시스템과 전체 시스템 사이의 협응활동이다. 운동은 운동조절을 회복하기위해 필요한 연속적인 근 활성화를 강조한다(Richardson 등 1999, Lee 2001a, Lee DG 2003). 10장에서 근육시스템의 슬링내에서 장력의 균형과 압박의 이완을 강조하고 심상의 확장된 사용을 포함한다. 심상(imagery)은 신경성 패턴의 회복과 근력증진에 효과적이었음을 보여주었다(Yue와 Cole 1992, Franklin 1996, Gandevia 1999). 심상과 근활성화의 특정 순서를 사용하여 각 근육들이 강화되고, 신장되고 기능적 과제를 하는 동안 적당한 시간에, 적절한 패턴을 갖는다.

정서(EMOTIONS)

Andry Vleeming 박사(Lee와 Vleeming 2003에서)

정서상태는 신경근골격체계의 기능을 포함하여 사람의 기능에 중요한 역할을 한다. 많은 만성 골반통 환자들은 골반의 기능적 호소와 함께 외상경험을 가지고 있다. 이런 환자들 중 여러 명은 부정적인 과거경험을 암시하는 방어자세를 가리키는 운동패턴을 채택한다. 부정적 정서상태는 그 이상의 스트레스를 유도한다. 스트레스는 빠른 도주와 싸움반응(quick flight and fight)을 위한 우리의 체계에 활기를 주기위해 의도된 정상반응이다. 이런 반응이 지속되면 부분적으로 스트레스와 관련된 신경펩티드의 순환(Sapolsky와 Spencer 1997, Sapolsky 등 1997)에 의해서 시스템에 남아있는 높은 수준의 에피네프린

(아드레날린)과 코티졸(Holstege 등 1996)이 방어행동이나 공격행동을 예측할 때 방출된다.

정서상태(싸움, 도주 또는 얼어붙는 반응)는 근활동을 통하여 신체적으로 표현되고 정서상태가 지속되면 기초 근긴장과 패턴(Holstege등 1996)에 영향을 준다. 만약 골반근육들이 과긴장이 되면 이런 상태는 천장관절의 압박을 증가시킬 것이다(van Wingerden 등 2001, Richardson 등 2002). 유해한 운동패턴이 흔히 정서상태의 영향에 의해 변화될 수 있기 때문에 환자의 정서상태를 이해하는 것이 중요하다. 때때로 역학적 문제의 기초에 대한 교육과 인식을 통해 희망이 회복되는 것과 같이 단순해질 수 있다(Butler과 Mosley 2003, Hodges와 Mosely 2003). 다른 시대에 전문적인 인지행동치료는 더 긍정적인 사고패턴을 재훈련하는 것이 필요하다. 인지적 학습과 신체적 학습을 위한 기초 필요조건이 강조되거나 건성이 아닌 주의깊은 훈련이 강조된다. 신체적 부하와 정서적 부하를 받는 동안 그들의 신체에서 무슨 일이 일어나는지에 대하여 인식하거나 주의깊게 되도록 가르치면 계속적인 불필요한 근긴장이 감소되고 따라서 관절압박이 감소될 수 있다(Murphy 1992).

결론

신체기능은 관절기능에 영향을 준다고 오랫동안 인식되어 왔다. 여기에서 제시된 모형은 관절역학이 중다요인들에 의해 영향을 받을 수 있고 관절 자체에서 내적인 요인과 다른 요인은 근활동에 의해 발생되고 근활동은 정서상태에 의해 영향을 받는다는 것을 제안한다. 요추골반–고관절영역의 통증에 대한 효과적인 관리는 환자들이 건강한 방식으로 살아가고 움직이도록 유도하기 위한 목표와 함께 모든 4개의 요소 –형태폐쇄, 힘폐쇄, 운동조절 및 정서–에 대한 주의를 필요로 한다. 이 교재는 이 모형의 첫 3개 요소의 평가 및 치료와 요추, 골반대 및 고관절에 대한 적용을 강조할 것이다.

6 장

요추골반 - 고관절의 생체역학

목 차

하부 사분부(lower quadrant)의 주요한 기능은 이동과 동시에 상지가 기능을 제대로 할 수 있도록(부하를 이동시킴) 안정된 기저를 제공하는 것이다. 이와 더불어, 체간과 하지는 최소의 에너지를 사용하여 다각도의 운동을 가능하게 하는 잠재력을 가지고 있다(Abitbol 1995, 1997, McNeill 1995, 1997). 신경근골격의 조화는 최적화된 요골반 기능에 필수적이다, 1911년에 마이젠바흐(Meisehbach)는 이렇게 말했다 :

> 체간이 한 방향으로 빠르게 움직이면 요추 부위의 근육과 극근은 골반과 다리의 근육들에 대하여 직접적으로 대항근으로서 힘을 발휘한다. 정상적으로는 이러한 작용은 조화롭게 이루어지며 강한 골반 인대와 근막에 의해 어느 정도 저항을 받는다. 이러한 근육 작용의 조화가 어떠한 요인들에 의해 방해받거나, 인대의 지지가 약해지게 되면 다른 고정점이 반드시 생겨야만 한다.

해부학과 생체역학을 연구하는 것이 인체의 부위별 연구에 있어서 전통적 방법이었다. 예를 들어, 요추는 종종 골반대와 분리하여 연구하며 골반대 또한 고관절과 분리시켜 따로 연구하였다. 이러한 접근은 신체의 각 부분이 어떻게 기능하는가에 대한 정보를 줄 수는 있지만 이러한 각 부분이 함께 어떠한 기능을 하는지는 알려주지 않는다. 개별적인 부분의 기능을 고려할 필요가 있는 반면에, 마이젠바

흐가 거의 1세기 전에 이미 말한 바대로, 각각의 부분이 어떤 조화로운 작용을 하는지를 고려하지 않고는 재활에 있어서 성공할 수 없다. 즉, 요추, 골반대, 골반의 생체역학을 개별적으로 연구한 뒤에, 집합적인 생체역학이 존재할 수 있을 것이다. 희망적이게도, 많은 통합적인 관점이 요골반부에 있어서 성취될 수 있다. 우선, 관련 용어를 살펴보자.

용어(TERMINOLOGY)

운동형상학(kinematics 움직임 연구)이라는 단어와 운동역학(kinetics 힘의 연구)은 생체역학을 연구하는 운동학(kinesiology) 분야에서 파생되었다. 접두사인 osteo와 arthro는 그리스어로 골과 관절이라는 의미를 갖는다.

골운동학(osteokinematics)은 관절의 움직임을 고려하지 않은 뼈의 움직임을 연구하는 학문이다. 이 때 움직임의 중심이 되는 축에 따라, 움직임의 이름이 정해진다. 굴곡/신전(flexion/extention)은 하나 이상의 뼈가 관상축(coronal axis)을 따라 회전할 때를 말한다. 이 용어는 척주와 말초관절에 동일하게 사용된다. 전/후(forward/backward)로 시상면 위에서 관상축을 따라 체간을 굽히는 움직임은 전방/후방 굴곡(forward/backward bending)이라고 부른다. 골반대 안에서의 천골(sacrum)의 굴곡과 신전은 전굴(nutation)과 반전굴(counter nutation)이라고 부른다. 무명골(innominate)이 관상축을 따라 앞으로 회전하는 것을 전방회전(anterior rotation)으로, 뒤로 회전하는 것을 후방회전(posterior rotation)이라고 한다. 무명골의 전굴/반전굴과 전방/후방회전은 천골과 무명골 사이의 움직임으로 설명되어야 할 것이다. 두 개의 무명골과 천골이 관상축을 따라 하나의 단위인 골반대로 고관절에서 회전하는 것을 전방 또는 후방 골반경사(anterior or posterior pelvic tilt)라고 한다.

외전/내전(abduction/adduction)은 하나 이상의 말초의 사지의 뼈가 시상축을 따라 회전할 때를 말한다. 척주 안에서, 측방굴곡(side flexion)은 축성골(두개골, 척주)이 시상축을 따라 회전하는 것을 말한다. 관상면에서 시상축을 따라 체간이 움직이는 것은 외측굴곡(lateral bending)이라 한다. 두 무명골과 천골이 시상축을 따라 하나의 단위인 골반대로써 회전하는 것을 외측 골반경사(lateral pelvic tilt)라고 한다.

내/외측 회전(medial/lateral ; 평면적 개념의 중앙부/주변부, internal/external ; 입체적 개념으로의 내부/외부)은 하나 이상의 사지의 뼈가 수직축(vertical or longitudinal axis)을 따라 회전하는 것을 말한다. 축 회전(axial rotation)은 축을 이루는 골이 수직축을 따라 회전하는 것을 말한다.

뼈는 또한 같은 축을 따라 후전방(posteroanterior), 전후방(anteroposterior), 내외측(mediolateral), 외내측(lateromedial), 수직(견인-압박)으로 병진운동(translation)이 될 수 있다.

관절운동학이란 골의 움직임을 고려하지 않고 관절의 움직임만을 연구하는 학문을 말한다. "관절 내 운동학 또는 관절운동학은 하나의 관절면 위에서 다른 관절이 움직이는 것과 관계되어 있으며. 관절면은 서로 축 회전(spin)하거나 미끄러짐(slide)을 한다"(MacConaill & Basmajian 1977). 이러한 움직임들은 순수한 축회전과 순수한 또는 순수하지 않은 유각(pure swing & impure swing)이라고 한다. 순수 축회선은 관절면 위의 한 점(point)이 단순하게 뼈의 역학적 축을 중심으로 회전할 때 일어난다. 순수한 유각은 관절면 위의 한 점이 어떠한 두 지점 사이에서 가능한 가장 짧은 선(chord)을 따라 단순히 미끄러질 때 일어난다. 순수하지 않은 유각은 관절면의 한 점이 어떠한 두 지점 사이를 호(arc)를 따라 미끄러질 때 일어나며 이때 축회선의 요소가 함께 나타날 수 있다.

관절역학(arthrokinetics)은 정적 그리고 동적 기능을 수행할 때 관절에 관여하는 힘에 대한 연구를 말한다.

요추의 운동학(KINEMATICS WITHIN THE LUMBAR SPINE)

뉴턴의 제 2법칙에 따르면 물체의 움직임은 적용된 힘의 비율에 직접적으로 관계가 있으며 작용한 힘의 방향에 직선으로 일어난다. 병진운동은 하나의 순 힘(net force)이 물체의 모든 점을 같은 방향으로 같은 거리만큼 이동시키는 것을 말한다(Bogduk 1997). 정렬되지 않은 반대 방향의 힘에 의해 물체가 정지된 축의 중심을 따라 움직이는 것을 회전(rotation)이라 말한다(Bogduk 1997). 역학적 용어로, 3개의 수직(perpendicular) 축을 따라 움직임이 양의 방향과 음의 방향으로, 요추는 12도의 자유도를 가질 수 있다(Levin 1997)(그림 6.1). 그러나 이러한 모델은 실제로 일어나는 움직임을 수정하고 제한하는 해부학적 요소들을 설명해주지 않는다. 임상적으로 요추는 4도의 자유도를 가진다. : 굴곡, 신전, 우측 회전/측방굴곡, 좌측 회전/측방굴곡(Pearcy & Tibrewal 1984, Vincenzino & Twomey 1993, Bogduk 1997). 척추의 전체적인 굴곡/신전은 두부(頭部)와 체간의 전방/후방굴곡에 있어서 빠뜨릴 수 없는 중요한 요소이며 다른 움직임에 있어서는 회전/측방굴곡의 요소가 된다.

굴곡/신전(FLEXION/EXTENSION)

요추에서, 관상면은 정적이라기보다 동적이며 굴곡시 전방으로 이동한다. 이때 굴곡은 약간(1–3mm)의 전방 병진운동을 수반한다(그림 6.2, 6.3)(White & Panjabi 1978, Gracovetsky et al 1981, Graco- vetsky & Farfan 1986, Bogduk 1997). 역으로 신전은 체간이 후방으로 움직일 때 약간의 후방 병진운동을 수반하며 일어난다.

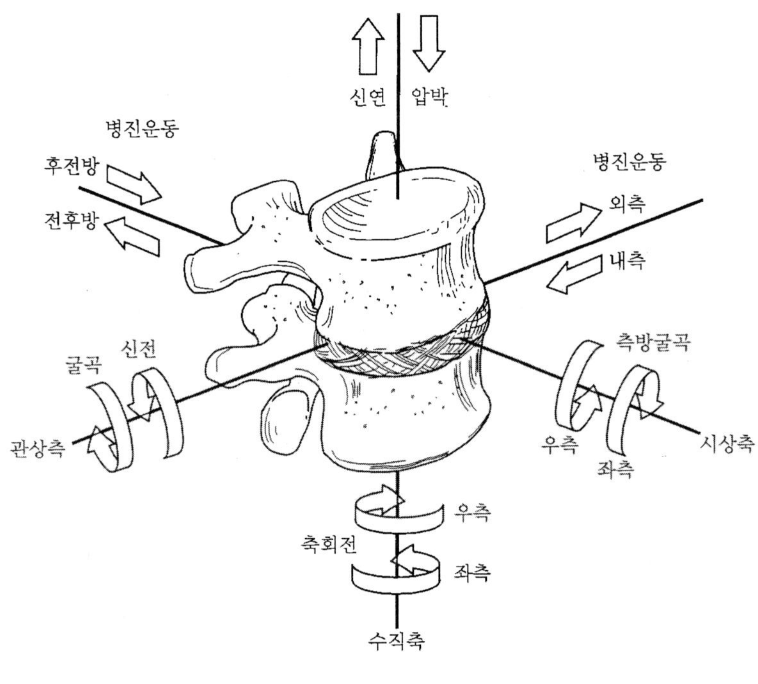

그림 6.1
역학적으로 요추는 12도의 움직임이 가능하다(Bogduk 1997, Levin 1997).

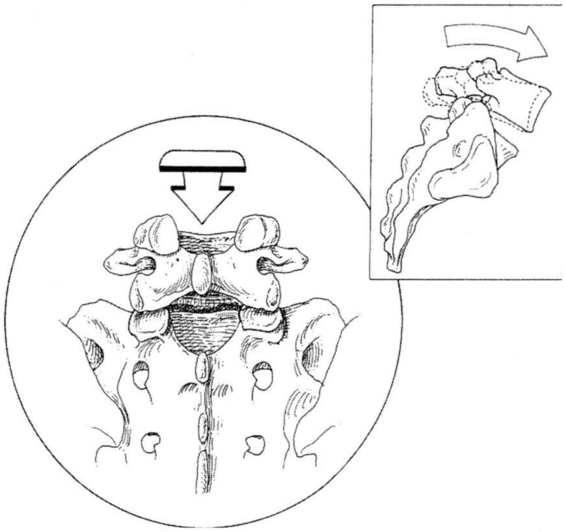

그림 6.2 L5-S1의 굴곡/전방 병진운동

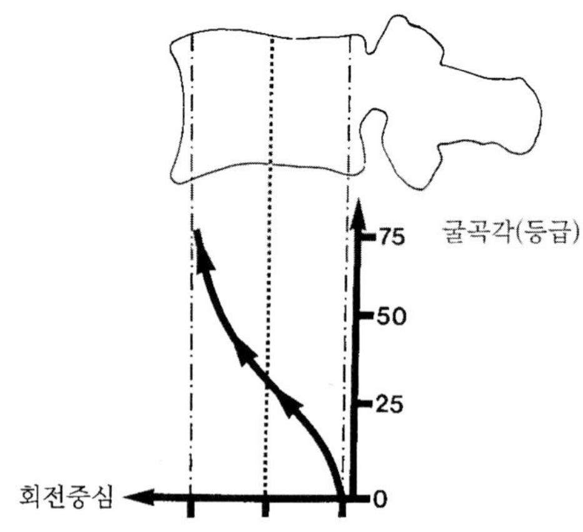

그림 6.3 굴곡의 각도가 증가함에 따라 관상축에서 굴곡/신전이 전방으로 이동한다.

척추 돌기관절(zygapophyseal joint)에서, 굴곡과 신전은 관절운동학적으로 순수하지 않은 유각이다. 굴곡이 일어나는 동안에 두 개의 척추 사이의 관절을 살펴보면, 위에 위치한 척추의 하부 관절돌기(inferior articular processes)는 아래에 위치한 척추/천추의 상부 관절돌기를 따라 상방 그리고 전방으로 미끄러진다(Bogduk 1997). 신전이 일어나는 동안에는, 위에 위치한 척추의 하부 관절돌기가 아래 척추의 상부 관절돌기를 따라 하방과 후방으로 미끄러진다. 움직임의 총 폭은 약 5-7mm이다.

회전/측방굴곡(ROTATION/SIDEFLEXION)

체간이 회전하거나 외측굴곡할 때 척주의 짝운동(motion coupling)이 일어나는 것은 Lovett에 의해 최초로 1903년에 알려졌다. 그는 한 면으로 구부릴 수 있는 유연한 막대는 비틀림 없이 다른 면으로 구부러질 수 없다고 말했다. 이 짝운동의 방향은 논쟁의 여지가 있다.

1984년에 Pearcy & Tibrewal은 30세 이하의 10명의 남자를 대상으로 회전과 외측굴곡이 일어나는 동안에 요추의 움직임을 삼차원 방사선사진을 통해 연구 보고하였다. 짝운동(그림 6.4)에 대한 그들의 발견은 외측 굴곡이 동측 축성회전(ipsilateral axial rotation)과 짝지어 일어나는 요천추 접합부를 제외하고, Gracovetsky와 Farfan(1986)의 연구와 일치하였다. L4-L5는 전위가 가능하고 L3-L4나 L5-S1의 운동 패턴에 따른다. 그러나 굴곡 또는 신전 자세에서 초래된 외측 굴곡시 짝운동에 대해서는 연구하지 않았다.

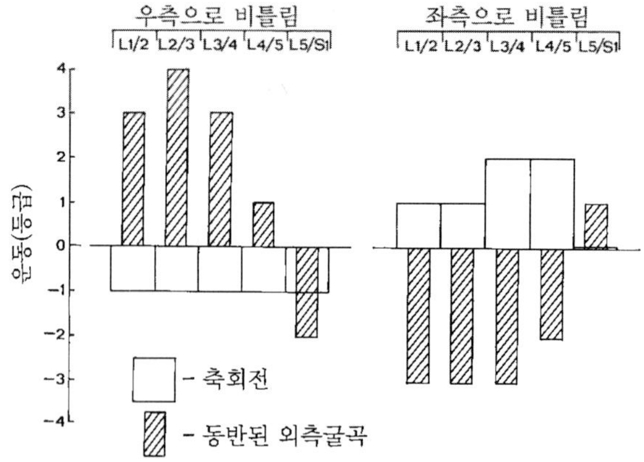

그림 6.4 요추에서의 회전과 외측굴곡의 짝운동. 요추-천골의 접합부에서, 외측 굴곡은 회전과 같은 방향으로 일어난다(Pearcy & Tibrewal 1984).

Bogduk(1997)에 따르면, 요추 움직임 분절에서 3도의 순수 축성 회전이 가능하다. 이 때, 회전의 방향으로 정렬되어 있는 섬유륜(annulus fibrosus)의 모든 섬유는 스트레스를 받고, 반대측 zygapophyseal joint가 시상방향(sagittal component)으로 압박되며, 동측 zygapophyseal joint의 관절낭이 팽팽해진다. 움직임의 축은 추체의 후위부를 통과하여 수직방향으로 위치한다. 3도의 회전 이후에는, 축이 압박된 관절돌기의 쪽으로 이동하고 상부의 척추는 이 새로운 축을 중심으로 회전한다. 추체는 외측 후방으로 유각하는데, 외측 전위 힘이 추간판에 작용하게 된다. 압축된 하부의 관절돌기는 후방과 내측으로 유각하며, 더 나아가 관절낭과 인대가 늘어날 수 있다. 회전이 그 이상 일어나면 스트레스나 압축을 받은 조직이 파손될 수 있다. Bogduk(1997)에 따르면, 회전력(torsion)에 대한 저항은 35%가 추간판에 의해, 65%는 신경궁의 후위부에 의해 생긴다.

Bogduk(1997)은 Pearcy & Tibrewal(1984)의 짝운동 모델을 지지하며, 축성 회전의 상부 세 개의 분절이 반대측 측방굴곡(side flexion)을 동반한다는 데에 동의했다. 이 움직임은 경사축(oblique axis)을 중심으로 한 방향으로 일어나며 분절의 미세한 굴곡이나 신전에 관여한다고 보았다(그림 6.5). 또한 L5-S1의 운동패턴은 동측으로 일어나며(그림 6.6) L4-L5의 운동패턴은 변화 가능하다고 보고하였다. 더불어 그는 개별적 변화가 존재하여, 분절의 운동패턴에 저항할 수 있다고 보고하였다.

Vincenzino & Twomey(1993)는 요추가 외측굴곡할 때 일어나는 접합 회전(conjunct rotation)을 연구하였는데, 64%에 달하는 표본에 있어서 L5-S1 사이에서는 접합 회전이 일어나지 않았다. 그들의 선행연구에 따르면, 회전의 방향은 항상 측방굴곡의 방향과 같았다. 이 짝운동은 분절이 굴곡, 중립 또는 신전 자세에서부터 측방굴곡할 때 일치하는 것으로 나타났다. L5-S1의 상위에서는 흥미로운 패턴이 나탔다. 신전을 할 때는 L1-L2와 L3-L4는 측방굴곡과 반대 방향으로 회전한다. 굴곡에서, L1-L2와

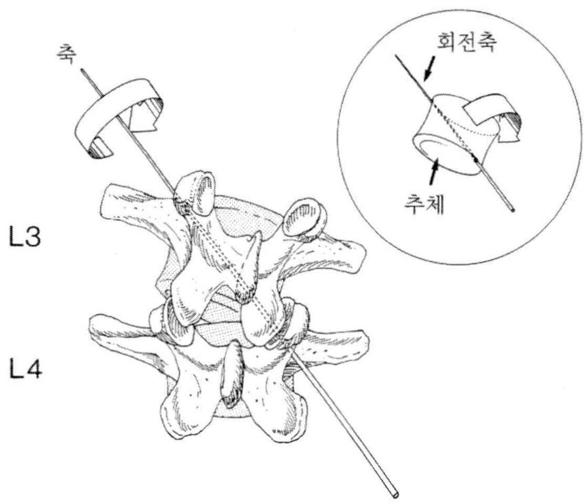

그림 6.5 반대측 측방굴곡(sideflexion)을 동반한 L3-L4 관절 복합체쌍의 좌측 회전

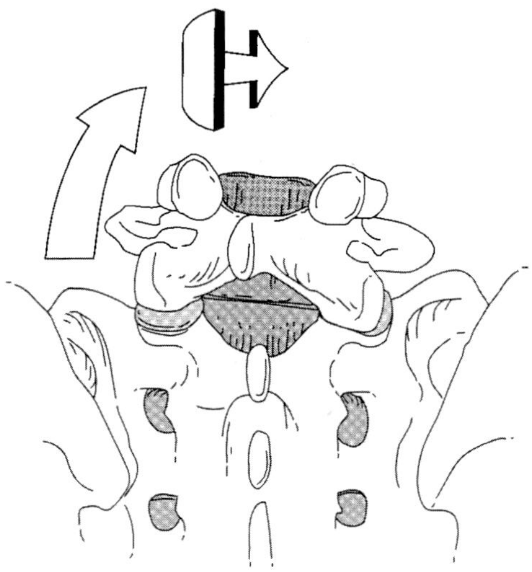

그림 6.6 우측 회전 동안에, L5 척추는 우측으로 회전/측방굴곡한다.

L3-L4는 측방굴곡과 같은 방향으로 회전하였다. 대조적으로, 신전에서, L2-L3와 L4-L5는 측방굴곡과 같은 방향으로 회전하였고, 굴곡에서는 L2-L3와 L4-L5는 반대 방향으로 회전하였다. 이 연구의 결론은 요추의 짝운동은 사실상 복잡하다는 것이다.

요추의 생체역학은 나이와 퇴행 모두와 관련하여 변화하는 것으로 보여진다(Farfan 1973, Kirkaldy-Willis et al 1978, White & Panjabi 1978, Kirkaldy-Willis 1983, Gilmore 1986, Grieve 1986, Stokes 1986, Twomey & Taylor 1986). 굴곡/신전 및 회전/측방굴곡의 일시적인 중심은 퇴행에 따라 크게 이동할 수 있으며, 이러한 이동의 결과로 체간의 생리적 움직임(physiological motion)이 있는 동안, 매우 큰 후전방 및 외측 전위를 야기한다(White & Panjabi1978, Stokes 1986). 결과적으로, "분절 간의 수준에서, 정상적 부하는 이동된 IAR[instantaneous axis of rotation ; 일시적 회전축]에 사실상 작용하여 국소적으로 비정상적 움직임을 만들어 낸다."(Gilmore 1986)

요약하면, 요천추 접합부의 생체역학에 대해 확실하게 결론이 내려지더라도 변화된 생체역학이 존재할 가능성이 높으며, 객관성이 부족함에도 불구하고 "환자에 대해 지각적 임상 관찰이 척추의 움직임을 임상적으로 평가하는 가장 직접적인 방법이다."(Stokes 1986).

골반대의 운동학(KINEMATICS WITHIN THE PELVIC GIRDLE)

천장관절(sacroiliac joint ; SIJ)의 운동성은 17세기 이래로 인식되어 왔다. 19세기의 중반 이후, SIJ이 치골결합(pubic symphysis)의 운동과 이 운동이 일어나는 축에 대해 알아내기 위해 사체와 생체 연구가 시행되었다(Meyer 1878, Goldthwait & Osgood 1905, Albee 1909, Sashin 1930, Weisl 1954, 1955, Colachis et al 1963, Egund et al 1978, Wilder et al 1980, Lavignolle et al 1983, Walheim & Selvik 1984, Miller et al 1987, Sturesson et al 1989, 2000, Vleeming et al 1990a, b, Kissling & Jacob 1997, Sturesson 1997, Hungerford et al 2001, Hungerford 2002).

이런 연구에 다음과 같은 방법이 사용되었다. 수술 시 또는 시체의 천장관절 도수 촉진(Jarcho 1929, Chamberlain 1930, Lavignolle et al 1983) ; 체간과 하지의 다양한 자세에서의 X-선 분석(Albee 1909, Brooke 1924) ; 무명골과 천골로 탄탈공(tantalum ball)를 삽입한 뒤 Roentagn stereophotogrammetric(RSA)과 stereoradiographic image(Egund et al1978, Walheim & Selvik 1984, Sturesson et al. 1989, 2000, Sturesson 1997) ; 그리고 대퇴, 천골, 무명골에 표면 마커를 부착한 뒤(Hungerford et al 2001, Hungerford 2002), 체간과 하지의 다양한 자세에서 경사측정기(inclinometer)로 측정하고, 커쉬너(Kirschner) 철사를 무명골과 천골로 삽입한 뒤(Pitkin & Pheasant 1936, Colachis et al 1963, Jacob & Kissling 1995, Kissling & Jacob 1997), 메트레콤 골격 분석(Metrecom skeletal analysis)을 이용한 컴퓨터 분석(Smidt 1995). 임상적 이론들(DonTigny 1985, 1990, 1997, Hesch et al 1992, Lee 1992, 1999, Hesch 1997)이 이 부위를 연구하는 데에 기여하였다. 이러한 연구들의 결과는 골반대의 기능과 기능부전 모두를 설명해준다. 이제 골반대의 생체역학의 현재에 대해 자세하게 다루어보자.

하나의 단위로서 골반대의 움직임은 신체의 세 개의 면 모두에서 일어난다. : 시상면에서 일어나는 전방과 후방 골반 경사, 관상면에서 일어나는 외측 경사, 수평면에서 일어나는 축성 회전. 이 모든 움직임의 조합은 보통의 보행 주기에서 나타난다(Greenman 1990, 1997). 이에 더하여, 골반(pelvis) 안에서도 움직임이 일어난다. 천장관절의 운동성이 작은 반면, 골반 운동은 전 생애(Vleeming et al 1992b, 1997)를 통해 일어난다(Walheim & Selvik 1984, Miller et al 1987, Sturesson 등 1989, 2000, Sturesson 1997, Hungerford et al 2001, Hungerford 2002). 과거에는 천장관절에서 일어날 수 있는 움직임의 양에 대해 토론하기도 하였다. 1983년에 Lavignolle 등은 25세 이하의 여성 2명과 남성 3명을 대상으로 한 연구에서, (6mm의 전방 전위와 짝운동 하며) 10-12도 만큼 무명골이 후방 회전하는 것과(8mm의 전방 전위와 짝운동 하며) 2도 전방 회전하는 것을 보고하였다. 이 연구는 비체중부하 자세에서 수행했으며, Vleeming 등(1990a)은 이러한 짝운동이 움직임의 양을 결정하는 매우 중요한 요인일 것이라고 보았다. Sturesson 등(1989, 2000)은 19-45세의 21명의 여성과 18-45세의 남성 4명을 대상으로 RSA를 이용하여 천장관절 운동성을 조사하였다. 그들은(0.5-1.6mm의 전위와 짝운동을 하며) 단 2.5도의 무명골 회전을 발견하였다. 이 생체 연구는 체중부하 자세에서 시행되었다. Sturesson 등(2000)은 다른 권위자들(Weisl 1954, 1955, Colachis et al 1963, Lavig-nolle et al 1983)이 천장관절의 운동성을 지나치게 확대하였다고 보았다.

Jacob & Kissling(1995)이 발견한 RSA 기술을 이용한 SIJ 운동성은 Sturesson 등(1989, 2000)의 이론을 뒷받침한다. 회전과 전위의 평균 값은 작아서, 남성의 경우 1.8도의 회전(0.7mm의 전위와 짝운동함)이 여성의 경우 1.9도의 회전(0.9mm의 전위와 짝운동함)이 있을 뿐이다. 또한 나이와 성별에 있어서 유의한 통계적 차이가 없었다. 그들은 6도의 회전과 2mm의 전위 보다 운동성이 크게 나타나면 병리적인 현상으로 간주하였다(제이콥과 키슬링 1995).

1995년에 Buyruk 등(1995a, b)은 도플러(Doppler) 이미지 시스템이 SIJ의 경직도(stiffness)를 나타낼 수 있다는 것을 확립시켰다. 이 연구는 Leonie Damen 등(2002a)에 의해 최근에 반복되어졌고 재확인되었다. 천장관절을 가로지르는 진동의 도플러 이미지는 천장관절의 경직도가 피험자에 따라 변화할 수 있음을 보여주며 따라서 움직임의 범위는 변화 가능하다. 이 연구는 또한 천장관절의 경직도가 골반통이 없는 피험자에서는 좌우측을 비교할 때 대칭적으로 나타나지만 골반통이 있는 피험자의 경우 비대칭적으로 나타난다는 것을 밝혀냈다. 이 연구에 대해서는 이후에 깊이 있게 다룰 것이다. 결론적으로, 우리는 천장관절의 각(1-4도)과 전위적 움직임(1-3mm) 모두에 있어서 작은 정도로 움직일 수 있으며 이 움직임의 폭은 피험자에 따라 변화할 수 있다는 것을 알 수 있다. ; 그러나 한 피험자를 대상으로 하는 경우 이 움직임은 대칭적으로 나타날 것이다.

천골의 전굴/반전굴(NUTATION/COUNTERNUTATION OF THE SACRUM)

전굴과 반전굴은 골운동학적 용어로서 요추와 대퇴에 대하여 어떻게 골반대가 움직이는가를 고려하지 않고 무명골에 대하여 어떻게 천골이 움직이는지를 설명해 준다. 천골의 전굴은 천골 돌기(sacral promontory)가 관상축을 따라 골간인대(interos-seous ligament)를 관통하며 골반을 향해 전방으로 움직일 때 일어난다(그림 6.7). 반대로, 천골의 반전굴은 천골 돌기가 관상축을 따라 후방으로 움직일 때 일어난다(그림 6.8). 천골은 바로 누운(supine) 자세를 하고 있을 때 반전굴이 일어나며(Sturesson et al. 2000) 앉은 자세나 서있을 때에는 전굴이 일어난다(Sturesson et al. 2000). 달리 말하면, 개인이 수직적인 자세로 있다고 하더라도, 천골은 무명골에 대해 상대적으로 전굴하게 된다. 천골 전굴의 정도는 개인이 어떻게 앉거나 서있는가에 달려있다. 이상적인 자세에서는 천골은 두 개의 무명골 사이에서 완전한 전굴이 아닌 약간의 전굴 상태이어야 한다(Levin 1997). 전방굴곡 또는 후방굴곡의 초기 단계 동안에는 천골은 무명골 사이에서 완전히 전굴을 한 채로 매달려 있어서, 움직임의 전 범위를 통해 그 상태에 머물러 있어야 한다. 선 자세로 돌아올 때는 천골이 무명골 사이에서 전굴 상태로 바로 선 자세에 도달할 때까지 머물러야 한다. 바로 이때 천골은 약간 반전굴을 하며(약간 전굴의 상태를 유지하며) 두 무명골의 사이에서 다시 한번 매달려 있는다. 과도하게 등이 굽거나 척주후만증이 유발되는 자세에서 천골은 완전하게 무명골 사이에서 전굴이 가능하다. 관절가동역 내의 전범위에서 동작이 일어났으므로 더 이상의 전굴은 전방굴곡이나 후방굴곡에서 나타나지 않는다. 등을 구부린 자세로 앉아있는 경우 천골은 완전하게 반전굴을 할 수 있고 체중부하는 미골에 주어진다.

관절운동학적으로 천골이 무명골에 상대적으로 전굴할 때, 두 관절면 사이에서 선형 동작(linear motion)이나 전위가 일어날 수 있다. 천골이 무명골에 상대적으로 전굴할 때 일어난다고 생각되어지는 다음의 관절운동학적 사항을 타당하게 해주는 연구는 지금까지 존재하지 않았다. 전굴이 일어나는 동안, 천골은 관절면의 단완(short arm)의 아래로

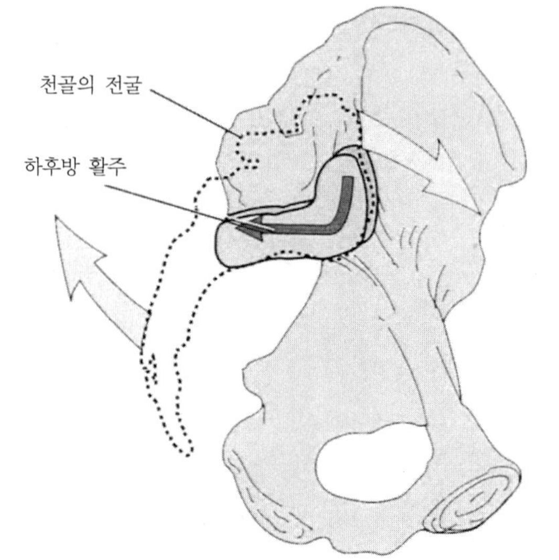

그림 6.7 천골이 전굴(nutation)을 할 때, 그 관절면은 무명골에 대해 상대적으로 하후방으로 미끄러진다(glide).

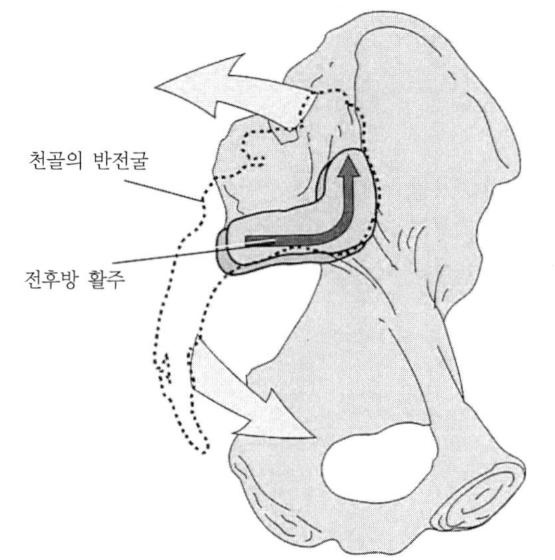

그림 6.8 천골이 반전굴(counternutation)을 할 때, 그 관절면은 무명골에 대해 상대적으로 전상방으로 미끄러진다.

미끄러지고(S1) 장완(long arm)을 따라 후방으로 미끄러진다(S2, S3)(그림 6.7). 이러한 전위의 폭은 매우 작아서 현재까지도 촉진이 불가능하다. 이 움직임은 천골의 쐐기(wedge) 모양, 관절면의 융기(ridges)와 함몰(depressions), 관절면의 마찰계수

(friction coefficient), 골간인대와 천골결절(sacrotuberous) 인대 때문에 제한을 갖는다(Vleeming et al 1990a,b)(그림 6.9). 이것은 천장관절의 닫힘(close-packed) 자세 또는 자기고정(self-braced) 자세로, 간헐적으로 높은 부하를 이동시키기에 가장

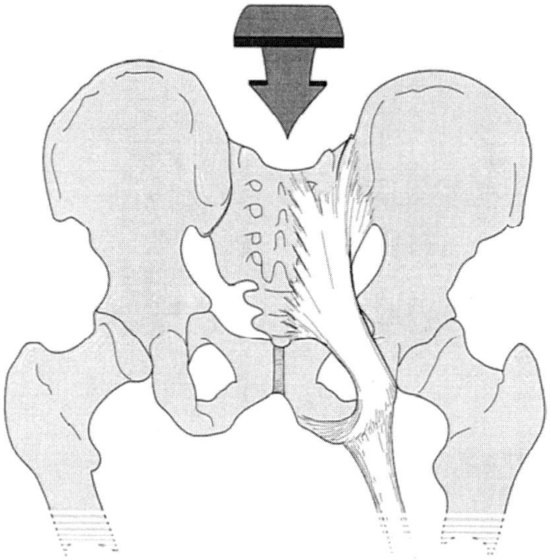

그림 6.9 천골 전두운동은 골반을 향해서 천골곶(sacral promontory)이 전방으로 움직이는 것을 말한다. 이 움직임은 골간 인대와 천골결절인대에 의해 저항을 받는다(Vleeming 등 1997).

안정적인 자세이다. 전굴이 일어나는 동안 골간인대와 천골결절인대는 이 두 인대에 부착되는 않으나 골반대를 수평적으로 압박해주는 근육들에 의해 지지된다.

반전굴이 일어나는 동안에, 천골은 장완을 따라 전방으로 미끄러지고, 단완의 위로 미끄러진다(그림 6.8). 이 움직임은 긴 후천장인대(dorsal sacroiliac ligament)에 의해 제한을 받는다(그림 4.15)(Vleeming et al 1996). 이 인대는 천골을 전굴시키는 역할을 하는 다열근(multifidus)의 수축에 의해 지지된다. 다열근과 항문거근(levator ani)은 천골의 전굴/반전굴에 함께 작용하는 것으로 보인다(Snijders et al 1997).

미골(COCCYX)의 굴곡/신전

보 등(Bo et al 2001)은 MRI를 사용하여 골반저 근육의 기능을 연구하여 골반저의 수축이 미골을 복측(ventral)과 머리(cranial) 방향으로 움직인다고(굴곡) 보고하였다. 반면에 발살바(Valsalva)가 일어나는 동안에는 미측(caudal)과 배측(dorsal)으로 움직인다고(신전) 보고하였다.

무명골의 후방회전(POSTERIOR ROTATION OF THE INNOMINATE)

무명골의 후방회전은 천골에 대해 상대적으로 일어나는 무명골의 움직임을 설명해주는 골운동학적 용어로 SIJ의 골간인대를 통해 관상축으로 일어나는 움직임이다. Hungerford(2002)는 대퇴골, 무명골, 천골에 대한 15군데의 뼈의 기준점(landmark)에 반사 표면 마커(reflective surface markers)와 고도의 영상 시스템(six-camera Expert vision motion analysis hi res 5.0 system)을 사용하여 개인이 한쪽 다리에서 반대쪽 대퇴를 구부리며 체중을 이동시킬 때(그림 6.10) 이를 지지해주는 즉, 체중부하가 되는 무명골은 후방회전을 하고 있거나 상대적으로 전굴 상태인 천골에 비해 상대적으로 후방회전한다는 것을 제시하였다. 그러므로 천장관절은 부하 이동을 준비하기 위한 닫힘 상태가 된다. 이때 고관절 굴곡이 일어난 체중부하를 하지 않고 있는 무명골 또한 천골에 비해 상대적으로 후방회전을 하게 된다(그림 6.10과 6.11). Sturesson 등(2000)은 연구를 통해 한 다리로 서기를 하고 있는 동안에

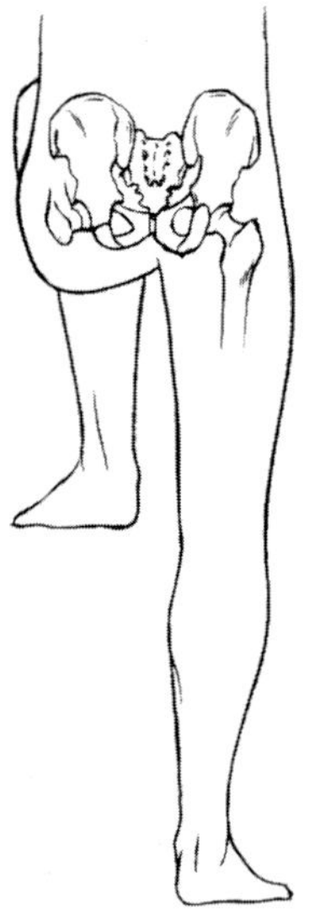

그림 6.10 외다리서기 검사(one-leg standing test, Gillet) : 몸무게를 한 다리로 옮기고 서서 반대쪽의 외측 고관절을 약 90도 가량 굴곡시킨다.

그림 6.11 한 다리로 서서 반대쪽 외측 골반을 굴곡시키면, 골운동학적으로 무게가 실리지 않은 쪽의 무명골은 천골과 함께 후방으로 회전한다(점선으로 표시). 무명골은 관절운동학적으로 전상방과 외측으로 천골과 함께 미끄러진다(관절의 감압을 반영하는 것으로 보인다.)(Hungerford 2002). 점선의 관절면을 주목하라. 이 그림에서, 골운동학과 관절운동학적 움직임의 차이는 시각적 효과를 위해 일부러 과장하여 표현되었다. 실제로는 골운동학적 운동의 폭은 2-3mm의 전이와 짝을 지어 5도 이내이다.

일어나는 이러한 골반 내 움직임의 골운동학적 패턴을 처음으로 보고하였다. Hungerford 또한 무명골의 후방회전과 연관되어 발생하는 골운동학적 움직임을 설명하였다. 체중이 부하된 쪽과 부하되지 않은 쪽 모두에서 무명골의 후방회전은 무명골의 측방굴곡(sideflexion)(그림 6.12a,b) 및 회전(그림 6.12c, d)과 연관이 있다. 무명골의 측방굴곡과 회전은 약간의 변화 가능성이 보고되었음에도 불구하고 서로 반대방향으로 짝을 지어 나타난다고 할 수 있다.

또한 Hungerford는 체중이 부하된 쪽과 부하되지 않은 쪽 모두에서 무명골이 후방 회전하는 동안에, 무명골과 천골 사이에서 일어나는 관절운동학을 연구하였다. 연구를 통해 이 책의 제 2판에서 최초로 제시했던 부분에 대해서 확인시켜 주었다(Lee 1999) ; 그것은 바로, 고관절이 굴곡된 체중이 부하되지 않은 쪽의 무명골이 후방회전하는 동안, 천골에 비해 상대적으로 무명골이 전상방으로 미끄러진다는 것이다(그림 6.13). 마찬가지로, 내측 전위가 보고되었는데 이는 부하가 주어질 때 증가한 관절 압박을 반영한다고 볼 수 있다. 다시 말해서, 골반대가 자기고정 상태가 되어 수동적 또는 능동적 요소에 의해 압박을 받을 때, 전위의 방향은 예상했던 것과 같지 않았다(Lee 1999).

천골에 비해 상대적으로 일어나는 무명골의 관절면에서 후방 또는 상방으로 전위가 일어나는 것은 자전거의 기어의 맞물림과 유사한 천장관절 "잠김(lock in)"이다.

이러한 방식으로 관절면이 맞물리게 되면, 움직임이 방지되고 부하 이동에 있어서 안정성이 강화될 것이다.

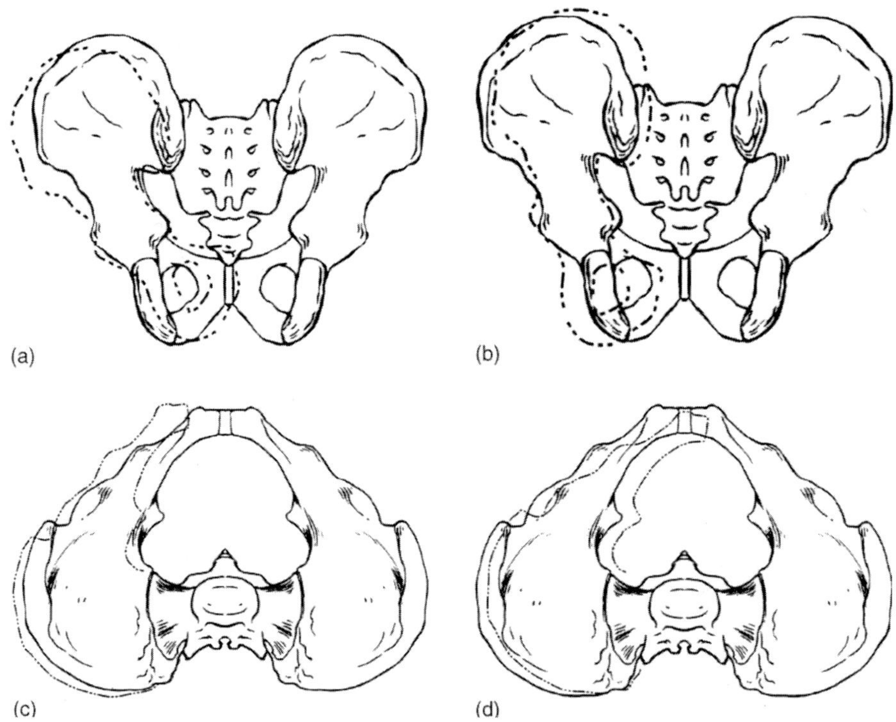

그림 6.12
Hungerford(2002)는 체중이 부하된 쪽과 않은 쪽 모두에서 무명골의 후방회전과 관련하여 일어나는 골운동학을 설명하였다. 후방 회전 운동은 측방굴곡(a : 좌측 굴곡 b : 우측 굴곡)과 회전(c : 좌측 회전 d : 우측 회전)과 관련되어 있다. 변화가 가능하지만, 자주 반대측 외측으로 복합적인 패턴(combined pattern)이 나타났다(회전은 측방굴곡의 반대 방향에서 일어났다.). 이 그림에서는 골운동학적 운동은 시각적 효과를 위해 과장하여 표현하였다.

그림 6.13 한 다리로 체중을 이동시키면서 반대측 고관절을 굴곡시킬 때, 체중 부하를 받는 쪽의 무명골은 후방 회전된 채로 유지되거나 천골에 비해 후방으로 굴곡한다(점선으로 표시)(골운동학). 무명골은 천골에 비해 후방과 상방으로 미끄러진다(관절면의 점선을 주목)(Hungerford 2002). 이 그림에서 골운동학과 관절운동학적 움직임의 차이는 시각적 효과를 위해 과장되어 표현하였다.

무명골의 전방회전(ANTERIOR ROTATION OF THE INNOMINATE)

무명골의 전방회전은 천골에 비해 상대적으로 일어나는 무명골의 움직임을 설명해주는 골운동학적 용어로서, 천장관절의 골간인대를 통해 관상축을 따라 일어난다(그림 6.14). Hungerford는 건강한 피험자를 대상으로 무명골의 전방회전을 조사하지 않았다. ; 결과적으로 아래의 내용은 여전히 하나의 예상에 불과하다. 건강한 사람의 경우, 무명골의 전방회전은 유각기의 다리가 자유롭게 신전하고 있는 동안에 일어난다. 무명골이 전방으로 회전할 때, 천장관절의 단완의 아래로 미끄러지며 장완을 따라 후방으로 미끄러진다(그림 6.14).

그림 6.14 무명골의 전방 회전은 유가이 다리가 신전하는 동안 일어난다. 무명골이 전방 회전할 때(점선으로 표시), 무명골은 천장골관절(sacroiliac joint)의 단완의 하방으로, 장완을 따라 후방으로 미끄러진다(관절면의 점선을 주목). 이 그림에서 골운동학과 관절운동학적 움직임의 차이는 시각적 효과를 위해 과장하여 표현하였다.

결론적으로, 체중이 부하되지 않은 쪽에서 일어나는 무명골과 천골 사이의 관절운동학적 미끄러짐은 무명골의 후방회전 동안에 나타나며 생리학적으로 관절면을 따라 움직인다. 체중이 부하되는 쪽에서는, 천장관절의 닫힘(close-packing)이 일어나 이러한 생리학적 미끄러짐을 방지한다. 나머지 부분은 여전히 가설로 남아있다. 천골 전굴은 무명골의 후방회전과 같은 상대적인 관절운동학적 미끄러짐을 만들어낸다. ; (천골의 하후방 움직임은 무명골의 전상방 움직임과 같다.) ; 천골 반전굴은 무명골의 전방회전과 같은 상대적인 관절운동학적 미끄러짐을 만들어낸다(천골의 전상방 움직임은 무명골의 하후방 움직임과 같다.). 골반통이 있는 환자에게 이러한 생체역학적 사실이 어떤 영향을 미치며 어떻게 부하 이동을 불가능하게 하는지에 대하여 Hungerford는 더욱 연구를 발전시켰는데 이는 뒤에서 논의하도록 하겠다.

골반 운동학(KINEMATICS OF THE HIP)

대퇴골은 구상관절(ball-and-socket joint)로 무명골과 연결되어 있으므로 고관절은 회선 동작(circumductive motion)이 가능하다. 골반은 순수한 타원관절(unmodified ovoid joint)로 구분되는데, 역학적으로 말하면 3개의 수직축(perpendicular axes, 그림 6.15)을 따라 12도의 자유도를 가지고 있다. 그러나 이러한 분류는 실제로 관절에서 일어나는 짝운동에 영향을 주는 해부학적 요소들을 설명하지 못한다.

골운동학적으로, 굴곡/신전은 대퇴골이 관상축에 대하여 대퇴골두와 대퇴경의 중심을 따라 회전할 때 일어난다. 여러 변수가 존재하지만, 대략 100도 정도의 대퇴골의 굴곡이 가능하며, SIJ와 추간관절의 움직임이 동반되어 대퇴의 전방이 흉부에 접근한다(William 1995). 대퇴의 신전은 약 20도정도가 가능하다. 외전/내전이나 내측/외측 회전이 함께 일어나지 않고 대퇴골두의 회전이 순수하게 이 축을 따라 일어날 때, 이러한 움직임을 관절운동학적으로 순수 회전(pure spin)이라고 한다.

외전/내전은 골운동학적 용어로서 대퇴골이 시상축에 대하여 대퇴골두의 중심을 통해 회전하는 것을 말한다. 약 45도의 대퇴골 외전과 30도의 대퇴골 내전이 가능하고, 이 움직임은 척주의 아래에서 골반대의 외측 경사에 뒤이어 나타난다(Kapandji 1970). 대퇴골이 순수하게 이 시상축에 대해 회전할 때, 대퇴골두는 관절운동학적으로 보았을 때 관골구 안에서 상하 두 점 사이의 가장 짧은 거리로 이동하기 때문에, 이 동작은 순수 유각(pure swing)이라 한다.

내측/외측 회전은 골운동학적 용어로 대퇴골이 수직축에 대하여 회전하는 것을 말한다. 이 축의 위치

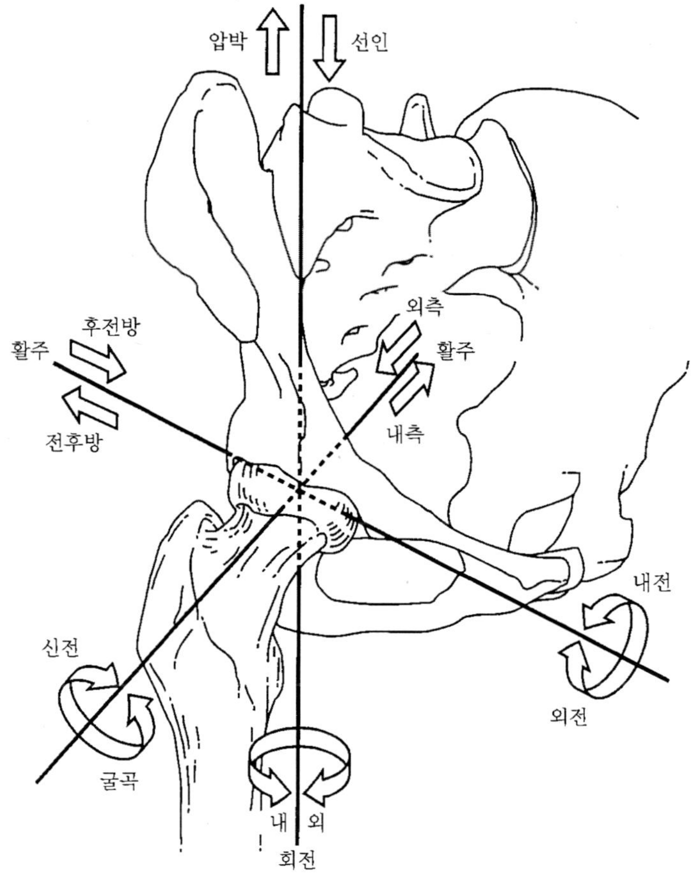

그림 6.15
대퇴의 골운동학적 움직임. 역학적으로, 대퇴골은 3개의 수직축을 따라 12 자유도의 움직임이 가능하다.

는 두 발이 땅에 고정된 위치에 의해 결정된다. 확실하게 땅에 밀착된 발의 자세에서 골반대가 회전할 때, 대퇴골두의 중심에서 외측 대퇴과를 통과하여 형성된다. 발이 땅에서 떨어지면, 대퇴골 회전의 수직축은 다양하게 형성될 수 있으나, 모두 대퇴골두와 발을 지나간다(Williams 1995). 약 30-40도의 내측 회전과 60도의 외측회전이 가능하다 (Kapandji 1970). 수직축을 따라 순수 대퇴 회전이 일어나면 관절운동학적으로 관골구 안에서 대퇴골두가 전후두점 사이의 가장 짧은 거리로 이동하므로, 이를 순수 유각이라 한다.

기능적으로, 무명골에 대한 대퇴골의 운동은 순수한 관절운동학적 움직임이 아니다. 그보다는 운동의 조합이 관절운동학적 기준이라고 할 수 있다. 체중을 지지하지 않는 하지의 습관적 움직임 패턴은 굴곡-외전-외측 회전, 신전-내전-내측회전의 조합으로 일어난다. 관절운동학적으로 이 두 움직임은 순수하지 않은 유각이다. 고관절의 가장 안정된 닫힘 자세(close-packed position)는 신전, 외전, 내회전도었을 때이다.

요골반-고관절부의 통합적 생체역학 (INTEGRATED BIOMECHANICS OF THE LUMBOPELVIC-HIP REGION)

요골반 – 고관절부의 기능적 운동은 임상적 검사의 한 부분으로 통합된 생체역학에 대한 이해가 필요하다.

전방 굴곡(FORWARD BENDING)

체간의 전방 굴곡은 한 단위로서의 골반대의 후방 전위(displacement)를 가져온다. 이 동작은 중력 중심을 발판 기저의 뒤로 이동시킨다(그림 6.16, 6.17). 골반대는 고관절을 지나 횡축에 대하여 대퇴골두 위에서 전방으로 기울어져 고관절이 굴곡된다. 요추는 L5가 천골 위에서 굴곡될 때까지 상하방으로 굴곡한다.

전방 굴곡시, 골반대 자체 안에서의 상대적인 무명골의 전방 혹은 후방 회전은 일어나지 않는다. 두 개의 무명골은 골반대가 대퇴골두 위에서 전방으로 기울어질 때 동일한 거리를 움직인다. 전방 굴곡의 초기 단계 동안에, 천골은 두 무명골 사이에서 완전하게 전두되며 전체 운동의 범위에서 그 위치에 머물러야 한다. 서는 자세로 돌아올 때, 천골은 직립 자세가 되기 전에는 그대로 무명골 사이에 전굴 상태로 머물러 있다. 직립 자세가 될 때 천골은 약하게 (상대적으로 전두 상태에 머무르면서) 반절굴 되면서 두 개의 무명골 사이에서 다시 한번 매달리게 된다.

체간과 골반대의 전방 굴곡을 원심성으로 조절하는 근육에는 척추기립근, 다열근, 요방형근, 고관절 신전근인 대둔근과 슬괵근 등이 포함된다.

심부의 등 근육 뿐 아니라 고관절 회전근, 외전근, 내전근들은 요추, 골반대, 골반 사이의 동작을 안정화하고 조절하는 기능을 한다. 이 동작을 위해서는 복횡근, 다열근, 골반저 등의 국소 안정 시스템(local stabilizing system)을 통한 요추 분절과 골반대의 안정화가 먼저 이루어져야 한다.

후방 굴곡(BACKWARD BENDING)

체간의 후방 굴곡(그림 6.18, 6.19)은 골반대를 전방으로 전위시키고 발판 기저의 앞쪽으로 중력 중심

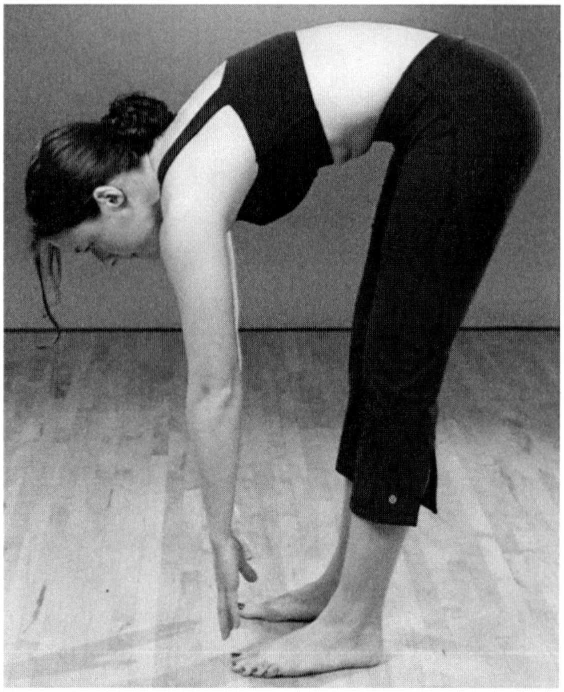

그림 6.16 체간의 전방 굴곡. 최적의 상태에서는 전방굴곡 곡선의 첨부(apex)가 두부의 가운데 있어야 한다. 사진 속의 모델은 슬괵근이 충분히 신장되지 않아 골반의 전방경사가 부족하다. (Diane G. Lee Physiotherapist Corp.로부터 재승인 받음)

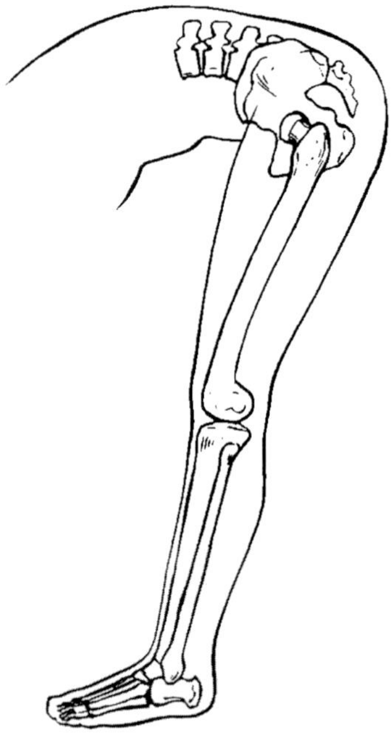

그림 6.17 체간이 전방 굴곡할 때의 요골반-고관절부의 골운동학적 움직임.

을 이동시킨다. 고관절 신전시에 골반대는 고관절을 통과하여 횡축을 따라 대퇴골두 위에서 후방으로 기울어진다. 흉요추는 L5가 천골에서 신전될 때까지 상하방으로 신전된다.

후방 굴곡시, 골반대 자체 안에서, 무명골 사이의 상대적인 전방 혹은 후방 회전이 일어나지 않는다. 골반대가 대퇴골두에서 후방으로 기울어질 때, 두 무명골은 동일한 거리를 이동해야 한다. 천골은 무명골에 비해 상대적으로 전굴 상태에 머물러야 한다.

후방 굴곡을 원심성으로 조절하는 근육은 복근, 대퇴사두근, 대퇴근막장근, 대요근 등이 있다. 심부의 등 근육 뿐 아니라 고관절 회전근, 외전근, 내전근 등은 요추, 골반대, 골반 사이의 동작을 안정화하고 조절하는 기능을 한다. 이 동작을 위해서는, 복횡근, 다열근, 골반저 등의 국소 안정 시스템을 통한 요추 분절과 골반대의 안정화가 먼저 이루어져야 한다.

그림 6.18 체간의 후방 굴곡. 최적의 상태에서는 후방굴곡 곡선의 첨부가 고관절의 장골대퇴인대 높이에 있어야 한다. (Diane G. Lee Physiotherapist Corp.로부터 재승인 받음)

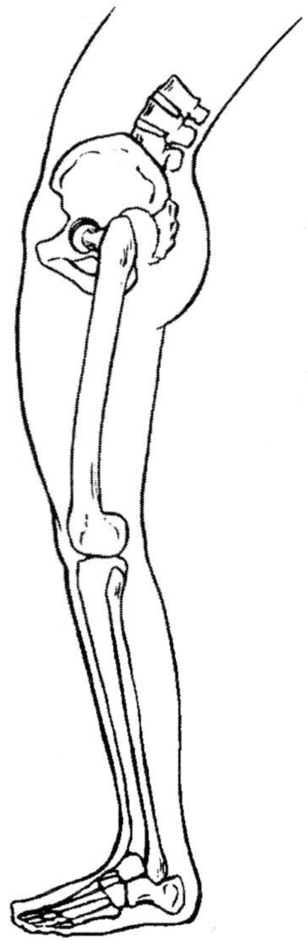

그림 6.19 체간이 후방 굴곡할 때의 요골반-고관절부의 골운동학적 움직임.

외측 굴곡(LATERAL BENDING)

왼쪽으로 체간이 외측 굴곡할 때, 우선 상부 다리가 오른쪽으로 전위되어 중력 중심선이 발판 기저 안에서 유지된다(그림 6.20). 외측 굴곡 곡선의 끝은 대전자 높이에 있어야 한다.

한 단위로서 골반대는 좌측 대퇴가 외전되고 우측 대퇴가 내전되는 것과 같이 왼쪽으로 기울어진다. 이때 약간의 우측 골반 내 비틀림이 일어난다. 우측 무명골이 좌측에 상대적으로 후방 회전하며 천골은 우측으로 회전한다. 요추는 좌측으로 외측 굴곡한다. 분절 접합 회전(segmental conjunct rotation)은 변화가 가능하다. 임상적으로 L5는 천골의 모양과 일치하며 회전/측굴하는 것으로 보인다.

그림 6.20 체간의 외측 굴곡. 최적의 상태에서는 외측 굴곡 곡선의 첨부가 대전자 높이에 있어야 한다. (Diane G. Lee Physiotherapist Corp.로부터 재승인 받음)

체간의 외측 굴곡을 원심성으로 조절하는 근육은 반대측 복근, 척추 기립근, 다열근, 요방형근, 장골근, 요근, 대퇴근막장근, 중둔근, 소둔근, 동측의 고관절 내전근 등을 포함한다. 심부의 등 근육 뿐만 아니라 고관절 회전근들은 요추, 골반대, 골반 사이의 동작을 안정화하고 조절하는 기능을 한다. 이 동작을 위해서는, 국소 시스템을 통한 요추 분절과 골반대의 안정화가 먼저 이루어져야 한다.

축 회전(AXIAL ROTATION)

척주, 무릎, 발의 축 회전과 함께 일어나는 골반대의 축 회전은 정지된 한 지점에서 360도의 시선 돌리기를 가능하게 해준다. 좌측 축성 회전이 일어나는 동안 대퇴는 수직축의 중앙선 보다 좌측으로 틀어지게 되고, 이로 인해 근위부의 우측 대퇴골의 전내측 전위 및 근위부 좌측 대퇴골의 후내측 전위가 발생한다. 동시에, 한 단위로서 골반대는 전위된 대퇴골두 위에서 왼쪽으로 회전하여, 우측 대퇴의 신전과 외측 회전, 좌측 대퇴의 굴곡과 내측 회전을 가져온다. 이러한 비틀림은 하상방으로 계속되어 골반 내 비틀림이 발생한다. 우측 무명골은 좌측에 비해 전방으로 회전하고 천골은 좌측으로 회전한다. 요추가 좌측으로 회전하면, 분절 접합 회전이 달라질 수 있다. 임상적으로 L5는 천골면과 일치하게 회전/측굴하는 것으로 나타난다.

보행(WALKING)

보행은 통합된 움직임의 훌륭한 예라고 할 수 있다. 기능이 최적화되어 있고 그 사람의 기분이 밝고 자신감에 차 있다면, 보행시 중력 중심점의 최소 이동만 일어나므로 힘 들이지 않고 할 수 있다. 이는 최적화된 형태폐쇄, 힘폐쇄, 다양한 부위의 운동조절을 요구한다. 또한 개인의 감정 상태는 개인의 보행 패턴에 영향을 미칠 수 있다.

본 장에서는 걸음의 한 주기 동안에 일어나는 요골반-고관절부의 골관절학을 고찰할 것이다. 구체적인 골운동학적 연구가 부족하기 때문에, 여기에 제시된 통합된 생체역학 특히 골반 내 천골과 무명골 사이의 움직임은 임상적 자료로 보충되었다(Greenman 1997, Gracovetsky 1997, Lee 1999). 걷는 동안, 한 단위로서 골반대가 요추와 대퇴골에 대해 상대적인 움직임을 보일 뿐만 아니라, 요추와 골반대 안에서의 움직임도 나타난다. 각 동작의 크기 및 패턴은 개별적이나 최적화된 보행을 위해서는 다음의 요소가 필요하다(표 6.1).

대퇴의 움직임(Femoral motion)

우측 하지의 발끝 밀기에서 발뒤꿈치 닿기가 이루어지는 유각기 동안에, 우측 대퇴골은 신전에서 굴곡 자세가 된다. 습관적으로 나타나는 대퇴골의 동작은 관절운동학적으로 순수한 축회전은 아니며 그보다는 활 모양의 순수하지 않은 유각으로 이와 관련된 골운동학적 움직임 또한 일어난다. 발 떼기 시에 대퇴골은 무명골에 대하여 신전과 동시에 내회전을 한다(외전/내전이 다양하게 일어남). 그리고 고관절의 일부 인대들이 팽팽해진다. 대퇴골의 굴곡 시 무명골에 대하여 외회전을 하는데 이는 한 단위로써 골반대가 왼쪽으로 수평회전(transverse rotation)을 하기 때문이다(아래를 참조). ; 결과적으로 대퇴골 움직임의 경로는 순수하게 시상면에서 일어난다.

우측 하지의 발뒤꿈치 닿기에서 발끝 밀기가 이루어지는 입각기(stance phase) 동안에 대퇴골은 굴곡에서 신전 자세로 이동한다. 다시 이 움직임은 순수한 축회선이 아니라 활 모양의 또는 순수하지 않은 유각이다. 내회전을 포함한 관련된 움직임이 일어나는 데 위에서 언급한 것에도 불구하고 대퇴골의 내회전은 골반대 우측의 수평회전 때문에 나타나므로, 대퇴골 동작의 경로는 순수하게 시상면에서 일어난다. 이런 동작이 일어날 때 내전/외전은 변화할 수 있다. 이 때, 신체의 무게가 고관절의 앞으로 이동하기 때문에 인대들이 점차적으로 대퇴경 주변을 감게 된다. 중간 입각기(mid-stance) 자세가 일어나는 동안에 근운동학적 힘과 더불어 고관절의 인대가 감기어 대퇴골두가 관골구와(acetabular fossa)로 들어가 압박이 증가된다. 이것은 힘폐쇄 촉진(force closure augments)을 증가시키고, 부하 이동의 요구가 증가될 때 모든 움직임에 있어서, 고관절의 이동성이 최적화되면 적절한 보폭(stride length)이 가능하다. 이때 앞이나 뒤쪽으로 치우친 것이 아니라 대퇴골두 중앙으로 힘이 향하는 것이 요구된다. 효과적인 부하 이동은 전체적인 요골반

표 6.1 우측 하지의 보행 주기 one gait cycle for the right lower extremity

	우측 발떼기(right toe-off) (그림 6.21)		우측 뒤축딛기 (right heel strike) (그림 6.22)		우측 중간 입각기 right mid-stance (그림 6.24)
대퇴골	우측 고관절 신전 및 내회전	좌측 고관절 약한 굴곡 및 외회전	우측 고관절 굴곡 및 외회전	좌측 고관절 신전 및 내회전	좌우측 모두 골반대 아래의 수직축에 접근
한 단위로 골반대	수평면에서 우측으로 회전		구상면면에서 좌측으로 회전		좌측이나 우측 회전하지 않음
골반내					
우측 무명골	천골과 좌측 무명골에 비해 상대적으로 전방 회전		천골과 좌측 무명골에 비해 상대적으로 후방 회전		천골에 비해 상대적으로 전방 회전
좌측 무명골	우측 무명골에 비해 상대적으로 후방 회전		우측 무명골에 비해 상대적으로 전방 회전		천골과 우측 무명골에 비해 상대적으로 후방 회전
천골	무명골 사이에서 좌측으로 회전		무명골 사이에서 우측으로 회전		무명골 사이에서 좌측으로 회전

지역의 국지적 혹은 전역적 시스템의 조화로운 활동이 이루어질 때 가능하다(힘폐쇄(force closure)와 운동조절(motor control)).

골반대 움직임(Pelvic girdle motion)

오른발의 발떼기 시 단일 단위로서의 골반대는 수평면(transverse plane) 상에서 우측으로 회전한다. 오른쪽 다리의 유각기 시, 단일 단위로서의 골반대는 좌측으로 회전한다. 오른발이 뒷축딛기를 할 때, 골반대는 단일단위로서 수평면 상에서 좌측으로 회전한다. 오른쪽 다리의 입각기 동안에는, 골반대가 단일 단위로서 수평면 상에서 우측으로 회전한다.

골반 내에서, 대체 가능한 골반내 비틀림(intrapelvic torsion)이 발생한다. 오른발이 발떼기를 할 때(그림 6.21), 우측의 무명골이 천골과 좌측 무명골에 비해 전방 회전한다. 천골은 두 개의 무명골 사이에서 좌측으로 회전한다. 오른쪽 다리의 유각기 동안에, 우측 무명골은 천골과 좌측 무명골에 상대적으로 후방으로 회전한다. 천골은 두 개의 무명골 사이에서 우측으로 회전한다.

오른발이 뒤축딛기를 할 때(그림 6.22), 우측 무명골은 천골에 비해 후방으로 회전한다. 천골은 두 개의 무명골 사이에서 우측으로 회전한다. 우측 무명골은 후방으로 회전하고 천골은 우측 무명골에 비해서 우측으로, 우측으로 천골이 회전하기 때문에 좌측 무명골에 비해서 좌측으로 전굴(nutation)된다. 그러므로 양 SIJ는 자기고정 되고 좌측은 이미 부하를 받고 있고, 우측은 부하를 받을 준비를 하고 있다. 우측 무명골의 후방 회전 또는 천골 굴절이 천골결절인대와 골간인대(sacrotuberous & inteross-eous ligament)의 장력(tension)을 증가시키고 뒤축딛기 동작을 위해 관절을 준비시킨다(그림 6.23). 장력이 증가하면 힘폐쇄 메카니즘(force closure mechanism)이 작용하여 SIJ에 압박을 증가시켜 결과적으로 관절의 안정성을 향상시킨다. Inman (1981) 등은 슬와근(hamstring)은 뒤축딛기 직전에 활성화된다고 보고하였다. 또한 대퇴이두근(biceps femoris)의 수축은 천골결절인대의 장력을 증가시키며, 더 나아가 힘 의 종결 메카니즘에 기여한다.

뒤축딛기부터 중간 입각기의 사이에는(그림 6.24) 우측 무명골이 천골에 상대적으로 전방회전을 한다.

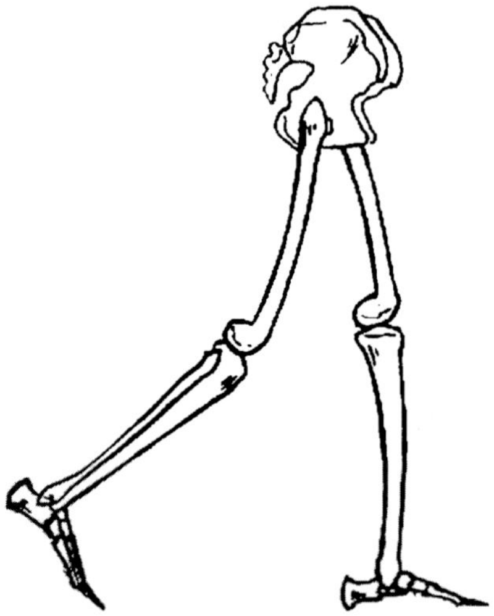

그림 6.21 보행 : 우측 하지의 발떼기 단계(toe-off phase)에서의 대퇴골과 골반대의 골운동학.

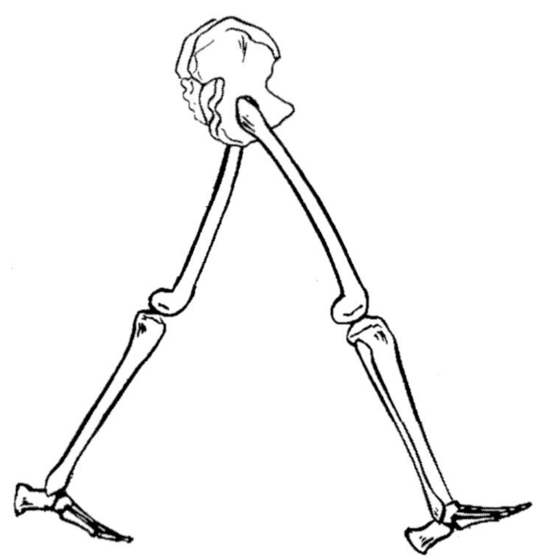

그림 6.22 보행 : 우측 하지의 뒤축딛기 단계(heel strike phase)에서의 대퇴골과 골반대의 골운동학.

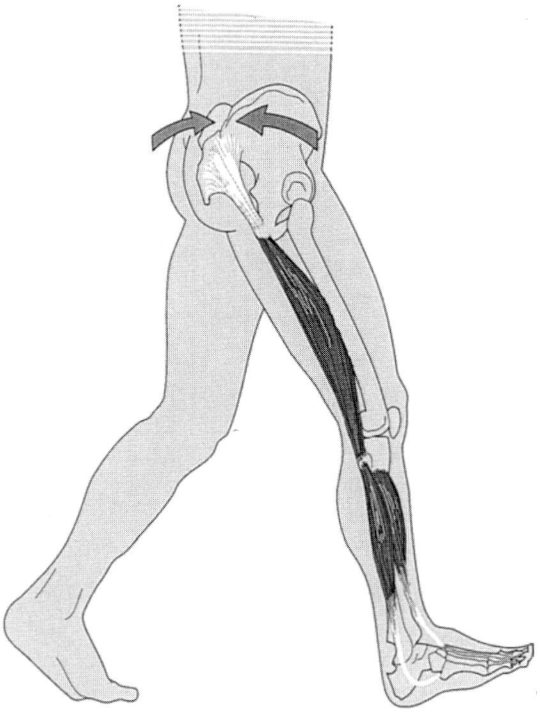

그림 6.23 뒤축딛기시, 우측 무명골의 후방 회전은 우측 천골결절인대의 긴장을 증가시킨다. 대퇴이두근의 수축은 이 인대의 수축을 더욱 증가시키면서, 천장골 관절의 충격에 대비한다(Vleeming et al 1997).

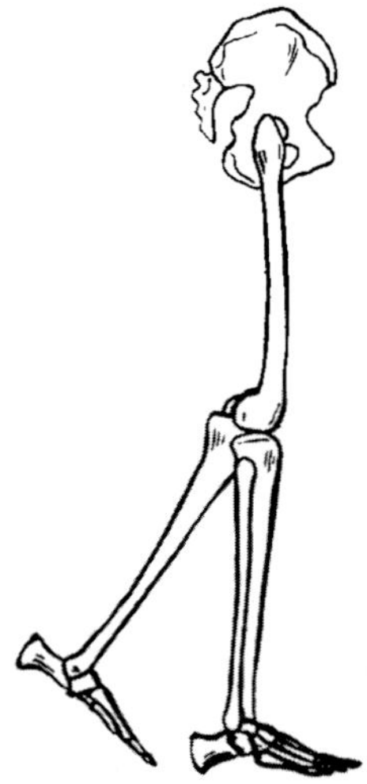

그림 6.24 보행 : 우측 하지의 중간입각기(mid-stance phase)에서의 대퇴골과 골반대의 골운동학.

동시에 천골은 두 개의 무명골 사이에서 좌측으로 회전한다. 이는 우측 무명골이 전방으로 회전하기 때문에 가능한데, 이로써 천골 굴절이 우측으로 유지된다. 두 발 지지에서 한 발 지지로 신체가 이동할 때 골반의 힘폐쇄는 매우 중요하며 이 시스템의 안정성은 국소적, 전체적 시스템의 효과적인 운동조절에 의존한다.

중간 입각기에서 발떼기의 단계에서, 우측 무명골은 천골에 비해 계속적으로 전방 회전을 한다. 이 움직임은 우측 SIJ를 열어놓고 천골이 두 무명골의 사이에서 계속적으로 좌측 회전하도록 해준다. 중간 입각기 동안 슬와근은 이완되고 대둔근(gluteus maximus)은 더욱 활성화된다(Inman et al 1981). 이는 체간이 반대방향으로 회전하는 곳의 접합부에서, 반대측 광배근이 발화될 때 일어난다(Gracovetsky 1997, Vleeming et al 1997). 이 두 개의 근육은 흉배근막(thoracodorsal fascia)을 긴장시키고 SIJ의 힘종결 메카니즘을 촉진시킨다(그림 5.14).

최적화된 보행이라면 잠기지 않은 SIJ는 약간의 유동성을 가지게 되는데, 이는 요천추 접합부에서부터 회전 힘을 흩뜨리고 골반 내의 충격 흡수를 촉진시킨다. SIJ의 잠금(locking)은 많은 하중이 실릴 때의 안정성을 촉진시킨다. 최적화시키면, 중력 중심은 수직 및 외측으로 부드러운 정현파 곡선(sinusoidal curve)을 그리며 이동하고 두 면에 대해서 5cm 이상 이동하지 않는다(인만 등 Inman et al 1981).

이러한 이동은 동작이나 힘이 충분히 종결되지 않아 골반대가 부하를 이동할 수 없을 때 더욱 증가한다(Lee 1997a). 환자는 골반대를 따라 힘을 감소시키는 것을 통해 보상하려는 시도를 한다. 완전 보상 보행에서 트렌델렌버그 반응(Trendelenburg)으로 보상되므로 환자는 체중을 환측 사지(involved limb)의 상방 외측으로 이동시킨다. 그러므로 수직적인

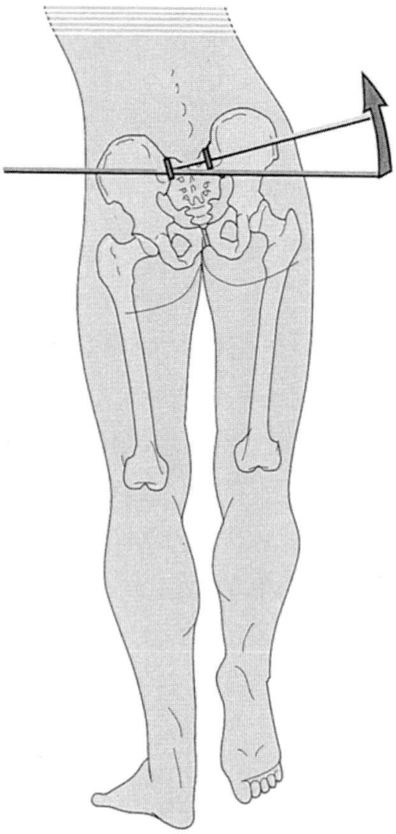

그림 6.25 보정된 트렌델렌버그(compensated Trendelenburg).

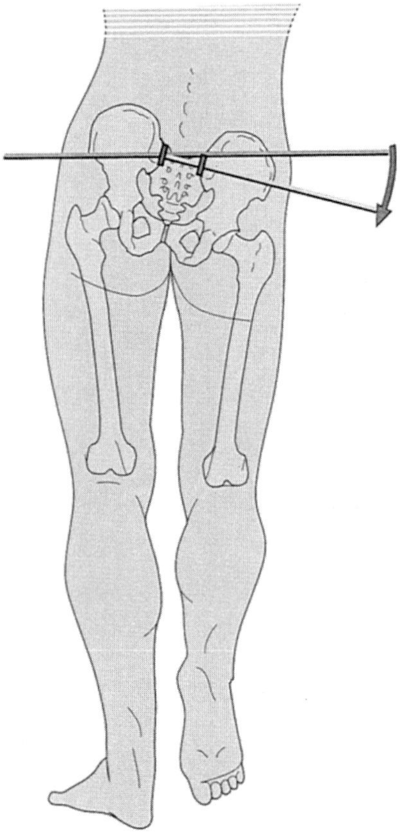

그림 6.26 전형적인 트렌들렌버그

전단력(shearing force)은 천장관절을 통해 감소한다(그림 6.25). 보상이 없는 보행 패턴에서는 환자가 양성 트렌델렌버그 반응을 보인다(그림 6.26).

체중이 부하된 다리 위에 골반대는 과도하게 내전한다. 대퇴는 발에 비해 상대적으로 내전하는데 중력 중심이 SIJ에 더욱 가까워지고 이에 따라 수직적 전단력이 감소된다.

요추 움직임(Lumbar motion)

보행 중에 낮은 부위의 요추는 무명골이 후방 회전할 때 같은 방향으로 회전한다. 요추 회전이 발생하는 축은 기울어져 있는데(그림 6.5) 이러한 측방굴곡이 회전과 함께 결합하여 일어난다(Gracovetsky & Farfan 1986, Bogduk 1997). 측방굴곡의 방향은 변화할 수 있다. : 대개 L5-S1은 회전과 측방굴곡이 같은 방향으로(그림 6.6) L4-L5는 반대 방향으로 일어난다(Pearcy & Tibrewal 1984).

들어올리기(LIFTING)

들어올리기는 움직임이 통합된 모델의 예로서 잠재적으로 높은 부하가 실릴 때 일어난다. McGill (2002)은 27kg(59.5 Ib)의 스쿼트 들기를 하는 동안에 척추의 능동적 그리고 수동적 요소 에 대한 모멘트(moment)와 부하를 양적화 하였다. 주어진 부하를 지탱하기 위해 필요한 힘은 척추에 7000N (1568 Ib) 이상의 압축성 부하가 가해지도록 유도하였다. 그러므로 부상 예방에 있어서 장력의 균형과 압축력을 감소시키는 최적화된 기술이 필수적이다. 이것은 만약 부하를 이동시키고 움직이는데 안전하기 위해서 최적화된 동작의 종결, 힘의 종결, 운동조절을 요구한다. 반복적인 부정확한 들어올리기 기술은 종종 하부 요통과 골반통의 발병을 일으킨다 (McGill 2002).

물체를 바닥에서 높은 곳으로 이동시키는 데는 일단 전방굴곡을 해야 한다. 수동적인 조직 장력을 최소화하기 위해서는 가장 적절하게는 척추의 완전한 굴곡을 피해야 한다. 체간의 전방굴곡은 고관절을 굴곡시킴에 의해 일어나야 하며 척추는 중립으로 유지해야 한다. 이는 국소적 및 전체적 시스템의 행동의 협응을 요구한다. 흉배 신전근 부위는 강력한 신전 작용을 하며, 강력한 굴곡근인 복사근(oblique abdominals)과 조합되어 활성화되면 적합한 흉골반 자세를 유지하는데 도움을 준다. 이 근육들은 요추에 강한 후방 전단 모멘트(shear moment)를 가지며, 이것은 중력과 들어올린 부하에 의해 발생한 전방 전단력에 반대 또는 상충작용을 한다(McGill 2002). 이것 아래에, 국소적 시스템은 분절들간의 움직임을 조절하는 기능을 하는데 특히 중립지역 안에서 비틀림을 조절한다.

흉배근막에 정지하는 근육의 수축과 근막 아래 근육의 수력증폭기전(hydraulic)에 흉배근막(thoracodorsal fascia)의 장력은 부하를 받을 때, 등의 하부와 SIJ의 힘의 종결과 안정성 유지에 기여한다. 체간을 전방으로 기울이는 순간, 천골은 완전히 무명골 사이에서 전굴된다(Sturesson et al 2000)(SIJ는 스스로 잠김). 그리고 골간인대와 천골결절 인대는 팽팽해진다. 이 인대들은 그 인대에 부착된 국소적 그리고 전체적 근육에 의해 지지된다.

McGill(2002)은 “운동조절 오류(motor control errors)”를 물체를 들어올릴 때 발생하는 부상의 가장 흔한 원인이라고 생각하였다.

Cholewicki는 큰 근육에 의해 강한 힘이 발생하고 작은 분절내 근육에 의해 약한 힘이 발생할 때나, 낮은 강도의 활동을 할 때와 같이 모든 근육의 힘이 낮을 때 이러한 손상의 위험이 가장 높다고 언급하였다. 그러므로 낮은 강도의 구부림을 통해서도 손상이 일어날 수 있다는 것이다. Adams와 Dolan(1995)은 60 Nm의 구부리는 모멘트에 의해 수동적인 조직의 손상이 시작된다고 하였다. 이런 손상은 단순히 구부리는 자세에서 일시적으로 근육의 지지하는 힘이 손실되기 때문에 일어난다. 일시적인 부적절한 활동으로 발생하는 이러한 운동조절 오류의 메카니즘이 극단적으로 낮은 부하 상황에서 어떻게 손상이 발생할 수 있는지를 설명해준다. 예를 들어 하루의 긴 일과를 마치고 바닥에서 연필을 줍다가 손상을 받을 수 있다. (McGill 2002)

직립자세로 돌아가는 것은 골반의 후방회전에 의해 시작된다. 이 움직임은 대둔근의 구심성 수축에 의해 발생한다. 체간 내에서의 부하 이동은 국소적 그리고 전체적 시스템의 협응적 행동에 의해 유지된다. 천골은 무명골 사이에서 전굴 상태로 남아있어야 하고 지지되어야 한다. 부하 이동을 위한 골반 안정성은 광배근, 복횡근, 내복사근, 다열근, 대둔근의 수축에 의해 야기되는 흉배근막(thoracodorsal fascia)의 장력에 의해 발생하는 힘 종결 메카니즘에 의해 유지된다. 인간의 대둔근은 다른 영장류에 비해 상당한 역학적인 이점을 가지는데, 이는 인간의 골반의 전후 깊이가 증가하였기 때문이다. 이에 더하여, 원위부가 장경인대에 부착하는 반 이상의 근육이 특히 그 띠가 팽팽할 때 고관절에 있어서 그 지레의 작용을 증가시킨다. 이 근육의 크기와 해부학적 위치가 훌륭한 "들어올리는 근육"임을 알게 해준다.

요약하면, 일상생활 동작에 있어서 최적화되고 안전한 요추골반 지역의 부하 또는 부하내리기(unloading)는 힘폐쇄/운동조절 메카니즘이 뼈와 관절(형태폐쇄)을 지지하여 그것들이 안정적으로 움직일 때에만 가능하다. 근육의 협응 반응은 말초와 중앙의 피드백과 피드포워드(feedforward)의 복합된 메카니즘에 달려있으며, 이는 골, 관절, 근육의 기능을 통합한다.

임신(PREGNANCY)

골반대의 생체역학에 대한 임신의 영향은 고려해야할 중요한 문제이다. 임신 중 골반대의 관절은 천장관절의 인대와 치골결합의 이완으로 느슨해진다.(Brooke 1930, 영 Young 1940, Hagen 1974, Kristiansson 1997, Buyruk et al 1999, Damen et al 2001) 이 과정은 임신 4개월째에 시작되며 7개월까지 지속된다, 약간의 운동성의 증가가 일어난다. 치골결합의 수평적 상하적 확장의 정도에 있어서 큰 변화는 방사선학적으로 보고되었다(Brooke 1930, Hagen 1974). 평균 증가는 5mm이다. 치골결합의 확장은 산후 여성에게서 보편적으로 나타나는 것에 반해 임신기간 또는 산후의 골반통과 치골결합의 확장에 대한 상관성은 밝혀지지 않았다(Ostgaard 1997, Wurdinger et al 2002). 이와 유사하게 Damen 등(2002b)은 임신 중의 SIJ의 느슨함의 증가와 골반통의 통계적 상관관계가 없다는 것을 보여주었다. 그러나 천장관절의 비대칭적 느슨함과 골반통 간에는 상관관계가 있다(Damen et al 2001).

Hagen(1974)에 따르면, 임신 중의 골반대의 이완은 특정한 고분자무게 호르몬(high-molecular-weight hormone)인 릴랙신(relaxin) 때문이며, 릴랙신은 에스트로겐(oestrogen)과 함께 "히알루론산 분해효소(hyaluronidase)의 집중을 증가시키는 만성적 외상의 구성요소인 히알루론산의 해중합(海重合)(depolymerization of hyalurinic acid)..., 압축력, 전단력, 장력"을 야기시킨다. 또한 "이것은 골반 안정성에 필요한 체액의 상태를 방해하며 또한 골반 이완에 있어서 병적 인자로서 작용한다."는 것을 Kristiansson(1997)가 확인하였다. 결과적으로 골반대의 자기고정(self-bracing) 메카니즘은 덜 효과적이 되며, 그로인해 천장관절과 치골결합 모두의 인대의 염좌를 증가시킨다. 임신과 관련된 골반대 내의 형태상의 변화는 보편적이고 종종 증상 없이 발생한다(Damen et al 2001, 2002b).

때때로 여성은 26주와 28주 사이에 힘 종결에 부차적으로 뒤따르는 천장관절 그리고/또는 치골결합 부위의 압통(tenderness)의 증가를 보인다. Damen 등(2002b)은 만약 여성이 이 시기에 중등도에서 심한 정도의 골반통(7/10 시각 아날로그 척도)을 보이고 비대칭적 천장관절의 느슨함을 가지고 있다면 8주의 산후 기간의 골반통의 진행을 예상할 수 있다.

7 장

통증, 기능장애 그리고 치유

목 차

도수치료와 통증

1970년대 후기와 1980년대 초기에 있어서, 도수치료는 통증이 있는 관절의 치료와 탐색을 강조해 왔었다. Jull은 맹검연구(blinded study) 중 특수 도수기술을 사용하여, 통증이 있는 관절은 마취 관절차단(anesthetic joint blocks)과 일치된다는 것을 통증이 있는 경추 추간관절에서 100% 확인할 수 있었다고 하였다(Jull et al 1988). Jull은 이 연구를 하는 동안 사용했던 도수치료 기술이 근거가 확실하고, 명확하다는 것을 입증할 수 있었다. 현재까지는 통증이 있는 천장관절을 위한 연구는 실시되지 않았다. : 실제로, 1990년대 중반까지 요통 또는 골반에 통증을 일으키는 천장관절의 능력에 대해 아직 검토되고 있는 상황이었다. 이러한 논쟁은 1994년 Fortin 등(1994a,b)이 건강한 천장관절에 자극액(irritant solution)을 주사하여 통증의 위치를 찾아내게 되었을 때 사라지게 되었다. 이러한 두 연구에서 천장관절의 바로 후면 위쪽이 통증의 원인이 된다는 것을 알게 되었고, 둔부와 대퇴부의 후외측 아래로 통증이 관련되어 나타나는 경향이 있음을 알 수 있게 되었다(그림 7.1). 드물게는 통증이 무릎 이하까지도 관련된다. Schwarzer 등(1995)과 Maigne 등(1996)은 천장관절로부터 발생되는 요통환자의 15-21%를 천장관절의 관절내의 마취제 차단을 사용한 전자의 연구를 거쳐 입증하게 되었다.

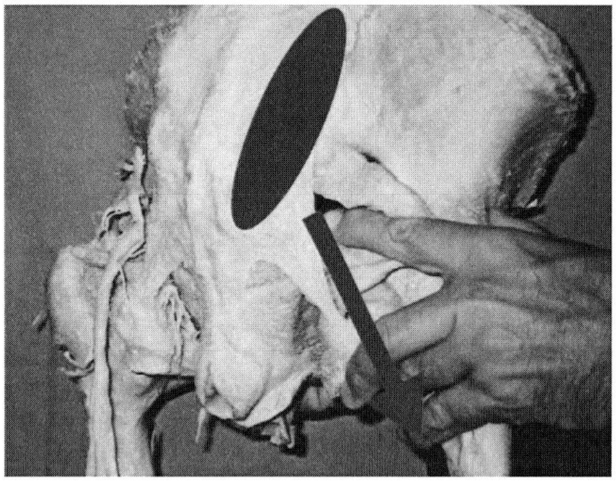

그림 7.1 통증의 양상은 천장관절이 자극을 받을 때 발생된다(Fortin et al 1994a,b)(Diane G. Lee Physiotherapist Corp.로부터 재사용을 허락받음).

Maigne 등(1996)은 또한 천장관절에서 통증이 유발한다고 생각하게 되는 도수 기술의 정당성을 조사하였다. 67명의 피검자들 중, 천장관절의 형광투시검사(fluoroscopy)를 한 결과 54명이 적어도 통증의 75%가 경감되었음을 보여 주었다. 모든 피검자들은 50일 이상 통증으로 고통을 받아왔었다. 이들 피검자들에게는 천장관절의 통증을 자극하는 몇 개의 테스트를 골반대에 적용하였다(압박, 천골의 압력, Gaenslen, Patrick, 고관절의 외회전에 저항하는 통증, 치골결합부 바로 위의 압력, 신연(distraction) : 반응을 살펴보면서, 관절 차단으로부터의 소견과 서로 연관시켜 보는 것이다. 저자의 주석

통계학적으로 차단하기 위한 반응과 어떤 조기의 임상 파라메터사이와 관련된 특별한 의미가 없었다. 천장관절의 통증을 유용하게 예보해 주는 통증 도발 테스트는 없었다. (Malgne et al 1996)

Dreyfuss 등(1966)은 의학적 병력이 일치하든가 또는 마취 관절 차단으로 통증을 90% 가지고 있던 환자를 발견하는 천장관절 테스트(각 전문분야의 전문요원에 의하여 결정된 것으로)를 찾아내는데 실패하였다.

이 연구에 포함된 테스트는 다음과 같다.

1. 천장관절의 통증테스와 통증도면
2. 둔부의 통증테스트와 통증도면
3. 서혜부의 통증테스트와 통증도면
4. 후장골능의 5cm(2인치) 내에서 최대통증을 표시하기 위한 지점
5. 환측 둔부의 의자로부터 부분적으로 거상된 앉은 자세
6. 질레트 테스트(Gillet test)
7. 대퇴부의 밀치기(thigh thrust)
8. 패트릭 테스트(Patrick's test)
9. 가엔스렌 테스트(Gaenslen's test)
10. 천골의 중앙선 밀치기(midline sacral thrust)
11. 천골고랑 밀치기(sacral sulcus thrust)
12. 관절놀이(joint play)

그들은 "현재의 연구 결과는 진단을 위한 이학적 검사의 사용을 옹호하는 사람들에게 약간의 지지를 제공하고 예측 결과가 정당하다는 것을 입증한다"고 단호하게 주장한다. 이러한 믿음은 이 주제에 있어서 존경받는 권위자들에 의해 국제적으로 지지를 받고 있다(Laslett & Williams 1994, Bogduk 1997, Buyruk et al 1997, Laslett 1997, Mooney 1997). 이 연구에 대한 Bogduk's(1997)의 해석은 "비록 천장관절의 통증은 만성 요통환자들에겐 일반적인 것이지만, 이것은 단지 진단상의 국소 마취 차단(diagnostic local anesthetic blocks)의 사용으로 진단될 수 있는 것일 뿐이다"라는 것이다.

도수치료와 기능장애

다행히도 지난 5년 동안은 손상된 요추와 골반(8장)의 기능을 개별적으로 확인할 수 있는 신뢰할만하고, 유효하며, 민감한, 특수한 신체검사가 발달되어 왔다. 이러한 테스트들을 골반 통증 환자들에 대한 표준으로 포함시켜 사용했을 때 : 신뢰성, 민감성, 그리고 특수성을 발견할 수 있었다. Vleeming 등(2002)은 후종인대가 분만기 주위 골반 통증(peripartum pelvic pain)(민감도 76%)을 가지고 있는 환자의 중요한 통증유발점이라는 것을 확인하였다. 그리고 통증의 정도를 알기위한 통증 유발 테스트와 기능적 테스트를 조합하여 포함된 기준을 강화하기 위하여 적용하였다(양성 후방 골반통증유발 테스트를 결합한 심한 골반통(Ostgaard et al 1994, Ostgaard 1997). 그리고 양성 능동 하지 직거상 테스트(Mens et al 1999, 2001, 2002 : 8장 참고)의 민감도는 98%였다.

1999년에, 이것은 다음과 같이 제안(Lee 1999)하게 되었다.

> 우리는 천장관절에 대한 올바른 도수테스트를 아직 "밝혀" 내지 못했다고 볼 수 있다. 어떻게 경추에 관해서는 매우 정확하게 할 수 있는데 반하여 골반에 대해서는 아직도 부정확하단 말인가? Dreyfuss 등(1996)은 이 도전에 앞서 나아가려고 하면, "만일 어떤 테스트의 제안자가 자신의 테스트가 최고라고 믿고 있다면, 그 테스트를 이 연구에 기술된 것처럼 천장관절은 관절내부의 차단을 진단하는 과정을 통하여 자신의 테스트를 유효하게 하기위한 의미와 책임을 가져야만 할 것이다"하고 하였다.

천천히 그러나 확실하게 우리는 그것을 올바르게 추진하고 있다(8장 참조). 도수치료사들은 관절가동성/안전성을 분석하기 위한 관절놀이(joint play) 테스트를 장기간 옹호 받아왔다. 최근 Doppler 연구(Buyruk et al 1999, Damen et al 201, 2002a-d, Richardwon et al 2002)는 다른 조건하에서(8장 참조) 천장관절에 대한 경직된 가치를 확립하고 있다. 우리가 이 기술에 반대하여 joint play(the "manual Doppler" test)를 우리의 도수 테스트로 실험하는 것은 단지 시간문제이다. 그러나 이러한 테스트는 기능을 평가하는 것이지 통증을 평가하는 것은 아니며 이것은 기능의 완전한 모델로서, 통증을 발생시키는 원인을 확인하려고 하는 방법과는 다른 것이다. 통증은 쉽게 단정할 수가 없다. 왜냐하면 그것은 정서적인 경험과 역학적이고 생정신사회학적인(biopsychosocial)요인에 의존하기 때문이다. 통증의 반응이 시작되는 것(통증 민감 조직에서 유해자극수용기(nociceptors)의 역학적/또는 화학적 변형)은 지각(perception)을 유지하는 것과는 아주 다를 수 있다(Butler 2000, Butler& Moseley 2003, Hodges & Moseley 2003).

통증, 기능장애와 치유

통증장애(pain disability)는 사회적인 그리고 정신적인 조건에 의해 끈임없이 영향을 받는 통증 행동(Vlaeyen et al 1997, Waddell 1998, Butler 2000)의 한 형태이다. Vlaeyen 등(1997)에 의하면, 통증장애는 구조적/역학적 조절로부터 인지(cognitive)/환경지배까지 4-8주 이상이 소요된다고 하였다. 그것은 Maigne 등(1996)과 Dreyfuss 등(1996)의 모든 연구의 주제가 8주 이상된 요통을 가지고 있었다는 점에 유의하면 흥미가 있다. 요통에 관해서, Moseley는 중등도의 장애를 가지고 있는 만성그룹에 있어서 증상과 기능변화를 일으키는 효과에 대해서 통증의 신경생리학적인 교육과 물리치료(이 책의 개료)를 결합하는 것을 보여줄 수 있게 되었다(Moseley 2002). 그는 또한 건강전문가들(health professionls)은 환자에 대한 만성통증에 대한 신경생리학을 이해하지 못하고 있을 것이라고 믿고 있기 때문에 허리는 가치 있는 정보도 유지하지 못할 것이라고 믿고 있다는 점을 주목하였다(Moseley 2003). Lorimer Moseley와 David Butler(www.noigroup.com)의 공저인 통증을 설명하는, 새로운 책은 이러한 틈을 연결하는 다리가 될 수 있다.

접두어인 "dys"는 비정상이란 뜻의 그리스어이며 "function"이란 단어는 실행(performance)이라고 하는 뜻의 라틴어이다. 비록 통증과 통증에 대한 공포는 운동조절에 부정적인 영향을 끼친다(Hides et at 1994, Hodges&Richardson 1966, Danneels et al 2000, Hodges&Moseley 2003)는 것은 알고 있지만 비정상적인 실행(abnormal performance)은 통증 지각(pain perception)을 거의 할 필요가 없다. 여러 연구(Mattila et al 1986, Bullock-Saxton et al 1994, Uhlig et al 1995,Hides et al1996, Hodges & Richardson 1996, Dangaria & Naesh 1998)는 근섬유 타입, 근육의 크기, 점증양상(recruitment pattern)에 있어서의 변화는 통증과 병리를 보여준다고 하였다.

통증을 경감시키는 것이 반드시 최적의 기능을 회복하는 것은 아니라는 것은 확실하다(Bullock-Saxton et al 1994, Hidess et al 1996, Hodge& Moselety 2003). 많은 사람들은 비정상적인 관절기능(관절강직-관절증, 관절이완-관절불안정성)을 가지고 있지만 이들 관절로부터 통증없이도 지내고 있다. 다른 사람들은 가동성과 안정성에 의해서 명백히 완전한 기능을 가지고 있으며 아직 관절내의 차단(intraarticular joint blocks)은 그러한 통증을 감소시켜 준다(Buyruk et al 1997). 관절 강직은 관절 위 아래로 여분의 스트레스를 받으며 시간이 경과되면 증상이 나타난다. Maigne 등(1996)은 "대부분 천장관절의 병리"는 관절을 둘러싸고 있는 연부조직의 병리"라고 인정하고 있다. 또는 관절 위 아래 부분 중 하나에 기능부전이 있다면 통증에 대한 원인이 될 수 있다.

기능부전을 치료할 때, 최적의 형태(가동성과 안정성)로 마무리하여 회복하는 것은 중요하며, 마무리를 강하게 하고 운동조절을 최적의 상태로 회복하는 것은 중요하다. 그렇게 하여 손상된 연부조직은 유해자극의 일부를 치유할 수 있지만, 잔존되어 인식하고 있는 다른 요소들(정서와 정신적인 상태)은 통증의 경험과 회복율에 악영향을 줄 수 있다.

연부조직의 치유과정

손상이 신체의 연부조직에 직접(단시간에 발생된 거시적 외상) 또는 간접(장기간에 걸친 미시적 외상)으로 발생되었을 때, 치료의 원리는 신체의 자연치유과정의 상태를 따른다.

왜냐하면 이것은 무엇이든지 상처회복을 위한 정상적인 반응을 가속화하기 위하여 하는 것 일 수 있으며, 치료의 목적은 방지하는 것이거나 또는 손상을 동반한 신경생리학을 회복하기 위한 요소를 촉진하고 회복을 지연하려는 경향의 요소들을 역전시키기 위한 것이기 때문이다.

치유의 목적은 기능을 회복시키고, 그 회복단계에 따라 연부조직을 치료하는 것이다.

약 30억년 전, 살아 있는 유기체가 단세포였을 때, 세포의 죽음은 유기체의 죽음을 의미했다. 다세포 유기체의 진화와 더불어 손상 후 치유의 과정이 뒤따르게 되었다. 결국 이러한 손상과정은 이상적으로 되어 절단지의 완전 재생이 가능할 수 있게 되었다.

도마뱀과 같은 하등의 척추동물은 이러한 능력을 보유하고 있다. 그러나 더 복잡한 생물 형태의 진화(예를 들어 포유동물)는 총 재생하는 능력의 대가로 발생하였다. 예를 들면, 인간에 있어서 심장근은 경색된 후에는 재생되지 않으며, 피부는 완전히 손상(full thickness injury)된 후에는 재생되지 않는다. 그리고 절단된 손가락은 다시 성장하지 않는다. 몇몇을 제외하고는, 포유동물의 조직은 재생보다는 회복과정이 손상에 대한 반응으로 일어난다.

대부분의 조직은 조직이 손상되어 있음에도 불구하고, 회복은 섬유조직의 증식으로 일어난다. 비록 치유과정은 정해진 것은 아니어도 이것은 3단계로 나누어 볼 수 있다. : 그것은 기질단계(substrate phase), 섬유아세포단계(fibroblast phase), 성숙단계(maturation phase)이다.

기질단계

기질단계(일명 lag, latent, productive 단계라고도 한다)는 손상 시부터 4일에서 6일까지의 기간이다. 이것은 부스러기(debris), 괴사조직, 박테리아 제거에 의해서 속발되는 치유를 위한 상처를 준비하기위한 염증성 반응으로 특징지어진다. 동시에 섬유아세포는 상처부위로 이동하게 된다. 정확히 이러한 세포들이 어떻게 상처에서 확산되는지를 알지 못한다. : 그러나 몇 몇 학자들(Bassett 1968, Kappel et al 1973, Peacock 1984)은 전기잠재력(electric potential)이 손상부위에 존재하여 그들의 이동에 영향을 미친다는 것을 감지하였다. 이 단계에서의 상처는 매우 낮은 깨어질 수 있는 강도(breaking strength)를 가지고 있는 섬유소의 풀같이 들러붙는 작용에 의해서 유지된다.

섬유아세포단계 : 결합조직 형성단계

섬유아세포단계는 손상 후 4일-6일 사이에서 시작하며, 마지막 4-10주까지이다(Peacock 1984). 이 때에는, 증식되어가는 섬유아세포가 콜라겐, 뮤코다당류(mucopolysaccharides), 그리고 글리코프로테인(glycoproteins)을 합성하기 시작한다. 상처의 위치와 무관하게, 섬유아세포는 섬유조직으로 손상된 구조를 대치하여 상처회복과정에 운반된다. 트로포콜라겐(tropocollagen)은 섬유아세포로부터 분비되고 빨리 콜라겐 섬유로 집합하게 된다. 이 단계에서 섬유들의 오리엔테이션은 상처부위에서 존재하는 역학적인 힘에 의하여 영향을 받게 되는 것을 볼 수 있다(Bassett 1968, Peacock 1094). 섬유아세포 단계 동안 상처에 받는 긴장된 힘은 콜라겐섬유들 사이에 십자결합(cross-link)보다는 콜라겐 자체의 양이 기준이 된다.

성숙 단계

섬유아세포 단계의 말기와 성숙이 시작되는 단계 사이에는 뚜렷한 경계선이 없다. Peacock(1984)는 상처내의 콜라겐의 양은 손상 후 3주와 4주 사이에 증가하는 것을 멈춘다고 하였다.

비록 상처 내의 콜라겐 내용물이 일정하게 유지하고 있거나 또는 섬유증식단계 후에 감소될지라도, 상처는 장력을 획득하기 위하여 계속된다. 이러한 강도의 증가는 두 개의 요소로 인한 것이다. : 그것은 콜라겐 섬유들의 분자내 또는 분자 사이의 십자결합과 좀 더 강한 연결을 주기 위한 콜라겐의 재형성과 용해에 의한 상처의 재형성이다.

콜라겐의 양은 일정하다. : 이것은 유기체이며 그것은 변화를 겪는 것이다. 재형성의 이러한 과정이 완성되는 데는 6-12개월이 요구된다.

치료에 임상적용

급성 연부조직손상에 뒤따른, 기능장애는 반흔 조직의 침전물과 합성 그리고 손상받지 않은 조직과 다른 콜라겐으로 대치되는 것이 그 원인일 것이다. 또한, 통증의 운동조절로 인한 통증의 악영향도 고려해야만 한다. 그러므로 치료의 목적은 최적의 구조와 기능회복과 같은 회복과정을 인도하고 조절해야 할 것이다.

섬유아세포의 단계 동안, 상처의 장력은 콜라겐의 응집율에 비례한다. Webster 등(1980)은 초음파는 콜라겐 결합의 양을 증가시키고 그에 따라 반흔조직의 장력이 증가한다고 하였다. 레이저의 효과에 관한 연구(Mester 1971, Abergel 1984)는 치유의 최적율의 촉진은 초음파치료로 가능하다고 하였다. 그러나 반흔의 성숙을 위하여 요구되는 시간의 전체길이는 짧아질 가능성이 있다는 것은 논쟁의 여지가 있다. 그러나 무엇을 할 것인가는 치유과정을 지연시키려는 경향이 있는 바람직하지 못한 요소들을 방지해야만 한다는 것이다.

섬유질은 또한 복위, 침전물, 재구성 하는 단계에 조절 및 관리를 할 수 있으며, 그와 같은 것은 좀더 기능적인 반흔으로 대치하여 최상의 조직으로 이루어지도록 도와준다.

힘줄

그림을 보면 장비골근과 이상근의 힘줄의 구조적 특징을 비교해 볼 수 있다. 이상근의 힘줄은 비교적 짧고, 활액초(synovial sheath)에 둘러 쌓여있지 않다(그림 7.2). 힘줄 안에 콜라겐 섬유들은 세로방향으로 규칙적 배열이 되어 있다(그림 7.3).

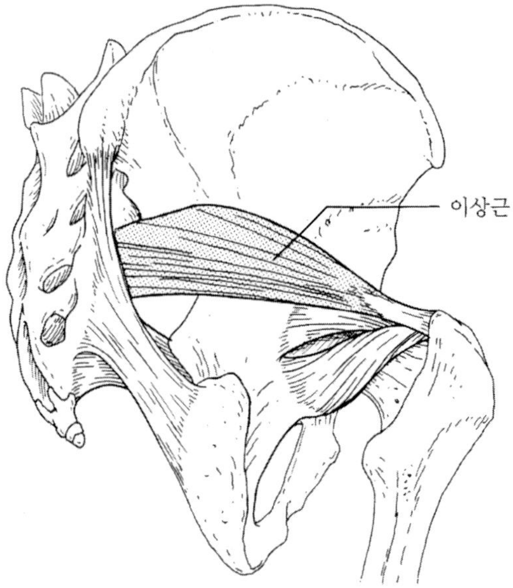

그림 7.2 이상근과 이 근육의 힘줄

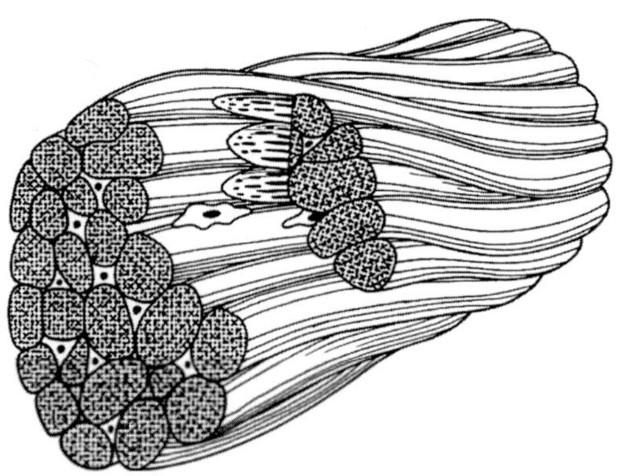

그림 7.3 양쪽의 힘줄과 인대들은 콜라겐 섬유의 규칙적 세로배열로 구성된다(Redrawn from Williams 1995).

이것은 근수축을 할 때 발생되는 스트레스의 라인과 일치한다. 따라서 타입 I 콜라겐은 비수축성 힘줄로 나타나고 이러한 배열은 대전자의 뼈에 부착하여 효율적으로 전달되는 근육의 수축에 의해서 힘이 발생되도록 허용한다. 이웃하고 있는 조직의 힘줄의 최소 활주는 정상기능을 위해서 필요하다.

반대로, 장비골근의 힘줄은 길고 활액초에 싸여있고 발목의 외측면 뿐 아니라 발바닥안으로도 여러 개의 섬유성 터널 아래로 지나간다(그림 7.4). 힘줄의 콜라겐 섬유들은 또한 근수축을 할 때 발생되는 스트레스의 라인과 일치하는 세로방향으로 놓여져 있다.

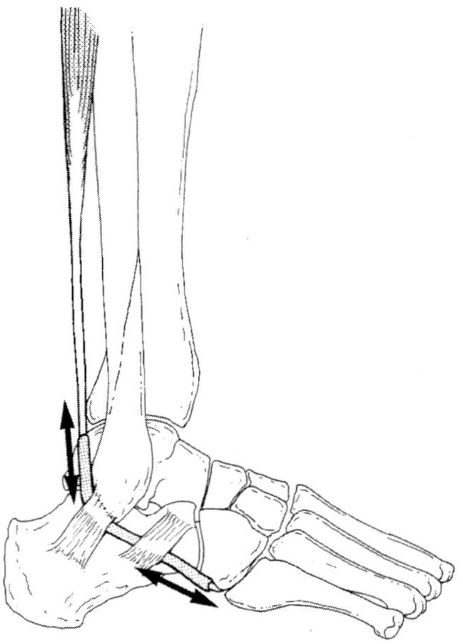

그림 7.4 장비골근, 이 근육의 힘줄과 활막초

다시 이 힘줄의 배열은 효율적으로 근복에서 부터 뼈에 이르기까지 힘이 잘 전달되도록 촉진되어 있다. 그러나 근육이 수축할 때, 힘줄은 이웃하고 있는 조직 사이를 넓게 활주할 필요가 있다. 그리고 이러한 기능회복은 치료의 성공여부에 결정적인 요소가 된다.

손상에 따른 복구과정은 어느 힘줄도 마찬가지이다. 기질단계에서의 염증반응은 섬유아세포의 증식과 콜라겐의 생성, 뮤코다당류(mucopolysaccharides), 글리코프로테인(glycoproteins)의 생성에 따른다. 이 단계에서 새로운 콜라겐섬유들의 방향은 상처의 역학적인 변형에 의해서 영향을 받는다. 정확하게 어떠한 방향에서의 과정이 긴장에 영향을 주는지는 아직 논쟁이 되고 있다. 그러나 연구(Bassett 1968, Kappel et at 19973)는 손상된 조직 주위의 전기장(electric field)은 치유와 조직의 재생에 영향을 미친다고 제안하였다.

1880년, Pierre와 jacques Curie는 수정에 응력(stress)을 가했을 때, 수정의 표면을 가로질러 전위차가 발생되는 것을 발견하였다. 이것을 압전효과(piezoelectric effect)라고 부른다. 콜라겐은 자연계의 수정과 같은 것이며, 전위차 또는 전자장이 섬유들이 변형되었을 때 생성된다는 것을 알게 되었다(Bassett 1968, kappel etal 1973, Peacock 1984).

아마 이 변형은 압전효과를 생성하며 이것은 새롭게 형성된 콜라겐 섬유들에 바로 연이어 일어나는 것이다. Bassett(1968)은 전류의 세포효과를 언급하였고, 이것은 마치 상처복구를 위한 방아쇠 같다고 설명하였다. 임상적으로, 이것은 전기치료, 초음파치료 및 광선치료/만일 최적의 기능을 성취하기 위한 것이라면 최적의 도수치료를 실시하여 도움이 되는 가장 효과적인 단계에 나타난다고 하였다.

이상근과 장비골근의 힘줄들은 일련의 근섬유에 세로로 놓여있는 타잎 I 콜라겐 섬유를 포함하고 있다. 따라서 치유의 섬유아세포 단계에서, 치료는 두 근육 모두 힘줄이 세로로 된 콜라겐 섬유들이 향하는 방향으로 해야 할 것이다. 생리학적인 범위에서의 수동 가동화(passive mobilization)와 힘줄에 가벼운 스트레스를 주는 운동 프로그램은 이 단계에서 시작해야 한다. 과격한 운동이나 심한 수동 가동화는 힘줄의 재혈관화를 방지할 것이고 치유과정을 지연시킬 것이다. 그래서 "부드럽게 하는 것(gentle)"이 이 시기에 가장 중요한 말이 된다. 게다가, 이 단계에서는 콜라겐 섬유들의 극미한 분자내로 또는 분자 안으로의 십자결합(cross link)으로 연결되기 때문에, 상처에 강한 스트레칭이나 강한 힘을 부여하는 것은 금기가 된다.

초음파와 레이저치료는 모두 콜라겐합성을 촉진할 것이고 통증은 더욱 명확하게 감소되어 유용한 보조 도구로 사용될 수 있을 것이다.

성숙단계는 좋지 못한 것들이 확실하게 사라지는 단계이다. 구조는 복구될 것이고, 장력에 지나치게 저항하겠지만 기능은 완전히 황폐화 될 것이다. 발에 있는 장비골근의 힘줄에 열상이 있다고 하자. 콜라겐은 힘줄, 활막(synovium) 그리고 섬유터널(fibrous tunnel) 사이에서 구별할 수 없게 된다. 힘줄 사이에 결합된 새로운 콜라겐 섬유들은 힘줄이 통과하는 바로 아래의 섬유성 터널이나 또는 집(sheath)의 조직을 회복하기 위하여 무차별한 십자결합으로 연결될 것이다. 따라서 안정성은 운동성(mobility)의 지출(expense)로 회복된다. 그러므로 이 힘줄은 정상기능에 대한 활주를 넓힐 수 있게 되어야만 하며, 활주 능력의 50% 정복은 발의 기능에 충분한 효과를 가지게 될 것이다. 반대로, 이상근의 힘줄은 그 자체와 이웃하고 있는 조직 사이에 별로 크게 움직임이 요구되지 않기 때문에 이러한 움직임의 소실은 전체기능에 별 효과를 나타내지 않을 것이다.

치유과정에서 나타날 수 있는 두 종류의 유착(adhesion) –제한적 유착(restrictive adhesion)과 비제한적 유착(nonrestrictive adhesion)– 이 있다. 제한적 유착은 세로방향으로 향한 콜라겐 섬유들의 밀집 배열로 구성된다. 그러나 비제한적 유착은 무작위의 작은 섬유 다발로 구성된다. 비록 이러한 입증은 종결된 것은 아니지만, 이것은 세로방향의 활주 또는 콜라겐 섬유들의 마찰-유입 불안정성(friction-induce instability) 그리고 세섬유(fibrils)들은 반흔의 부수적인 길이를 획득함으로서 가장 있음직한 방법이라고 주장하였다(Peacock 1984).

이 정보는 다음과 같은 방법으로 치유조직에 부가할 수 있다. 만일 손상된 힘줄이 치료적 운동 프로그램을 하고 있는 동안 반복적으로 스트레스를 받는다면, 탁월한 환경은 외측 조직 내에 십자결합의 연결을 만들게 될 것이다. 이것은 장력을 촉진하지만 제한된 유착을 조장하게 될 것이다. 만일, 그러나, 힘줄의 가로방향의 가동화(마찰)(transverse mobilization)(friction)는 치료의 한 방법으로 사용되어야 할 것이며, 전체 유착의 길이를 늘리는 것(elongation)은 마치 콜라겐 섬유들이 벌어지는 "괴로움"과 섬유들의 세로 미끄럼이 일어나는 것처럼. 장려해야 할 것이다. 그러므로 유착은 비제한적이고 장력과 가동화는 모두 장려해야 할 것이다.

요약하면, 힘줄의 장력은 힘줄에 스트레스를 가하는 운동프로그램에 의해서 효과적으로 회복될 수 있고 이러한 프로그램들은 아주 부드러운 수동 스트레칭에서부터 심한 원심성 부하에 이르기까지 치유의 단계에 따라 서서히 단계적으로 실시해야 한다는 것이다.

만일 힘줄의 움직임(tendon mobility)이 회복되었다면 유의해야 할 것은 힘줄 아래를 둘러싸고 있는 외측 부착물의 방향으로 해야 할 것이다. 다시 말하면 이 단계는 테니스 엘보 또는 족관절의 내번 손상으로 인한 만성 비골건염에서 볼 수 있는 것처럼 반흔 조직의 만성적으로 반복되는 극미한 열상으로 인하여 고정되게 될 것이다.

인대(Ligaments)

구조적으로 인대는 힘줄과 유사하므로 장력의 요구는 같다. 그러나 인대는 뼈에 붙어 있지만 뼈를 가로질러 붙어 있기 때문에 관절의 움직임은 자유롭게 하고 있다. 그러나 만일 인대의 어느 한 곳에 만성적이고 반복적인 미세한 단열이 일어나게 된다면 제한된 유착이 발달될 것이다. 만일 이러한 유착을 횡마찰(transverse frictions)로 길이를 늘려 줄 수 있다면, 인대의 가동성과 탄력성은 정상적으로 회복될 것이다. 유착에 대한 도수치료는 파괴적인 치료 기술이다. 왜냐하면 유착은 좀처럼 의도한 대로 쉽게 늘어나지지 않기 때문이다. 좀 더 일반적으로, 유착과 정상조직 사이의 새로운 열상은 다른 염증성 반응을 일으키게 된다. 만일 섬유아세포 단계 그리고 콜라겐 합성의 성숙단계라면, 변위, 리모델링은 적절히 치료하여, 필요한 가동성을 허용하도록 유착된 조직을 늘려 주어야 한다.

섬유관절낭(Fibrous joint capsule)

섬유성 관절낭의 조직의 특성과 기능적 필요성은 힘줄과 인대와는 아주 다르다. 관절낭의 외층은 힘줄이나 인대처럼 규칙적으로 세로로 배열되어 있는 것과는 달리 불규칙한 콜라겐 섬유로 무작위로 배열되어 있다(그림 7.5).

이것은 조직을 다스리는 기능의 좋은 한 예이다. 인대의 일차적인 기능은 두 뼈 사이의 장력에 저항하는 것이며, 해부학적으로 이것의 필요성에 이상적으로 적합하게 되어 있다. 그러나 섬유성낭(fibrous capsule)은 관절의 가동성을 허용하기 위하여 확장될 수 있어야 하며, 콜라겐은 비확장성이어야 세로 배열은 가동성을 억제하게 될 것이다.

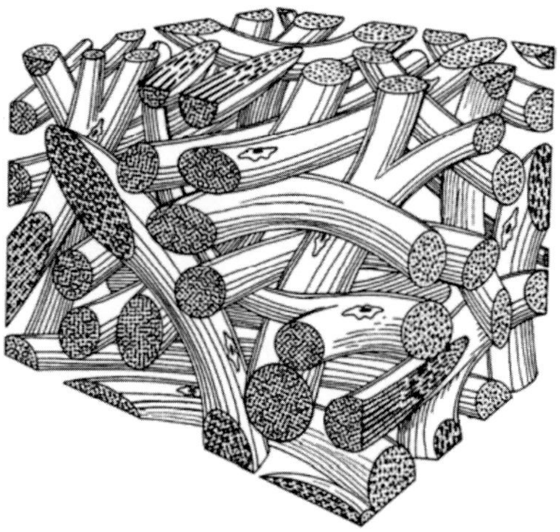

그림 7.5 관절낭의 외층은 콜라겐의 불규칙적이고 무작위한 배열로 구성되어 있다.

무작위로, 콜라겐의 불규칙한 방향성은 가동성을 허용하다. 관절낭이 스트레칭 될 때, 섬유들은 스트레칭에 의해서 일어난 힘줄의 라인을 따라 그 자체로 향하게 된다. 결국, 콜라겐섬유들은 늘어날 수 있는 한계의 범위에서 제한된다(그림 7.6) 이 해부학적인 배열은 가동성을 조장한다. 콜라겐 그 자체

그림 7.6 관절낭내의 콜라겐 섬유들의 방향은 신장성의 허용정도에 영향을 미친다. 무작위한 불규칙적 방향은 최초로 운동성을 허용한다(좌측). 섬유들의 방향이 긴장이하로 놓여있을 때(우측) 결국 운동을 제한한다.

의 이학적 특성은 안정성의 끝범위(end range)를 여유있게 제공한다.

관절낭 손상에 따른 복구과정은 앞서 설명한 것에서 확인할 수 있다. 이 최초의 염증반응은 외상성 관절염과 같은 질병에서 임상적으로 명백하게 나타난다. 섬유의 생장(fibroplasia)과 콜라겐 합성은 손상 후 4-6일에 나타난다. 새로운 섬유들의 방향은 만일 장력이 상처에 가해진다면 해부학적으로 무작위한 배열을 취하게 된다. 만일 환자가 완전 가동범위를 획득하기 위하여 운동프로그램을 설정한다면, 운동프로그램은 상처에 장력이 받게 되도록 디자인되어야 한다. 즉, 새로운 콜라겐 섬유들은 세로방향으로 조장하고, 외측 십자형결합과 제한된 가동성은 증가시키도록 해야 한다. 이것은 반흔은 아니며, 관절낭의 기능을 제공하지 않는 조직의 구조적인 회복이라고 할 수 있다. 어떠한 조직에 주어진 치료는 손상된 조직의 기능에 대한 필요성에 의해서 좌우된다. 이러한 경우에, 신장력과 장력은 회복을 하는데 필요하다.

도전은 작은 섬유의 콜라겐다발의 무작위 배열을 만들어 내는 관절낭의 신장성을 유지하며 동시에 장력을 증가하는 것이다. 신장성이 가능한 반흔은 만일 스트레스가 상처를 가로지르는 방향의 다양한 크기로 일어난다면 좀더 발달되는 것 같다. 생리학적인 활동과 수동 가동화기술(passive mobilization technique)과 더불어 삼차원 운동프로그램들은 이론적으로 새로운 콜라겐 섬유들의 무작위 배열을 촉진시킨다.

운동교육에 대한 원리와 과정은 이 책의 제 10장에 자세히 언급되어 있다.

Summary

손상된 조직만 남아있다면 치유가 되겠지만 상처치유가 되었다고 해서 근본적으로 기능회복이 동반되는 것은 아니다. 최근 연구를 통하여 요통과 골반통은 모두 관절기능(형태폐쇄)과 신경근막기능(힘폐쇄와 운동조절)의 충돌에 의한 것이라는 이해가 높아지게 되었다. 고유수용성과 운동조절계의 변화는 운동패턴을 변경하게 되고 부하전이(load transfer)의 전략을 변경하게 되었다. 결과는 효율적인 운동은 적고, 최적하기능, 손상과 통증재발에 대한 높은 위험, 그리고 관절의 힘(관절회전축의 변경으로 인하여)은 조기에 변성변화와 통증을 일으키게 될 것이다. 요통/골반통의 효과적인 관리는 손상에 대한 충돌의 평가를 필요로하고 그에 따른 형태폐쇄, 힘폐쇄, 운동조절 그리고 환자의 정서상태에 따른 통증상태의 결과도 평가해야 할 것이다.

8 장

요추골반 - 고관절 기능장애의 진단

목 차

기능장애(dysfunction)가 있는 환자를 치료함에 있어 통합 모델(integrated model)을 이용하고자 할 때 가장 중요한 점은 기능 회복이다. : 통증의 위치와 통증의 유형은 평가 및 최종 치료와는 그다지 관련이 없다. 환자의 호소를 완전히 무시하게 되면 환자의 경험상 심리사회적(psychosocial) 보상들을 다루기가 어렵게 된다. Dreyfuss 등(1996)은 "천장관절(SIJ)에 통증을 갖고 있는 환자는 앉기, 걷기, 서기, 굴곡 혹은 신전에 따라 통증이 악화되거나 감소하는 특징적 유형을 띠지 않았다."는 점을 주목하였다. "이 연구는 임상 경험과 일치하는 것은 아니지만 통증 때문에 기능장애를 나타낸다고 해도 별로 놀랄만한 것은 아니다. 임상적으로, 증상을 악화시키거나 감소시키는 동작들은 통증의 유형이 아니고, 유사한 골반 장애(impairments)를 갖고 있는 환자들을 고려할 때 일반적 유형을 따르는 경향이 있다. 이런 일반적 유형들은 환자의 심리사회적 욕구에 역점을 두게 될 것이고 일단 임상 전문적 지식이 있다면 우선하는 장애의 예비지침을 제공하기 때문에 증상유형을 조사하는 것은 중요하다. 훈련성 검사기술을 발달시키는데 시간을 투자한 치료사들은 후에 유사한 장애유형을 빠르게 인지하는 능력을 갖게 될 것이다. 이 8장의 목적은 요추, 골반대, 그리고 고관절에 대한 주관적 및 객관적 검사를 묘사하고 설명하는데 있다. 9장에서는 이들 검사에서 중요하게 고려해야 할 사항들을 자세히 설명하고 있다.

주관적 검사 (SUBJECTIVE EXAMINATION)(표 8.1)

발병양상(MODE OF ONSET)

- 언제부터 문제가 발생하였는가 – 갑자기 혹은 잠행성? 상처회복 관점에서(7장), 치유의 성숙기, 섬유 아세포, 혹은 화농기 동안 환자는 어떠했는가?
- 외상(trauma) 요소가 있는가? 만약 있다면, 넘어지는 것처럼 짧은 시간에 큰 외상이 있었거나, 순간적으로 들어 올리는 방법이 부적절했거나, 장시간에 걸쳐 미세한 외상이 지속되었는가?
- 이번이 처음으로 치료를 받는 것인지 혹은 과거에도 유사한 치료를 받았던 경험이 있었는가? 만약 비슷한 경험이 있었다면 치료기간은 얼마나 되었으며 그 당시에 치료의 필요성이 있었는가? 그렇다면, 치료는 어떤 효과가 있었는가?
- 임신(pregnancy) 혹은 출산(delivery) 중 문제가 있었는가? 그렇다면, 증상은 언제 시작되었고, 출산 중의 특징적인 것은 무엇이며, 골반저(pelvic floor)에 발생한 외상은 어떠했는가?

통증/무감각(PAIN/DYSESTHESIA)

- 통증/무감각 부위는 정확히 어디인가? 통증/무감각 부위를 국소화 혹은 혼동 그리고 그것의 질을 묘사할 수 있는가?
- 사지 아래로 얼마나 멀리 내려가고 혹은 증상을 방사시키는가?
- 어떤 동작이(많은 동작 포함)이 증상을 악화시키는가?
- 장시간 앉기, 서기, 걷기, 계단 오르내리기, 침대에서 구르기, 의자/차에 앉고 일어서기, 기침, 그리고 재채기 중에 통증/무감각이 있는가?
- 악화시키는 동작들은 수직 혹은 수평부하(혹은 둘 다)를 증가시키는가?

표 8.1 주관적 검사

성명	나이	의사
발병양상		
과거력	과거치료	
통증/무감각 위치		
악화시키는 동작들		
완화시키는 동작들		
잠자리 표면/자세	오전에 상태	
직업/여가활동/스포츠		
전반적 건강	약	
부가 검사결과		

- 어떤 동작들(얼마나 많은지 포함해서)이 증상을 완화시키는가?

수면(SLEEP)

- 증상 때문에 수면이 방해되는가? 쉬면 완화되는가?
- 침대종류는 어떠하며 주로 많이 취하는 수면자세는?

직업/여가활동/스포츠(OCCUPATION/LEISURE ACTIVITIES/SPORT)

- 완전 기능 회복에 대해 환자가 생각하는 육체적 활동 수준은 어느 수준인가?
- 치료에 대한 환자의 목표는? 만약 재활이 성공적이고 완전하다면 환자가 원하는 직업 및 여가의 종류는?

전반적 정보(GENERAL INFORMATION)

- 환자의 전반적 건강 상태는?
- 천장관절 혹은 다른 문제 때문에 환자가 현재 약을 복용하고 있는가?
- 부가적인 진단검사(즉, 방사선, 컴퓨터 단층촬영, 자기공명영상, 실험실 검사 등) 결과는?
- 비뇨기관에 불편함이 있는가? 그렇다면 그것은 스트레스, 충동, 혹은 혼합된 것인가?

객관적 검사 (OBJECTIVE EXAMINATION)

Bogduk(1997)은 생역학적 진단시 생역학적 기준이 필요하다고 하였다. 그는 "동작중에 발생된 통증은 그 기준이 아니다."라는데 주목하였다. 관절의 움직임과 안정성을 분석하기 위한 검사에는 이런 기준들이 필요하다. 몇몇 천장관절 생역학 검사는 그에 대한 신뢰성, 타당성, 특수성인 측면에서 평가하였다(Potter & Rothstein 1985, Carmichael 1987, Herzog 등 1989, Dreyfuss 등 1994, Maigne 등 1996, Bogduk 1997, Buyruk 등 1997, Laslett 1997). 이 연구에 따르면, 천장관절의 도수검사는 신뢰할 수 없기 때문에 사용하지 말아야 한다고 제안하고 있다. 이런 결론이 다른 관절에도 적용되는 것은 아니다. 슬관절 안정성 검사(라크만 및 전방당김 검사)는 신뢰성, 타당성, 특수성인 측면에서 의심스럽긴 하지만 물리치료사와 정형외과 의사(Reid 1992)들 사이에서 여전히 이용되고 있다(Cooperman 등 1990). 이후에 검사자들 간의 연구결과를 보면 인체 모든 부위에서 신뢰성이 크지 않은 것으로 나타났다. 그럼에도 불구하고 라크만 검사는 여전히 슬관절 안정성 평가에 널리 이용되고 있다.

Wurff 등(2000)은 천장관절에 대한 통증자극 및 움직임 검사에 대해 체계적 문헌검토를 통하여 신뢰성 연구를 실행하였다. 그들은 각자 어떤 검사에 대해서도 신뢰성이 없는 것으로 결론지었다. 그들은 천장관절의 통증 및 기능장애를 간파하기 위해서는 다양한 검사에 대한 근거들을 이용하는 것이 더 믿을 수 있고 타당하다 라고 제안하였다. 검사자의 경험 및 검사기준이 검사의 신뢰성에 영향을 미치는 큰 변수가 된다는 몇몇 의견(Strender 등 1997, Herrington 2000, Damen 등 2002)도 있었다.

척추 및 천장관절 기능에 대한 검사(즉, 움직임/안정성, 통증없음)는 계속해서 발전했고 검사결과에 영향을 미치는 요소들에 관해 더 잘 이해할 수 있기 때문에 다행히도 면밀한 과학적 접근에도 잘 견뎌내어 기능통합모델을 따르는 임상평가에서 그 역할을 하고 있다. 이 장에 있는 검사들은 통합모델을 따라 좋은 의도에서 표현하였으나 신뢰성 및 타당성 연구와는 부합하지 않음을 인지하고 있다. 검사들은 여전히 우리가 알고 있는 최고의 수단이며 검사결과에 임상적 추리과정을 적용하면 하요부, 골반, 그리고 고관절을 통한 부하 이동에 관한 논리적 진단이 이루어질 수 있다.

객관적 검사는 기능 및 형태폐쇄(요추, 골반대, 고관절), 힘폐쇄, 그리고 운동조절, 특수 신경학적 전도검사와 움직임 검사, 혈관검사, 부가적 영상검사(표 8.2)로 나누어진다. 이 장에서는 이들 검사를 어떻게 수행하는지 상세히 설명하였다. 검사결과의 임상적 통합은 9장에서 논하게 될 것이다.

기능 : 보행(FUNCTION : GAIT)

걷는 것은 요추-골반-고관절 기능의 최적상태를 필요로 하므로 보행을 잘 관찰하면 유용한 정보를 얻을 수 있다(6장 참고). 처음에, 수직 및 수평면에서 머리 정점의 변위(deviation)에 주목하도록 한다. 보행이 정상이면 두 면에서 머리의 변위는 최소가 된다. 만일 골반 및 고관절을 통해 부하 전달이 올바르게 이루어지지 않는다면 인체전반(트렌델렌버그 보행 : 그림 6.25) 혹은 요추 및 고관절(약간의 고관절 하강/ 트렌델렌버그 징후)(그림 6.26)에 대해 골반이 관상면에서 전위될 것이 명백하다. 활보장(stride length) 및 시간의 변화는 요추-골반-고관절복합에서 운동성 및 안정성에 기능장애가 있음을 나타내는 것이다.

기능 : 자세(FUNCTION : POSTURE)

자세가 비대칭하다고 해서 골반대의 기능장애가 있는 것으로 판단할 수는 없다. ; 그러나, 자세가 비대칭을 보이면 골반대의 기능장애가 초래될 수는 있다. 종종 환자의 자세 때문에 특이한 장해(specific impainment)손상 *충격(impact)*(골반대의 내재성 혹은 외재성)이 초래되기도 한다. 바른 자세의 요건은 다음과 같다. 시상면(sagittal plane)에서, 수직선은 외이도, 경추체, 상완와관절, 흉요 연접부에서 횡단했을 때 흉추에의 약간 전방, 요추체, 천골갑, 고관절 약간 후방, 족관절 약간 전방, 그리고 주상-종-입방골 관절(그림 8.1)을 통과해야 한다. 1차 척추만곡이 유지되어야 하는데, 그것은 요추는 전만, 흉추는 후만이 이루어져야 한다. 무명골은 서로 관련해서 과도하게 회전되어서는 안되며 천골은 무명골사이에서 회전되면 안 된다. 전상장골극(ASIS)은 무명골이 대퇴골체에 수직이 되도록 치골결합처럼 동일 관상면에 있어야 한다.

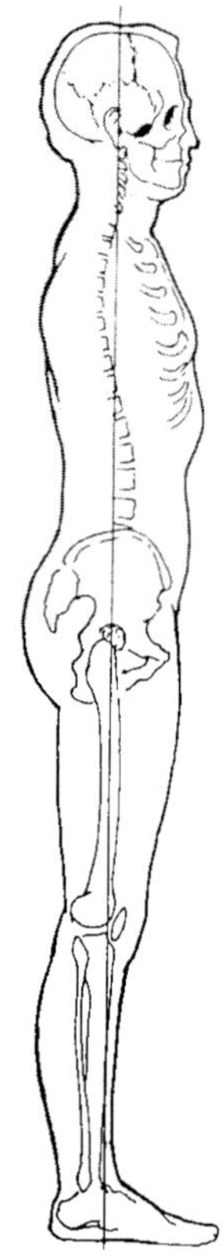

그림 8.1 선 자세에서의 바른 자세(Reproducted with permission from Lee & Walsh 1996)

표 8.2 객관적 검사

기능(Function)

보행

자세

국소적 동작검사

- 선 자세에서 전방굴곡
- 선 자세에서 후방굴곡
- 선 자세에서 측방굴곡
- 선 자세에서 축회전
- 한쪽다리로 선 자세

형태폐쇄 – 요추(Form closure – lumbar spine)

요추 : 자세검사

- 굴곡
- 신전

요추 : 수동 골운동 기능검사(PIVM)

- 굴곡/신전
- 측굴/회전

요추 : 수동 관절운동 기능검사(PAVM)

- 상전 활주 – 활막성 관절
- 하전 활주 – 활막성 관절

요추 : 수동 관절역학 기능검사

- 압박
- 회전
- 전방병진운동
- 후방병진운동
- 외측병진운동

형태폐쇄 – 골반대(Form closure – pelvic girdle)

- 골반대 : 자세성 검사
- 무명골
- 천골

골반대 : 수동 골운동 기능검사(PIVM)

- 전/후 회전 – 무명골
- 전굴/후굴 – 천골

골반대 : 수동 관절운동 기능검사(PAVM)

- 하후 활주 – 천장관절
- 상전 활주 – 천장관절

골반대 : 수동 관절역학 기능검사

- 수평전이 – 천장관절 및 치골결합
- 수직전이 – 천장관절 및 치골결합
- 수직전이 – 치골결합

골반대 : 통증유발검사

- 장배인대
- 천결절인대
- 천결절인대
- 전방 신연 – 후방 압박
- 후방 신연 – 전방 압박

형태폐쇄 – 고관절(Form closure – hip)

고관절 : 자세검사

고관절 : 수동 골운동 기능검사(PIVM)

- 굴곡
- 신전
- 외전/내전
- 외측/내측 회전
- 복합동작검사(굴곡에서)
- 복합동작검사(신전에서)

고관절 : 관절운동학 및 관절역학 기능의 수동검사(PAVM)

- 외측/내측 병진운동
- 신연/압박
- 전후/후전 병진운동

고관절 : 통증자극 및 전반적 안정성

- 염력검사
- 대퇴장골인대의 하부밴드
- 대퇴장골인대의 장골전자부
- 대퇴치골인대
- 대퇴좌골인대

힘폐쇄 및 운동조절
(Force closure and motor control)

전 복부근막 – 백선이개 검사

다열근의 심부섬유

능동 하지 직거상(SLR) 검사

- 국소계통의 시뮬레이션
- 전체계통의 시뮬레이션

능동 하지 굴곡거상 검사

국소계통 – 협동수축 분석

국소계통 및 중립지대

실시간 초음파분석

전체 계통증상 – 힘 분석 후방경사 슬링 전방경사 슬링 측방슬링 전체 계통증상 – 길이 분석 후방경사슬링 및 광배근 전방경사슬링 및 복사근 종적슬링 및 척추기립근 종적슬링 및 슬괵근 대요근, 대퇴직근, 대퇴근막장근 외전근, 이상근/심부고관절 외회전근 통증유발검사 – 수축성 손상	**신경학적 전도 및 움직임 검사** (Neurological conduction and mobility tests) 운동전도검사 감각전도검사 반사검사 경막/신경 움직임 검사 대퇴신경 좌골신경 **혈관검사(Vascular tests)** **부가적 검사(Adjunctive tests)**

관상면(coronal plane)에서 쇄골은 대칭이고 약간 거상되어야 하며 흉골병(manubrium)은 수직이고 (무명골의 전상장골극 및 치골결합처럼 동일면에서 흉골병 연접이 이루어져야 하고), 그리고 견갑골은 흉벽에서 하각이 약간 상방회전 되어야 한다.

기능 : 국소동작 검사(FUNCTION : REGIONAL MOVEMENT TESTS)

이들 검사는 하요부, 골반, 고관절(6장)의 통합 생역학을 알아보고자 하는 것이다. 효과적인 부하전달을 위해서는 수동(형태폐쇄), 능동(힘폐쇄), 그리고 신경계통(운동조절)의 적절한 기능이 필요하다.

선 자세에서 전방굴곡(Forward bending in standing)

처음에, 환자에게 전방으로 굴곡하도록 한 다음 환자가 편안하게 그 자세를 취하는지 주목한다(그림 6.16). 그 검사를 3-4번 반복 실시한다. 인체전방에 대해 시상 만곡첨부를 주목하고 특별한 것이 있으면 기록한다. :

1. 요추 분절간의 상대적 움직임(분절 후만/전만 혹은 회전) 척추분절은 전이 혹은 경첩을 이루지 않고 대칭적으로 구부러져야 한다.
2. 척추주위의 두드러진 정도. 척추 좌우가 동일해야 한다.
3. 대퇴골두 위에서 골반대의 상대적 움직임(이를 위해 고관절 전방을 촉진할 수 있다.)
4. 임의의 골반내 회전. 검사자는 양쪽 무명골을 장골능(iliac crest)과 후상장골극(PSIS) 하부에서 촉지한다(그림 8.2). 골반내 회전 혹은 비틀림이 없어야 한다.

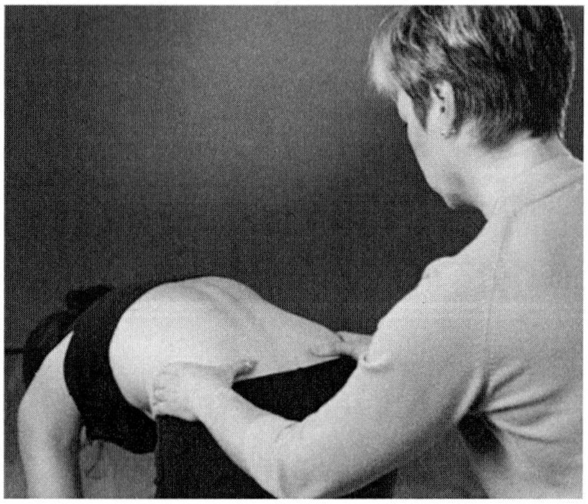

그림 8.2 기립에서 전방 구부리기 검사. 무명골에서 후상장골극 및 장골능을 촉지한다. 두 무명골 사이에 상대적 회전이 있으면 안되는데, 즉 골반대는 대퇴골두 위에서 양측이 한 단위로서 전방경사 되어야 한다. (Reproducted with permission from © Diane G. Lee Physiotherapist Corp.)

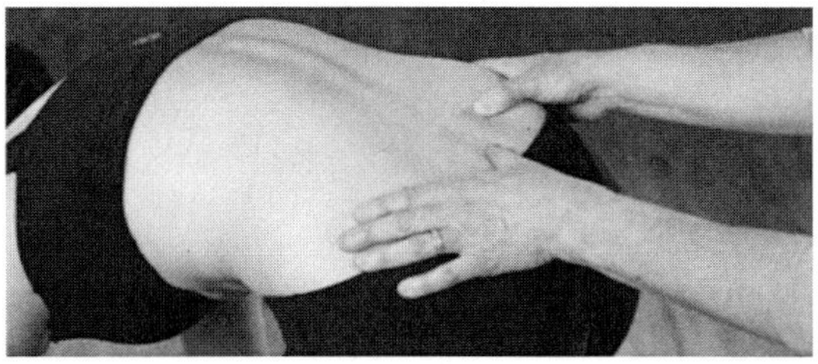

그림 8.3 기립에서 전방 구부리기. 한 손으로는 무명골을 그리고 다른쪽 손으로는 천골을 촉지한다(두 번째 천골에서 내측 천골능이나 하부 외측각) 전방 구부리기시 초기 몇도에서는 천골이 무명골에 대해 상대적으로 전굴되어야 하고(느끼거나 느끼지 못할 것이다.). 완전히 구부릴 때까지도 여전히 전굴상태를 유지해야 한다. (Reproducted with permission from © Diane G. Lee Physiotherapist Corp.)

5. 전방 구부리기를 완전히 하는 동안 천골 전굴 유지. 한 손으로는 무명골(위에 #4에서 처럼)을 그리고 다른 손으로는 천골의 하외측각(ILA) 혹은 두 번째 천골(S2)의 내측 천골능을 촉지한다(그림 8.3). 체간을 전방으로 구부릴 때 다열근이 활성화된다. 만약 후상장골극(PSIS)에 평행하게 천골저를 직접 촉지하게 되면(내측 천골능에서 외측), 천골 다열근이 부풀어 오르면서 검사자의 엄지를 뒤로 밀어내게 되어(그림 5.12) 다열근보다 더 깊이 있는 천골이 전굴되고 있을 때 마치 후굴되는 것으로 오인할 수도 있다. 그래서 검사자를 혼동하게 하는 근섬유가 없기 때문에 천골을 촉지할 때는 두 번째 천골(S2) 내측 천골능 혹은 하부 외측각(ILA)이 더 신뢰할 수 있는 지점이 된다. 전방으로 구부릴 때 처음 몇 도에서는(천골의 시작자세에 따라서) 천골이 전굴되는 것을 느낄 수 있고, 전방으로 구부리기는 동안 내내 전굴을 유지해야 한다.

검사를 반복하는 동안 어떤 양성결과가 일관성이 있는지 일관성이 없는지 그리고 반복해서 전방 구부리기를 쉽게 하는지를 주목한다.

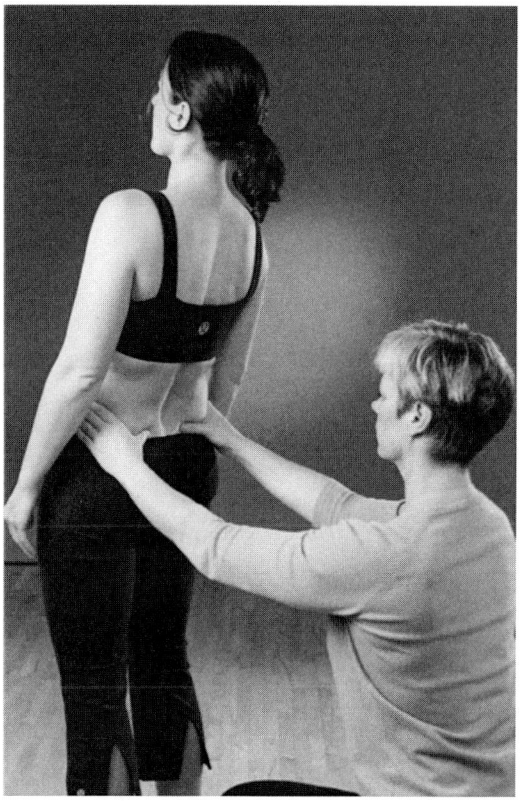

그림 8.4 선 자세에서 후방 구부리기 검사. 무명골에서 후상장골극과 장골능을 촉지한다. 무명골사이에 상대적 회전이 없어야 하는데, 즉 골반대는 대퇴골두위에서 양측으로 한 단위로 후방경사 되어야 한다. (Reproducted with permission from © Diane G. Lee Physiotherapist Corp.)

선 자세에서 후방굴곡(Backward bending in standing)

환자에게 허리를 후방으로 젖히도록 하고 쉽게 그 동작을 하는지 주목한다(그림 6.18). 3–4번 검사를 반복하고 인체 전반에 대한 시상 만곡의 첨부를 주의 깊게 보고나서 특별한 것이 있으면 기록한다. :

1. 요추의 상대적 분절간 움직임(분절적 후만/전만 혹은 회전). 척추분절은 전이 혹은 경첩(shibting or hinging) 되지 않고 대칭적으로 신전되어야 한다.
2. 대퇴골두 위에서 골반대의 상대적 움직임(이를

위해 고관절 전방을 촉지할 수 있다.). 골반대는 대퇴골두 위에서 대칭으로 후방경사 되어야 한다.
3. 임의의 골반내 회전. 후상장골극 하부에서와 장골능에서 양쪽 무명골을 촉지도록 한다(그림 8.4). 이 때 골반 내에서 회전 혹은 비틀림이 없어야 한다.

검사를 반복하는 동안 양성결과가 일관성이 있는지 일관성이 없는지와 환자가 후방 구부리기를 쉽게 반복할 수 있는지를 주목한다.

선 자세에서 측방굴곡(Lateral bending in standing)

환자에게 외측으로 구부리도록 지시하고(그림 6.20) 환자가 그 동작을 쉽게 하는지 주목한다. 3-4번 검사를 반복한다. 전신에 대한 관상만곡 첨부를 주의 깊게 보고나서 특별한 것이 있으면 기록하도록 한다. :

1. 요추의 상대적 분절간 움직임(분절적 측굴/회전). 흉추 분절은 대칭적으로 측굴되어야 한다.
2. 대퇴골두 위에서 골반대의 상대적 움직임(고관절을 촉지할 수 있다.). 골반대는 대퇴골에 대해 상대적으로 외측 경사 및 전이 되어야 한다.
3. 임의의 골반내 회전. 하상장골극 및 장골능에서 양쪽 무명골을 촉진하도록 한다. 보행시 좌측 측면 굴곡시 우측무명골이 좌측에 비해 후방으로 회전되고 천골은 우측으로 약간 회전되는 것처럼 기립시 측방굴곡하는 동안 골반내 움직임이 발생한다. 상대적으로, 천골의 양쪽 측면은 좌우 무명골에 비해 전굴을 유지하여 부하전달이 용이하도록 안정성을 갖게 된다.

검사를 반복해서 양성결과가 일관성이 있는지 일관성이 없는지와 환자가 반복해서 측방굴곡을 잘하는지를 주목한다.

선 자세에서 축 회전(Axial rotation in standing)

환자에게 회전하도록 하여 환자가 그 동작을 쉽게 잘 하는지를 주목한다. 몇 번씩 검사를 반복해서 주목한다. :

1. 요추의 상대적 분절간 움직임(분절성 측굴/회전). 척추가 "뒤틀리지(kinking)"않고 회전해야 한다.
2. 대퇴골두 위에서 골반대의 상대적 움직임(이를 위해 고관절 전방을 촉지할 수 있다.) 골반이 회전하면 편측 고관절이 상대적으로 내회전하고 반대측 고관절은 외회전해야 한다.

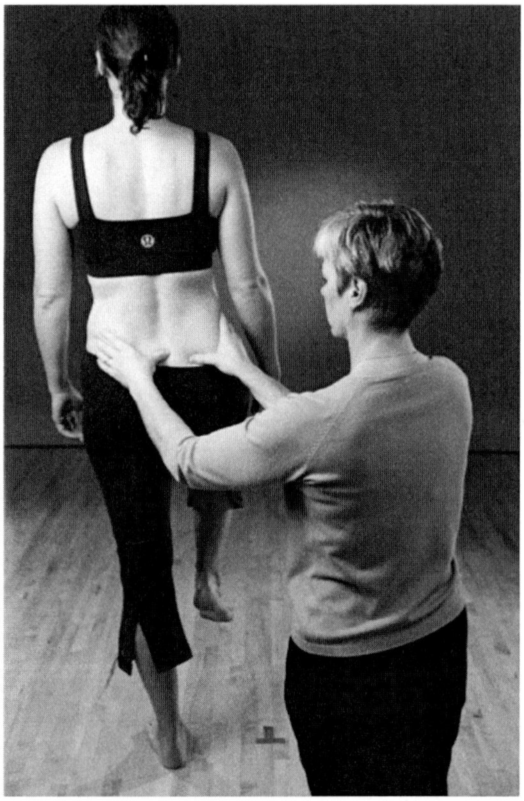

그림 8.5 한쪽 다리 서기검사 : 고관절굴곡 유형. 무명골은 천골에 비해 후방으로 회전되어야 한다. 관절운동역학적으로 여기에는 천골에 대해 무명골이 상전방으로 활주되는 것이 필요하다(Nungerford 2002). (see also figs 6.10 and 6.11)(Reproducted with permission from © Diane G. Lee Physiotherapist Corp.)

3. 임의의 골반내 회전. 장골능 및 후상장골극에서 양쪽 무명골을 촉지하도록 한다. 보행할 때 좌측 축회전시 우측무명골은 좌측에 비해 전방으로 회전하고 천골은 좌측으로 약간 회전하여 골반내 움직임이 발생하게 된다. 상대적으로, 천골의 양측면은 좌우 무명골에 비해 전굴되어서 부하 전달이 안정되게 된다.

검사를 반복해서 양성결과가 일관성이 있는지 일관성이 없는지와 환자가 축회전을 반복해서 잘하는지를 주목한다.

한쪽 다리 서기(One-leg standing)

이 검사는 길렛(Gillet) 검사, 스토크(stork) 검사, 혹은 키네틱(kinetic) 검사로 알려져 있고 골반내 회전이 가능한지의 여부와 하요부, 골반, 그리고 고관절의 편측 부하전달(지지형) 능력을 검사하게 된다(6장)(Hungerford 2002). 환자에게 한쪽 다리로 서게 하고 반대측 고관절과 슬관절을 가슴쪽으로 굴곡하도록 한다(그림 6.10). 이 동작의 수행 능력을 관찰한다. 체중을 지지하는 쪽으로 이동할 때 골반은 전방/후방/측방으로 기울어져서도 안되고 수평면에서 회전되어서도 안 된다. 반대측도 같은 검사를 반복한다. 이 검사에서 발생하는 골반내의 움직임은 다음과 같이 이루어질 수 있다. :

1. 고관절 굴곡기(hip flexion phase)(편측 키네틱 검사)(그림 8.5) : 한 손으로는 체중이 부하되지 않은 쪽의 장골능 및 후상장골극(PSIS) 하부에서 무명골을 촉지한다. 무명골을 촉지한 것처럼 다른 손으로, 두 번째 천골(S2)의 내측 천골능 혹은 동측 천골의 하외측각(ILA)도 촉지한다. 환자에게 한쪽 고관절(촉지하고 있는 측)을 굴곡하게 하여 천골에 대해 무명골이 후방 회전되는지를 주목한다. 반대측에서 이러한 움직임의 크기와 질(저항)을 비교한다. 이것은 천장관절의 움직임 검사라기보다 하요추체, 무명골, 그리고 천골의 골운동역학적 움직임 검사라 하겠다. 골운동역학적 움직임을 방해하는 많은 요소들이 있다. : 천장관절이 그 중 하나다.

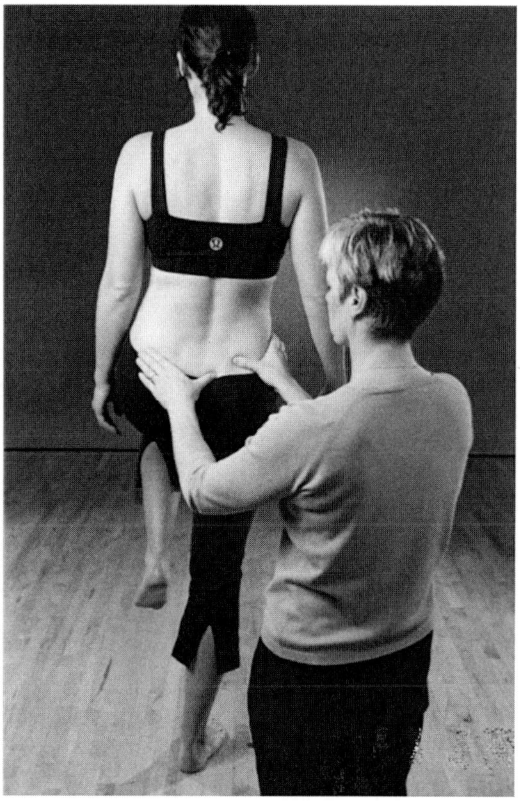

그림 8.6 외다리 서기 테스트 : 지지단계. 무명골은 천골에 관련하여 후방으로 회전되도록 유지해야 한다.(Reproducedwith permission from Diane G. Lee Physiotherapist Corp.)

2. 지지기(support phase) :
   a. 한쪽 손으로, 체중지지가 이루어지는 측의 장골능과 후상장골극을 통해서 무명골을 촉지한다. 다른 손으로, 동측에서 무명골을 촉지한 것처럼 두 번째 천골(S2)도 내측 천골능 혹은 천골의 하외측각(ILA)을 촉지한다(그림 8.6). 환자에게 반대측 고관절을 굴곡하게 해서(촉지하지 않는 측) 천골에

대한 무명골의 움직임을 주목하도록 한다 (반대측 키네틱 검사). 특히 체중이 지지디고 있는 다리(초기 부하)에 전달될 때와 반대측 다리가 땅에 떨어질 때 일어나는 운동을 주목하도록 한다. 무명골은 후방으로 회전되거나 아니면 여전히 *천골에 대응(relative to the sacrum)*하여 유지한다(후방으로 회전된 자세에서 ; 무명골의 시작 자세에 따라 무엇인가 관찰될 것이다).

그림 8.7 한쪽 다리 기립 검사 : 지지기. 무명골은 대퇴골(화살표)에 대해 신전되거나 수직을 유지해야 한다. 이는 고관절을 통해 부하가 안정되게 전달되는 자세이다.
(Reproducted with permission from © Diane G. Lee physiotherapist Corpo)
특히 체중을 지지하고 있는 다리에(초기부하) 전달되는 것과 반대측 다리가 바닥에서 떨어질 때 발생하는 동작을 주목한다. 무명골은 천골에 대해 본래 위치를 유지하거나 후방으로 회전되어야 한다(후방 회전 자세에서 ; 무명골의 시작 자세에 따라 관찰할 사항이 달라진다).

b. 체중지지 측에서, 한 손으로는 무명골을 다른 손으로는 대퇴골을 촉지한다(그림 8.7). 환자에게 반대측 고관절을 굴곡하게 하고 (촉지하지 않은 측) 대퇴골에 대한 무명골의 움직임을 주목하게 한다. 무명골은 *대퇴골에 대응(relative to the femur)*하여 수직을 유지하거나 수직 자세 방향(신전)으로 움직여야 한다.

무명골이 전방으로 회전하거나 천골에 대해 내회전(골반대를 통해 부하전달 안됨)(Hungerford 등 2001, Hungerford 2002) 혹은 대퇴골에 대해 굴곡(고관절을 통해 부하전달 안됨)될 때, 검사는 양성으로 판명된다. 이는 골반 및 고관절을 통해 부하전달되는 자세가 불안정하다는 것이다.

형태폐쇄 : 요추(FORM CLOSURE : LUMBAR SPINE)

다음의 검사들은 요추관절의 움직임 및 수동 안정성을 검사하는 것이다. 형태폐쇄(form closure)를 분석하기 위해서는 움직임의 두 개의 지대를 평가하

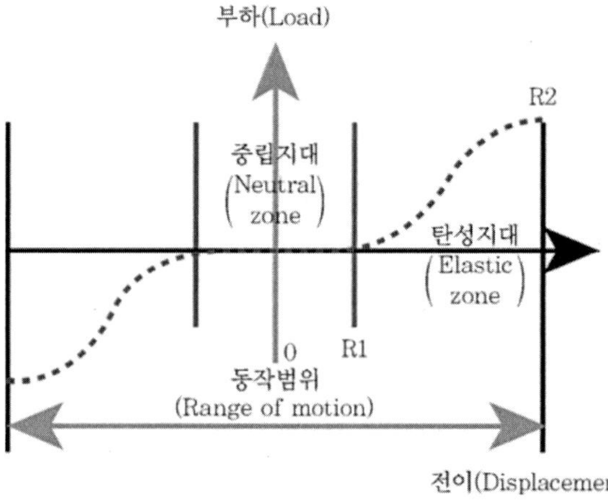

그림 8.8 관절움직임 지대 : 중립지대(O-R1) 및 탄성지대(R1-R2) (Panjabi 1992b)

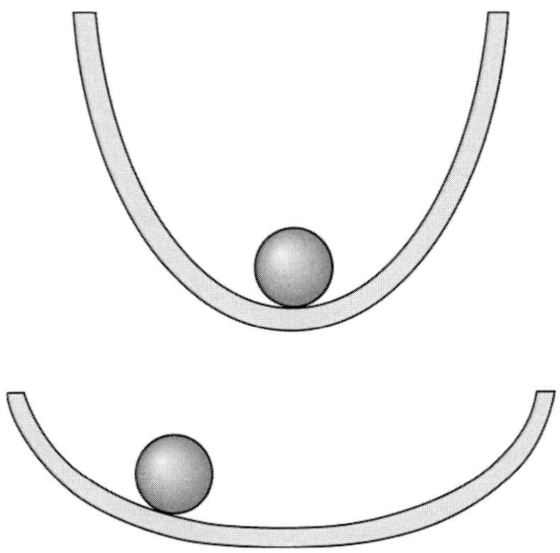

그림 8.9 공 및 사발개념(ball and bowl concept)은 Panjabi가 중립지대에서의 차이점을 나타내고자 소개하였다. 공이 움직일 수 있는 거리는 다양한 상황에서 중립지대의 크기를 나타낸 것이다.

는 것이 필요하다(그림 8.8)(Panjabi 1992b). 중립지대(neutral zone)는 골인대구조물(최초저항 혹은 O에서 R1까지의 관절놀이) 이 최소의 저항을 유발시키는 관절 중립자세에 가까운 적은 동작범위이다. 탄성지대(elastic zone)는 중립지대 끝에서 관절의 생리학적 한계(R1에서 R2까지의 끝느낌)까지의 동작범위이다.

Panjabi(1992b)는 관절이 비-선형 부하-전이 곡선을 갖는 다는데 주목했다. 비-선형이라는 것은 결과적으로 가동범위 끝으로 갈수록 팽팽해지는 효과와 중립지대에서 느슨함의 정도가 높아지게 된다. 그는 손상, 관절 퇴행, 그리고/ 혹은 안정근 구조물의 약화 중립지대가 커지고 중립지대가 커졌다는 것은 불안정을 인지하는 각 동작범위 이상으로 감각척도가 높아진다는데 주목하였다. 그는 중립지대에서의 이런 변화를 표현하고자 공과 사발(ball and bowl)의 그림을 이용하였다(그림 8.9). Lee와 Vleeming(1998, 2004)은 관절에 주어지는 압박이 증가하나 감소할 때 중립지대는 양적(더 커지거나 더 작아짐)으로나 질적(더 혹은 적게 저항)으로 영향을 받는다고 제시했다(그림 8.10 a-f). 그림 8.10에서 나타내는 각각의 그림은 9장에서 논의할 것이다.

요추 : 자세검사(Lumbar spine : positional tests)

천골에 대한 L5의 위치를 결정하기 위해 중립, 완전굴곡, 그리고 완전신전 상태에서 천골저와 L5추체의 횡돌기 사이의 전 후 관계를 주목하게 된다. 자세관찰 결과를 해석할 때 근육의 과긴장 및 위축을 고려해야 한다.

굴곡(Flexion) 환자가 발을 지지하고 요추를 완전 굴곡시켜 앉아 있을 때 L5분절의 외측 및 천골저를 양측으로 촉지한다(그림 8.11). 천골저에 대한 L5 관절주(articular pillar)의 전 후 관계에 주목한다. 과굴곡 상태에서 천골저에 대해 L5 관절주가 우측 후방에 있으면 L5-S1에서 L5의 우측 회전을 의미한다.

신전(Extension) 환자가 복와위에서 요추를 완전히 신전했을 때 L5 다음에 천골저를 외측으로 촉지 한다(그림 8.12). 천골저에 대한 L5 관절주의 전 후 관계에 주목한다. 과신전 상태에서 천골저에 대해 L5 관절주가 우측 후방에 있다는 것은 L5-S1에서 L5가 우회전되었음을 의미한다.

요추 : 수동 골운동(Osteokinematic) 기능검사 (수동 추체간 움직임 : PIVM)

굴곡/신전 환자는 측와 위에서 치료사의 복부에 의지하여 고관절과 슬관절을 굴곡하고, 치료사는 검사하고자 하는 요추분절의 극돌기간 공간을 촉지하라(그림 8.13). 검사자의 미부측 팔과 손으로 환자 다리를 지지한다. 수동으로 요추분절을 굴곡/신전하여 분절간 움직임의 양과 질을 주목하고 다른 요추 분절에 대한 검사도 반복한다.

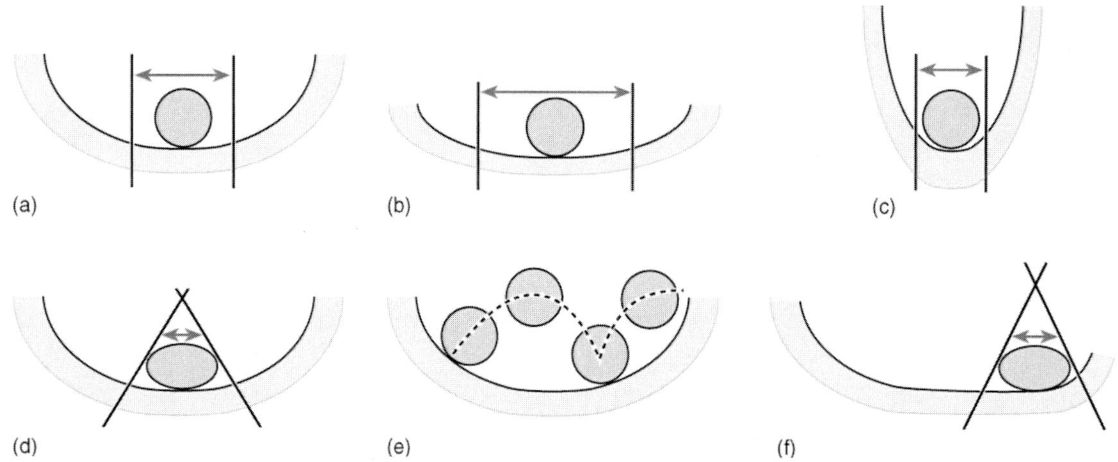

그림 8.10 중립지대는 관절에 가해지는 압박에 따라 영향을 받는다. (a) 가설적으로 정상관절에 동작 중립지대의 그래픽 삽화. (b) 형태폐쇄 혹은 힘폐쇄의 상실로 충분한 관절압박이 이루어지지 못하면 동작 중립지대가 상대적으로 증가한다. (c) 섬유화로 과도하게 관절이 압박 받으면 동작 중립지대가 상대적으로 감소할 것이다. (d) 전체 계통의 과활동으로 관절이 과도하게 압박 받으면 동작 중립지대가 상대적으로 감소할 것이다. (e) 간헐적 운동조절이 부족할 때 기능장애는 역동적이기 때문에 동작 중립 안에서의 수동 움직임은 정상일 수 있다. 공이 튀는 것은 기능활동 중에 간헐적 압박이 상실됨을 의미한다(역동적 불안정성) (f) 관절이 고정되면(아탈구 된) 과도하게 압박되어 동작 중립지대가 촉지될 수 없다(완전 관절잠김).

측굴/ 회전 : L3-L4(Sideflexion/rotation) 옆으로 누운 자세에서 환자는 고관절 및 슬관절 상단부는 약간 굴곡 ; 하단부는 신전하고 검사자는 두부측 팔을 환자의 팔과 흉부사이에 끼워넣어 두 번째 및 세 번째 손가락으로 L3-L4 극돌기간 공간을 외측에서 촉진한다. 검사자의 두부측 손은 L3-L4 활막관절 배부에 직접 갖다댄다(그림 8.14). 미부측 손을 원위 외측방향으로 기울어지게 해서 골반대를 촉지한다. 미부측 손의 두 번째 및 세 번째 손가락으로 L4를 촉지하도록 한다. 수동 측굴시키고 양팔로 경사지게 힘을 가하여 L3-L4를 반대측으로 회전시킨다. 분절 움직임의 양과 질을 주목한다. 다른 요추분절에 대한 검사도 반복하고 나서 반대편으로 환자를 눕게하여 반대방향으로의 측굴/회전 검사를 실시하도록 한다.

요추 : 수동 관절운동(arthrokinematic) 기능검사(척추 수동 부가 움직임 : PAVM)

상전 활주 : L4-L5 좌측 척추 돌기관절 (Superoanterior glide : left zygapophyseal joint L4-L5)

L4-L5가 굴곡 및 우측 측굴되는 동안 좌측 척추돌기관절은 상전 방향으로 활주한다. 측와위에서 환자는 좌측 고관절 및 슬관절을 약간 굴곡시키고, 우측 고관절과 슬관절은 신전한 상태에서 검사자는 두측 손을 환자의 팔과 흉벽사이에 끼워넣는다. 이렇게 하면 검사하는 동안 흉요부위를 조절하기가 좋을 것이다. 두부측 손으로 L4-L5극돌기 간 공간 외측을 촉지하고, 미부측 손으로, L5를 촉지한다(그림 8.15). 수동으로 분절을 우측 측굴시킨다(즉 좌측 척추돌기관절을 상전방향으로 활주시킨다.). 두 개의 동작지대(O-R1의 중립지대, 그리고 R1-R2 탄성지대)에서 진폭, 동작저항, 그리고 끝느낌을 분석한다.

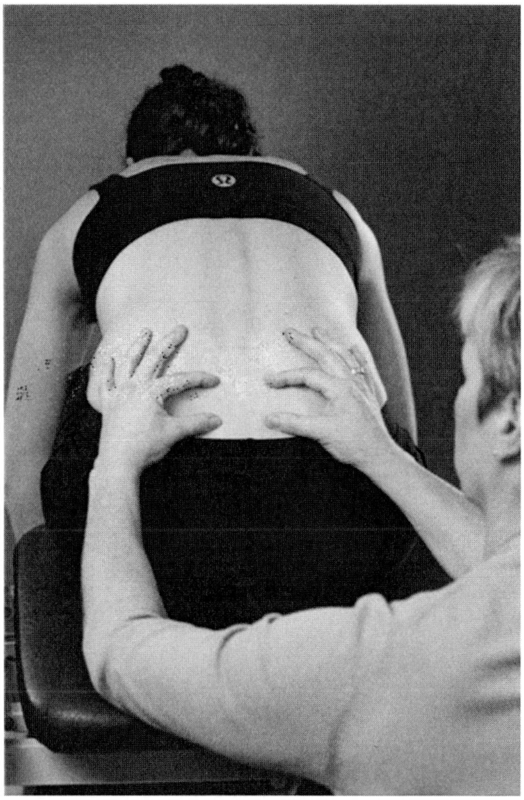

그림 8.11 굴곡위에서 L5-S1의 자세검사. (Reproducted with permission from © Diane G. Lee Physiotherapist Corp.)

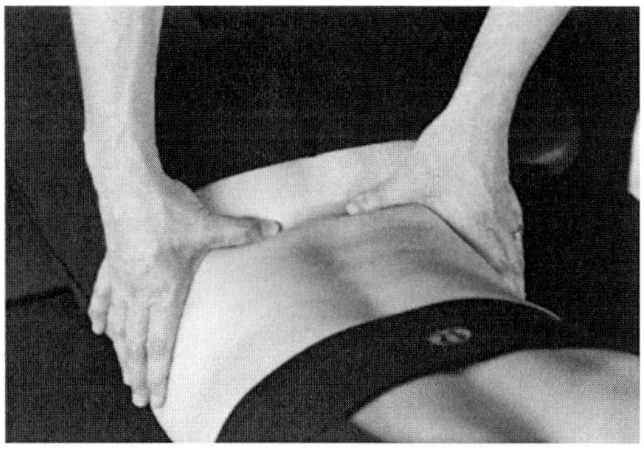

그림 8.12 신전위에서 L5-S1의 자세 검사. (Reproducted with permission from © Diane G. Lee Physiotherapist Corp.)

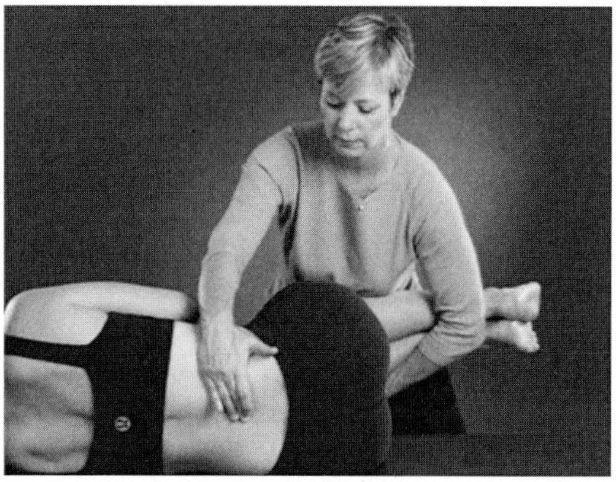

그림 8.13 요추의 골운동학적 굴곡/신전 수동검사. (Reproducted with permission from © Diane G. Lee Physiotherapist Corp.)

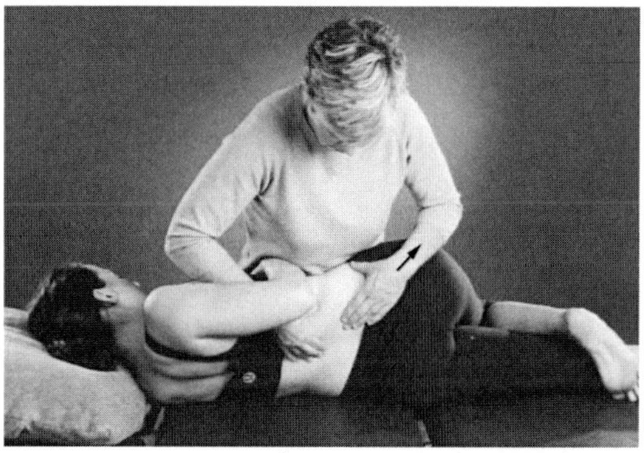

그림 8.14 L3-L4에서 우회전과 좌측 측굴이 결합된 골운동학적 수동검사. 화살표는 미부측 손에 의해 적용된 힘의 방향을 나타낸다. (Reproducted with permission from © Diane G. Lee Physiotherapist Corp.)

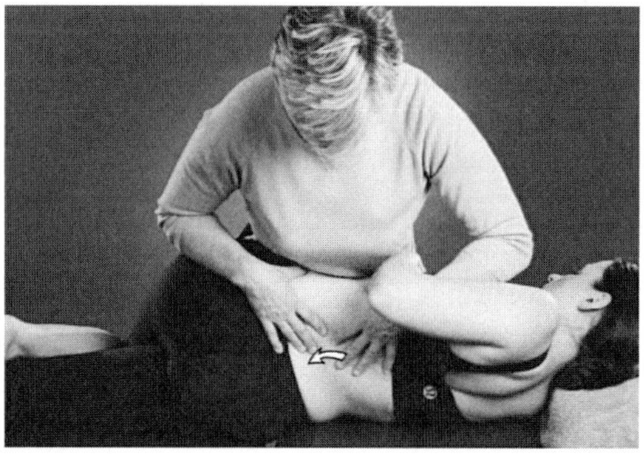

그림 8.15 L4-L5에서 좌측 척추돌기관절의 관절운동학적 상전활주 수동검사. 상전활주가 발생하기 위해 요추는 순수하게 측굴(화살표는 발생한 측굴의 방향을 나타낸다)된다. (Reproducted with permission from © Diane G. Lee Physiotherapist Corp.)

하후 활주: L4–L5 우측 척추돌기관절(Inferoposterior glide: right zygapophyseal joint L4–L5)
L4–L5가 신전 및 우측 측굴되는 동안 우측 척추돌기관절은 하전 활주된다. 좌측 측굴 상태에서 환자는 우측 고관절 및 슬관절을 약간 굴곡하고, 좌측 고관절 및 슬관절을 신전시켜서, 검사자는 두부측 팔을 환자의 우측 팔과 흉벽사이에 끼워넣는다. 이렇게 하면 검사하는 동안 흉요부 조절이 용이해진다. 두부측 손의 두 번째 손가락으로, L4–L5 극돌기 공간 외측을 촉지한다(그림 8.16). 수동으로 분절을 우측 측굴시킨다(즉 우측 액돌기관절을 하후 활주시킨다). 두 개의 동작지대(O–R1 중립지대, 그리고 R1–R2 탄성지대)에서 진폭, 동작저항, 그리고 끝느낌을 분석하도록 한다.

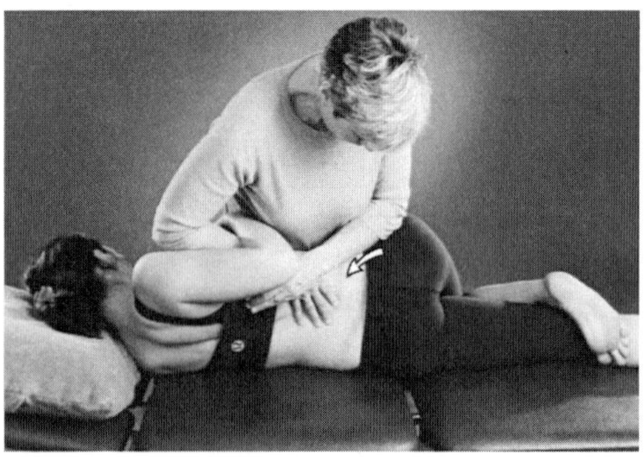

그림 8.16 L4-L5에서 우측 액돌기관절의 수동 관절운동학적 하전 활주 검사. 골반대는 하후 활주를 발생시키기 위해 골반은 요추 밑에서 순수하게 측굴된다. 화살표는 측굴 방향을 나타낸다. (Reproducted with permission from © Diane G. Lee Physiotherapist Corp.)

요추: 수동 관절운동역학(arthrokinetic) 기능 검사

압박(Compression) 환자는 고관절과 슬관절을 굴곡한 채 바로 누운 자세로 누워 있고, 하지는 받쳐준다. 두부측으로 힘을 적용하여 요추분절에 가해지는 압박은 슬관절을 통해 탁자와 평행하게 한다(그림 8.17).

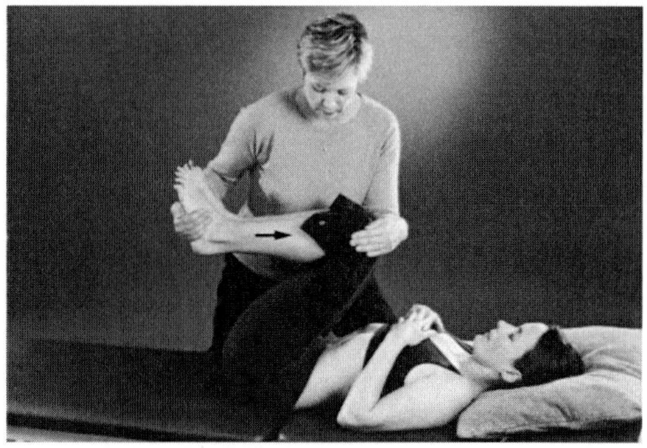

그림 8.17 요추의 관절운동역학적 압박검사. 화살표는 치료사가 발생시키는 힘의 방향을 나타낸다. (Reproducted with permission from © Diane G. Lee Physiotherapist Corp.)

압박부하를 가하는 동안 경련 혹은/그리고 통증유발을 주목한다.

회전: L4–L5 좌회전(Rotation: left rotation L4–L5) 우측 측와위에서 환자는 좌측 고관절 및 슬관절을 약간 굴곡하고, 우측 고관절과 슬관절은 신전한 상태에서, 검사자는 미부측 손으로 L4의 극돌기 좌측을 촉진하고, 미부측의 세 번째 및 네 번째 손가락으로 L5 극돌기 우측을 촉지한다(그림 8.18). L4를 고정시켜 L4 밑에서 순수한 수직축 주위로 L5를 우회전시켜 좌측회전, 혹은 좌측 분절 비틀림을 검사한다(좌회전과 관련하여 L4–L5분절). 중립지대의 진폭, 중립 및 탄성지대 내에서 동작저항, 탄성지대의 끝느낌, 그리고 통증 및 경련 유발에 주목하도록 한다.

전방병진운동: L4–L5(Anteiror traslation: L4–L5) 환자는 엎드려 누운 자세를 취하고, 한 손의 두상골로 L4 극돌기를 촉지한다. 다른 손으로 미부측 힘을 가하여 천골과 L5를 고정한다(척추의 신전방지)(그림 8.19). L4 추골에 전방 전이력을 가한다. 중립지대의 진폭, 중립지대 및 탄성지대 안에 동작저항, 그리고 경련 혹은 통증 유발에 주목하라, 이 검사는 또한 옆으로 누운 자세 상위 추골을 고정

하고 굴곡된 대퇴를 따라 압박을 가하여 하위 추골이 후방으로 밀려나게 함으로써 행할 수도 있다.

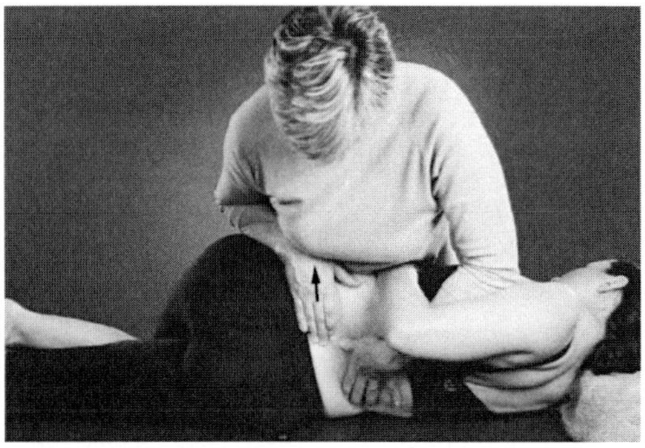

그림 8.18 L4-L5에서 좌측 분절 회전의 관절운동역학적 검사. 요추분절에서 발생하는 회전이 순수한 수직축 주위에서 일어나는지와 비생리학적인지 주목하도록 한다. 화살표는 치료사의 미부측 손에 의해 적용된 힘의 방향을 나타낸다. (Reproducted with permission from © Diane G. Lee Physiotherapist Corp.)

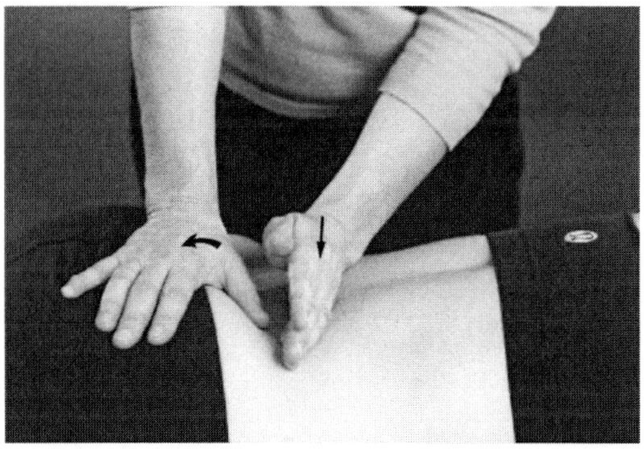

그림 8.19 L4-L5에서 전방전이의 관절운동역학적 검사. 화살표는 치료사 손의 힘 방향을 나타낸다.
(Reproducted with permission from © Diane G. Lee Physiotherapist Corp.)

후방병진운동: L4–L5(Posterior translation: L4–L5) 환자가 팔을 교차하고 요추 중립자세로 앉아있는 동안, L4–L5 극간공간을 촉지한다. 힘을 국소화하기 위해, L4–L5가 확실히 중립을 유지하도록 하고 L3–L4까지 요추가 굴곡되도록 한다. 미부측 손으로 L5를 고정하고 다른쪽 손으로 체간에 순수 후방 병진운동력을 가한다(그림 8.20). 중립지대 진폭, 중립 및 탄성지대 내에서 동작 저항, 탄성지대의 끝느낌과 질, 그리고 경련 혹은 통증 유발에 주목한다.

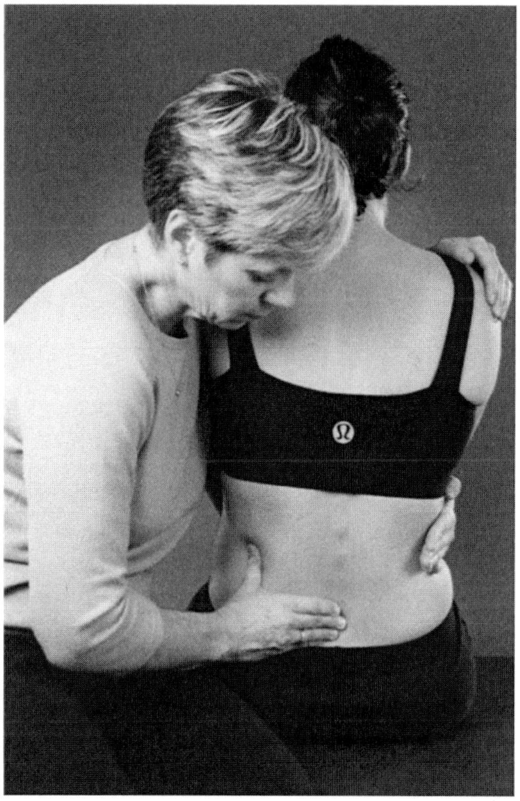

그림 8.20 L4-L5에서 후방전이 관절운동학적 검사. L4-L5는 중립상태이고 상위요추는 굴곡되어 있다. 우측손 : 두 번째 손가락은 극돌기간 공간을 촉지하고 세 번째와 네 번째 손가락은 L5를 고정한다. 좌측손 : 요추에 후방 전이력을 가함. (Reproducted with permission from © Diane G. Lee Physiotherapist Corp.)

외측병진운동: L3–L4(Lateral translation: L3–L4) 환자가 요추 중립자세에서 팔을 교차시키고 앉아있는 동안 개방 물갈퀴공간 잡기(open web space grip)로 L4를 고정 및 촉지한다. 이 손으로 L4를 고정하고 다른쪽 팔/손으로 체간에 순수 외측 병진운동력을 가한다(그림 8.21). 중립지대 진폭, 중

립 및 탄성지대 내에서 동작저항 ; 탄성지대의 끝느낌과 질, 그리고 경련 혹은 통증유발에 주목한다.

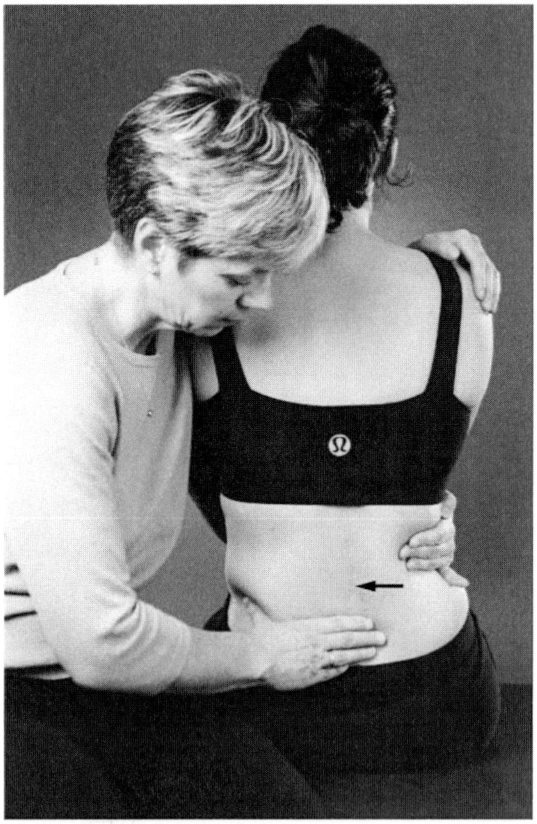

그림 8.21 L3-L4에서 외측전이 관절운동학적 검사. 우측손 : 엄지와 둘째 손가락으로 L4를 고정하라. 좌측손 : 외측 병진운동력을 가한다(화살표는 적용된 힘의 방향을 나타낸다.)(Reproducted with permission from © Diane G. Lee Physiotherapist Corp.)

형태폐쇄 : 골반대(FORM CLOSURE : PELVIC GIRDLE)

다음의 검사들에서는 골반대 관절의 움직임 및 수동 안정성을 알아보게 된다. 형태폐쇄 분석에는 중립지대 및 탄성지대 두 개의 동작 지대를 분석하는 것이 필요하나(그림 8.8)(Panjabi 1992b), 처음에는 자세분석이 필요하다. 동작 결과를 분석할 때 관절 움직임이 변한다는 것은 시작자세가 변했음을 반영하는 것이기 때문에 검사 초기에 골의 위치는 연속적인 동작과 상호 관련되어야 한다. 만약 무명골이 천골에 대해 후방으로 회전된다면 중립지대의 진폭은 다른 측과 비교해서 감소할 것이다.

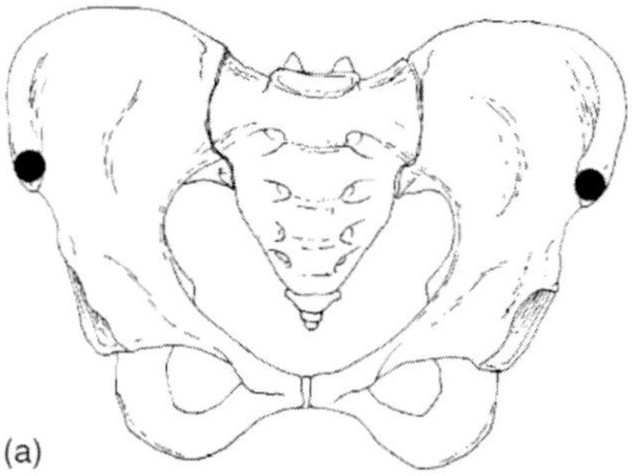

(a)

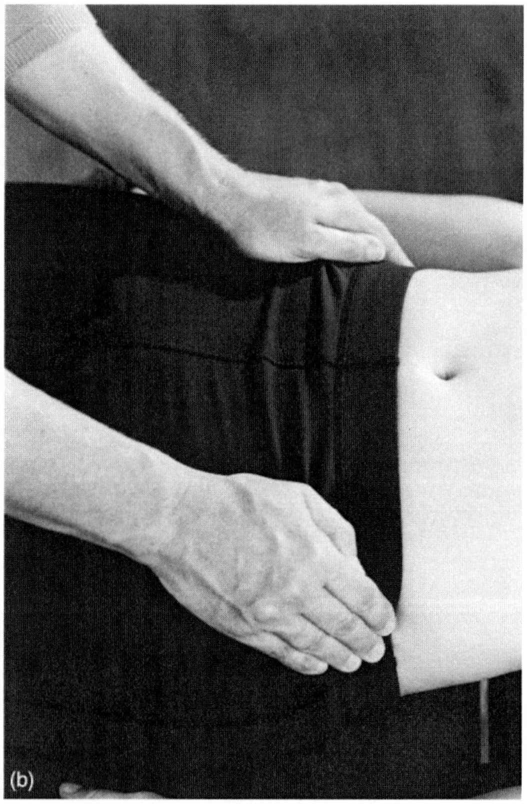

(b)

그림 8.22 (a, b) 자세 검사를 위한 전방 촉지지점 및 손위치. 손 끔치 부위를 전상장골극(ASIS) 위에 위치시켜 무명골을 컵모양으로 덮는다(점). (Reproducted with permission from © Diane G. Lee Physiotherapist Corp.)

Buyruk 등 (1997) 및 Damen 등(2002b)은 천장관절이 비대칭적으로 팽팽(혹은 느슨)하다는 것은 골반손상 혹은 통증과 관련이 있고 이를 예견하는 것으로 예시하였다. 각각의 많은 움직임의 양을 정확히 알 수 없기 때문에, 다른 쪽에 대한 한쪽의 움직임을 비교할 수밖에 없다. 관절의 시작자세에 고려사항을 정하지 않는다면, 움직임 검사결과를 오인하기 쉽다.

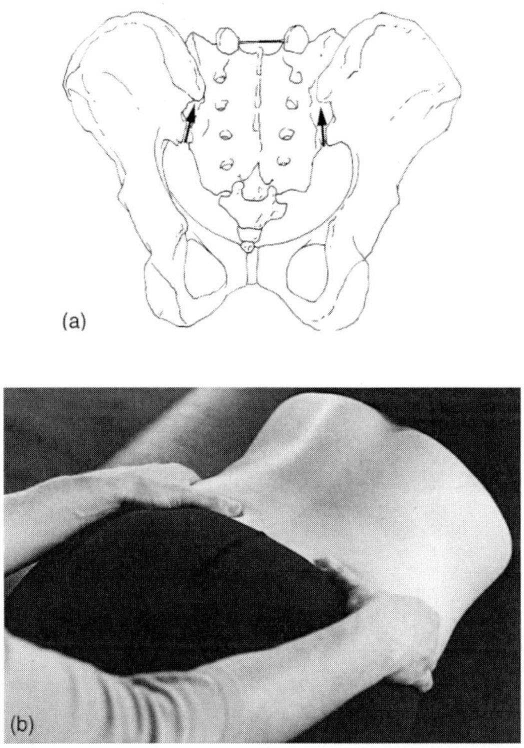

그림 8.23 (a, b) 무명골검사를 위한 손 위치 및 후방 촉지지점. 화살표는 손끔치가 놓일 지점을 나타낸다. (Reproducted with permission from © Diane G. Lee Physiotherapist Corp.)

골반대 : 자세검사(Pelvic girdle : positional tests)

무명골(Innominate) 무명골의 위치를 분석할 때 골의 어느 한 지점(즉, ASIS 혹은 PSIS)을 보기보다는 손 전체를 이용하여 정보를 얻는 것이 더 바람직하다. 환자가 하지를 신전한 채 똑바로 누워 있는 동안 손끔치로 양쪽 무명골의 전상장골극을 촉지한다. 손의 나머지 부분을 무명골에 "맞추고"(mold) (그림 8.22a, b) 나서 초반에 눈을 감고 골반이 비틀리거나(골반내 비틀림) 두미 혹은 전후면에서 전단이 되는지 느껴보도록 한다. 그리고 나서 눈을 뜨고 초반 느낌을 확신 혹은 부인하기 위해 치골결절의 상부 혹은/그리고 전상장골극의 양쪽 하부를 촉지하라. 느낌이 맞는지 판단할 때 머리와 목이 일정한 자세를 유지하도록 해야 한다. 검사자의 두개추골관절이 측굴되면 검사자의 인지력이 변화되고 시각관찰 결과가 바뀔 수 있다.

환자가 엎드려 누운 자세로 누워있는 동안 엄지로 양쪽 무명골의 후상장골극 하부를 촉지한다. 손의 나머지 부분을 무명골에 맞추어 대고 동일자세에서 분석을 반복한다(그림 8.23b). 무명골의 상방 전단을 확인하고자 양쪽 좌골결절의 하부를 촉지한다. 처음에는 양손끔치를 사용하고 나중에는 엄지를 이용해서 좌골결절을 촉지한다(그림 8.24). 만약 좌골결절의 배측을 촉지한다면 무명골이 회전하였을 때 좌측과 우측 사이에 두미관계를 확연히 변화시킬 수 있으므로 좌골결절의 가장 *하부(inferior)*에 손을 두었는지 확인하도록 한다.

천골(Sacrum) 천골저에서 다열근의 크기 및 긴장도가 영향을 미칠 수 있기 때문에 천골검사시 가장 신뢰할 만한 부위는 하외측각(ILA)의 배측이다(그림 8.25a, b). 천골의 위치를 결정하기 위해 하외측각 양측을 비교한다. 하외측각을 찾기 위해 처음에 내측 천골능을 촉지하도록 한다. 천골 열공에 다다를 때까지 천골능 하방으로 내려가도록 한다(결합되지 않은 S4와 S5 극돌기). 이 지점에서 천골의 외측 가장자리를 느낄 때까지 외측으로 촉지해 나아가도록 한다. : 이것이 하외측각이다. 좌측 하외측각이 후방에 있다면 천골이 좌회전되어 있다는 것을 의미한다.

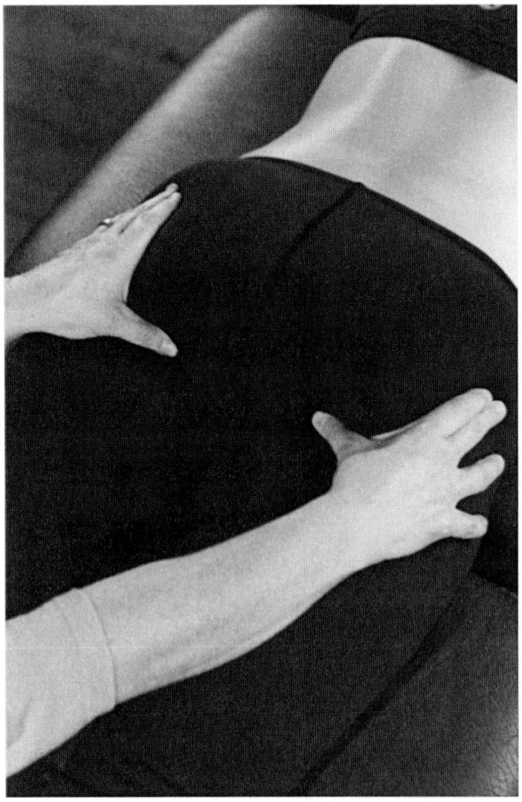

그림 8.24 좌골결절의 위치검사, 좌골결절의 최하단부가 촉지되는지 확인하도록 한다. (Reproducted with permission from © Diane G. Lee Physiotherapist Corp.)

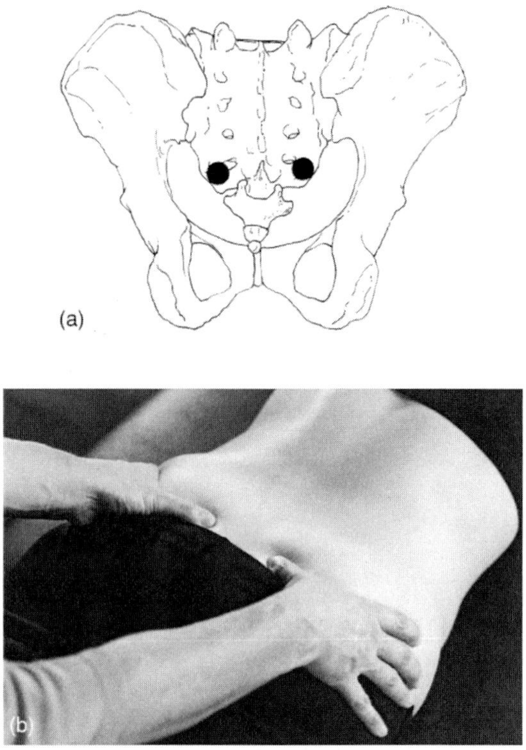

그림 8.25 (a,b) 천골 위치검사를 위한 손위치 및 촉지지점. (Reproducted with permission from © Diane G. Lee Physiotherapist Corp.)

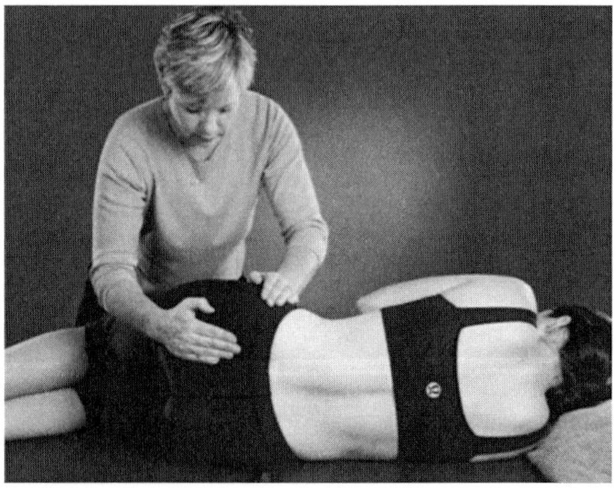

그림 8.26 무명골의 골운동학적 전/후 회전에 대한 수동검사. (Reproducted with permission from © Diane G. Lee Physiotherapist Corp.)

골반대 : 수동 골운동(osteokinematic) 기능검사 (PIVM)

전/후 회전 : 무명골(Anterior/posterior rotation : innominate) 환자가 고관절 및 슬관절을 약간 굴곡시킨채 옆으로 누워있는 동안, 두측 손으로 무명골의 전상장골극을 촉지한다. 가능한 한 이 손의 손가락들을 무명골 주위에 최대한 맞추어 놓는다(그림 8.26). 천골에 대해 무명골을 수동으로 전방 및 후방으로 회전시켜서(천장관절의 움직임 크기는 매우 작다는 것을 기억하여라) 움직임의 양과 질을 주목하도록 한다.

전굴/반전굴 : 천골(nutation/counternutation : sacrum) 환자는 엎드려 눕게 하고, 한 손으로는 천골첨을 그리고 다른 손으로는 천골저의 중앙선을 촉지한다(그림 8.27). 무명골에 대해 천골을 수동으로 전굴 및 반전굴시켜서 움직임의 질과 양을 주목한다.

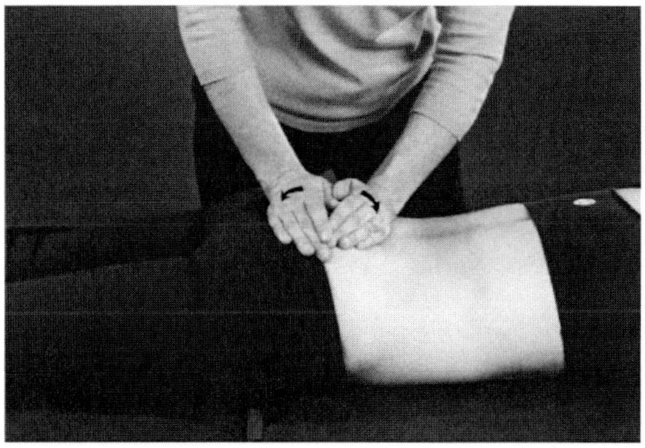

그림 8.27 천골의 골운동학적 전굴 및 반전굴을 위한 수동검사. 화살표는 치료사의 손으로 전굴(치료사 왼쪽 손 위에 화살표) 및 반전굴을 발생시키기 위해 적용한 힘의 방향을 나타낸다. (치료사 우측 손 위에 화살표) (Reproducted with permission from © Diane G. Lee Physiotherapist Corp)

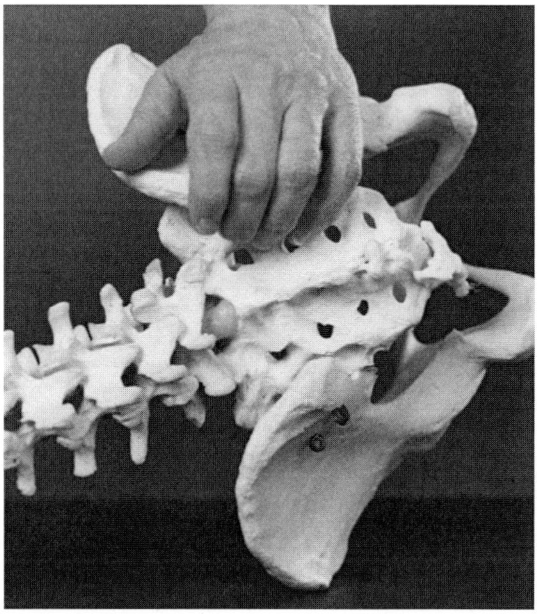

그림 8.28 천장관절의 안정성 및 움직임을 촉지하기 위한 후방 손의 위치. (Reproducted with permission from © Diane G. Lee Physiotherapist Corp.)

골반대 : 수동 관절운동학(arthrokinematic) 기능 검사(PAVM)

하후활주 : 천장관절(Inferoposterior glide : SIJ) 천골에 대한 무명골의 하후활주는 천장관절에서 비체중부하시 무명골이 전방으로 회전할 때 발생한다(그림 6.14 참고). 환자는 측면에서 팔과 받침대로 지지 받으며 편안하게 무릎을 구부린채 누워있는다. 국소계통이 조금만 움직여도(또한 종적 및 경사 슬링의 움직임) 천장관절의 고정 정도가 변하기 때문에 가능한 한 환자가 이완되었는지 확인하는게 중요하다. 이것은 여러 근수축 상황 하에서 도플러(Doppler) 영상을 통해 확인할 수 있다(Van Wingerden 등 2001, Submitted, Richardson 등 2002). 요추골반 부위가 중립자세를 유지하는 것이 목적이다. 치골결합이 전상장골극과 동일 수준에 있는지 확인하고(후방 골반경사가 안되게) 복사근과 척추기립근이 지나치게 활성화 되지 않았는지 확인하기 위해 한쪽 측면에서 반대측으로 가볍게 흉곽을 움직여 본다. 일단 환자가 이완된 것을 확인하면 골반 아래 두부측 손을 미끌어지게 하여 후방 장골능 내측(바로 후상장골극 내측 및 상부)(그림 8.28)을 촉지한다. 천골이 전굴되지 않도록 다열근까지 너무 깊게 압박하지 않도록 한다. 반대측 손꿈치로, 편측 상전장골극을 촉지하고 손꿈치 이외의 부분으로, 장골능을 촉지하도록 한다. 개인별로 알맞은 수준차이가 있기 때문에 관절의 면을 결정하는 것이 우선이다(4장). 약간 내측에서 외측으로 경사 변화를 주면서 전후방향으로 부드럽게 진동력을 가한다. 그 면들 중 하나에서 저항의 양이 최소일 것이다. 일단 관절면을 찾으면, 천장관절에서 천골에 대해 무명골을 전하방으로 활주시키기 위해 무명골에 전방회전력을 가한다(그림 8.29). 두 개의 운동지대에서(중립지대 O–R1, 그리고 탄성지대 R1–R2) 진폭, 동

작저항, 그리고 끝느낌을 분석한다. 반대측 결과와 비교해 본다. : 대칭이면 정상이고, 반면에 팽팽함, 느슨함이 비대칭이면 기능장애를 뜻한다(Buyruk 등 1997, Damen 등 2002b).

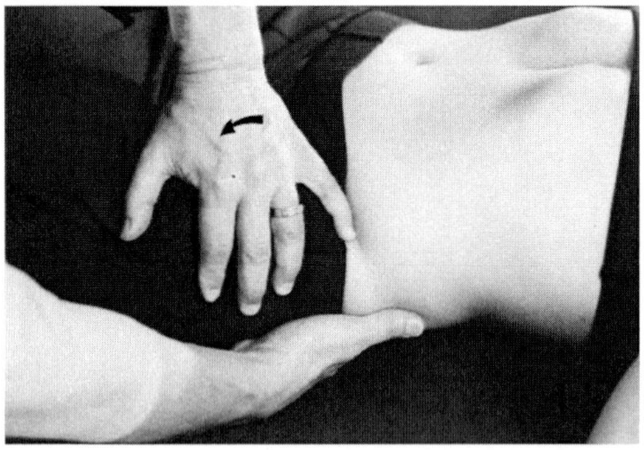

그림 8.29 천골에 대한 무명골의 하후 활주는 무명골이 전방으로 회전될 때 발생한다. 화살표는 치료사 손으로 적용한 힘의 방향을 나타낸다. (Reproducted with permission from © Diane G. Lee Physiotherapist Corp.)

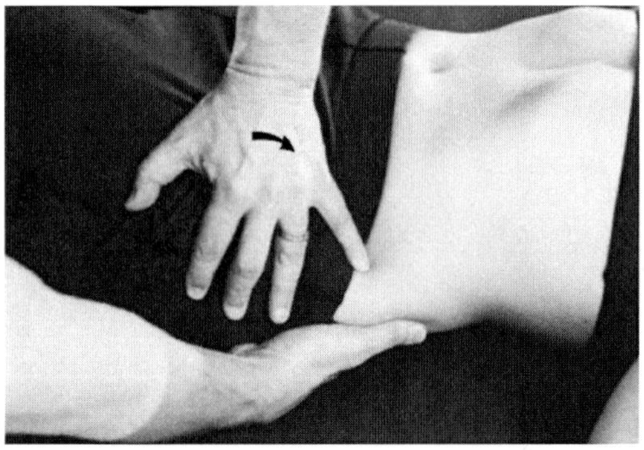

그림 8.30 천골에 대한 무명골의 상전 활주는 무명골이 후방으로 회전될 때 발생한다. 화살표는 치료사 손으로 적용한 힘의 방향을 나타낸다. (Reproducted with permission from © Diane G. Lee Physiotherapist Corp.)

상전활주 : 천장관절(Superoanterior glide : SIJ) 천골에 대한 무명골의 상전활주는 비체중부하시 무명골이 후방으로 회전될 때 발생한다(그림 6.11 참고)(Hungerford 2002). 천장관절에서 하후활주 검사를 위해 묘사한 환자 자세 및 검사자 촉지 지점은 이상적이다. 개인별로 알맞은 수준의 차이가 있기 때문에 관절면을 찾는 것이 우선이다(4장). 약간 내측에서 외측으로 경사를 다양하게 하여 전후방향으로 부드럽게 진동력을 가한다. 그 면들 중에서 한면의 저항이 최소로 나타나는데 바로 이것이 관절면이다. 일단 관절면을 찾으면, 천장관절에서 천골에 대한 무명골의 상전활주를 발생시키기 위해 무명골에 작은 후방회전력을 가한다(그림 8.30). 두 개의 동작지대(중립지대 O–R1, 그리고 탄성지대 R1–R2)에서 진폭, 동작저항, 그리고 끝느낌을 분석하고, 반대측 결과와 비교해 보도록 한다. : 대칭이면 정상이고, 팽팽하거나 느슨하여 비대칭을 보이면 기능장애를 나타내는 것이다(Buyruk 등 1997, Damen 등 2002b).

골반대 : 관절운동기능의 수동검사

이 같은 검사들은 천장관절이나 치골결합 움직임의 중립지대에서의 변화를 알아보기 위해서도 사용된다. 이것은 특히 천장관절과 치골결합의 수평면과 수직면에서의 병진운동에 저항하는 능력을 평가한다(Lee 1992, 1997b, Lee & Walsh 1996). 생리학적으로 수직이나 수평으로의 병진운동은 단독으로 발생하지 않기 때문에 이것은 비생리학적 병진운동 안정성검사이다. 임상적으로 이 검사는 각 운동(전/후 회전)에서 보다 중립지대에서 더 민감하게 나타난다.

수평 병진운동 : 천장관절과 치골결합 환자의 자세와 치료사의 촉진 점은 천장관절에서의 하후방 활주를 검사하기 위한 방법과 일치한다. 첫 번째 단계는 관절면을 결정하는 것으로 이것은 개인에 따라 차이가 크다(4장). 전후방향의 부드러운 진동 힘(oscillatory force)을 적용하고, 약간 내측에서 외측으로 기울기(inclination)에 변화를 준다. 이 면들 중에서 최소의 저항이 느껴지는 곳이 천장관절의 관절면이다. 일단 관절면을 찾게 되면, 무명골에 약간

의 후방 병진력(translation force)을 가한다(그림 8.31a,b). 움직임의 두 지대(중립지대는 0에서 R1, 탄성지대는 R1에서 R2)에서의 진폭, 저항 그리고 끝 느낌을 분석한다. 맞은편과 비교하여 대칭이면 정상, 경직(stiffness), 또는 이완의 비대칭이 있으면 기능장애를 나타낸다(Buyruk et al 1997, Damen et al 2002b).

수직 병진운동 : 천장관절과 치골결합 환자의 자세와 치료사의 후방촉진 점은 천장관절에서의 수평 병진운동을 검사하기 위한 방법과 일치한다. 치료사는 다리 손 쪽으로 대퇴골의 원위단 혹은 슬관절을 촉진한다(그림 8.32a,b). 첫 번째 단계는 관절면을 결정하는 것으로 이것은 개인에 따라 차이가 크다(4장). 대퇴골에 두미(craniocaudal) 방향으로 부드러운 진동을 적용하고, 두측(cranial)에서부터 두측과 약간 외측으로 기울기(inclination)에 변화를 준다. 이 면들 중에서 최소의 저항이 느껴지는 곳이 천장관절의 관절면이다. 일단 관절면을 찾게 되면, 무명골에서 대퇴골까지 위에서 아랫방향으로 작은 병진력(translation force)을 가한다. 움직임의 두 가지 지대(중립지대 – 0–R1, 탄성구역 – R1–R2)에서의 진폭, 저항 그리고 끝 느낌을 분석한다. 맞은편과 비교하여 대칭이면 정상, 경직(stiffness), 또는 이완의 비대칭이 있으면 기능장애이다(Buyruk et al 1997, Damen et al 2002b).

안정성이란 얼마나 많은 움직임이 일어나는가 혹은 그렇지 않은가의 문제가 아니라 경직도(stiffness)의 대칭성의 문제이다. Damen(2001)과 Buyruk(1995b) 등은 불안정한 천장관절은 낮은 경직도를 갖고 있고 이런 증상이 있는 사람은 좌측과 우측의 비대칭이 나타남을 발견하였다. 반면에 Doppler의 연구에서는 천장관절의 경직도가 대칭적일 경우라도 이것이 수직면과 수평면이 동등한 경직도를 나타내는 것은 아니라고 하였다. 임상적으로, 개인마다 대칭적이라

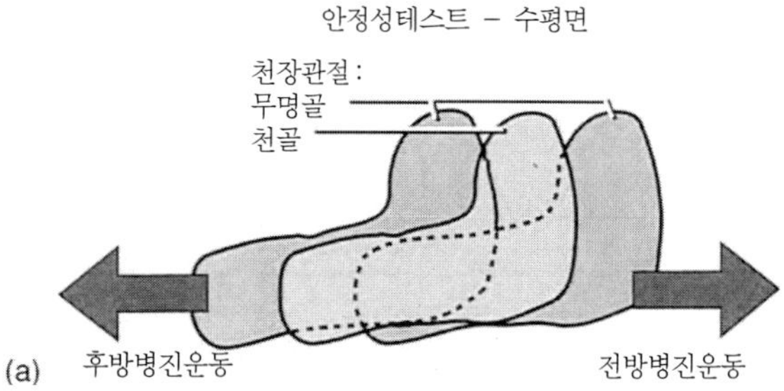

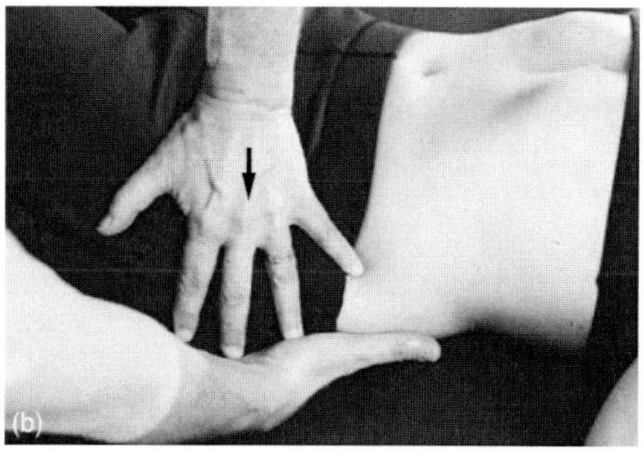

그림 8. 31 (a,b) 이 검사는 수평 후방 병진력에 대한 천장관절의 저항 능력을 검사하는 것이다. 화살표는 치료사의 힘의 방향을 나타낸다. (Reproduced with permission from © Diane G. Lee Physiotherapist Corp.)

할지라도 두 개의 면을 비교하였을 때 경직도의 차이가 다소 나타난다. 예를 들면, 수직 병진운동에서 좌우측의 경직도가 동등하게 나타나고 수평 병진운동에서 좌우측의 경직도가 동등하게 나타난다 하여도, 수직 병진운동에서의 경직도는 수평 병진운동에서의 경직도와 다소 차이가 있다. 이것은 개개인에 따라 다른 힘의 방향을 위해 형태폐쇄(form closure)의 양이 다를 수 있음을 보여준다. 그러므로 이러한 검사를 적용할 때, 치료사는 특정한 방향으로의 병진운동 시 좌우측의 경직도를 비교하여야 하며, 같은 쪽의 수평 병진운동과 수직 병진운동의 경직도를 비교하여서는 안 된다. 이것은 꼭 같지 않더라도 정상적이고 기능적으로 작용한다.

중립 구역은 무명골이 천골에 대해 첫 번째 저항이 나타나는 곳까지 평행하게 활주할 때 저항의 정

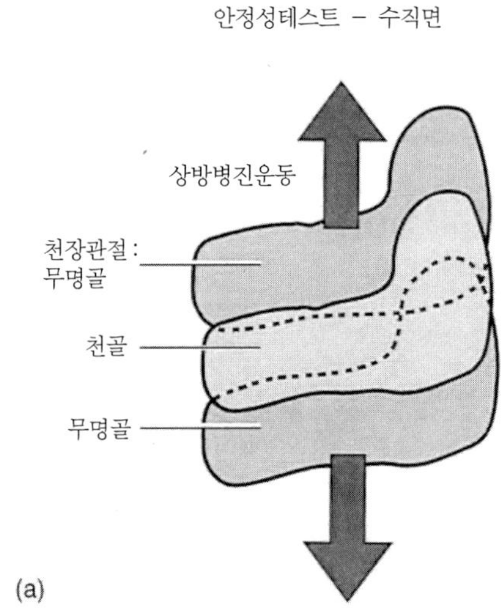

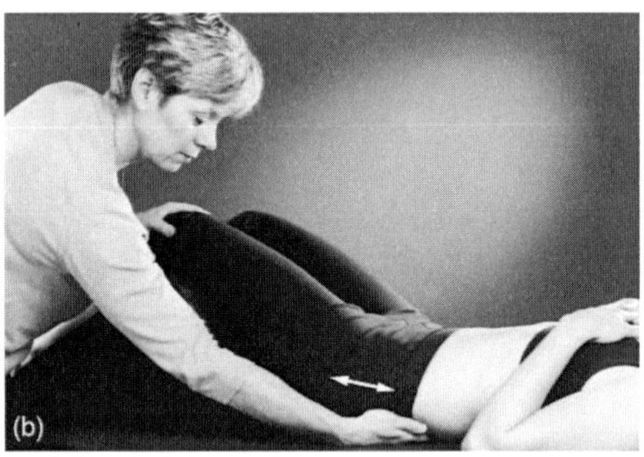

그림 8.32 (a,b) 이 검사는 수직 병진력에 대한 천장관절의 저항 능력을 검사하는 것이다. 화살표는 대퇴를 "밀고 당김"을 통해 무명 골에 가해지는 힘을 나타낸다. (Reproduced with permission from © Diane G. Lee Physiotherapist Corp.)

도를 비교하여 알 수 있다. R1에서부터 R2까지 탄성지대를 분석하고 통증의 재발 혹은 근 경축 뿐만 아니라 저항의 질을 평가한다. 그러므로 조사결과는 환자의 반대 측과 비교, 즉 좌우측의 전후방 활주 그리고 좌우측의 두미(craniocaudal) 활주를 비교함으로써 얻어진다. 이 관절의 운동범위는 매우 다양하고 진폭에 관해 어떤 상태가 "정상"인지 정의되지 않았기 때문에 이 검사로는 운동의 진폭(경직, 이완, 정상)까지 판단할 수는 없다. 어떤 것이 환자의 정상 상태인지 아는 것은 불가능하다. 우리는 단지 골반의 좌우측을 비교하고 대칭성을 판단할 뿐이다.

수직 병진운동 : 치골결합 수직안정성의 평가를 위해 특별히 치골결합을 검사할 수 있다. 한 손의 뒤꿈치로 한쪽 치골의 상가지(superior ramus)의 상면을 촉진한다. 다른 손의 뒤꿈치로는 반대쪽 치골 상가지의 하면을 촉진한다(그림 8.33). 한쪽 치골을 고정하고 느리고 지속적인 수직 병진력을 반대쪽에 가한다. 여타증상의 재현 뿐만 아니라 진폭, 움직임의 저항, 끝 느낌을 위해서 두 가지 지대(중립지대는 0에서 R1, 탄성지대는 R1에서 R2)을 분석한다.

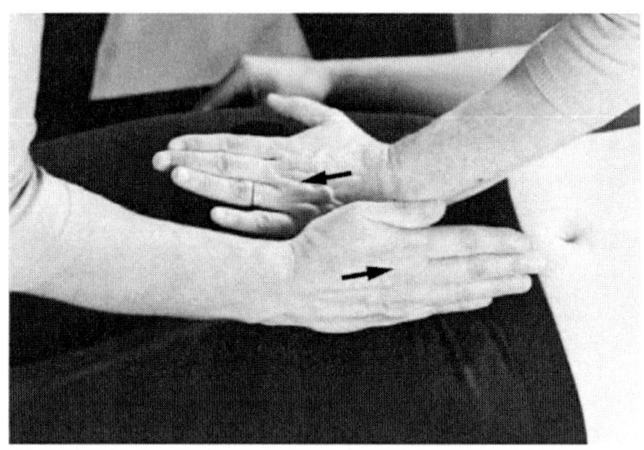

그림 8.33 이 검사는 수직 병진력에 대한 치골결합의 저항능력을 검사하는 것이다. 화살표는 치료사의 힘의 방향을 나타낸다. (Reproduced with permission from © Diane G. Lee Physiotherapist Corp.)

골반대 : 통증유발검사

통증유발검사는 타당성과 특이성(specificity)에서는 의문의 여지가 있지만(Dreyfuss et al 1994, 1996, Wurff et al 2000), 높은 측정자간 신뢰도를 나타낸다(Laslett & Williams 1994, Laslett 1997). 기능 검사와 결합하여, 특정 통증유발검사는 연구의 기준을 설정하는데 유용하다(Vleeming et al 2002). 이 검사들은 또한 환자에게 특정 활동/운동이 그들의 상태에 영향을 주는 이유를 설명할 때 도움이 된다. 때때로, 기능이 회복되기 전에, 특히 운동이 통증, 염증을 악화시킬 때 통증이 있는 조직을 먼저 치료하는 것이 필요하다.

장 배측 인대(long dorsal ligament) 골반통이 있는 환자들에게서 이 인대를 촉진할 경우 압통이 있는 경우가 흔하다(Vleeming et al 2002). 환자는 엎드려 누운 상태로 머리는 중립위치, 팔은 옆으로 나란하게 둔다. 한 손으로 대략 L3 레벨에 위치한 장골 능을 촉진한 후 장골능의 후면을 따라 PSIS까지 이동한다. 이 지점에 수직방향의 밴드인 장 배측 인대가 있다(그림 4.14). 촉진 시 압통이 있는지 주의 한다. 한 손으로 인대의 촉진을 계속하면서 천골에 후방 굴곡힘을 가한다(그림 8.34). 장 배측 인대의 긴장이 증가되는 것이 느껴져야 한다. 만약 통증의 증가와 연관이 있다면 이 구조물에서 통증이 발생되는 것이다.

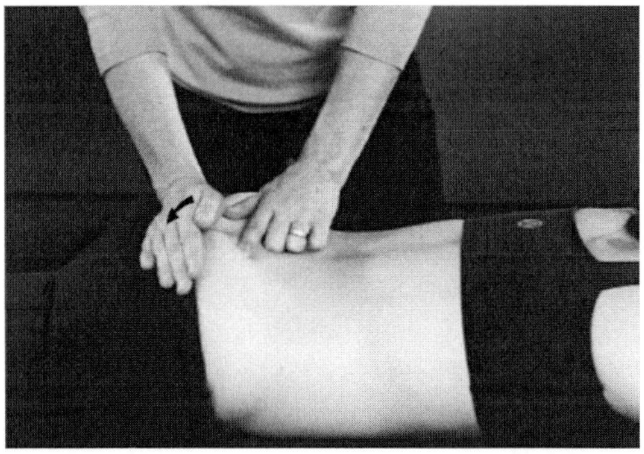

그림 8.34 장 배측 인대(long dorsal ligament)의 통증 유발검사로, 천골의 반전굴(counter nutation). 이 사진에서, 동작을 보여주기 위해 환자의 팔을 머리 위로 하였다. 임상적으로, 후방 경사 슬링(posterior oblique sling)의 긴장을 줄이기 위해 팔은 옆으로 나란히 둔다. 화살표는 치료사의 힘의 방향을 나타낸다. (Reproduced with permission from © Diane G. Lee Physiotherapist Corp.)

천결절인대(Sacrotuberous ligament) 비록 천결절인대가 엉덩이로 떨어질 때 손상되는 경우가 있지만 골반통의 원인일 경우는 드물다. 환자는 엎드린 상태로 머리는 중간위치, 팔은 옆으로 나란하게 둔다. 좌골 결절을 엄지손가락으로 촉진한다. 이 지점에서, 내측과 두측으로 천결절인대의 하궁상밴드(inferior arcute band)(내측밴드)에 닿을 때까지 촉진한다(그림 4.16과 8.35a,b). 이것은 전완을 회내와 회외시킬 때 팽팽한 기타 줄처럼 느껴질 것이다.

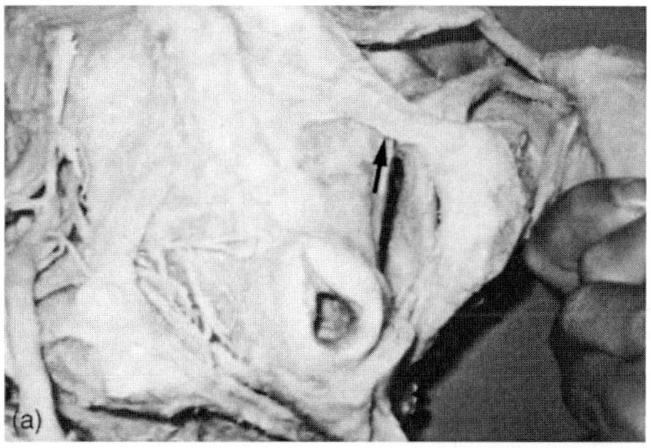

(a)

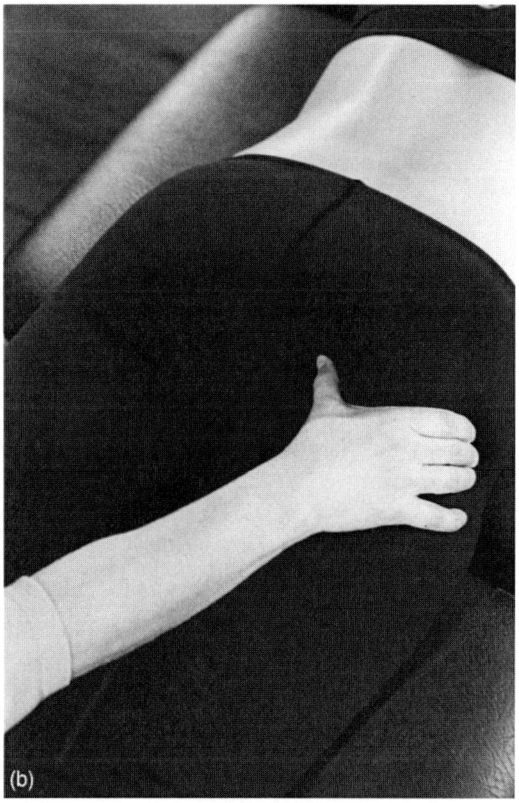

(b)

그림 8.35 (a,b) 천결절인대(sacrotuberous ligament)의 하궁상인대(inferior arcuate band)(내측밴드)의 촉진. (Reproduced with permission from © Diane G. Lee Physiotherapist Corp.)

인대를 지속적으로 촉지하면서 천골에 전굴힘(nutation force)을 가한다(그림 8.36). 검사자는 천결절인대에서 긴장이 증가되는 것을 느껴야 할 것이다. 만일 이것으로 통증이 증가 된다면 이 구조는 하나의 통증발생기(pain generator)와 같은 것이다.

전방 신연(伸延)(Anterior distraction) : 후방 압박(posterior compression) 이 검사는 특정 구조물에 압박을 주기위한 것이 아니고 골반대를 후방으로 압박하여 전방으로 견인되었을 때 통증이 유발되는지에 대해 검사하는 것이다. 만약 천장관절에 염증과 관절 내에 활막염이 있다면, 이 검사는 환자의 통증을 현저히 증가시킬 것이다. 환자를 바로 눕히고, 손을 교차시켜 뒤꿈치로 ASIS의 내측면을 양측으로 촉진한다(그림 8.37). 천장관절과 치골결합의 전면이 신연되고 후방구조물들이 압박되도록 천천히, 지속적으로 ASIS에 후외측 방향의 힘을 가한다. 압박력은 5초 정도 지속하고 통증의 유발여부와 부위를 조사한다.

후방 신연(Posterior distraction) : 전방 압박(anterior compression) 이 검사는 특정 구조물에 압박을 주기위한 것이 아니고 골반 대를 전방 압박하여 후방으로 견인되었을 때 통증이 유발되는지에 대해 검사하는 것이다. 만약 천장관절 내에 활막염이 있다면, 이 검사는 환자의 통증을 현저히 증가시킬 것이다. 환자를 옆으로 눕히고, 고관절과 슬관절을 편안하게 약간 굴곡시키고 장골 능의 전외측면을 촉진한다(그림 8.38). 천장관절과 치골결합의 후방구조물들이 신연되고 전면(anterior aspect)이 압박되도록 천천히, 지속적으로 ASIS에 후외측 방향의 힘을 가한다. 압박력은 5초 정도 지속하고 통증의 유발여부와 부위를 조사한다.

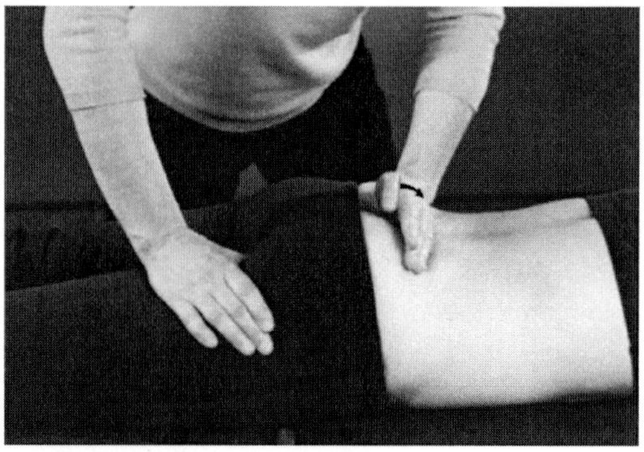

그림 8.36 천결절인대의 통증 유발검사, 천골의 전방 점두. 이 사진에서, 동작을 보여주기 위해 환자의 팔을 머리위로 하였다. 임상적으로, 후방경사슬링의 긴장을 줄이기 위해 팔은 옆으로 나란히 둔다. 화살표는 치료사의 힘의 방향을 나타낸다. (Reproduced with permission from © Diane G. Lee Physiotherapist Corp.)

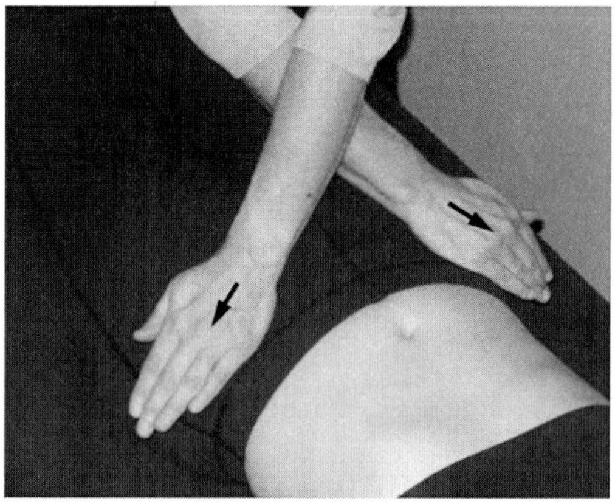

그림 8.37 이 통증 유발검사는 골반대의 전방구조물에 압력을 가해 후방을 압박하는 것이다. 화살표는 치료사의 힘의 방향을 나타낸다. (Reproduced with permission from © Diane G. Lee Physiotherapist Corp.)

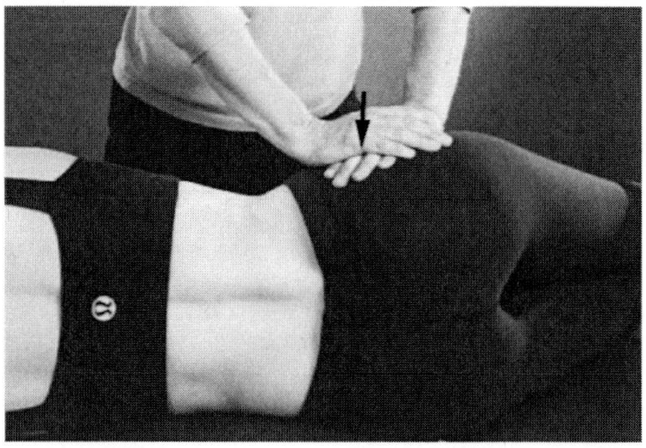

그림 8.38 이 통증 유발검사는 골반대의 후방구조물에 압력을 가해 전방을 압박하는 것이다. 적용하는 힘이 전내측으로 천장관절의 후방을 벌리고 전방을 압박하는지 확인한다. 천장관절화살표는 치료사의 힘의 방향을 나타낸다. (Reproduced with permission from © Diane G. Lee Physiotherapist Corp.)

형태폐쇄 : 고관절

다음의 검사는 고관절의 가동성과 수동 안정성을 검사하는 것이다. 요추와 골반대의 형태폐쇄 분석은 두 지대의 평가가 필요하다. : 중립지대(neutral zone)와 탄성지대(elastic zone)(그림 8.8) ; 그러나 어떤 가동성의 분석이 이루어지기 전에, 무명골 구에 대한 대퇴골 두의 위치는 반드시 측정되어야 한다. 고관절의 몇 개의 큰 근육에 의해 영향을 받으며 불균형은 대퇴골두의 이동의 원인이 되어 관절 가동범위에 제한을 일으킬 수 있다.

고관절 : 자세검사

환자는 선 자세로 하고 대전자 뒤 후외측 고관절의 윤곽과 서혜인대 레벨의 고관절 앞면을 촉진한다(그림 8.39).

만약 후외측 고관절(그림 8.40)에 큰 패인자국(divot)이 있고 고관절 전방구조물의 긴장도가 증가하였다면, 심부 고관절 외회전근이 잡고 있는 것으로 생각할 수 있다. 이 근육들의 과도한 작용은 대퇴골두를 전방으로 이동시키고 고관절과 요부 그리고 골반의 가동성에 상당한 영향을 끼친다(그림 8.41).

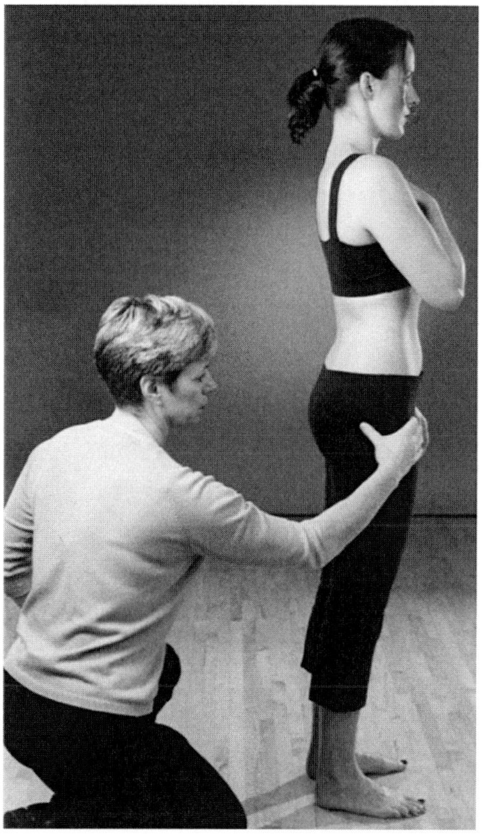

그림 8.39 체중 부하 시에 무명 골에 대한 대퇴골 두의 위치 검사. 대퇴골두가 전방에 위치할 경우 엉덩이 우외측 무명골 구에 "패임(divot)"이 나타나고(그림 8.40) 대퇴골 두는 전방에서 쉽게 촉진된다. (Reproduced with permission from © Diane G. Lee Physiotherapist Corp.)

이것을 "butt grippers"라 한다. 직접 이 간단한 실험을 해본다. 발을 엉덩이 아래로 하여 서고 한 손으로 대전자 후면을 촉진한다. 다른 손으로 서혜인대 수준의 고관절 앞면을 촉진한다. 발을 바닥에 붙인 채 견고하게 유지하고 능동적으로 양측의 무명골 구에서 대퇴골두를 외회전 한다. 대퇴골두의 전방 이동과 후방에서 "패인 듯한(divot)" 느낌을 느끼게 될 것이다. 마찬가지로 "butt gripper"가 된 것이다. 이 수축상태를 유지하고 전방 굴곡을 시도한다. 이런 상태일 때 골반대와 하요부에 매우 큰 통증이 나타남을 알 수 있다.

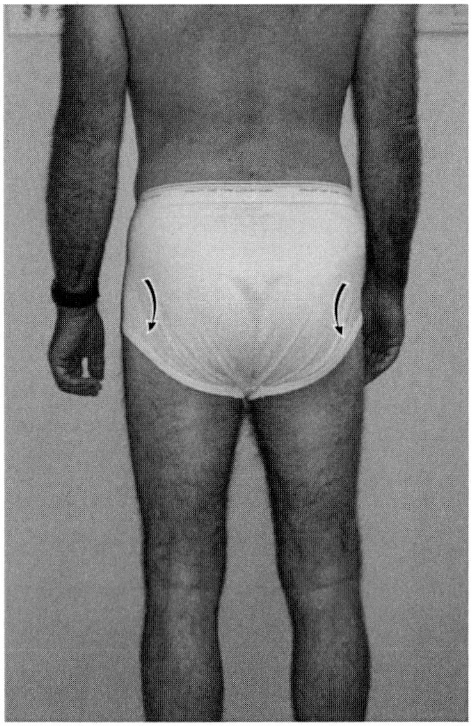

그림 8.40 고관절 외회전근의 과도한 작용은 "butt gripping"을 유발한다. 엉덩이 후외측면의 큰 "패임(divot)"을 확인한다(화살표). (Reproduced with permission from © Diane G. Lee Physiotherapist Corp.)

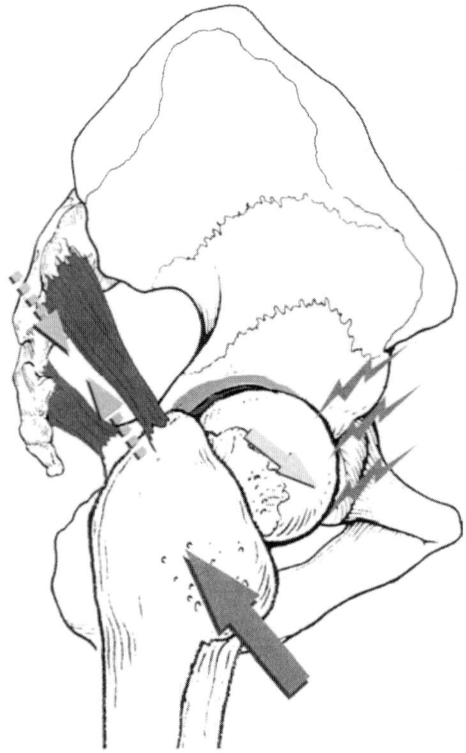

그림 8.41 고관절 심부외회전근의 과도한 작용은 대전자를 후방으로 당기고(큰 화살표) 대퇴골 두를 전방으로 이동시킨다. (Reproduced with permission from Lee 2001a)

환자를 바로 눕힌 상태에서, 다리의 안정위치(resting position)를 확인한다. 고관절 외회전근의 과도한 작용은 휴식상태에서 다리를 외회전시키는 원인이 된다. 이 자세에서 대퇴골두의 앞면을 촉진한다. 만약 대퇴골두가 전방으로 이동하였다면, 그 돌출부가 표면에서 느껴지고 검사자의 손과 대퇴골두 사이의 구조물에서 긴장도가 증가될 수 있다. 고관절 외회전근의 과도한 작용은 흔히 양측으로 나타나므로, 반대 측과의 비교는 하지 않는 경우가 많다.

개인에 따라 내반고, 외반고, 그리고 대퇴골경의 경사도에 차이가 크기 때문에, ASIS에 대한 대전자의 위치를 측정하는 방법은 대퇴골두의 이동을 평가하는데 신뢰성 있는 지표는 아니다. 임상적으로, 이 위치검사의 의의를 파악하기 위해서는 가동성 조사 결과와 위치 조사결과를 함께 고려해봐야 한다.

고관절 : 골 운동학적 기능의 수동검사(PIVM)

굴곡 환자를 바로 눕히고, 검사할 다리의 슬관절을 굴곡하고 다리 쪽 손으로(caudal hand) 촉진한다. 다른 손으로 대퇴골 두의 앞면을 촉진한다(그림 8.42).

고관절은 동측 무명골의 후방회전이 시작될 때까지 수동으로 굴곡한다. 그 지점이 대퇴 굴곡의 한계 범위이다. 양측의 움직임의 양과 끝 느낌을 조사하고, 검사를 반복하여 다른 쪽과 비교해 본다.

신전 환자를 테이블 끝에 바로 눕히고, 한쪽 고관절은 굴곡하여 치료사의 흉곽에 기대어 환자에게 다리를 잡고 있도록 한다. 골반 내 염전이 발생하지 않도록 주의한다. 머리 쪽 손으로 검사 측 장골 능

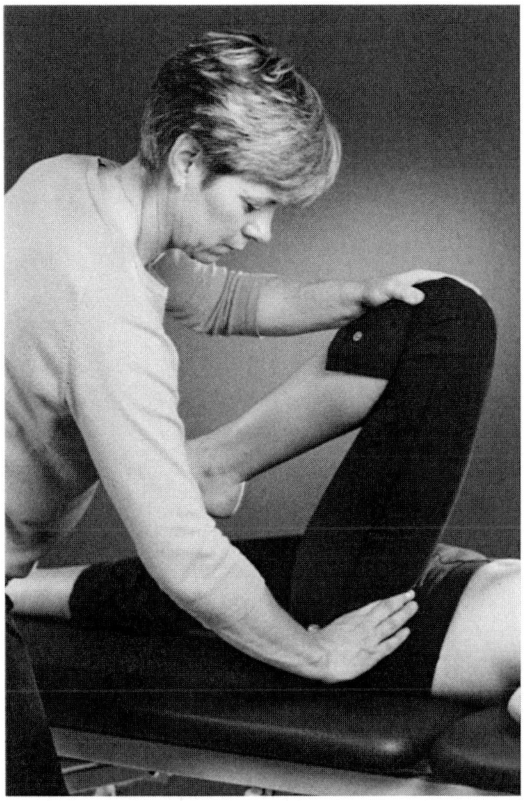

그림 8.42 고관절의 골 운동학적 굴곡의 수동검사. (Reproduced with permission from © Diane G. Lee Physiotherapist Corp.)

의 앞면과 ASIS를 촉진한다. 다리 쪽 손으로, 동측 무명골의 전방회전이 일어날 때까지 대퇴골의 신전을 유도한다(그림 8.43). 그 지점이 대퇴 신전의 한계 범위이다. 양측의 움직임의 양과 끝 느낌을 조사하고, 검사를 반복하여 다른 쪽과 비교해 본다.

외전/내전 환자를 테이블 끝에 바로 눕히고, 한 쪽 고관절은 굴곡하여 치료사의 흉곽에 기대어 환자에게 다리를 잡고 있도록 한다. 머리 쪽 손으로 검사 측 장골능의 앞면과 ASIS를 촉진한다. 다리 쪽 손으로, 골반대의 측방굴곡이 일어날 때까지 대퇴골의 외전/내전을 유도한다(그림 8.44). 그 지점이 대퇴 신전의 한계 범위이다. 양측의 움직임의 양과 끝 느낌을 조사하고, 검사를 반복하여 다른 쪽과 비교해 본다.

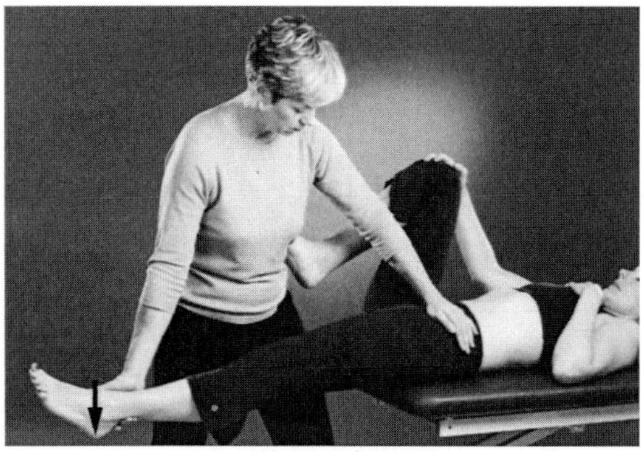

그림 8.43 고관절의 골 운동학적 신전의 수동검사. (Reproduced with permission from © Diane G. Lee Physiotherapist Corp.)

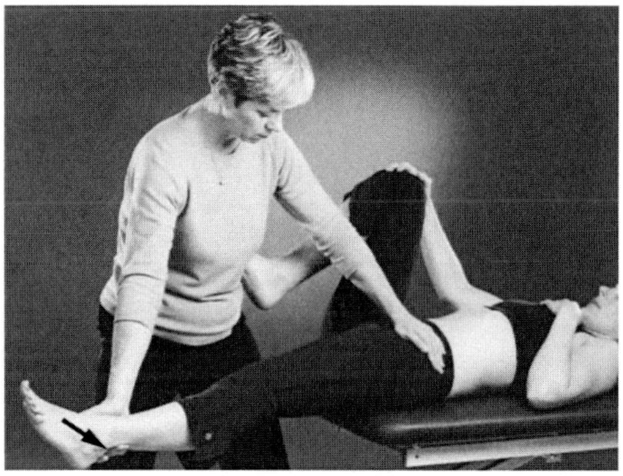

그림 8.44 고관절의 골 운동학적 외전의 수동검사. 요추아래 골반대의 측방 경사는 고관절에서 관절 가동범위의 끝에 도달했음을 나타낸다. (Reproduced with permission from © Diane G. Lee Physiotherapist Corp.)

외회전/내회전 환자를 바로 눕히고, 다리 쪽 손으로 검사 측 하지의 발목 위를 촉진한다. 이 검사는 관절 제한과 근막 제한의 구분을 위해 고관절 굴곡/신전의 다양한 각도에서 수행할 수 있다. 머리 쪽 손으로 검사 측 장골 능의 앞면과 ASIS를 촉진한다. 무명골의 회전이 일어날 때까지 대퇴골을 수동적으로 외회전/내회전 회전시킨다(그림 8.45). 그 지점이 대퇴 회전의 한계 범위이다. 양측의 움직임의 양과 끝 느낌을 조사하고, 검사를 반복하여 다른 쪽과 비교해 본다.

결합(combined)운동 검사 (굴곡시) 환자를 바로 눕히고, 검사할 다리의 슬관절을 굴곡하고 다리 쪽 손으로(caudal hand) 촉진한다. 머리 쪽 손으로 검사 측 장골 능의 앞면과 ASIS를 촉진한다. 대퇴를 수동적으로 굴곡, 내전, 그리고 내회전시킨다(그림 8.46). 만약 외회전근의 과도한 작용으로 대퇴골두가 전방으로 이동한다면, 충돌(impingement)이 발생하고, 환자는 서혜부 전방에서 통증을 호소할 것이다.

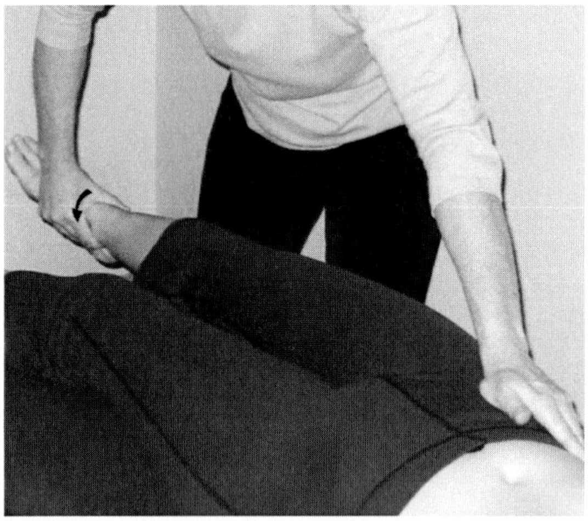

그림 8.45 고관절의 골 운동학적 내회전의 수동검사. 화살표는 치료사의 힘의 방향을 나타낸다. (Reproduced with permission from © Diane G. Lee Physiotherapist Corp.)

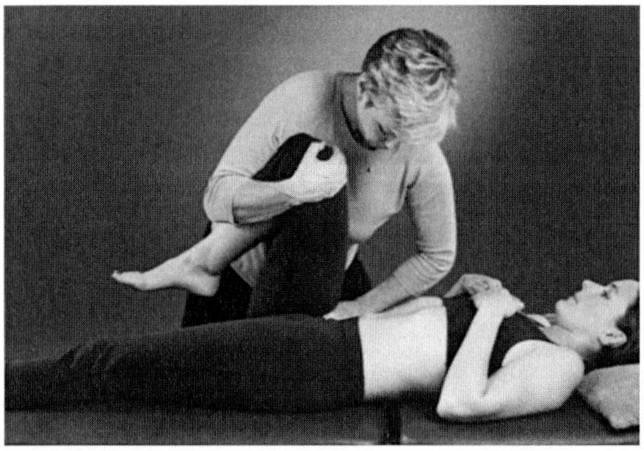

그림 8.46 고관절의 전방 충돌 검사를 위한 결합 동작(Reproduced with permission from © Diane G. Lee Physiotherapist Corp.)

결합(combined)운동 검사(신전시) 환자를 바로 눕히고, 검사할 다리의 슬관절을 신전시켜 다리 쪽 손으로 촉진한다. 대전자의 후면을 머리 쪽 손으로 촉진한다. 대퇴를 수동적으로 신전, 내회전, 그리고 내전 혹은 외전시킨다. 만약 대퇴골두가 전방으로 이동하고 관절에 경직(stiffness)이 있다면 신전에 제한이 올 것이다. 만약 대퇴골두가 전방으로 이동하고 관절낭/관절순의 전방이 느슨하다면, 과도한 신전이 나타나게 될 것이다.

고관절 : 관절 운동학적(kinetic) 그리고 관절 동역학적(kinematic) 기능의 수동검사(PAVM)

고관절에서의 직선 병진운동은 높은 형태폐쇄(form closure)로 인해 비교적 제한된다. 결과적으로, 직선 병진운동의 움직임 분석은(관절 운동학 : PAVMs) 골 운동학적 동작분석(PIVMs)에 비해 실용적이지 못하다. 안정성과 관련하여, 대부분의 정보들은 탄성지대 분석에서 얻어진다(끝 느낌의 질).

측방 견인/압박(Lateral distraction/compression) 환자를 바로 눕히고 고관절을 30° 정도 굴곡(고관절의 resting position)한 후, 근위 대퇴부를 촉진한다. 고관절에 대퇴골경과 평행하게 하외측 방향의 힘을 가해 외측으로 이동시킨다(그림 8.47). 대퇴골두의 상면과 하면은 무명골 구에 대해 외측으로 이동하고 무명골와에서 견인된다. 대퇴골을 상내측 방향으로 무명골와(acetabular fossa)의 내측면에 접하도록 압박을 가한다. 움직임에 대한 저항 진폭 끝 느낌을 위해서 움직임의 두 지대(중립지대는 0에서 R1, 탄성지대는 R1에서 R2)을 분석한다.

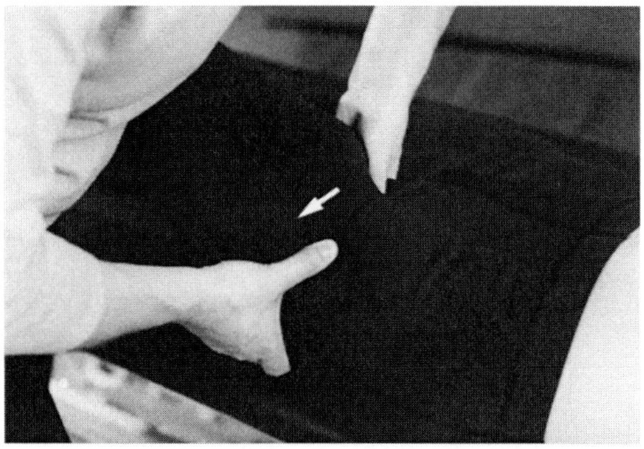

그림 8.47 고관절의 관절운동학적 검사 : 하외측 방향의 힘은 대퇴골 두의 상면과 하면을 외측으로 이동시키고 관절 와로부터 견인시킨다. 화살표는 치료사의 힘의 방향을 나타낸다. (Reproduced with permission from © Diane G. Lee Physiotherapist Corp.)

상하 활주(Superoinferior glide) 환자를 바로 눕히고 고관절을 30° 정도 굴곡한 후, 근위 대퇴부를 촉진한다. 대퇴의 종축을 따라 아랫방향으로 힘을 적용해 관절의 상면을 견인시킨다(하면은 압박된다)(그림 8.48). 대퇴를 위 방향으로 무명골와(acetabular fossa)에 접하도록 하여 관절의 상면을 압박시킨다(하면은 견인된다). 움직임에 대한 저항 진폭 끝느낌을 위해서 움직임의 두 영역(중립지대는 0에서 R1, 탄성지대는 R1에서 R2)을 분석한다.

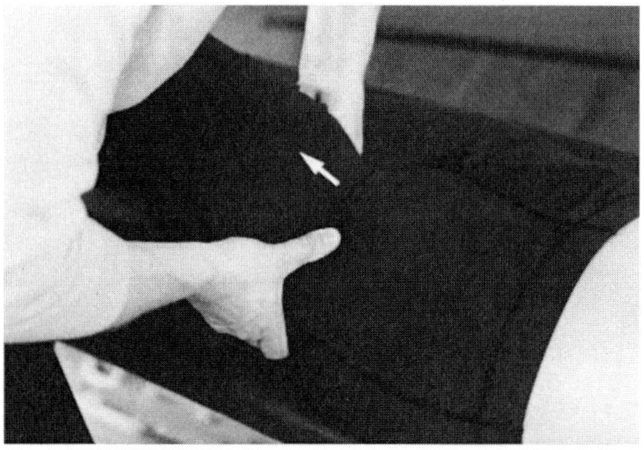

그림 8.48 고관절의 관절운동학적 검사 : 하방으로의 힘은 대퇴골 두의 상면을 견인시킨다. 화살표는 치료사의 힘의 방향을 나타낸다. (Reproduced with permission from © Diane G. Lee Physiotherapist Corp.)

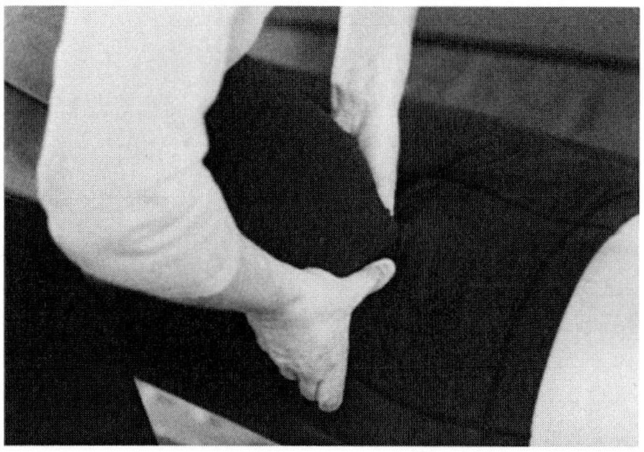

그림 8.49 고관절의 관절운동학적 검사 : 후외측 방향의 힘은 대퇴골 두의 전면을 견인시킨다. (Reproduced with permission from © Diane G. Lee Physiotherapist Corp.)

전후 활주(Anteroposterior glide) 환자를 바로 눕히고 고관절을 30° 정도 굴곡한 후, 근위 대퇴부를 촉진한다. 전후활주는 후외측 방향의 힘을 대퇴골경의 선과 수직으로 적용할 때 일어난다(그림 8.49). 움직임에 대한 저항 진폭 끝느낌을 위해서 움직임의 두 영역(중립지대는 0에서 R1, 탄성지대는 R1에서 R2)을 분석한다.

고관절 : 통증 유발과 총체적 안정성(Pain provocation and global stability)

토크(염력) 검사 이것은 고관절 인대의 수동 안정성과 통증 유발검사의 포괄적인 검사로서, 동시에 모든 관절낭 인대(capsular ligament)에 압박을 가하기 위한 것이다. 만약 이 검사에서 통증이 없다면, 개개의 인대들을 구분하는 차후의 검사들은 필요치 않다. 환자를 테이블 가장자리 가까이에 바로 눕히고, 무명골의 전방회전이 일어날 때까지 동측 대퇴를 신전시킨다. 그러면 대퇴골은 생리학적 관절 운동범위의 한계까지 내회전 될 것이다. 대퇴 근위부를 촉진하고, 관절낭 인대에 더 큰 압박이 가해지도록 대퇴골경의 선을 따라 천천히, 지속적으로 후외측 방향으로 힘을 가한다(그림 8.50).

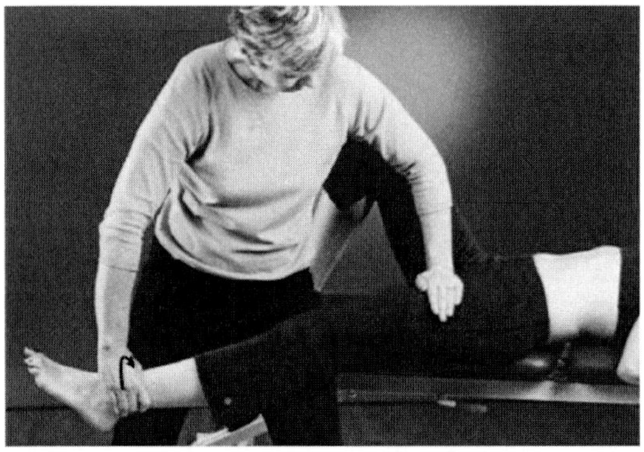

그림 8.50 고관절의 모든 인대에 대한 통증유발검사 : 토크 검사. 근위 대퇴부에 후외측 방향의 힘을 가할 때 대퇴를 신전과 내회전 상태로 유지한다(화살표). (Reproduced with permission from © Diane G. Lee Physiotherapist Corp.)

중립지대의 진폭(0이어야 한다), 탄성지대의 저항(아주 견고해야 한다), 탄성지대의 끝느낌의 질, 그리고 통증 혹은 경련이 발생하는지 조사한다.

장대퇴인대의 하방밴드(Inferior band of the iliofemoral ligament) 이 인대는 대퇴가 최대 신전 되었을 때 팽팽해진다. 만약 수동적인 고관절 신전에서 강한 통증이 나타난다면, 이 인대가 원인일 것이다.

장대퇴인대의 장전밴드(Iliotrochanteric band of the iliofemoral ligament) 환자를 테이블 가장자리 가까이에 바로 눕히고, 동측 고관절을 약간 신전, 내전, 그리고 최대한 외회전 시킨다. 대퇴 원위부를 치료사의 대퇴로 고정하고 대퇴 근위부를 촉진한다. 천천히, 지속적인 견인력을 대퇴골경의 선을 따라 적용하고 국소적인 통증이 발생하는지 조사한다.

치골대퇴인대(Pubofemoral ligament) 환자를 바로 눕히고, 동측 고관절을 약간 신전, 외전, 그리고 최대한 외회전 시킨다. 대퇴 원위부를 치료사의 대퇴로 고정하고 대퇴 근위부를 촉진한다. 천천히, 지속적인 견인력을 대퇴골경의 선을 따라 적용하고 국소적인 통증이 발생하는지 조사한다.

좌골대퇴인대(Ischofemoral ligament) 이 인대는 주로 굴곡된 고관절의 내전과 내회전을 제한한다(Hewitt et al 2002). 환자를 바로 눕히고, 동측 고관절을 굴곡, 내전, 그리고 최대한 내회전 한다. 천천히, 지속적인 견인력을 대퇴골경의 선을 따라 적용하고 국소적인 통증이 발생하는지 조사한다. 이 자세는 전방 충돌(anterior impingement)을 일으킬 수 있으므로 통증의 부위를 조사하여 감별하도록 한다.

힘폐쇄와 운동조절

다음의 검사들은 요천부에 동적인 안정성을 제공하는 근막계(myofascial systems)의 상태를 시험하는 것이다. 힘폐쇄와 운동조절 분석(motor control analysis)은 환자가 국소 시스템과 총체적 시스템(global system)을 적절하게 동원하는 가를 평가한다(적절한 시간에 적절한 양 : 5장과 6장 참고). 게다가, 검사에는 요추와 골반 대에서 형태폐쇄(form closure)에 대한 힘폐쇄(force closure) 메커니즘의 영향을 평가하는 것이 필요하다.

요주와 골반대의 힘폐쇄에 대한 국소 시스템의 효과적인 수축의 영향은 전, 후 근막 연결 상태에 좌우된다. 전방에서, 복부근막의 완전한 상태가 필요하고 후방에서, 다열근은 수축시 흉배 근막에 긴장을 일으킬 수 있을 만큼 충분한 부피여야 한다.

전방 복부 근막-백선의 이개(diastasis) 검사

백선의 이개는 주로 임신으로 나타나지만, 꼭 그 이유 때문만은 아니다. 비록 치골에서 검상돌기까지의 중앙선을 따라 근막의 분리가 가능하지만, 근막해부(4장 참고)에는 배꼽 바로 아래의 복부가 상처받기 쉽다고 하였다(그림 8.51). 환자를 무릎을 굽혀 눕히고(crook lying), 중앙선의 백선을 촉진한다. 환자에게 천천히 윗몸 올리기로 일어나게 하고

(curl up)(복근을 사용하도록 한다.) 근막의 중앙선의 분리를 촉진한다. 분리의 정도는 손가락의 넓이로 측정한다. Sapsford(1998)에 의하면, 배꼽 부근에서 백선의 분리는 1-2cm 정도가 정상이라고 한다.

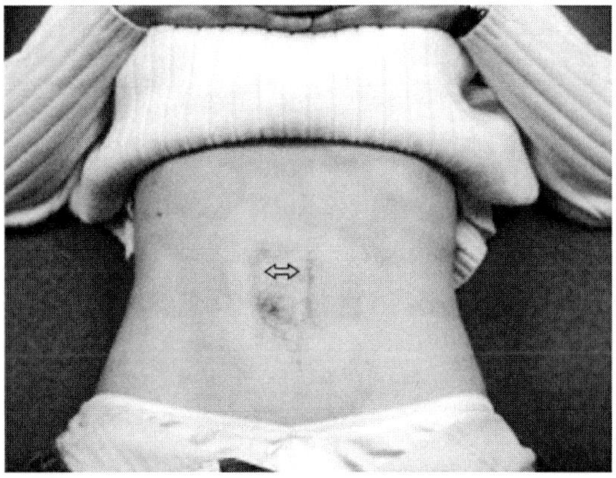

그림 8.51 세 손가락 넓이의 백선의 산후 이개(diastasis) (Reproduced with permission from © Diane G. Lee Physiotherapist Corp.)

다열근의 심부섬유

다열근(multifidus)의 심부섬유는 환자를 머리를 중립으로 하여, 엎드리게 한 후 촉진한다. 요추의 극돌기와 횡돌기 사이의 도랑(gutter)을 촉진한다(그림 8.52). 골반에서 다열근의 심부섬유들은 정중천골능(median sacral crest)바로 외측에서 촉진된다. 다열근의 천부섬유와 외측섬유는 총체적 시스템(global system)에 속하고(Moseley et al 2002) 골반에서 장골능 후면의 심부섬유의 외측에 부착된다(그림 4.27과 4.33).

조직을 강하게 그러나 부드럽게 누르고 조직의 질감(단단함)과 근육의 크기를 조사한다. 양측과 위, 아래 레벨의 단단함과 크기를 비교한다. 기능부전 시에, 다열근의 심부섬유의 위축과 천부섬유 혹은 외측섬유의 과긴장은 흔히 발생한다.

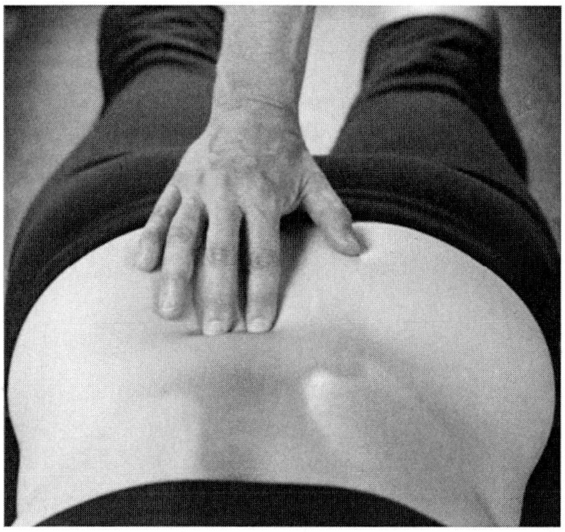

그림 8.52 다열근 심부섬유의 촉진. 이 그림에서 치료사의 검지는 극돌기를 촉진하고 있고 중지는 극돌기와 횡돌기 사이의 홈 우측에 나타난 "구멍(hole)"에 묻혀 있다. 이 구멍은 다열근 심부섬유의 위축으로 인한 것이다. (Reproduced with permission from © Diane G. Lee Physiotherapist Corp.)

능동 하지 직거상 검사(Active straight leg raise test)

능동 하지 직거상(ASLR) 검사는 임상적으로 효과적인 체간과 하지사이의 부하 이동 측정 방법으로 인정 받아왔다(Mens et al 1997, 1999, 2001, 2002). 요천부의 기능이 최적의 상태일 때, 다리는 테이블에서 쉽게 올라가고(드는 힘은 0-5등급으로 나눌 수 있다.)(Mens et al 1999). 흉곽 그리고/또는 하지와 관련하여 골반은 움직이지 않는다(굴곡, 신전, 측방굴곡, 혹은 회전)(그림 8.53).

이것은 흉곽, 하요부, 그리고 골반을 안정화 시키는 근육들의 적절한 활동을 요구한다(local과 global system 모두에서). 요추골반(lumbopelvic) 부위의 안정성이 부족할 때 몇 가지 대상작용이 관찰되었다(Lee 1999, 2001a, Richardson et al 1999). ASLR 검사는 이 대상작용을 확인하는데 사용될 수 있다. 골반에 압박을 가하면 골반의 통증과 불안정성이 있는 환자들이 다리를 들어올릴 때 수고를 덜어준다

그림 8.53 적절한 능동 하지 직거상. 고관절에서만 움직임이 나타난다. 흉곽, 요추, 그리고 골반대는 local과 global system의 동시수축으로 안정을 유지하고 있다. ; 이것이 최적의 긴장압력(tensegrity)이다.

(Mens et al 1999). ASLR중에 이 압박의 위치를 다양하게 적용함으로써(아래를 보라), 운동조절과 안정성을 개선시키는 운동을 지시할 때 도움이 되는 더 많은 정보를 얻을 수 있다(10장 : 힘폐쇄/운동조절의 회복). 바로 누운 환자에게 다리를 신전한 상태로 들어올리도록 하여 좌측과 우측 다리를 비교한다(한 다리가 더 무거운 느낌이거나 또는 더 힘이 드는가?). 이 동작을 수행하는 동안 흉곽, 하요부, 그리고 골반의 안정성을 유지하는 데 대상작용이 일어나는지를 관찰한다.

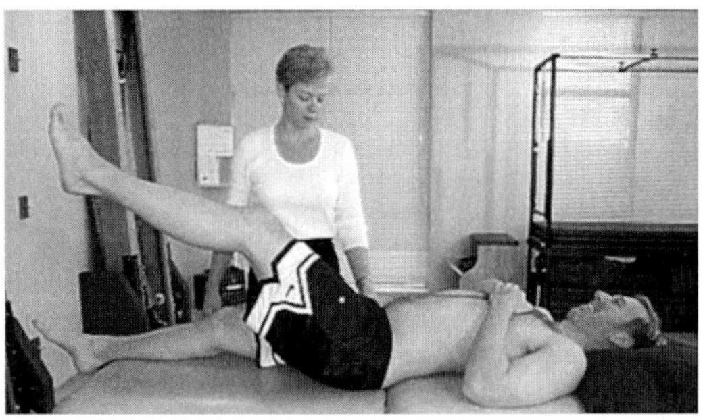

그림 8.54 요추골반 안정성을 상실한 환자의 능동하지 직거상 - 좌측 다리를 들어올리기 위한 극도의 노력과 복부의 부풀어 오름, 골반의 전방경사, 그리고 흉곽 신전이 나타난다.

다리는 반드시 고관절에서 굴곡하고 골반은 요추에 대해 회전하거나 외측, 전방, 또는 후방으로 경사지지 않도록 한다(그림 8.54와 8.56).

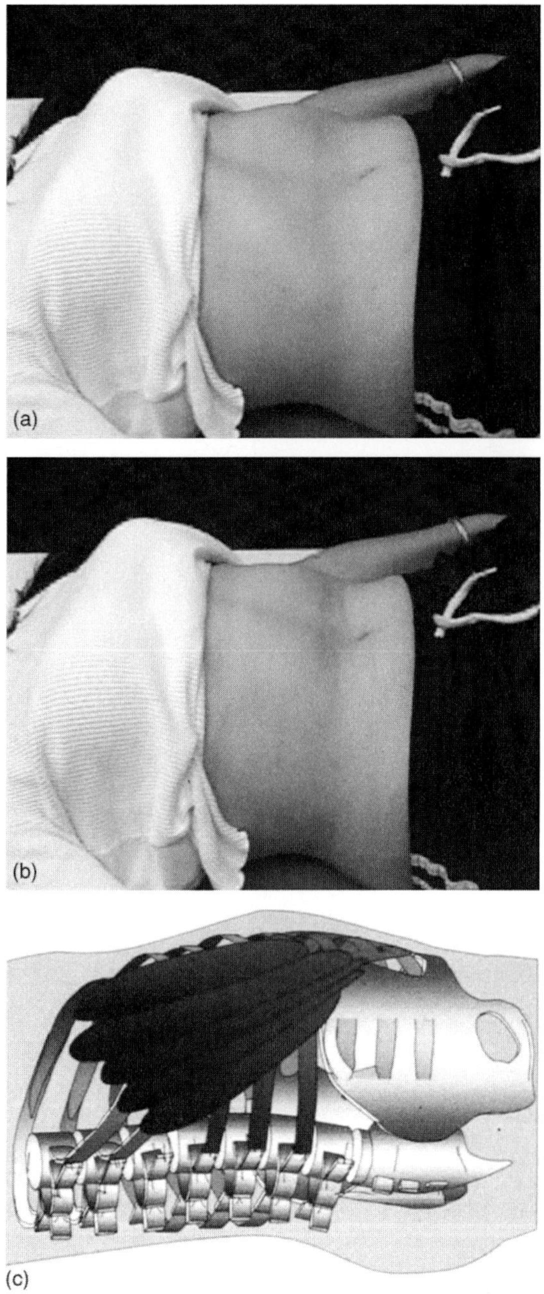

그림 8.55 능동 하지 직거상시에 외복사근의 과도한 작용은 흉곽의 흉골 하각(infrasternal anlge)을 감소시킨다. (a) 휴식시의 복부 ; (b)ASLR시의 복부 : 흉골 하각의 감소와 흉곽이 골반에 비해 굴곡되었을 때 나타나는 복횡근의 주름을 살펴본다. (Reproduced with permission from © Diane G. Lee Physiotherapist Corp.) (c) 부하가 가해질 때 외복사근의 과도한 작용의 결과를 보여주는 도식도. 상복부의 하강, 하복부의 부풀어 오름, 흉요추의 굴곡, 그리고 골반의 후방경사를 확인한다. (Courtesy of Paul Hodges)

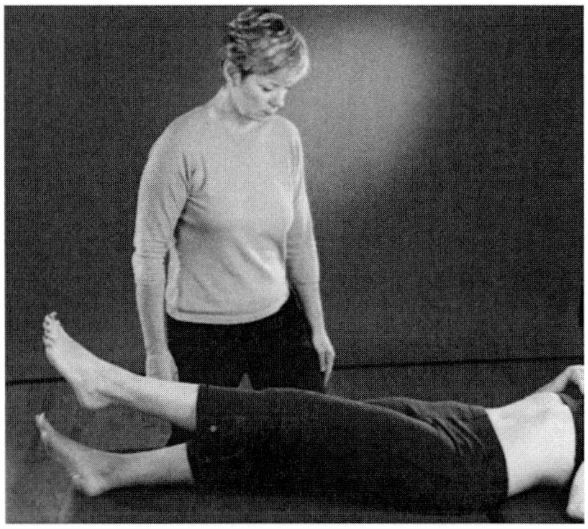

그림 8.56 능동 하지 직거상시 척추기립근의 과도한 작용은 요추와 골반에 대해 흉추를 신전시킨다. 이 환자는 골반대의 회전 조절 능력 또한 결여되어 있다(골반은 좌측회전 되어있다). 복합적인 유형도 흔히 나타난다. (Reproduced with permission from © Diane G. Lee Physiotherapist Corp.)

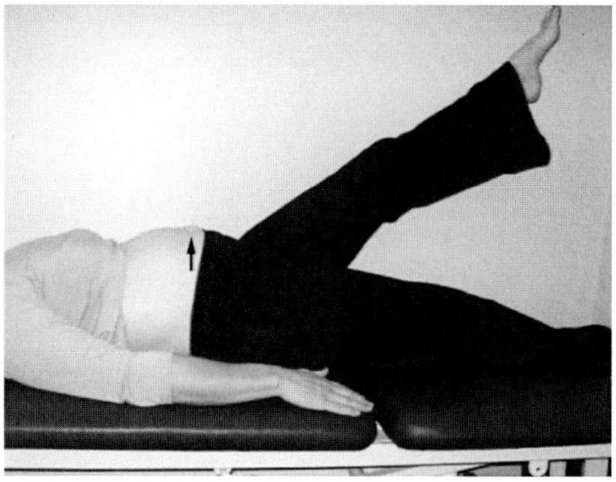

그림 8.57 능동 하지직거상시 지나치게 부푼 배(화살표)와 호흡 참기 : Valsalva maneuver. (Reproduced with permission from © Diane G. Lee Physiotherapist Corp.)

흉곽(rib cage)을 과도하게 끌어당기지 않도록 하고(외복사근의 과도한 작용)(그림 8.55a-c), 하부 늑골이 과도하게 돌출(flare out)되지 않도록 한다(내복사근의 과도한 작용). 외, 내복사근의 과도한 작용은 흡기 시 외측 늑골의 확장을 제한하는 굳고 단단한 흉곽의 원인이 될 수 있다. 흉추는 신전해서는 안 되며(척추 기립 근의 과도한 작용)(그림 8.56), 배를 불룩하게 해서도 안 된다(호흡 중지 : Valsalva)(그림 8.57). 게다가, 흉곽은 골반 대에 비해 외측으로 이동해서는 안 된다. 이 때 골반의 통증이 유발되는지도 조사한다.

국소 시스템의 흉내내기(simulation) 골반을 수동적으로 압박하고 ASLR을 반복한다. ; 노력의 정도 그리고/또는 통증의 변화를 살핀다. 국소 시스템의 최적의 기능에 의해 생산되는 힘을 시험하기 위해 압박의 지점은 다양하게 할 수 있다. 아직은 가설이지만, 임상적으로 ASIS 레벨에서 골반 전면을 압박하면(그림 8.58) 횡복근의 하부섬유의 수축으로 인한 힘이 생성되고 PSIS 레벨에서 골반 후면을 압박하면(그림 8.59) 천골의 다열근(multifidus)의 수축을 시험할 수 있다. 치골결합 레벨에서 골반의 전방을 압박하면(그림 8.60) 전방 골반저근의 활동을 시험하고, 반면에 좌골결절 레벨에서의 골반 후방 압박은 후방 골반 벽(pelvic wall)과 골반저근의 활동을 시험한다. 압박은 한 방향에서 전방으로, 동시에 다른 방향에서 후방으로도 적용할 수 있다(그림 8.61). 환자가 "정말 편안해요"라고 느끼는 - 더 많은(또는 적은) 압박으로 다리를 들어 올리는 수고를 덜어줄 수 있는 압박 위치를 찾는다.

총체적 시스템의 흉내내기 흉곽과 골반에 사선으로 압박을 가해 총체적 시스템의 경사슬링(oblique slings)의 작용을 시험한다. 우측 전외측 방향의 흉곽에 골반 좌측면을 향해 압박을 가해(그림 8.62) 우측 외복사근과 좌측 내복사근을 포함한 체간의 좌회전근의 작용을 시험해 본다. 교대로 특정 슬링을 늘려주는 것이 필요할 것이다. 좌측 전외측 흉곽의 감압으로 골반의 우측면으로부터 멀리 하여(그림 8.63) 체간의 우측 회전근의 이완을 검사한다. 다시 한번 실시하여, 더 많은(또는 적은) 압박으로 다리를 들어 올리는 수고를 덜어줄 수 있는 압박 위치를 찾는다.

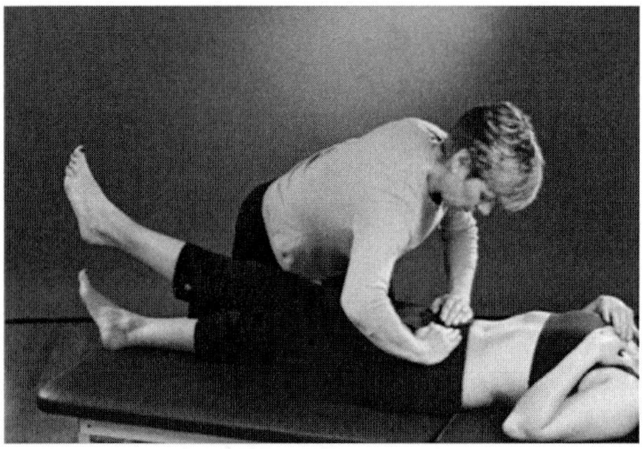

그림 8.58 ASIS 레벨에서 골반전방의 압박은 횡복근의 작용을 시험하는 것이다. (Reproduced with permission from © Diane G. Lee Physiotherapist Corp.)

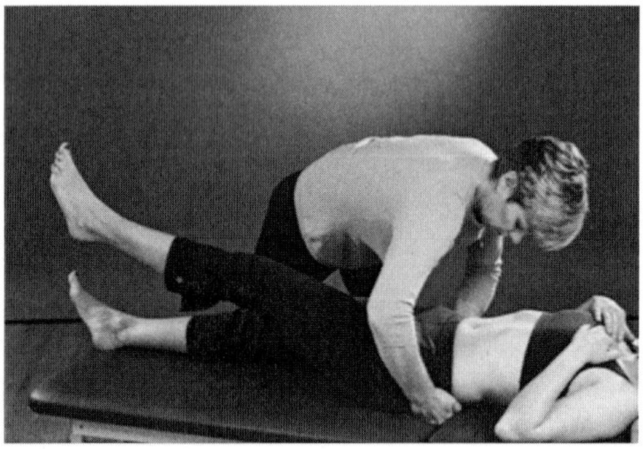

그림 8.59 PSIS 레벨에서 골반 후방의 압박은 천골의 다열근의 작용을 시험하는 것이다. (Reproduced with permission from © Diane G. Lee Physiotherapist Corp.)

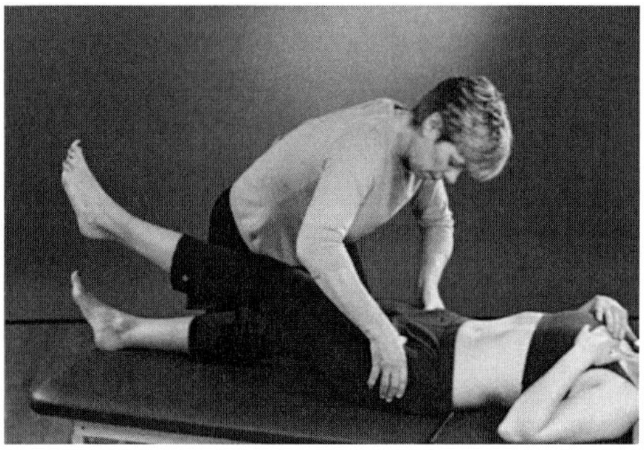

그림 8.60 치골결합 레벨에서 골반 전방 압박은 전방 골반저근의 작용을 시험하는 것이다. (Reproduced with permission from © Diane G. Lee Physiotherapist Corp.)

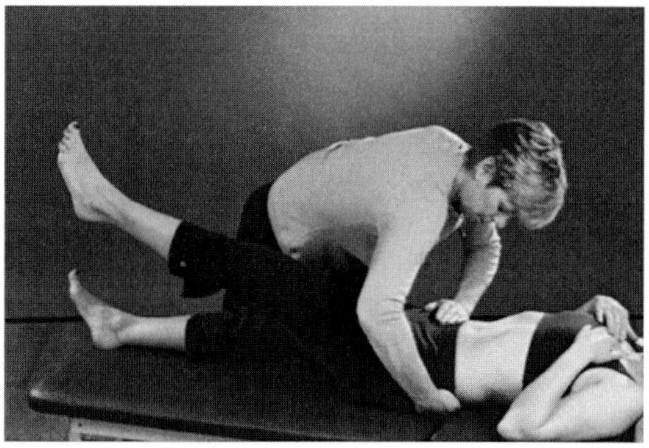

그림 8.61 골반우측의 전방과 좌측의 후방 압박은 우측 횡복근과 좌측 천골의 다열근을 시험하는 것이다. (Reproduced with permission from © Diane G. Lee Physiotherapist Corp.)

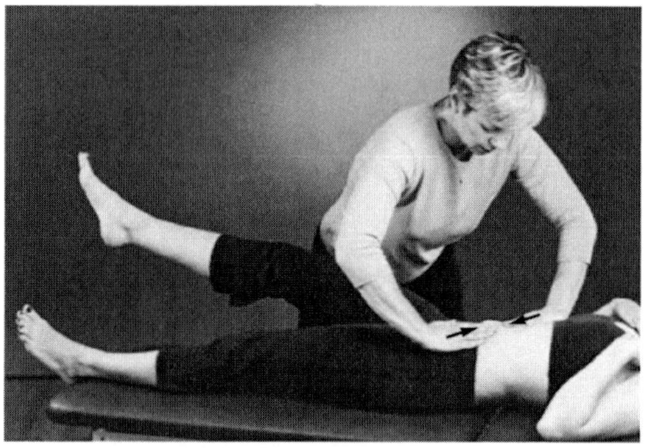

그림 8.62 흉곽과 골반사이를 사선방향으로 압박하는 것은 경사슬링시스템의 작용을 평가하는 것이다. 화살표는 치료사의 힘의 방향을 나타낸다. (Reproduced with permission from © Diane G. Lee Physiotherapist Corp.)

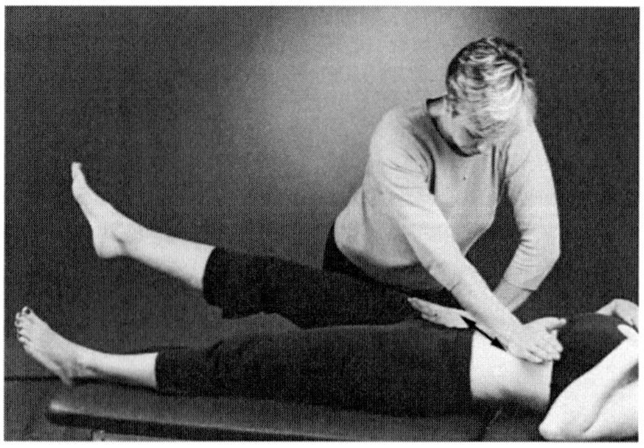

그림 8.63 흉곽과 골반사이를 사선방향으로 감압(신장)시키는 것은 경사슬링시스템의 이완을 시험하는 것이다. 화살표는 치료사의 힘의 방향을 나타낸다. (Reproduced with permission from © Diane G. Lee Physiotherapist Corp.)

능동 굴곡 하지 들기 검사(Active bent leg raise test)

ASLR에서 얻은 정보를 확인하고 효과적인 운동 프로그램을 세우기 위해 근육의 동원과 타이밍에 관해 더 많은 분석을 할 필요가 있다. 환자를 무릎을 굽혀 눕히고(crook lying), ASIS에서 2.5cm 정도(1 in.) 내측 심부에서 횡복근을 촉진한다. 횡복근에 접촉하였으면, 이 지점에 긴장도(부풀어 오른 것이 아님)가 증가된 것이 느껴진다. 내복사근이 수축하면 부푼 것이 뚜렷이 느껴진다. 다른 손으로, 위축이 나타난 곳의 레벨에서 다열근을 촉진한다(그림 8.64). 환자에게 고관절과 슬관절을 굴곡한 상태로 발을 테이블에서 들어 올리도록 한다. 더 작은 부하가 가해질 때, 요추골반 구역의 안정화를 위해 사용하는 운동조절 전략을 조사한다. 하요부와 골반대의 안정성을 유지하는 능력과 하복부의 근육동원 패턴(횡복근의 심부 긴장과 내복사근의 빠른 팽창) 그리고 심부[느린 긴장성 팽창(swelling)]와 천부(빠른 위상성 팽창(bulging))의 다열근을 조사한다. 국소와 총체적 시스템 모두 이 검사가 필요하다. ; 그러나, 총체적 시스템의 기능 부전은 흔히 국소적 기능 부전에 영향을 준다.

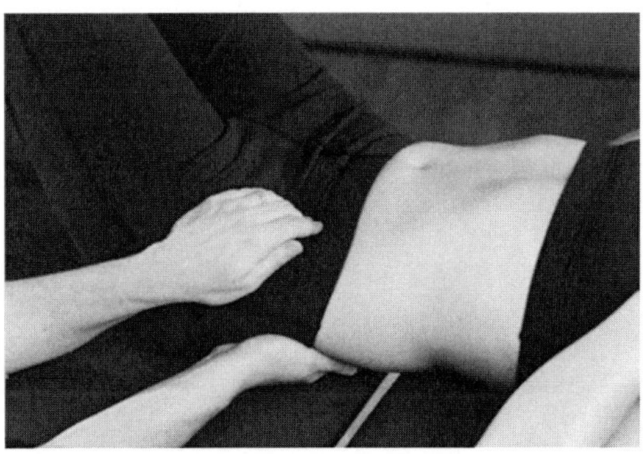

그림 8.64 낮은 부하가 주어지는 동안의 동시수축을 평가하기 위한 횡복근과 다열근의 촉진 지점. (Reproduced with permission from © Diane G. Lee Physiotherapist Corp.)

국소적 시스템 : 동시수축(Co-contraction) 분석

건강한 상태에서, 국소적 시스템은 의도적인 명령에 반응하여 동시수축 한다. 이 시스템은 미리 예상하는 것으로(5장 참고) 총체적 시스템의 활동 이전에 반응하여야 한다. 총체적 근육은 일을 하고(관절을 움직임) 반면에 긴 근육은 부하를 받게 되는 부위를 준비하고 어떤 것을 하는 생각에 반응한다. 그러므로 실제의 움직임은 없어도, 상상하거나 생각하는 것은(준비하는 것), 국소 시스템으로의 적절한 신경로에 접근하는 효과적인 방법으로 생각된다. 환자를 무릎을 굽혀 눕히고(crook lying), ASIS에서 2.5cm 정도 내측 심부에서 횡복근을 촉진한다. 다른 손으로, 위축이 나타난 곳의 레벨에서 다열근을 촉진한다(그림 8.64). 횡복근, 다열근, 그리고 골반저근을 향하는 신경로의 상태를 검사하기 위해서 다음의 구두지시를 한 후 국소 시스템의 반응을 살펴본다.

1. "천천히 그리고 부드럽게 하복부를 안으로 끌어당기세요."
2. "천천히 그리고 부드럽게 소변을 멈추는 것처럼 요도 주위의 근육을 꽉 쥐세요."
3. "천천히 그리고 부드럽게 질(혹은 고환)을 위로 끌어당기세요."
4. "엉덩이뼈 좌우 앞면에(ASISs) 줄로 연결이 되어 있다고 상상하고, 두 뼈를 함께 끌어당기는 힘을 준다고 생각하세요."
5. "엉덩이뼈 좌우 뒷면에(PSISs) 줄로 연결이 되어 있다고 상상하고, 두 뼈를 함께 끌어당기는 힘을 준다고 생각하세요."
6. 10장에는 국소 시스템의 활성화에 도움을 줄 수 있는 구두지시의 많은 방법이 있다. 자신의 환자에게 맞는 방법을 찾도록 한다.

만약 환자가 국소 시스템의 근육에 연결하여 동시수축 할 수 있다면, 횡복근에서의 깊고, 가벼운 긴장과 다열근의 심부섬유에서 느리고, 강직성의 팽창(swelling)을 느끼게 될 것이다. 내복사근의 빠르고 위상성의 팽창(bulging)과 다열근 천부 섬유의 빠른 천부수축을 느끼지 않도록 주의하고, 요추골반부에서 아무런 움직임이 없도록 유지한다. 양측을 촉진하고 구두지시에 따른 양측 횡복근과 다열근의 동일한 수축과 타이밍을 찾는다. 이것이 "통합써클(circle of integrity)"의 분석이다(5장, 그림 5.13).

골반저부(근육과 근막)의 기능은 오직 내측 촉진기법(internal palpation techniques)으로만 적절하게 평가될 수 있다. ; 그러나, 방광의 위치와 지지에 따른 영향은 실시간 초음파 이미지(real-time ultrasound(RTUS) imaging)로 평가할 수 있다. RTUS(아래를 참고)는 기능적 부하 이동 활동(ASLR) 뿐 아니라, 구두지시를 하는 동안(의도적인)의 복부 근육조직(내복사근, 횡복근), 다열근, 그리고 골반저근의 시각화에 유용하다.

만약, 환자가 국소 시스템의 근육을 적절하게 분리할 수 있다면, 국소 시스템의 지구력을 평가할 수 있다. 환자는 정상적으로 호흡하는 동안 10회씩 10회 반복하여 동시수축을 유지할 수 있어야 한다. 부하가 가해져도 동시수축은 유지되어야 한다. ; 이 능력은 복횡근과 다열근을 촉진하여 동시수축이 유지되는 것을 확인하면서 다리의 부하를 더함으로 평가할 수 있다(예를 들면, 뒤꿈치 활주, 고관절 굴곡). 평가와 치료를 위한 부하의 진행에 관한 세부적인 사항들은 10장에 보충하였다.

국소 시스템과 중립지대(Neutral zone)

힘폐쇄(force closure)의 작용이 효율적일 때, 국소 시스템 근육의 동시수축은 요추의 관절(Hodges et al 2003b)과 천장관절(Richardson et al 2002)을 압박하여 경직도(stiffness)를 증가시킨다. 능동적인 힘폐쇄(force closure) 작용의 상태를 검사하기 위해, 환자에게 먼저 국소 시스템을 동원하는 것을 가르친다(복횡근, 다열근, 그리고 골반저근)(10장 : 힘폐쇄/운동조절의 회복 참고). 이것을 숙달하는 데에는 약간의 시간이 걸릴 것이다. 일단 환자가 국소 시스템의 동시수축의 긴장을 유지할 수 있다면, 국소 시스템의 부드러운 동시수축을 유지하는 동안 병진운동을 위한 형태폐쇄(form closure)를 반복하여 이 수축이 척추 돌기관절(zygapophyseal)/천장관절의 경직도(stiffness)에 미치는 영향을 평가할 수 있다. 관절의 경직도(stiffness)는 증가하여야 하고 무명골과 천골 사이에 상대적인 움직임이 느껴져서는 안된다(움직임의 중간구역은 0까지 감소하여야 한다). 이것은 압박의 양이 적절하고 힘폐쇄의 작용이 효율적이라는 것을 의미한다. 만약 국소 시스템 이 적절하게 수축하고 관절의 경직도에 영향을 주지 않으면, 능동적인 힘폐쇄 작용은 전단력(shear)을 조절하는데 효과가 없다. 이것은 운동을 통한 재활에 예후가 좋지 않음을 나타낸다.

총체적 시스템 슬링(Global system slings) : 근력 분석

총체적 시스템은 힘을 생산하는, 몇 개의 근육을 포함한, 본질적으로 완전한 슬링 시스템이다. 한 근육은 하나 이상의 슬링에 참여하고 이 슬링은 임무에서 요구하는 바에 따라 중복되고 상호 연결된다. 이 가설은 슬링이 시작 혹은 끝이 아니라 힘의 이동을 돕는 연결이라는 것이다. 슬링들이 상호 연결된 근막체계의 모든 부분이고 어떤 움직임을 하는 동안 확인되는 특정 슬링[전경사(anterior oblique), 후경사(posterior oblique), 측경사(lateral), 장축경사(longitudinal)]은 단지 전체 슬링 중의 선택적인 부분의 활성화로 인한 것일 수 있다.

특정 근육의 기능부전[약증, 부적절한 동원, 긴장(tightness)]을 확인하고 치료하는 것은 총체적인 안정성과 운동성(흉곽과 골반사이 또는 골반과 다리사이)의 회복과 슬링의 부분들이 신장되지 않거나(단단함) 또는 지나치게 유연한(지지력의 부족) 원인을 이해하기 위해 필요하다. 근육의 힘과 길이를 검사하는 것은 중요하다. ; 이 책에는 특정 근육의 검사 방법이 언급되지 않았으므로 Kendall 등(1993)의 책을 참고하길 바란다. 특정 검사에서 근육에 약증이 있는 것처럼 보인다 하더라도 그것이 근육의 약증을 의미하지는 않는다는 것을 기억하도록 한다. 그것은 단지 그 슬링이 치료사가 가하는 힘에 저항할 수 없는 것이고, 이것은 그 슬링과 관계된 어떤 근육의 약증(혹은 동원의 부족)으로 인한 것이거나 혹은 국소 시스템의 불충분한 동원으로 인한 것일 수 있다.

요천추 부위의 특유한 4개의 슬링을 아래에 서술하였다. 그 슬링들은 해부학적 연결을 반영하고 요천추부의 기능부전 환자들과 흔히 연관되어 있다. 그러나 고려해야 할 것은 이 슬링들 뿐만이 아니다. 근육의 총체적 시스템은 본질적으로 통합된 슬링 시

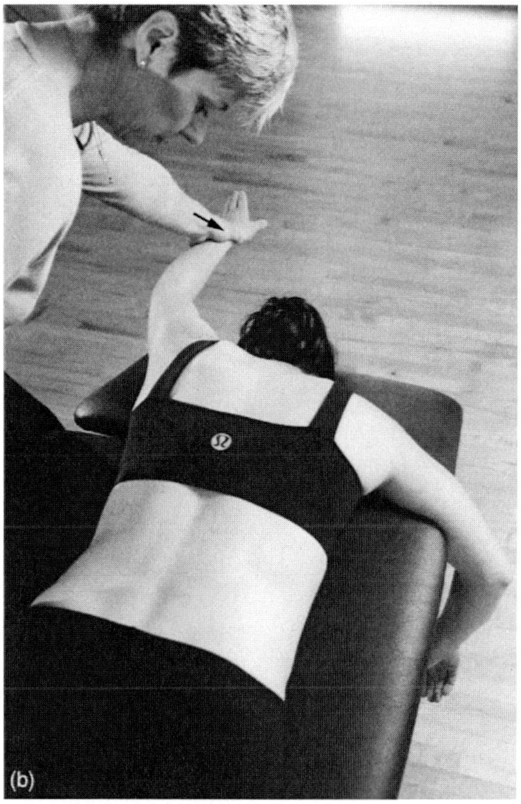

그림 8.65b 후방경사슬링(posterior oblique sling)의 상부 검사. 화살표는 치료사의 힘의 방향을 나타냄. 이 환자는 견갑골, 흉부, 요부, 그리고 골반 조절이 상당히 좋음을 보여준다. (Reproduced with permission from © Diane G. Lee Physiotherapist Corp.)

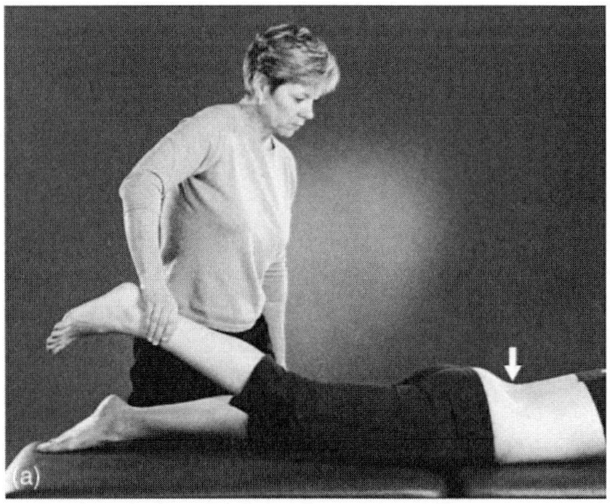

그림 8.65a 전방경사슬링(posterior oblique sling)의 하부 검사. 요추에서 조절기능 상실을 살펴본다(화살표는 요추). (Reproduced with permission from © Diane G. Lee Physiotherapist Corp.)

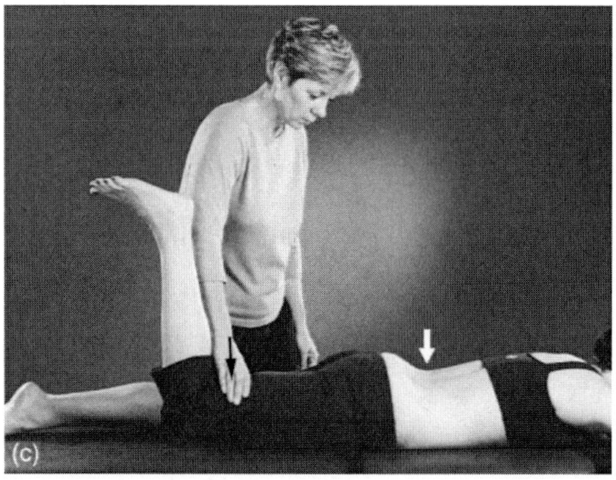

그림 8.65c 짧아진 자세에서 대둔근의 구심성 수축. 이 환자는 대둔근의 수축을 잘 유지하고 있다. ; 그러나, 그림 8.65a에서 나타난 것과 같이, 요추의 조절기능이 상실되어 있다(화살표). (Reproduced with permission from © Diane G. Lee Physiotherapist Corp.)

스템으로, 힘을 생산하는 몇 개의 근육을 포함한다. 하나의 근육은 하나 이상의 슬링에 참여하고 이 슬링은 임무에서 요구하는 바에 따라 중복되고 상호 연결된다.

후방경사슬링(Posterior oblique sling) 이 슬링은 대둔근과 반대 측의 광배근 그리고 사이로 들어가는 흉배 근막의 부분으로 구성되어 있다(그림 5.15). 다리의 신전에 저항을 주어 이 슬링의 하부를 검사할 수 있다(그림 8.65a). 조절기능을 상실한 곳의 sling의 탄력성(give)을 보고 느껴보도록 한다. 팔의 거상 끝 범위에서 저항을 가해 이 슬링의 상부를 검사할 수 있다(그림 8.65b). 조절기능을 상실한 곳의 sling의 탄력성(give)을 보고 느껴보도록 한다. 대둔근이 약하면 엉덩이가 평평해 보이고 약증이 있는 쪽에서 둔부의 주름이 더 아래쪽에 나타날 것이다. 엎드린 자세에서 대둔근을 명확하게 검사할 수 있다. 환자에게 엉덩이를 꽉 조이도록 하고 촉진해 본다. 만약 환자가 효율적인 수축을 분리하여 할 수 있다면, 무릎을 굽힌 채로 대퇴를 신전하도록 한다(그림 8.65c). 이 때 대퇴의 신전에 저항을 준다. 이 수축의 효과에 따른 요추와 골반대의 위치를 주의 깊게 관찰하는 것은 이 슬링에서 쉬고 있는 근육에 대한 더 많은 정보를 준다. 만성적으로 무명 골이 전방회전 되어있는 환자에게는 일반적으로 대둔근의 위치상의 약증(positional weakness)이 발견된다. 대둔근이 짧아진 상태에서 검사할 때(그림 8.65c), 이 위치는 대둔근을 늘어나게 하며, 두드러진 약증이 나타나고 대퇴골이 골반대에 비해 느슨해질 것이다. 팔을 신전하고 내회전한 후 내전에 저항을 주어 광배근을 독립적으로 검사할 수 있다. 이 근육은 타이트해지거나 과긴장 되기 쉽다. 이 근육의 길이 측정방법은 아래에 서술하였다.

전방경사슬링(Anterior oblique sling) 이 슬링은 복사근과 반대 측의 대퇴 내전 근들의 부분으로 구성되어 있다(그림 5.16). 전방 시스템에 약증이 있으면, 선 자세에서 흉곽은 "후방 회전"이 나타나고 바로 누운 자세에서, 특히 능동하지직거상(ASLR)에 체간에 부하가 가해지면 신전된다(그림 8.56). 연속적인 윗몸 올리기(curl-up)으로 양측의 전방슬링을 검사할 수 있다(그림 8.66).

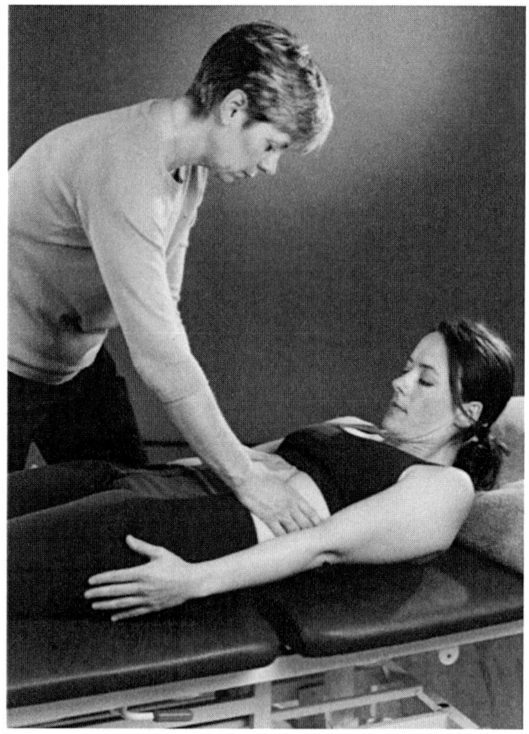

그림 8.66 연속적인 윗몸 올리기로 전방경사슬링 양측의 외(내)복사근을 검사할 수 있다. 이 환자는 흉부에서 흉요추 접합부까지만 굴곡할 수 있었다. 흉요추의 신전 없이는 더 이상 몸을 일으킬 수 없었다. (Reproduced with permission from © Diane G. Lee Physiotherapist Corp.)

치료사는 흉골 하각을 주의 깊게 살피고 환자가 흉부를 연속적으로 굴곡할 수 있는지를 살펴본다. 환자에게 최대한 윗몸일으키기를 하도록 하여 연속적으로 요추를 굴곡 시키도록 한다. 이 슬링에 약증이 있으면(또는 후방 슬링의 과긴장에 의해 방해받는다면), 순차적인 척추 움직임의 결여가 있고(척추의 일부분은 신전되어 있다.), 하지는 외전과 외회전하려는 경향이 나타난다. 한쪽의 약증은 흉요부의 회전을 일으킨다(종종 curl-up시 흉곽의 측방이동과 연관된다).

측방슬링(Lateral sling) 중둔근/소둔근과 대퇴근막 장근은 이 슬링에서 아주 중요한 근육이며 함께 작용하여 고관절에서 골반대의 안정성을 유지한다. 전통적으로, 중둔근은 고관절 외전근으로 여겨졌다. ; 그러나, Gottschalk 등(1989)은 이 근육의 해부학과 잠재적인 작용을 수정하고 다른 기능적인 역할을 주장하였다. 그들은 중둔근은 세 개의 구역으로 구성되고 각각의 신경 지배를 받는 것에 주목하였다. 후섬유는 대퇴골경과 평행하게 배열되고(수평) 반면에 전방과 중간 섬유는 좀 더 수직을 향한다. 근전도(EMG)상에서는 중둔근의 세 가지 부분이 위상성으로(phasically) 작용한다는 것을 보여준다. ; 작용의 시작은 후방에서 전방으로의 순서로 일어난다. ; 후섬유가 뒤꿈치 닿기 시에 작용하는데 반해 전섬유는 입각기와 단하지지지기 동안에 가장 큰 활동을 보였다. 그들은 중둔근 후섬유(그리고 소둔근 전체)의 주된 기능은 보행시 대퇴/골반회전의 다양한 위치에서 대퇴골두를 안정시키는(무명골구에 압박함으로써) 것이라고 제안하였다. 그들은 또한 전섬유와 중간섬유(좀더 수직을 향해있는)는 외전의 시작을 돕는다고 제안하였다. ; 그러나, 고관절 외전의 주동근은 대퇴근막장근이다.

좌측 측방슬링을 검사하기 위해서는, 환자를 우측으로 하여 옆으로 눕힌다. 환자에게 좌측 다리를 외전 하도록 하고, 요추, 골반, 그리고 고관절의 정렬을 중립으로 유지한다(그림 8.67a). 다리에 내전방향으로 저항을 가하고 반응을 살펴본다. 조절기능을 상실한 곳의 슬링의 탄력성(give)을 보고 느껴보도록 한다. 어떤 부위에 문제(giving way)가 있음을 의미하는 대상작용이 나타나는지 찾아본다.

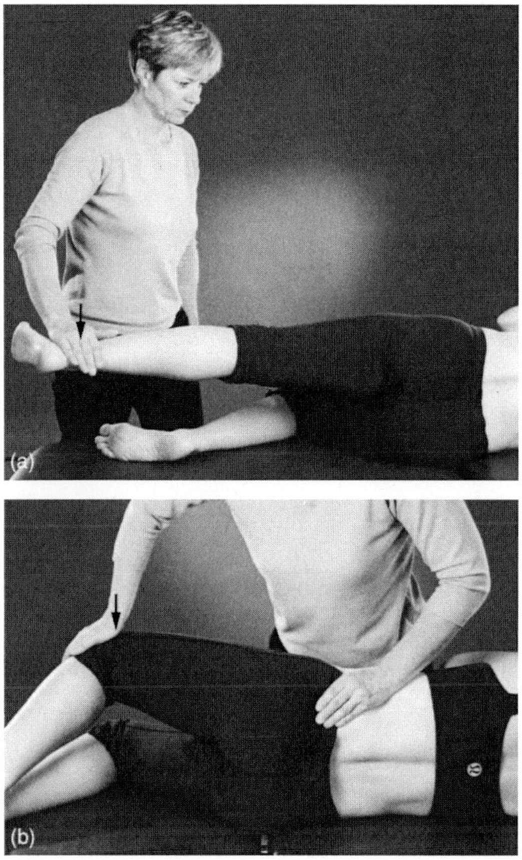

그림 8.67 (a) 측방슬링에 부하가 가해질 때 약증이 나타나는 것은 많은 근육들의 불충분한 동원을 의미할 수 있다. : 중둔근이 그 중 하나이다. 어떤 근육에 문제가 있는지 확실히 알 수 있도록 이 검사를 하는 동안 기능 상실(give)이 있는 곳(척추, 골반, 고관절) 보고 느껴본다. (b) 외전과 외회전으로 측방에 부하가 가해질 때 중둔근의 후섬유를 촉진한다. 화살표는 치료사의 힘의 방향을 나타낸다. (Reproduced with permission from © Diane G. Lee Physiotherapist Corp.)

중둔근의 후섬유를 검사하기 위해 환자를 옆으로 눕히고 다리를 가장 위로 올린상태에서 검사한다. 슬관절은 신전하고 고관절은 약간 신전, 외전, 그리고 외회전 한다. 환자에게 지지하는 손을 놓더라도 체간과 다리를 유지하도록 지시한다. 그 후 반응을 관찰한다. 중둔근의 후섬유에 약증이 있는 환자는 대퇴근막장근의 사용을 촉진시키기 위해 골반을 후방회전하려는 경향이 있다. 다른 방법으로, 환자는 자세를 유지하기 위해 척추를 측방 굴곡할 수 있다.

이런 경우, 작업을 수행하기 위한 요추의 안정성은 상실된 것이다. 천골의 다열근 심부섬유에 기능부전이 있다면, 이 검사는 양성으로 나타날 수 있지만 중둔근의 후섬유는 비교적 강할 것이다. 중둔근의 후섬유를 검사하는 다른 방법은 다음과 같다. 환자를 고관절과 슬관절을 약간 굴곡하여 옆으로 눕게 한다. 환자에게 발목을 붙인 상태로 무릎의 끝을 올리도록 한다(고관절 외회전). 대퇴 외측면에서 외회전에 저항을 준다(그림 8.67b). 중둔근의 후섬유에 약증이 있으면, 다리는 쉽게 꺾이고(give way) 환자는 골반을 후방 회전하여 대퇴근막장근의 사용을 촉진하여 보상하려 한다. 다른 방법으로, 환자는 자세를 유지하기 위해 척추를 측방 굴곡할 수 있다. 천골의 다열근의 심부섬유에 기능부전이 있다면, 이 검사는 양성으로 나타날 수 있지만 중둔근의 후섬유는 비교적 강할 것이다.

총체적 시스템 슬링(Global system sling) : 길이분석(Length analysis)

근육의 단축은 요추 및 골반과 엉덩이 부위의 생체역학에 불리한 영향을 미칠 수 있다.

기능장애가 있음으로서 타이트해지려는 경향이 있는 근육들은 그 근육들의 신장성(extensibility)을 평가해야만 한다. 이러한 근육들은 광배근(latissimus dorsi), 척추기립근(erector spinae), 외복사근(oblique abdominals), 슬괵근(hamstrings), 대요근(psoas major), 대퇴직근(rectus femoris), 대퇴근막장근(tensor fascia latae), 장단 내전근, 이상근(piriformis)/고관절

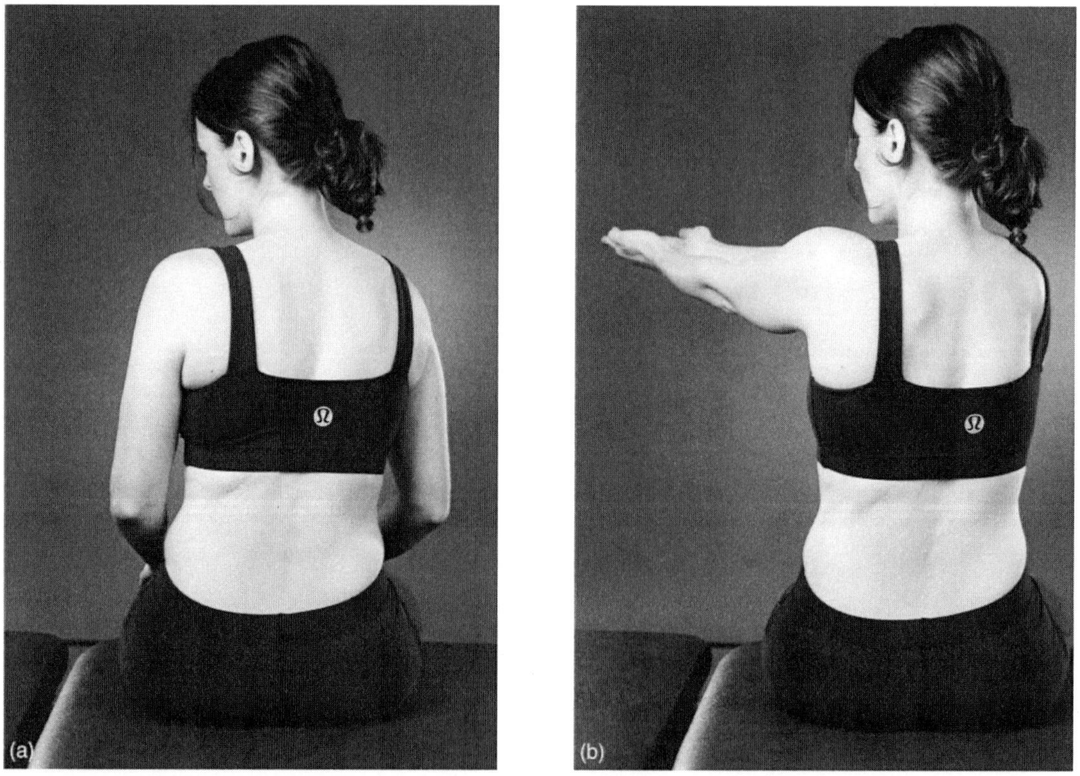

그림 8.68 a,b 광배근과 우측 후방경사슬링의 길이 검사. (a) 팔을 옆으로 놓았을 때의 좌측회전의 범위를 조사한다. (b) 견관절의 굴곡, 외회전, 그리고 내전을 함으로써 우측 광배근의 긴장을 증가시킬 수 있다. 타이트(또는 과긴장)한 경우, 팔을 이 자세로 유지하면 체간의 회전은 감소할 것이다. (Reproduced with permission from © Diane G. Lee Physiotherapist Corp.)

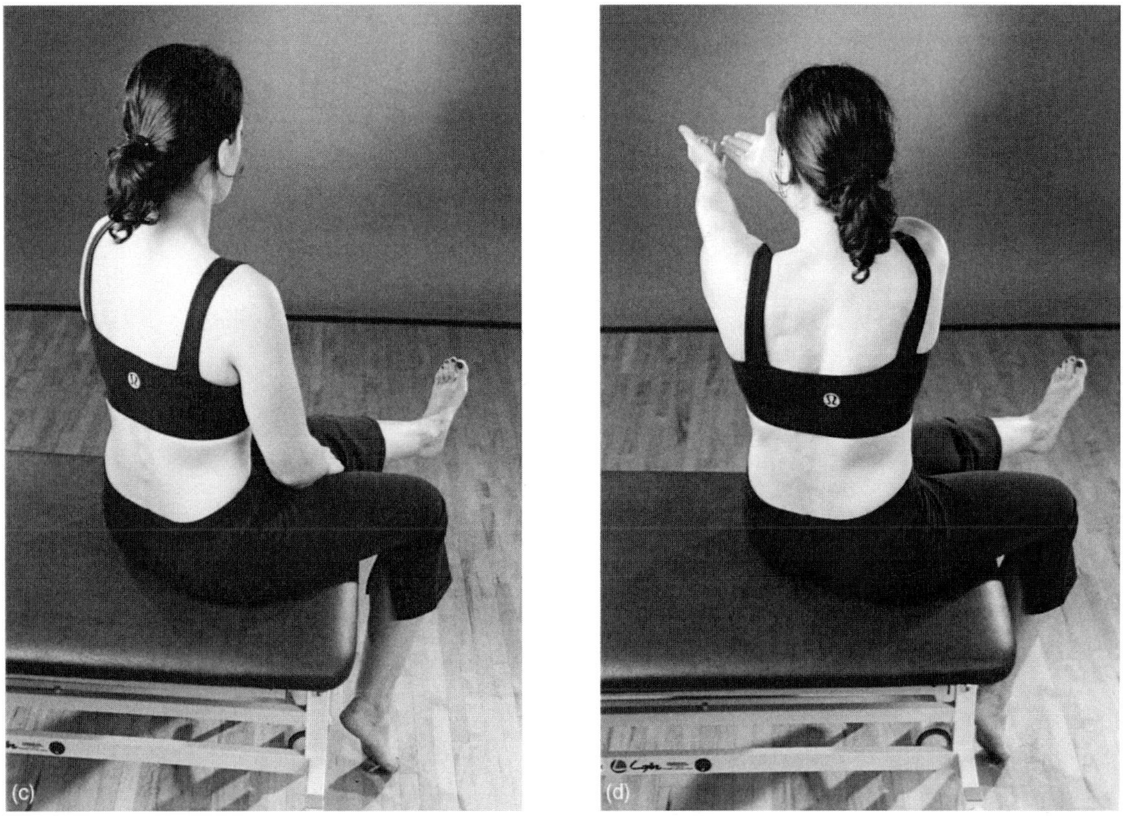

그림 8.68 c,d 광배근과 우측 후방경사 슬링에 대한 길이 테스트. (c) 앉아서 왼쪽무릎을 펴면 슬괵근의 긴장이 증가된다. 타이트하거나 과긴장이 되어 있을 때, 골반은 후방으로 기울어 지게 되고(posterior tilt) 완전히 무릎을 펴게 하기 위하여 요추는 굴곡될 것이다. (d) 우측 후방경사 슬링에 대한 전신 테스트. 중립위의 척추(neural spine)의 소실(요추는 굴곡하고 흉추는 신장한다)과 우측 흉곽하부의 지나친 끌어당김(excessive drawing)을 주목하도록 한다. 이러한 모든 소견은 후방경사 슬링의 불충분한 길이를 의미하는 것이다. 척추는 buckling에 의해서 반응한다.

의 심부 외회전근이 포함된다.

후방경사 슬링과 광배근(Posterior oblique sling and the latissimus dorsi) 환자는 팔을 양 옆에 내리고 요추를 중립위로 하고 똑바로 앉는다. 환자에게 왼쪽으로 몸통을 돌리도록 하고(그림 8.68a) 그 다음에는 오른쪽으로 몸통을 돌리도록 한 다음 흉추와 요추에 대한 운동의 질과 양을 주목하도록 한다. 그 다음에는 양 팔을 90도로 올리고(견관절 90도 굴곡) 양 팔을 완전히 외회전시켜 양 손의 새끼손가락이 서로 맞닿게 한다. 이러한 자세는 광배근의 긴장을 증가시킨다. 이러한 자세에서 환자에게 왼쪽과 오른쪽으로 각각 몸통을 돌려보도록 한다(그림 8.68b). 그리고 그러한 운동의 양과 질을 주목해서 팔을 양 옆에 내리고 했던 동작과 비교하여 관찰하도록 한다. 광배근이 타이트할 때는 이러한 자세에서의 운동은 현저하게 감소된다. 완전 후방경사 슬링의 길이(length of the full posterior oblique sling)는 슬링의 하위 구성요소(inferior component)에 긴장을 더 주고 검사할 수 있다.

앉은 자세에서 환자에게 왼쪽 무릎을 펴게 한다(그림 8.68c). 골반을 후방으로 기울이지 않고 그렇게 할 수 있는 능력을 관찰한다. 이러한 자세로부터 팔을 90°로 구부리고 외회전 및 내전하고 몸통을 좌측으로 회전시킨다(그림 8.68d). 이것은 우측 후방

경사 슬링을 위한 충분한 스트레칭이 된다.

전방경사 슬링(Anterior oblique sling)과 외복사근(Oblique abdominals) 바로 누운 자세에서, 골반과 흉곽까지의 상대적인 자세를 주목하도록 한다. 외복사근이 과도하게 작용할 때, 요추전만증은 사라지고 골반은 후방으로 기울어진 자세로 남아 있게 된다. 게다가 흉부하부의 각(infrasternal angle)(그림 8.69)은 양쪽 또는 한쪽이 좁아진다. 내복사근의 분리된 과잉 활성화(overactivation)는 별로 일반적인 일은 아니지만 흉부하부의 각을 넓히는 경향이 있다.

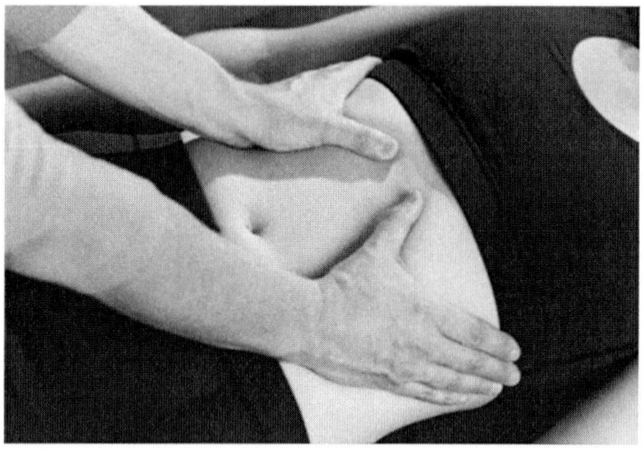

그림 8.69 양쪽 외복사근의 과활동성은 흉곽 하부의 각을 좁히게 될 것이다. 내복사근의 분리된 과활동성은 흉곽 하부의 각을 넓히게 될 것이다. 비대칭이 일반적이다.

종적 슬링(Sling)과 척추기립근 환자는 앉아서, 양 다리를 똑바로 하고 척주를 중립위로 하여 앞으로 구부리도록 지시한다. 가능한 운동의 범위, 척추주위근(paravertebral muscle)의 대칭과 비대칭, 그리고 다양한 척추관절의 회전된 척추측만(rotoscoliosis)의 가부(presence/absence)는 척추기립근의 한쪽이 타이트하다는 것을 의미하는 것이다.

종적 슬링과 슬괵근(Longitudinal sling and the hamstrings) 서거나(그림 8.70a) 또는 앉은 자세(그림 8.70b)에서 종적 슬링(sling)의 신장성을 평가할 수 있다.

(a)

(b)

그림 8.70 종적슬링과 슬괵근의 신장성 테스트. (a) 선 자세 (b) 앉은 자세

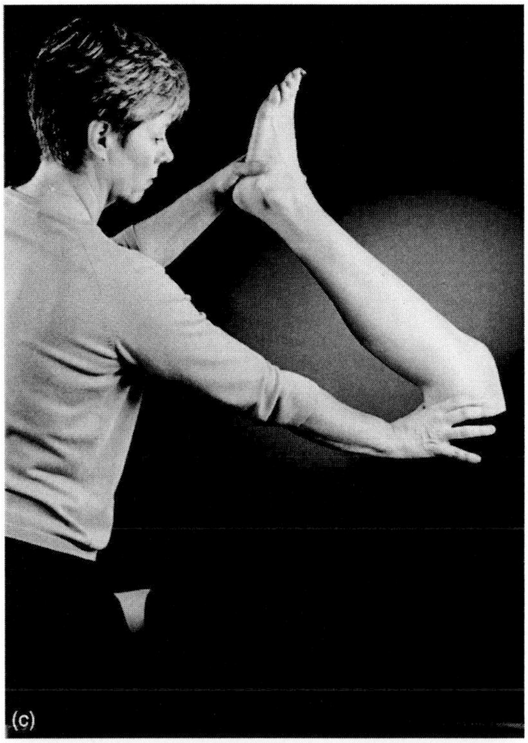

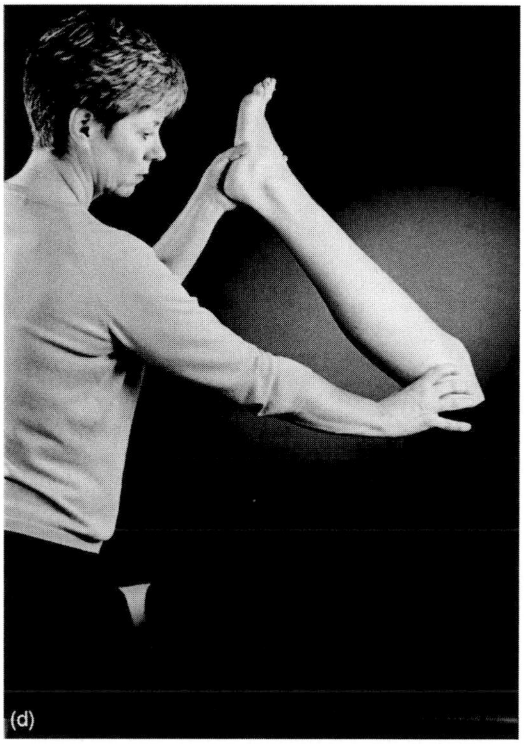

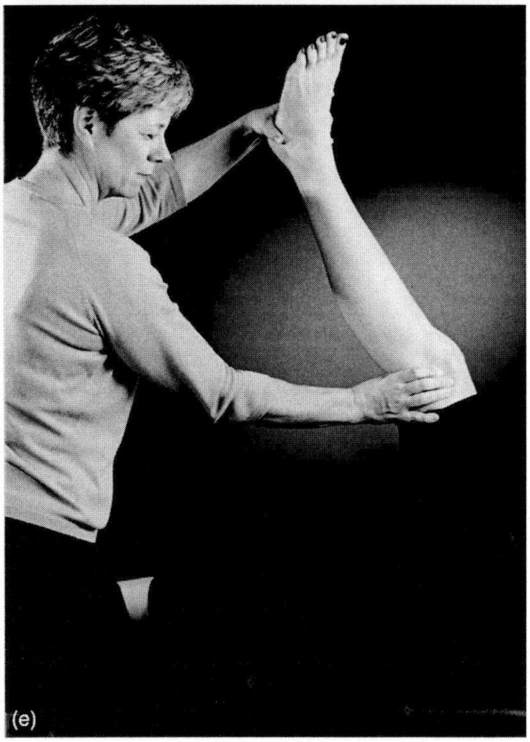

그림 8.70

c.d.e 종적 슬링과 슬괵근의 신장성 테스트. (c) 슬괵근의 신장성은 무릎을 펴서 대퇴부를 90°로 구부려서 테스트한다. (d) 대퇴/경골을 내회전시킨 상태에서 고관절 굴곡테스트를 실시하여 대퇴이두근(e)을, 같은 방법으로 대퇴부/경골을 외회전시켜 내측 슬괵근을 테스트 한다.

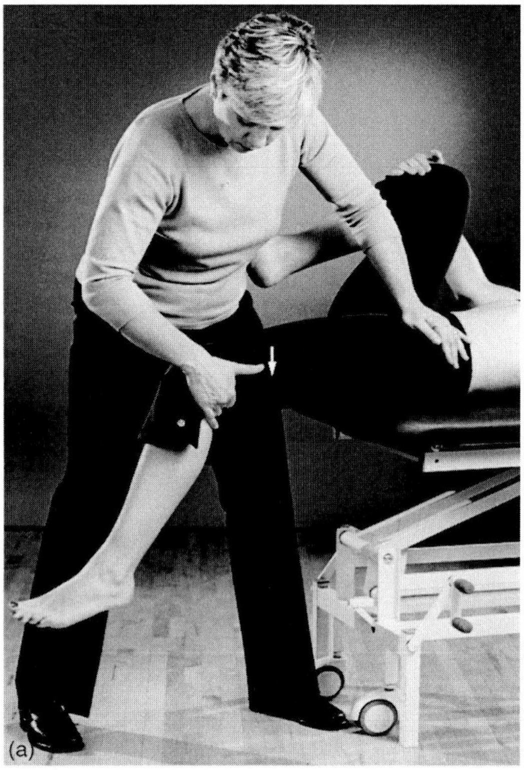

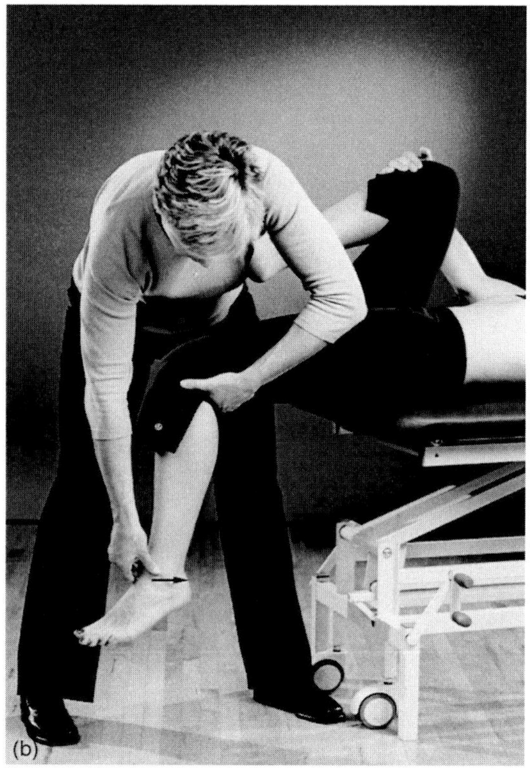

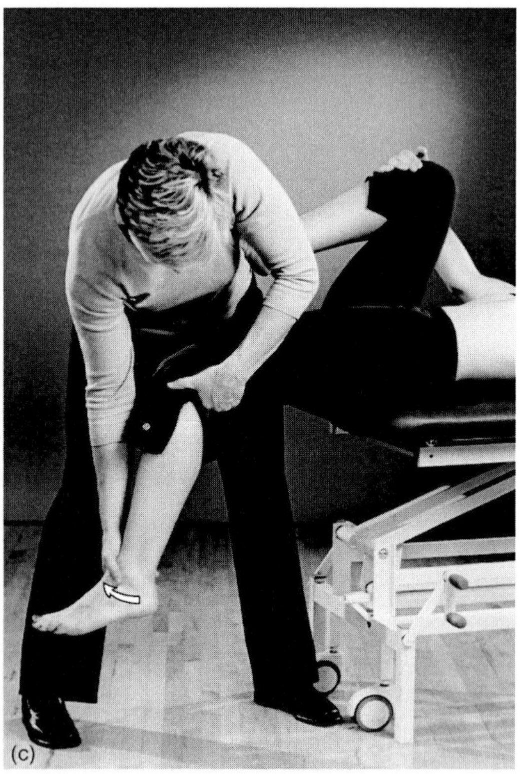

그림 8.71

(a) 장골근 신장성 테스트(iliacus extensibility test). 화살표는 치료사가 유도하는 대퇴부의 운동 방향을 표시한다. (b) 대퇴직근의 신장성에 대한 테스트. 화살표는 치료사가 유도하는 경골의 운동의 방향을 표시한다. (c) 대퇴근막장근의 전방 밴드의 신장성에 대한 테스트. 화살표는 치료사가 유도하는 경골의 운동 방향을 표시한다.

최적으로 환자는 발가락을 닿을 수 있어야 하고 무릎을 편 채로 대퇴에 대하여 최소한 90°의 각도로 골반대를 전방으로 기울일 수(pelvic anterior tilt) 있어야 한다. 슬괵근의 불충분한 신장성은 이 슬링(sling)에서 일반적인 긴장의 원인이 된다. 특히 슬괵근의 길이를 평가하려면 환자는 바로 누운 자세에서 테스트 할 다리를 고관절에서 90°의 각도로 올려야 한다. 이 자세에서 대퇴를 유지하면서 슬괵근이 첫 저항이 느껴지게 될 때까지 무릎을 펴도록 한다(그림 8.70c). 하지의 내회전과 외회전은 슬괵근의 외측(그림 8.70d)과 내측(그림 8.70e)쪽으로 검사를 사선으로 기울여서 해야 한다. 운동의 양(범위)과 끝느낌(end feel)을 주목하도록 한다. 이 검사를 반복해서 하고 반대측 하지와 비교하도록 한다. Kendal 등(1993)에 의하면 요추를 중립위로 한 채로 슬괵근의 길이를 측정할 때 골반대의 어떠한 운동도 허용해서는 안 되며, 대퇴는 고관절에서 70°로 구부려야만 한다. 임상적으로, 검사자는 환자의 기능적 요구(functional demand)를 고려해야 할 필요가 있다. 이러한 운동의 양은 댄서나 반복적으로 몸을 구부려서 일을 하는 사람 또는 낮은 좌석에 앉아서 자동차를 운전하는 사람들에게는 불충분할 것이다. 환자가 요추골반-고관절에 통증을 호소하고 통증이 테스트로 유발된다면 골반의 인대들이 이들의 잠재적인 근원이 되는 것을 나타내는 것이며, 그리고 슬괵근은 앞으로 구부리는 것을 충분히 허용하기 위하여 신장성이 필요하다. 반면에 무명골 사이의 천골은 전방굴곡(sacral nutation)을 유지하고 있어야 한다.

만일 대퇴 이두근이 충분하게 신장할 수 없다면 그것은 천골 전방굴곡에 저항하는 천결절인대(sacrotuberous ligament)에 힘이 실리게 되기 때문일 것이다. 무명골이 대퇴골두(femoral head)에서 계속 굴곡되면 천골은 상대적으로 역회전이 일어난다. 따라서 천장관절(SIJ)은 덜 안정적인 자세에 놓여 있게 되므로 이제 취약한 상태에 놓여있게 된다.

요근, 대퇴직근, 대퇴근막장근, 내전근군(Iliacus, rectus femoris, Tensor fascia latae, Adductors) 양 다리를 테이블 가장자리에 내려놓고 바로 누운자세에서 한쪽 다리의 고관절을 구부린 다음 치료사의 흉곽외측에 지지하여 놓는다. 치료사는 검사하고자 하는 다리의 장골능의 전면과 전상장골극(ASIS)을 촉지하여 고정한다. 치료사는 다른 손으로 요근의 길이를 테스트(그림 8.71a)하기 위하여 무릎이 완전이 구부러지지 않도록 하면서 대퇴를 신전시키도록 한다. 그 다음에 대퇴직근의 길이를 테스트(그림 8.71b) 하기 위하여 무릎을 구부린다. 고관절 신전과 슬관절 굴곡의 가동범위와 끝느낌(end-feel)을 기록한다. 반대측 다리도 반복해서 테스트 한 다음 양측을 비교해 본다.

비신장성인(굴곡된) 요근은 슬관절 운동과 무관하게 고관절 신전을 제한시키지만 대퇴직근이 비신장성인 경우에는 슬관절 굴곡상태에서 고관절 신전을 제한시키는 것을 알 수 있다. Kendal 등(1933)에 의하면, 이 자세(바로누운자세에서 다리를 늘어뜨린 상태)에서, 대퇴는 테이블에 닿을 정도로 고관절을 신전할 수 있어야 하고 슬관절은 80°까지 굴곡할 수 있어야 한다고 하였다. 대퇴근막장근의 전방밴드(anterior band)가 타이트할 때는, 고관절 외전을 허용해야만 고관절의 완전 신전이 가능하지만 슬관절 굴곡 상태에서의 고관절 신전상태에서는 이 근육이 타이트하다면 외측으로 경골이 회전되는 결과를 초래한다. 만일 테스트하는 동안 경골회전이 수동적으로 불가능하도록 차단되어 있다면(그림 8.71c), 슬관절 굴곡이 제한될 것이다.

내전근그룹의 길이는 고관절 외전 상태에서 검사한다. 단내전근은 슬관절 굴곡 상태에서 장내전근은 슬관절 신전 상태에서 검사한다(그림 8.72). 가동범위와 끝느낌을 기록한다. 반대쪽 다리도 반복해서 테스트 한 다음 서로 비교해 본다.

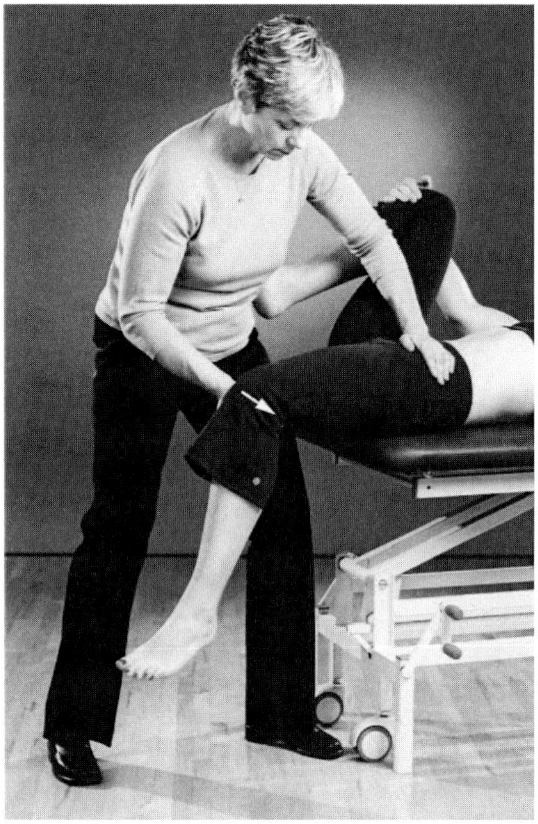

그림 8.72 단축된 대퇴내전근의 신장성에 대한 테스트. 화살표는 치료사에 의한 대퇴의 운동방향을 의미한다. (Reproduced with perminssion from Diane G.Lee Physiotherapist Corp.)

이상근, 고관절의 심부 외회전근(Priformis, deep external rotator of the hip) 환자는 테이블에 바로누운자세에서 고관절과 슬관절을 편안하게 구부린다. 한 손(cranial hand)으로는 장골능의 외측면과 전상 장골극(ASIS)을 촉지하여 고정하면서 다른 한 손(caudal hand)으로는 고관절을 90° 굴곡시킨다. 이 자세에서 굴곡시킨 손으로는 고관절의 내전과 내회전을 시키고 촉지한 손으로는 무명골의 내회전을 모니터한다(그림 8.73). 고관절을 내회전 시킬 때 이상근은 신장된다. 굴곡, 내전, 내회전의 가동범위와 끝느낌을 기록한다. 반대쪽 다리도 반복해서 테스트 한 다음 양측을 비교해 본다. 이상근과 심부 외회전근(내폐쇄근, 외폐쇄근, 대퇴방형근(obturator internus, externus, quadratus femoris)은 고관절 내전, 90° 굴곡시 전방전위를 일으킬 수 있으며(그림 8.41) 샅(groin)에 두드러진 충돌 통증(impingement pain)을 일으키게 된다. 게다가 이 자세에서의 내회전은 0°까지 감소될 수 있다. 그리고 외회전근들은 특히 압통점(tender trigger point)이 촉지된다. 좌골미골부위(ischiococcygeus)가 과긴장되어 있거나 과민해 있어도 고관절의 가동범위는 영향을 받지 않는다. 그러나 좌골결절인대(sacrotuberous ligament)(그림 10.43a)의 하방 궁상밴드(inferior arcuate band)의 상부 부착점의 바로 아래 지점에서 압통점을 촉지할 수 있다. 내폐쇄근(obturator internus)이 긴장하면 대퇴골두의 위치와 고관절의 가동범위에 영향을 준다. 때로 좌골결절인대의 하부 궁상밴드의 하부 부착부의 내측에서 압통점이 발견된다.

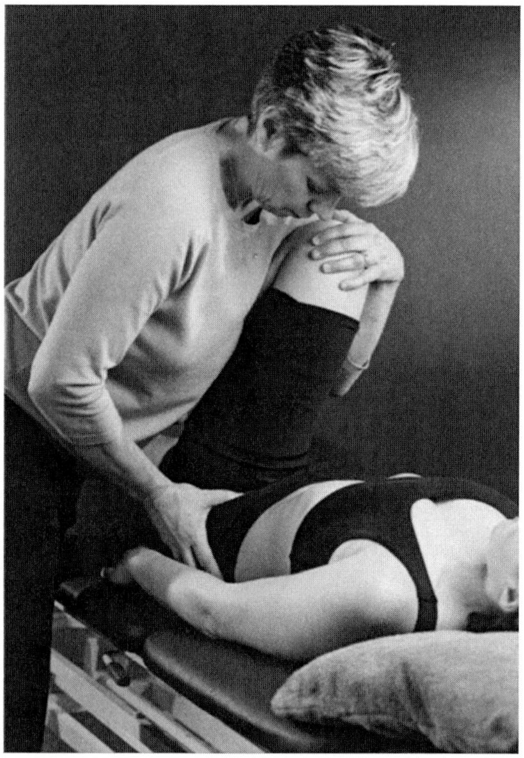

그림 8.73 이상근의 신장성에 대한 테스트(Reproduced with perminssion from Diane G.Lee Physiotherapist Corp.)

통증유발 검사: 수축병변(Pain provocation tests: contractile lesions)

저항 검사를 하는 동안 발현된 국소적 통증의 위치와 존재는 근육의 강도와 관련되어 있으며 따라서 치료사는 염좌나 파열, 통증에 대한 진단을 할 수가 있다.

등급 1, 2도의 염좌(sprain)는 등장성 저항을 줄 때, 통증이 매우 심하지만 등급 3도의 염좌는(완전파열) 등척성 저항시 통증이 없거나 미세하다. 물론 파열된 두 지점에서는 기능 장애가 나타난다. 근수축은 관절을 가로지르는 압박의 힘으로 유발되며, 관절에 부착되어 있는 다양한 인대들을 긴장시킨다. 따라서 통증반응은 근육의 염좌로 발생하기보다는 인대의 신장과 관절에서의 압력으로 발생된다고 할 수 있다.

국소 시스템 기능의 실시간 초음파 분석 (Jakie Whittaker)

초음파 영상(ultrasound imaging)은 안전하고 저렴할 뿐만 아니라 신체의 어느 곳이라도 쉽게 접근할 수 있으며, 영상도 훌륭하여 몸통의 심부근육까지도 측정할 수 있게 되었다(Bernstein et al 1991, Hides et al 1995a, Blaney et al 1999, Bunce et al 2002, Hodges etal 2003a). 또한 국소적으로 신체 표면에서 보이지 않는 심부 근육의 수축까지도 알 수 있게 되었다. 초음파 영상은 이러한 심부근육의 수축의 움직임들을 연구할 수 있다는데 큰 가치가 있다(Hides et al 1995b). 초음파 영상의 보급으로 심부근육들의 치료측면에서도 많은 점들을 보완시켰고, 여러 학자들로부터 찬사를 받게 되었다(Hides et al 1992, McKenzie et al 1994, Richardson et al 1999, Dietz et al 2001).

RTUS(실시간 초음파)는 신체의 근육을 4개의 군으로 측정 사용해 왔다(McKenzie et al 1994, Hides et al 1995b, Richardson et al 1999, Dietz et al 2001). 이러한 분류는 복횡근(transverse abdominis), 다열근의 심부(deep segmental fibers of multifidus), 골반저(pelvic floor)의 세 분류로 나누어 질 수 있다. 이러한 근육군의 진단에 사용되는 초음파 영상진단기는 B-mode(brilliance/brightness), 5MHZ curved (convex)가 장치된 변환기로 구성되어 있다(그림 8.74a, b).

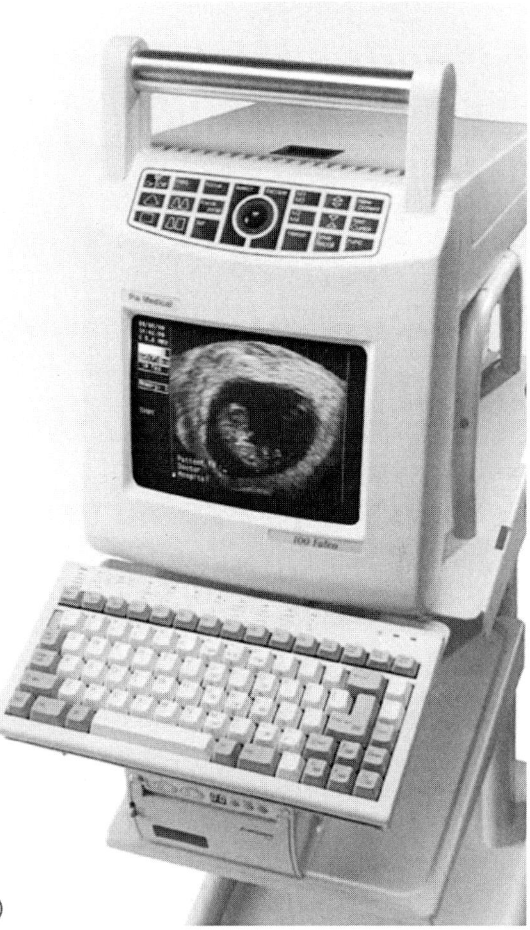

(a)

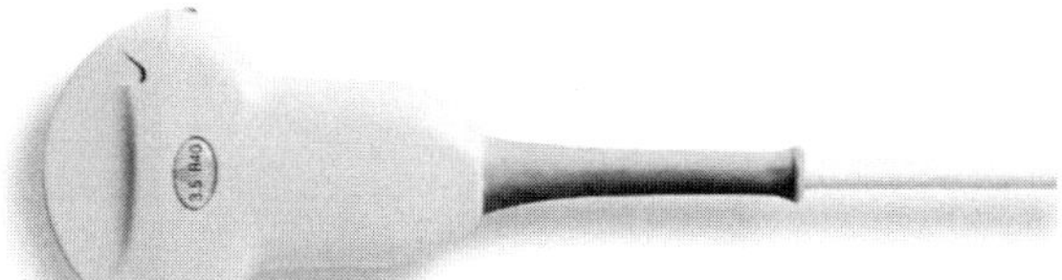

(b)

그림 8.74 (a) 진단용 초음파 영상기(Falco model, Esaote Pie-Mdical) : (b) 5cm 휘어진 초음파 도자

근골격계를 평가하기 위해 RTUS가 사용되는데 이것은 2가지 단계가 필요하다. : 바로 모니터를 통해 보이는 영상(image generation)과 이러한 영상을 보고 분석(image analysis)을 하는 것이다(10장 참고). 치료용으로 사용되는 초음파는, 일반적으로 변환기내에 음파가 흐르고 이 초음파는 젤라틴과 같은 매개물질을 통하여 인체에 침투하게 되어 있다. 이러한 음파들은 인체내에 퍼지면서 다양한 조직들을 만나고 반사하게 된다. 이러한 반향(echo)은 변환기에 포착(capture)되며, 모니터 화면(digital screen)에 나타나게 된다. 조직들의 밀도와 초음파가 만나는 물체의 각도에 따라 음파가 부딪히면 반사의 진폭이 결정되고 이것들에 의해 영상의 밝기가 다양하게 나타나게 된다. 밀도가 낮은 매개체는 예를 들면 액체(혈액, 소변)들은 극히 작은 반사가 일어나고 화면에는 검은색으로 나타난다(그림 8.83a를 참고). 밀도가 큰 조직들은 예를 들어 내부장기, 골막, 근육, 근막들은 보다 큰 반사가 일어나고 흰색에 회색 그림자로 다양하게 나타난다(그림 8.76a 참고). 뼈처럼 밀도가 매우 강한 조직들은 음파를 100% 반사한다. 따라서 그것들은 검은 그림자 뒤로 매우 밝고 하얗게 나타난다(그림 8.80a). 조직들의 밀도에 불구하고 조직과의 반사들은 대부분 음파가 조직 장애물에 부딪혀 생긴 각도에 따라 생기게 된다. 조직 구조물들의 해부학적 모습뿐만 아니라 변환기의 각에 생성되는 영상들은 매우 완벽한 모습을 보인다. 변환기를 수직으로 놓을 때가 가장 효과적이고 영상의 화질을 최대화시킬 수 있으며 변환기를 평행하게 놓으면 반사는 최소화되고 영상의 화질은 감소된다.

영상분석은 개개의 근육이 독특하게 나타나고 개별적으로 분석되어야 할 것이다. 영상분석의 더 많은 연구는 10장에서 찾아볼 수 있을 것이다. 모인 자료들은 환자가 움직일 수 있는지, 현 상태가 유지가능한지, 격리되어 있는지, 이와 관련된 근막의 긴장도로서 낮은 수축을 하는지를 알 수 있게 해준다. 이것은 목표 근육(target muscle)의 운동조절통로(motor control pathway)가 건강하다는 것을 암시하는 것이다. 따라서 RTUS는 국소계통내에 동시수축과 호흡에 관련된 협응을 평가하는데 사용될 수 있다.

수축시 보이지 않는 실제 근육의 두께와 길이 변화를 아는 것은 매우 중요하다. Hodges 등(2003a)은 복횡근과 내복사근의 등척성 수축시 두께는 늘어나고 길이는 감소하는 것은 RTUS를 통해 알았는데 이것들은 내재하고 있는 근전도 상에 나타난 근육 운동이 직선적이 아니라는 것을 보여 주고 있는 것이다.

이러한 연구들은 초음파가 복횡근과 내복사근의 저강도 수축(최대 수의적 수축에 20-30%보다 낮은 수축)에 민감하다는 것에 결론을 짓게 되었다. 이러한 소견의 특징은 초음파영상진단이 중등도의 수축과 강한 수축을 분류하기 위하여 사용되기에는 적합지 못하다는 것이다. 비교적, 이것은 외복사근의 근육 두께가 초음파와 근전도상에서의 활동과는 아무 연관이 없다는 것을 알 수 있다.

복횡근(Transversus abdominis)

목표 일차적인 목표는 만일 복횡근이 표재복부근(내복사근, 외복사근과 복직근)으로부터 분리되어 활성화 될 수 있는지 그리고 다른 국소계통 근육들(local system muscles)의 동시수축과 근막의 긴장을 초래함으로서 일어나는 낮은 레벨의 근수축과 등척성 수축을 유지하는지를 결정해야 하는 것이다. (Richardson 등 1999)의 공동 수축.

환자의 위치(Patient position) 기술을 표준화하고 복부의 접근을 용이하게 하기 위해 바로누운자세에서 무릎구부려 누운 자세(crook lying position)을 취해야 한다.

복부는 검상돌기에서 배꼽이하까지 노출되도록 해야 한다(치골결합까지를 선호한다). 이 자세는 복횡근을 훈련하는데 있어 항상 최적의 자세는 아니라는 것을 명심한다(제 10장 참고).

초음파 변환기 배치(Ultrasound transducer placement) 초음파 변환기는 복부의 전측방에 있는 장골능의 바로 상부에 가로질러 놓도록 한다.(그림 8.75). 모든 세 복부근육들의 영상(그림 8.76a,b)과 복횡근의 전방 중심선의 근막의 연결(그림 4.26a,b)이 가로질러 깨끗하게 나올 때까지 변환기의 각도를 능숙하게 다루어야 한다.

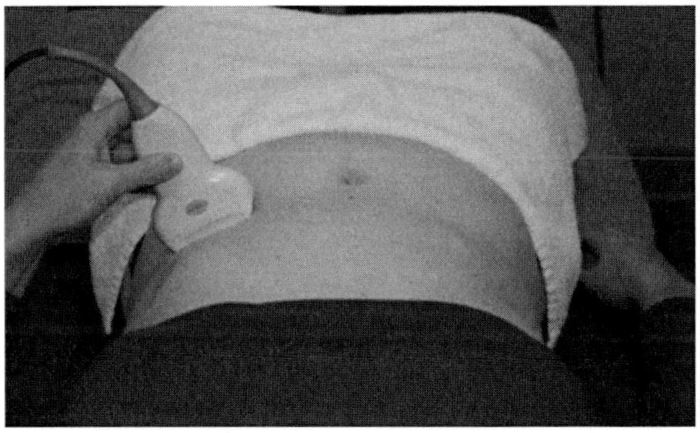

그림 8.75 복부의 전측면에서 초음파영상을 취하기 위한 도자의 움직임.

대부분의 변환기들은 한쪽에 빛(light)과 표식자(marker)를 가지고 있으며 이것은 검사자(viewer)의 오리엔테이션을 돕기 위하여 초음파 스크린의 좌측위에 표식자로서 교신하게 되어 있다. 이것을 적용하는데 있어서, 환자의 좌측을 오리엔테이션하기 위하여 표식자를 사용해야 한다(표식자는 환자의 좌측과 마주보도록 유지해야 한다.). 좀 더 표재의 조직에 초점을 제어하기 위하여 근육들은 스크린의 약 40–50%를 채워서 조절해야 한다. 초음파 변환기의 휘어진 모양에 따라, 가벼운 압박은 탐색하려고 하는 부위를 좀 더 잘 볼 수 있게 하는데 필요하게 될 것이다. : 초음파 겔을 적절히 사용하면 접촉이 잘 되고 압박을 줄 필요성이 줄어들게 될 것이다.

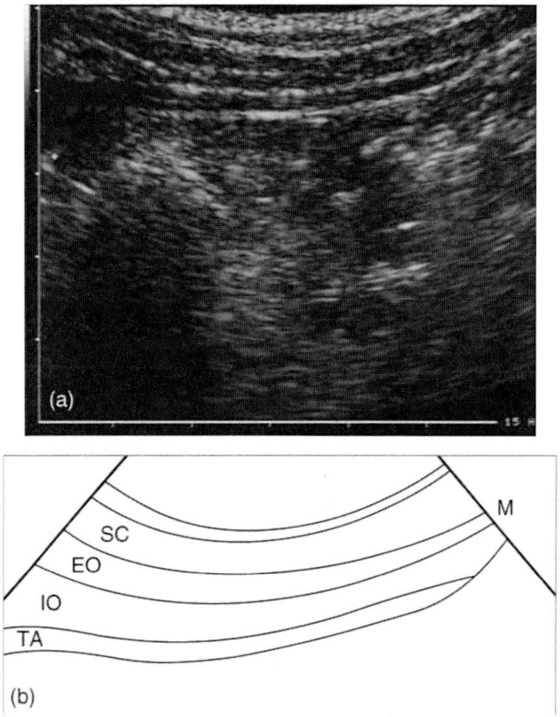

그림 8.76 외측 복벽 초음파 영상. (a) 휴식시 전측면 복벽의 횡영상. (b) 기호를 붙인 같은 영상의 윤곽 M, 중앙선 SC, 피하조직 ; EO, 외복사근 : IO, 내복사근 : TA, 횡복근.

이상적인 반응(Ideal response) 환자가 조용히 숨을 쉬는 상태에서 근육층의 움직임을 주목해 보도록 한다. Hodges & Gandvevia(2000a)는 조용한 호흡을 하는 동안 복횡근은 최소의 수축이 일어난다는 것을 주목 하였다. 또한 그들은 화학적 변화(chemical drive)의 증가가 있을 때(탄산가스의 레벨의 증가) 또는 흉곽에 탄력적인 부하를 주었을 때(흉곽 관절 고정으로 인하여, 질병의 경과로, 전체근육이 고정되었을 때) 복횡근은 호기를 감소시키는 첫 복부근육이라는 것을 주목하였다. 호기(expiraion)에 상응하는 복횡근(또는 외복사근)의 완화된 수축은 비기능의 지표가 될 수 있다.

조용히 숨을 쉬는 동안 복부근을 모니터 한 다음, 환자에게 다음과 같은 말 중에 하나를 사용하여 복횡근의 수축이 일어나는지를 물어 보도록 한다.

"천천히 그리고 부드럽게 복부를 밑으로 끌어당겨 보세요."

"천천히 그리고 부드럽게 마치 소변의 흐름을 멈출 때처럼 요도 주위의 근육에 힘을 바짝 주도록 하세요."

"천천히 그리고 부드럽게 당신의 질(또는 고환)을 위로 끌어당겨 보세요."

"골반뼈의 앞쪽(ASIS)의 양측을 접속하고 있는 철사가 좌측에서 우측까지 있다고 상상하고, 이 두 개의 철사를 끌어당겨 골반뼈를 서로 안으로 끌어당긴다고 상상해 보세요."

골반뼈의 뒤쪽(PSIS)의 양측을 접속하고 있는 철사가 좌측에서 우측까지 있다고 상상하고, 이 두 개의 철사를 끌어당겨 골반뼈를 서로 안으로 끌어당긴다고 상상해 보세요."

이상적인 응답(그림 8.77a)은 내복사근의 변화없이 복횡근의 길이가 감소되고 조절된 두께의 증가가 서서히 일어나게 된다.

복횡근 코르셋, 또는 복부외측면의 호(arcs), 그리고 중앙선 근막의 긴장은 내복사근 아래에 미끄러지는 복횡근처럼 증가된다는 것은 중요하다(Richardson 등 1999).

영상에서 주목한 반응과 임상촉진에서 얻어진 결과를 서로 연관을 짓도록 한다(국소적 동시수축 분석을 참고).

만일 하나의 분리된 수축이 일어나면, 그 다음에 검사자는 환자에게 정상적으로 숨을 쉬는 동안 이 근육을 수축하고 유지(contract – hold)하는 것을 반복하라고 말한다. 동시에, 검사자는 요천추의 다열근(그림 8.64)이 동시수축을 하는지를 촉진해 보도록 한다. 이것은 근육의 지구력 능력 뿐만 아니라 국소계(local system)의 다른 근육과 함께 협응운동과 동시추축의 능력을 확립하게 될 것이다.

RTUS를 평가하는 동안 복횡근을 촉진하는 것과 환자를 관찰하는 것은 중요한 것이다.

이 기술은 디지털 스크린에 초점을 맞추는 경향이 있다. : RTUS는 단지 검사과정에 보조를 하는 것이다.

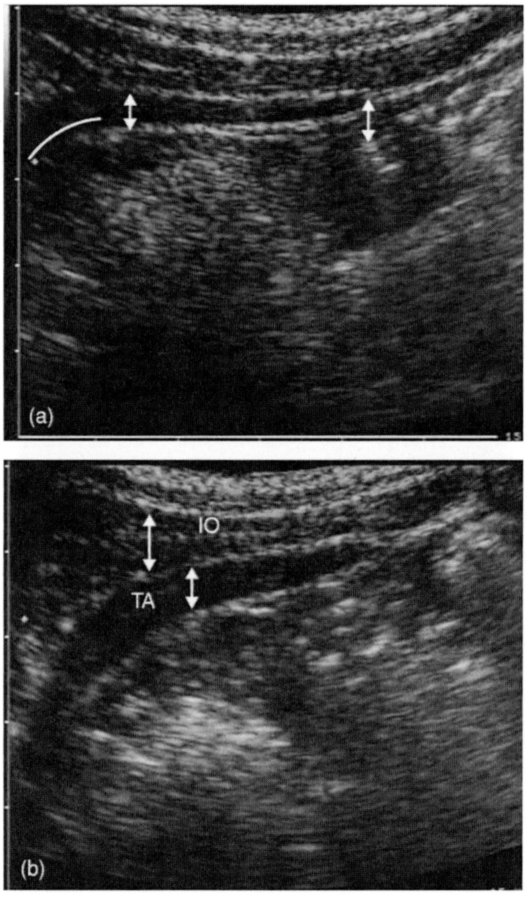

그림 8.77 초음파 영상은 복횡근의 분리된 반응을 보여 주고 있다. : 복횡근(화살표)의 둘레의 분리된 증가와 내복사근 아래로 미끄러지듯이 외측을 조이는 것을 주목한다. (b) 초음파영상은 전측방 복부근으로부터 과활동 반응을 보여주고 있다. 내복사근(IO)과 복횡근(TA)의 둘레가 증가되어 있음을 주목한다.

비정상적인 반응 복횡근의 비정상적인 반응은 전체 시스템(저활동)의 대용작용 또는 전체 시스템으로부터 분리된 근수축의 불능의 유무와 무관하게 전혀 없거나 불충분한 보충을 할 수 있다.

반응은 때로 비대칭적으로 나타나므로, 복부의 양측을 반드시 초음파 영상을 해야 만 할 것이다. 그러나 초음파영상은 외복사근의 활동(Hodges et at 2003a)을 결론을 내리는데 이용될 수 없다는 점을 유의해야 한다. 왜냐하면 이것의 두께는 근수축으로 일정하게 변화하지 않기 때문이다. 따라서 근활동의 증가는 촉진(palpation)과 근전도 검사가 필요하게 될 것이다.

무반응(absent) 또는 비효율적 반응(ineffective response)은 요추골반부위의 비효과적인 힘폐쇄(force closure)와 수축성분의 결함(수축이 없거나 저활동 수축, 변화된 근긴장의 길이 또는 위축), 그리고/또는 근막시스템의 통합의 소실(백선이개(diastasis of linea alba), 통합써클(circle of integrity)에 있어서 다른 파손)로 초래된다. 수축 성분이 불충분할 때, 전방 그리고/또는 후방근막은 충분히 긴장되지 않으며 약간의 변화는 휴식영상과 수축영상 사이에서 볼 수 있을 것이다.

외복사근과 함께 복횡근 또는 복직근(전체 시스템)(분리된 수축의 분리의 불능)의 동시수축은 흉추와 골반 양쪽의 부적합한 힘폐쇄의 결과를 초래한다.

초음파 영상은 두께가 증가되는 상(phasic)과 내복사근과 복횡근의 길이 감소를 나타내는 영상을 동시에 입증하게 될 것이다(그림 8.77b). 이 동시수축은 내복사근 아래에 있는 내측 근막과 복횡근의 활주(slipping)를 발생시키지는 않는다. 또한 골반을 향한 흉곽의 하강(depression)도 관찰할 수 있을 것이다(흉골반 굴곡(thoracopelvic flexion)(그림 8.55b).

복부근막 중심선(Midline abdominal fascia)

국소근육의 근막의 신전이 온전한지를 알아보는 것은 그들의 기능에 대해 중요하다.

복횡근과 관련해 일반적으로 백선(linea alba) 내에서 근막의 온전함의 소실을 볼 수 있는 것이 일반적이다. 이 조직이 온전한지를 빨리 선별하려면 백선을 따라 여러 곳에서 백선을 따라 횡으로 초음파 변환기를 놓을 수 있다(사진 8.78a). 처음에 폭을 정하면 복직근의 활성과 함께 넓어져 있는지도 관찰할 수 있다(사진 8.51). Sapsford 등(1998)은 백선의 넓이는 배꼽 위 1-2cm라고 했으며 내려오면서 좁아진다고 하였다. 정상 백선은 그림 8.78b의 초음파 영상에서 볼 수 있다. 복직근의 안쪽 가장자리는 '고양이의 눈'처럼 보인다. 비정상은 구조(근막 구성의 소실이 될 수 있고)에 있고, 이것은 복직근의 내측연(안쪽 가장자리) 사이가 2cm보다 더 크게 분리되는 것을 허용하게 된다(복직근의 활성화와 내측 가장자리의 분리).

다열근(Multifidus)

목표(Goal) 목표는 요추 다열근의 심층섬유가 표층섬유로부터 격리되어 활성화되고, 다른 국소 계통의 근육의 동시수축과 근막긴장을 초래하는 낮은 레벨의 수축이 등척성으로 되는지를 확인하는 것이다.

환자의 자세 초음파 스크린으로부터 환자의 피드백을 최적화하기 위하여 그리고 테크닉을 표준화하기 위하여, 옆으로 누워 양쪽의 고관절과 무릎을 구부린 자세를 취하도록 한다. 요추는 중립위를 취하고, 만일 고관절과 허리둘레 사이가 크게 일치되지 않는다면 접은 타올이나 배게로 허리 사이를 고여주도록 해야 한다. 몸통은 복부, 하부흉곽, 그리고 중간 흉추에서부터 천추까지의 척주를 노출시켜, 볼 수 있게 해야 한다. 이 자세는 항상 다열근 훈련을 위한 최적의 자세는 아니라는 것을 염두에 두어야 한다.

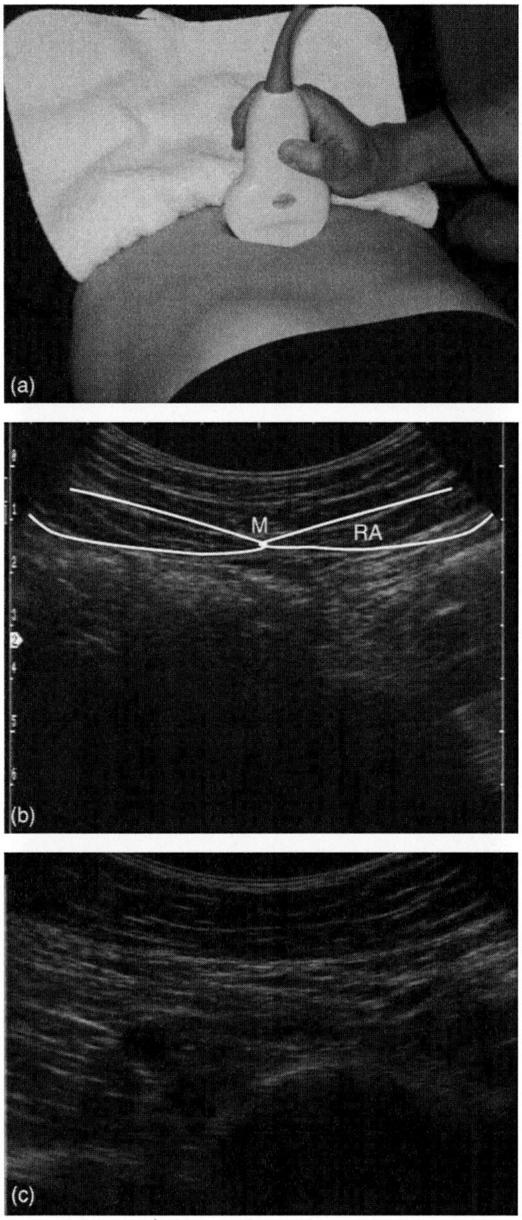

그림 8.78 중앙선에서의 복직근 초음파 영상. (a) 복직근초(abdominal sheath)의 중상선에서의 사정(assessment)을 하기위한 초음파 도자의 위치. (b) 중앙선에서 복직근초의 정상 초음파 영상 RA, 복직근 ; M, 중앙선. (c) 복직근초의 초음파영상

초음파 변환기의 위치(Ultrasound transducer placement) 초음파 변환기를 극돌기의 바로 외측에서 세로로 세워 약간 내측으로 각이 지도록 위치시킨다. 변환기의 표식자(스크린의 좌측을 지시한다)

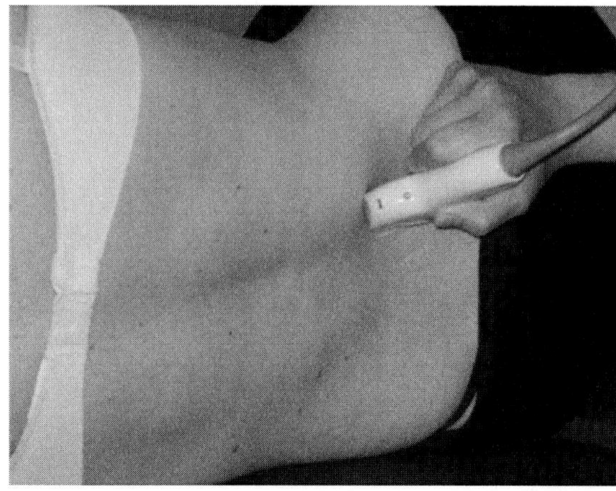

그림 8.79 요추에서 다열근의 종적인 영상을 얻기 위한 초음파 도자의 시도

는 환자의 머리를 향하게 한다(그림 8.79).

변환기의 앵글은 요추의 다열근, 천골과 L5-S1, L4-L5, L3-L4의 관절돌기가 명확해 질 때까지 종(세로)으로 조작한다(그림 8.80).

일단 화면에서 확인되면 다열근과 척주를 화면 위에서 좋은 영상을 만들어 내기 위해 심부 조절장치를 맞춘다. 다열근의 최고영상은 약간 고주파(7.5MHz)의 직선 배열 변환기에서 얻어진다(Hides et al 1995a).

요추 다열근의 심층(국소)과 표층(전체)섬유 사이의 윤곽은 복부 근육층만큼 명확하지는 않다. 다열근의 심층섬유는 관절 중심 근처에 위치해 있고, 표층섬유는 피하조직과 화면 상부 근처에 있다. 수축할 때 이 윤곽은 더 잘 보인다.

이상적인 반응(Ideal response) 환자에게 아래와 같은 구두지시 중 하나를 선택하여 요추 다열근의 심부의 근수축을 하도록 요구한다.

'왼쪽부터 오른쪽까지 골반의 후방(PSIS)이 연결되어 있다고 상상해 보세요. 이 두 뼈를 같이 힘있게 잡아당긴다고 생각해 보세요.'

'안쪽 허벅다리부터 등 하부까지 선이 연결되어 있다고 상상하세요(치료사는 기능장애가 있는 부위 위

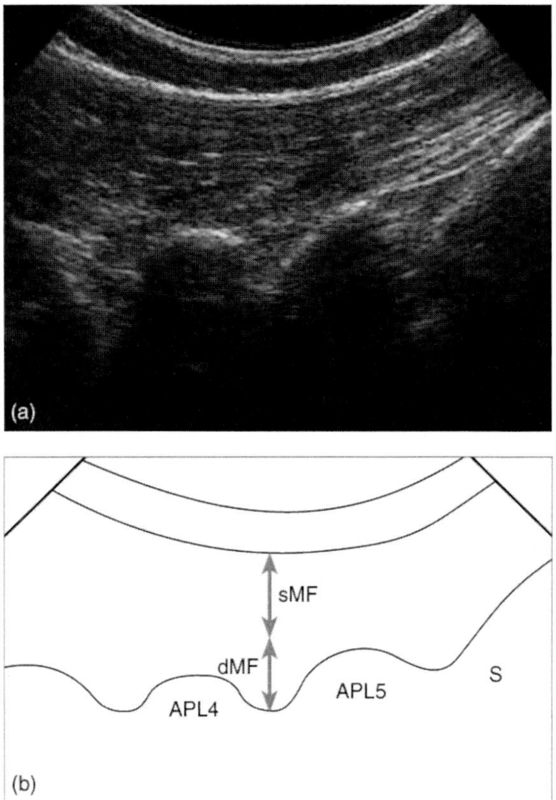

그림 8.80 다열근의 종적인 초음파 영상 (a) L3-S1연골기둥위와 극돌기 바로외측의 요추다열근에 대한 휴식시의 종적영상 (b) 같은 영상의 윤곽. APL4, 연골돌기 L4 ; APL5, 연골돌기 L5 ; S, 천골 ; dMF, 심부 다열근 sMF, 표층 다열근

를 깊게 누른다) 이 두 부분을 서로 함께 잡아당기는 힘을 생각해 보세요.'

'소변이 흐르는 걸 멈추는 것처럼 천천히 요도 주위 근육에 힘을 주세요.'

'질이나 고환을 몸속으로 천천히 끌어 당겨 보세요.'

'왼쪽부터 오른쪽으로 골반뼈의 전방(ASIS)이 연결되어 있다고 상상하세요. 그리고 이 두 뼈를 같이 잡아당기는 힘을 생각해보세요.'

이상적인 반응(그림 8.81a)은 몸통둘레의 근섬유들이 증가되는 것처럼 심부 근육의 두께가 서서히 증가되는 것이다. 근육의 두께가 증가되었다면 심층과 표층 중 어느 곳에서 증가한 것인지 잘 관찰해야 한다. 왜냐하면 심부의 수축만이 이상적인 반응이기 때문이다. 이것은 환자의 관찰(obserbed)과 다열근을 RTUS 사정을 통해 촉진(palpation)하는 것이 중요하다. 이 기술은 디지털 화면에 초점을 맞추는 경향이 있지만, RTUS는 단지 객관적인 검사에 대한 보조 검사에 불과하다.

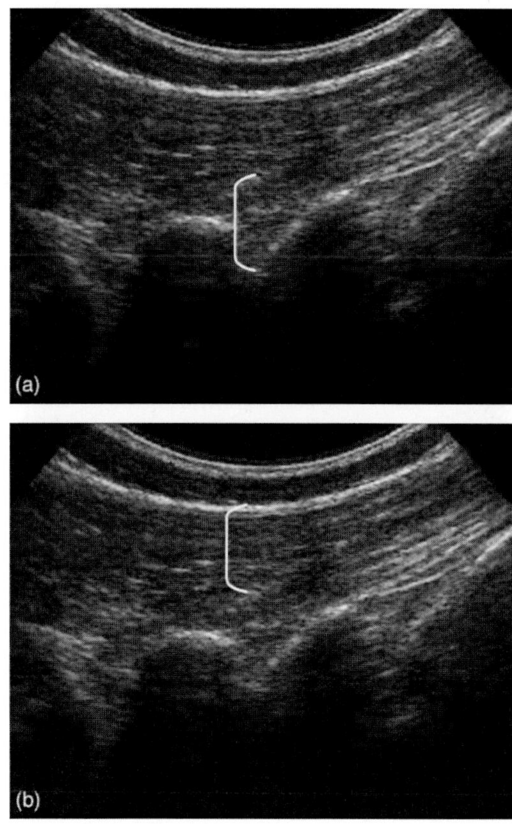

그림 8.81 (a) 초음파 영상은 요추 다열근의 심부 섬유의 분리된 반응에 대한 위치를 보여주고 있다.
(b) 초음파 영상은 요추 다열근의 표면 섬유들로부터의 과활동 반응에 대한 위치를 보여주고 있다.

만약 분리된 수축이 발생하면, 환자에게 정상적인 호흡을 하고 있는 동안 수축(contraction)과 유지(hold)를 반복하게 한다. 동시에 검사자는 복횡근의 동시수축을 촉진하도록 한다(그림 8.64). 이것은 근육의 지구력의 수용능력 뿐 아니라 국소계통(local system)의 다른 근육의 협응과 동시수축능력을 세우게 될 것이다.

비정상 반응들 다열근의 비정상적 반응은 전체 시스템(저활동)의 대용작용과 무관하게 충분한 보충(sufficient recruitment)과 부재(absence) 또는 전체 시스템의 분리 불능이 포함될 수 있다. 반응은 분절, 다분절, 비대칭(Hides et at 1994)일 수 있음으로, 영상은 양측으로 다양한 레벨에서 반복되어야만 한다.

불충분한 반응은 요추골반 부위의 비효과적인 힘 폐쇄, 둘째로 수축하는 구성요소의 결핍(부재, 저활동성 수축, 변화된 긴장의 길이 또는 위축) 그리고/또는 안면의 온전성(integrity)을 소실한 결과이다(인대 또는 근막의 온전성 소실).

수축 구성요소가 불충분할 때, 흉부후면 근막은, 휴식시의 영상과 수축시의 영상 사이에 작은 변화와 충분한 긴장이 없다.

다열근의 심부와 표면 섬유들의 동시 수축은(뿐만 아니라 척추기립근 역시)(개별적으로 수축을 분리시키는 것은 불가능하다.) 골반과 흉부 양측의 부적당한 힘폐쇄로 초래된다.

초음파 영상은 피하 경계면(subcutaneous interface)으로부터 관절 기둥(articular pillar)까지의 전체 근육 두께의 동시 위상을 입증하게 될 것이다(Fig 8.81b). 게다가 척추의 신전도 일어나게 될 것이다.

골반저(Pelvic floor)

목적 주요 목적은 만일 골반저 근육들이 주변 근조직으로부터 분리되어 활성화가 될 수 있는지(둔부근, 내전근, 내/외 복사근, 복직근) 그리고 등척성을 유지할 수 있는지 근막의 긴장력의 결과로써 낮은 수준의 수축을 일으키는지(방광을 지지할 수 있는지) 그리고 다른 국소 근육조직들의 동시 수축에 따라 결정한다.

환자의 자세 기술을 기준으로 하거나 하복부에 접근을 용이하게 하기 위해서 환자는 똑바로 누운 자세에서 양쪽 다리를 쭉 뻗고 엉덩이에 힘을 뺀다(이완한다). 환자의 복부는 검상돌기부터 치골결합까지 노출되어 있어야 한다.

초음파 변환 배치 골반저 근육의 평가는 적당하게 완전한 방광(moderately full bladder)의 후하방의 부시상면 또는 횡단면의 복부를 통해 달성할 수 있다.

부시상면 적용 중앙선에서 약간외측, 치골결합 바로 상부 복부위에 하내측 시상면까지 상외측내로 변환기를 향하게 한다(Fig 8.82a). 변환기의 표식자(marker)는 환자의 머리쪽으로 향하게 한다(스크린의 왼쪽). 치골 결합까지 하방, 후방으로 그리고 방광과 요도소낭경(urethrovesical neck)(그림 8.83a,b)의 영상이 깨끗하게 나타날 때까지 변환기의 각도를 조절한다(Whittaker 2004).

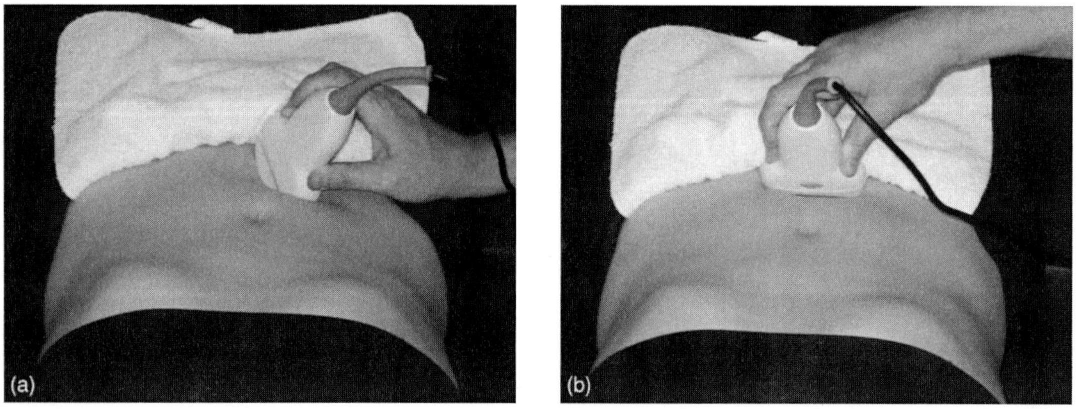

그림 8.82 (a) 방광의 부시상면(parasagittal)복부 영상을 위한 초음파 변환기의 위치. (b) 방광의 횡단면 복부 영상을 위한 초음파 변환기의 위치.

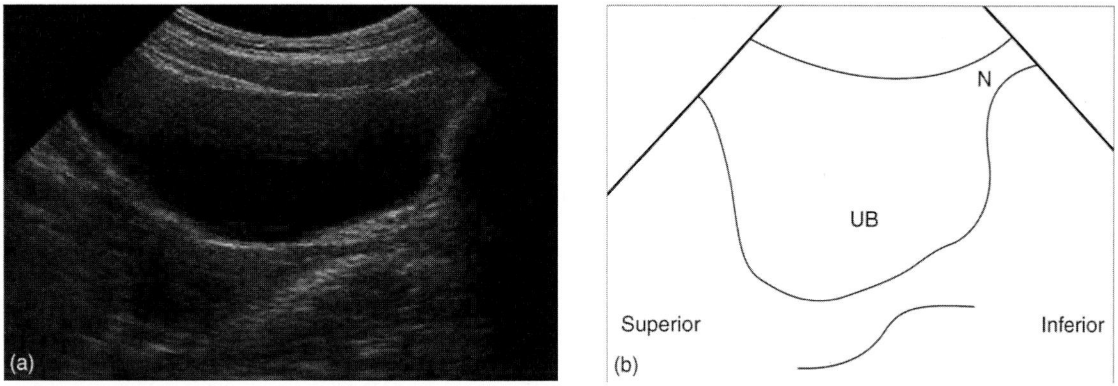

그림 8.83 부시상면 복부 초음파 사진 (a) 방광이 휴식시 부시상면 복부 영상 (b) 같은 영상의 윤곽에 기호를 붙임. UB-방광, N-방광의 목 (neck od bladder)

횡단면 적용 변환기를 정중선을 가로질러 수평으로 상부에서 치골결합까지 그리고 각이 수직에서 약 60° 향하게 한다. 목적은 둔부쪽으로 향하게 하기 위한 것이다(그림 8.82b).

변환기의 표식자(marker)는 환자의 왼쪽으로 향하게 한다. 변환기의 각은 방광의 영상이 깨끗해 질 때까지 조작한다(Fig 8.84a,b)(whittaker 2004).

모든 복부 영상을 취급함에 있어서, 가스(피부와 변환기 사이 또는 복부 내에서)와 과도한 지방 조직은 영상 산출을 방해할 수 있다. 왜냐하면 음파를 흩트리고 공명을 말살하기 때문이다.

산출된 영상은 아주 조심히 다루어야 하고(변환기의 조작 뿐 아니라 겔의 적절한 사용) 신중한 해석을 내려야 할 것이다.

이상적인 반응(Ideal response) 일단 적절한 영상이 산출되면, 변환기는 견고하게 유지하고, 환자에게는 골반저 근육의 수축을 시행하도록 해야 한다(요도 부근의 근육을 짜내거나 질이나 고환을 들어 올리도록 한다). 방광은 골반저 근육과 내골반 건막(endopelvic fascia)에 의해서 지지되고 있다(williams 1995, Ashton-miller et al 2001). 골반저 근육이 수축하면, 항문 거근의 확장과 골반내 근막의 긴장이 초래된다. 이것은 방광벽의 침식을 초래하고 방광의 두부복부운동(cranio ventral motion)을 동반하고 이것의 후하방면이 서서히 톱니모양처럼 침식하는 것을 볼 수 있을 것이다(Christensen et al 1995, Howard et al 2000, Bo et al 2001, Pranathi Reddy et al 2001, Whittaker 2004)(Fig 8.85a,b).

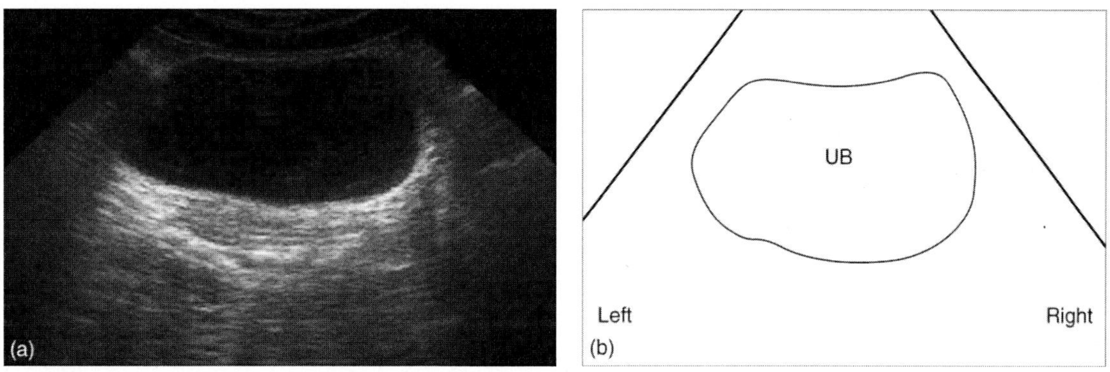

그림 8.84 횡단면 복부 초음파 사진 (a) 방광 휴식시 복횡근의 영상 (b) 같은 영상의 윤곽. UB-소변 방광.

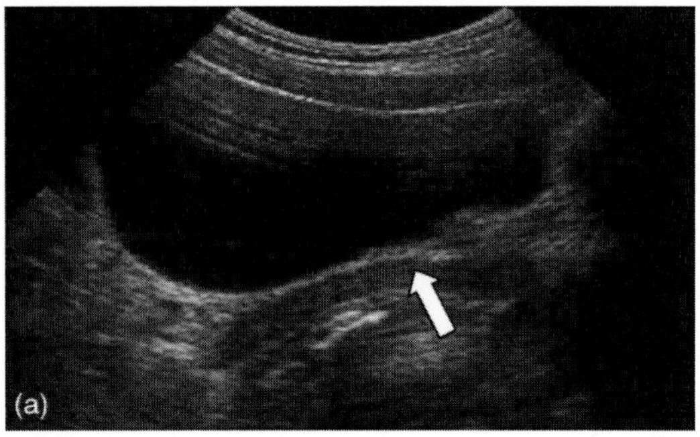

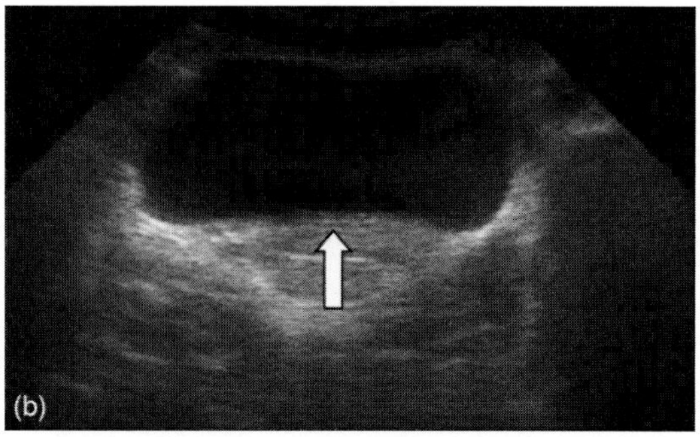

그림 8.85 (a) 초음파 영상은 부시상복부로부터 골반저 근육의 분리된 반응을 보여준다. 방광을 주목한 화살표는 적절한 골반저 수축을 볼 수 있다.
(b) 초음파 영상은 횡단 복부로부터 골반저 근육들의 분리된 수축을 보여준다. 방광을 주목하게 한 화살표는 적절한 골반저 수축의 범위를 보여주고 있다.

방광의 후하방면의 움푹들어간 곳은 부시상면과 횡단면으로 적용해야만 보여질 수 있다. : 그러나, Christeaser 등(1995)은 전위는 부시상면에서 가장 잘 볼수 있다고 주장하고 있다.

두개복부운동은 부시상기술(parasagittal technique)의 사용으로만 보여 질 수 있다.

복횡근 영상의 가치는 한번에 골반저의 양측에 대한 평가를 허용하는 것이다. 임상경험(clinical experience)의 반응은 때로 비대칭을 보이기 때문에 부시상 영상을 양측으로 획득해야 하는 것은 중요한 것이다.

만일 분리된 수축이 일어나면 다음에는, 환자에게 정상적으로 숨을 쉬면서, 수축과 유지를 반복하도록 한다. 동시에 검사자는 복횡근의 동시수축을 촉진해 보도록 해야 한다(Fig 8.64). 이것은 근육의 지구력의 수용능력 뿐 아니라, 국소지역의 다른 근육들과 더불어 동시수축과 협응을 할 수 있는 능력을 달성할 수 있을 것이다.

비정상적 반응 비정상적 반응은 골반저 근육의 부재 또는 불충분한 보충(저운동성)의 패턴 중 한 가지 패턴을 내포하게 되고, 복부근의 과도한 활동과는 무관하게 발살바 방법(Valsalva maneuver)(복근에 힘주기)을 초래한다. 그 대신, 분리 수축이 일어나게 될 것이고 그 다음에는 지구력 부족으로 피로가 매우 빨리 오게 될 것이다.

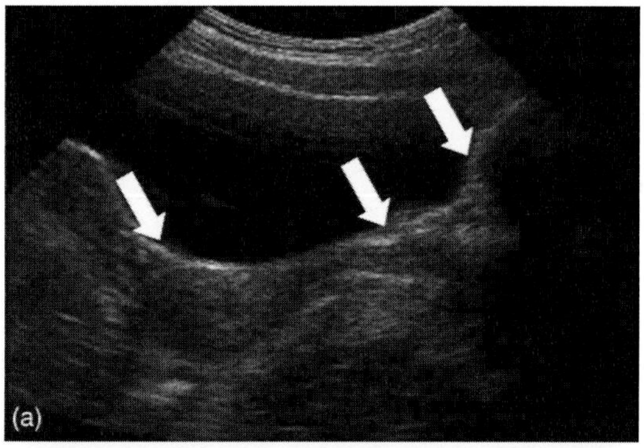

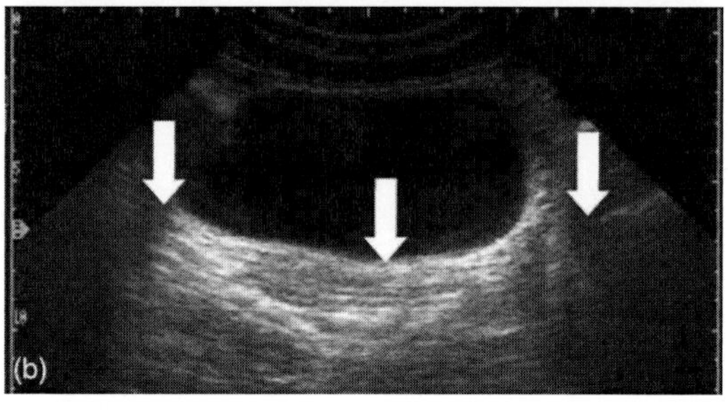

그림 8.86 발살바 시도(Valsalva strategy)의 부시상(parasagittal)에서의 방광의 초음파 영상 : 화살표는 실시간 운동에 주목하고 있다. (b) 발살바 시도의 횡복부 초음파 영상과 그에 대한 방광의 영향 : 화살표는 실시간 운동에 주목하고 있다.

반응은 때로 비대칭적으로 나타나기 때문에 반드시 복부양측의 영상을 취해야만 한다.

반응의 부재나 불충분은 요추골반 부위의 비효율적인 힘폐쇄를 초래하고, 이차적으로 수축요소에서 결함을 보이며(부재 또는 저활동 수축, 변화된 길이의 긴장, 위축, 또는 손상된 신경지재) 그리고/또는 근막계통의 온전성의 소실을 초래한다. 여러 가지 요소는 내골반 건막(endopelvic fascia)에서 구조적인 결함이 뒤따르게 된다. : 출산(childbirth), 부하전달을 위한 발살바 방법의 반복적 사용, 그리고 외과적인 방법 이들 임상적 시나리오의 어떤 것은 초음파영상은 안전영상(resting view)에서와 유사할 것이다.

환자가 발살바 방법(그림 8.57)을 사용할 때 복부근의 활성화는 방광의 미부배부 운동(caudodorsal motion)을 초래하게 된다(그림 8.86). 이것은 골반저근육(방광의 침식으로 확인한다.)의 수축으로 동반될 수 있거나 그렇지 않을 수도 있다.

부하가 주어진 동안의 방광 안정성

목표 주요목표는 복부근(복횡근, 횡격막, 골반저)의 경계선을 이루는 국소 시스템 근육이 체간에 부하가 주어지는 동안 방광의 위치를 조절할 수 있는지 없는지를 결정하기 위한 것이다. 환자의 자세, 변환기의 놓이는 곳, 영상의 발생은 위에 부시상 골반저 적용에 대하여 언급한 바와 같다. 방광의 양쪽을 평가해야만 할 것이다.

이상 반응 일단 적절한 영상이 얻어지면(그림 8.83a) 환자에게 ASLR(제 8장 참고)을 하도록 한다. 이상적으로, 국소 시스템은 동시수축을 해야 하고 방광은 고정상태로 남아 있도록 해야만 한다. Howard 등(2000)은 방광 목(neck of bladder)의 미측배측 운동(caudodorsal motion)은 정상과 환자 집단에서 기침이나 발살바가 함께 발생된다고 입증하였다. 결과적으로 비록 방광은 상대적으로 고정적으로 남게 되더라도 미측배측의 작은양의 운동은 정상으로 간주되어야 한다.

비정상 반응 O'sullivan 등(2002)의 문헌과 의학적 경험은 모두 국소 시스템이 협응을 취하지 못한다면, 거의 공통 보상적 운동조절 패턴(common compensatory motor control pattern)은 발살바나 긴장시키는 행동(bracing strategy)일 것이라고 제시하고 있다. 이것은 방광의 현저한 미측배측 운동의 원인이 된다(그림 8.86).

다양한 부하 방법(전략)은 ASLR의 장소에서 사용할 수 있다. : 무릎을 구부려 다리를 올리고, 구부린 다리를 내리고 팔은 올린다. 모든 상황에서 현저한 방광의 미측배측 운동은 비정상적으로 간주한다.

요통과 골반의 통증이 있는 환자에 대한 요추골반 근육의 기능의 영상에 대한 조심성 있는 방법은 실재증거에 의해 제시되고 지지되어야 한다.

연구(studies)는 여전히 요추골반 근막손상(lumbopelvic myofascial impairments)에 대한 민감성, 특수성, 신뢰성을 결정짓기 위해 정상집단과 환자집단을 필요로 한다. 따라서, 병력, 이학적 검사와 생체역학 검사와 함께 초음파 이미지의 실시간 사용은 요통과 골반통을 동반한 환자에 있어서 요추골반의 기능에 대해 더욱 포괄적인 평가를 초래하게 될 것이다.

신경학적 전도와 운동성 테스트(Neurological condudtion and mobility test)

이들 검사는 요천추신경총에 관련된 운동신경과 감각신경의 전도성 뿐 아니라 추간공(intervertebral)을 통한 경막의 운동성을 검사하기 위한 것이다. 독자는 이 내용에 대한 좀더 깊이 있는 지식을 재고(再考)하려면 Butler(2000)를 참고하는 것이 좋을 것이다.

운동신경 전도 테스트(Motor conduction test)

L1에서부터 S2까지의 운동신경근(motor nerve roots)은 그들이 지배하는 말초신경에 의해서 평가된다. 비록 lower quadrant 내에 정확한 말초 근절은

없지만, 주근육(key muscle)으로 알려진 특수한 근육들은 일차적으로 하나의 운동신경에 의해서 지배받는다. 그리고 그들의 기능은 신경학적 지배를 반영한다. 먼저, 최대의 근수축을 주근육(key muscle)으로부터 표출시키고 힘의 양과 질을 반대측과 비교한다. 만일 근력 테스트에서 근육이 강하다면, 6개의 최대하 수축은 가속화된 피로도(accelerated fatigability)를 탐색하기 위하여 표출한다. - 신경학적 임피단스의 일반적인 소견.

운동신경과 주근육에 대한 평가는 다음과 같다.

- L2 대요근, 내전근 psoas major, adductor.
- L3 내전근, 대퇴사두근 adductor, quadriceps.
- L4 대퇴사두근, 전경골근 quadriceps, tibialis anterior
- L5 모지신전근, 지신전근, 비골근 extensor hallucis, extensor digitorum, peronei.
- S1 슬괵근, 비복근 hamstring, gastrocnemius.
- S2 슬괵근, 대둔근 hamstring, gluteus maximus.

감각전도 테스트(Sensory conduction test)

L1-L2의 감각신경근(sensory nerve roots)은 그 신경에 의해서 지배받고 있는 피절(dermatome)로 평가된다. 피부절은 개개인별로 분절의 분포가 다소 다르기 때문에 혼란스러울 수도 있다. 게다가, 감각전도성의 전기는 아마 약한 감각과민에서부터 완벽한 무감각증까지의 감각부전 범위 내에서 반영될 것이다. 피부절의 원위부의 보다 자세한 검사는 조기에 신경학적인 장애(neurological interference)를 발견할 수 있다.

감각기능장애의 첫 징후(sign) 중 하나는 특수한 피부절내의 감각과민을 나타내는 것이다. 이 징후는 감각이 완전히 사라지거나 감소될 때까지 장기간 나타나는 경향이 있어서 이것의 존재는 때로 환자를 놀라게 한다.

비록 개개인별로 피부절에 차이가 있다고 하더라도 아래에 나열해 놓은 피부절은 보편적인 것으로 인정되어 있는 것이다.

- L1 둔부의 상부 후면, 샅의 전면 upper posterior buttock, anterior groin.
- L2 둔부의 중부 후면, 전방 퇴부에서 무릎까지 middle posterior buttock, anterior thigh to the knee.
- L3 둔부 하부 후방, 대퇴부 앞쪽과 무릎내측 때로는 내측 복사뼈의 원위부 lower posterior buttock, anterior thigh to the medial knee and occasionally distal to the medial malleolus.
- L4 대퇴측면, 종아리 내측, 발등에서 엄지발가락까지 lateral thigh, medial leg, dorsum of the foot to the great toe.
- L5 종아리 측면, 발등에서 2,3,4 발가락까지, 발바닥에서 123 발가락까지 lateral leg, dorsum of the foot to toes 2,3,4 sole of the foot(excluding the heel) to toes 1,2,3.
- S1 대퇴후부, 종아리, 발의 외측연에서 발등과 발바닥 까지 posterior thigh, leg, lateral border of the foot to dorsum and sole, to toes 4 and 5.
- S2 대퇴후부, 종아리에서 뒤꿈치까지 posterior thigh, leg to heel. S3, S4 서혜부 perineal region.

반사 테스트(Reflex test)

척수 반사는 의심이 되는 신경근(nerve root)에 의해 지배받는 주근육(key muscle)의 신장반사

(stretch reflex)의한 심부건 반사의 반응으로 평가하며, 다음과 같다.

L3, L4 대퇴사두근 quadriceps.

L5, S1, S2 비복근 gastrocnemius.

척수의 온전함(integrity)은 족저 반응테스트(plantar response test)로 평가한다.

경막/신경운동성 테스트(Dural/neural mobility tests)

L2-S2 신경근을 둘러싸고 있는 경막의 운동성(mobility)은 다음 두 가지 검사로 평가한다.

1. 대퇴신경(Femoral nerve(stertch))
   검사자는 환자를 엎드려 누운 자세를 취하게 하고 하지의 족관절을 잡고 수동적으로 무릎을 구부려 슬관절의 가동범위와 끝느낌을 주목한다. L2, L3와 L4 신경근의 경막 운동성이 제한되어 있다면 통증은 요추의 후방에서 느껴지고, 고관절 신전과 슬관절 굴곡은 통증으로 인해 제한된다.
2. 좌골신경(Sciatic nerve(straight))
   환자는 바로 누운 자세를 취하고 검사자는 하지의 족관절 위를 잡고 무릎을 가슴쪽으로 구부려 고관절을 약간 내전하고 내회전한 상태를 유지하면서 운동범위와 끝느낌을 주목한다. L4, L5, S1신경근의 경막 운동성이나, S2신경근에 제한이 있다면 통증과 근육 경결(spasm)으로 인해 고관절 굴곡은 30-60°로 제한된다.

혈관테스트(VASCULAR TESTS)

이 테스트는 하지의 혈액순환 상태를 선별적으로 검사하는 것이다. 피부색, 피부의 질감, 의존상태의 반응, 평가, 그리고 표재의 상처가 치유될 때까지의 기간 등을 조심스럽게 관찰하여 기록한다.

비골동맥, 슬와동맥, 족배동맥 등을 대퇴삼각부, 슬와, 발등에서 각각 촉진한다.

만약, 심부 정맥혈전증이 의심된다면 족관절을 수동적으로 족배굴시켜 반응을 기록하고 열이 있는지 압통이 있는지를 알아보기 위하여 조심스럽게 촉진하도록 한다.

보조검사(ADJUCTIVE TEST)

방사선 영상은 훌륭한 경찰관도 만들지만 불쌍한 변호사도 만든다.

이 점에 대해서 평면 방사선 영상은 심각한 뼈의 질병과 중요한 역학적 결함을 찾아내지 못하고 때로는 환자를 어떻게 치료해야 되는지에 대한 지침도 제공하지 못하고 있다(Grieve 1981).

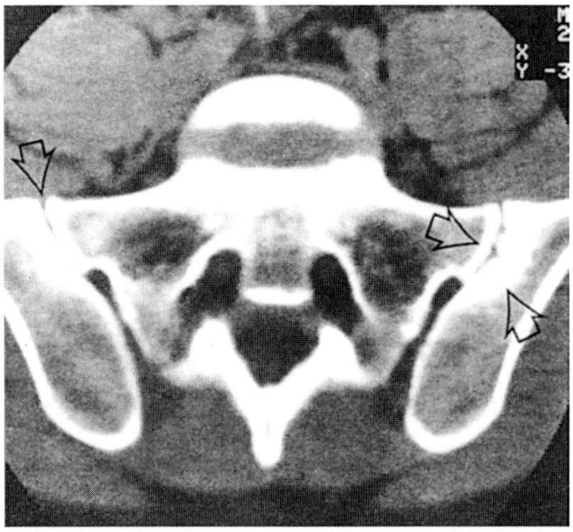

그림 8.87 라이터병(Riter disease)환자의 CT 스캔(횡단면). 경화증(화살표)에 초점을 맞춘 영상기술, 이 병과 관련하여 천장관절이 좁아져 있고 마모되어 있다. 관절의 깊이는 명확하게 보여 지고 있다.

보조검사의 결과를 얻기 위한 근본적인 이유는 심각한 병리를 배제하기 위한 것과 치료하기 전에 해부학적인 비정상의 존재 여부를 발견하기 위한 것이다.

보조검사는 다음과 같은 검사를 포함한다.

1. 방사선 영상술(X-Ray)
2. 추간판 조영법(diskography)
3. 척수 조영법(myelography)
4. 척수후근신경 조영법(radiculography)
5. 경막외 조영법(epidurography)
6. 단층 촬영법(tomography)
7. 횡축의 단층 촬영법(transverse axial tomography)
8. 컴퓨터로 처리된 횡단면 촬영법(computed transverse axial tomography)
9. 방사선적인 입체구획 나누기(radiographic stereoplotting)
10. 척수내 정맥 조영법(interosseous spinal venography)
11. X선 영상술과 투시진단법(cineradiography and fluoroscopy)
12. 체열촬영술(thermography)
13. 신경근 침윤성음영(nerve root infiltration)
14. 전기진단(electrodiagnosis)
15. 척추간 디스크 압력계(intervertebral disk manometry)
16. 방광계(cystometry)
17. 방사선 동위핵체연구(radioactive iostope studies)
18. 초음파 검사(ultrasonography)
19. 핵자기 공명(nuclear magnetic resonance)

천장관절에 관해서 Lawson 등(1982)은 경미한 마모의 탐색과 관절의 협소에 대한 전통적인 방사선 영상에 맞서 computed axial tomography(CT scanning technique)의 장점에 대하여 보고 하였다. 왜냐하면 CT 스캔은 천장관절을 삼차원적 공간상에서, 오리엔테이션을 할 때, 관절강(joint space)을 시각적으로 탁월하게 볼 수 있기 때문이다. 따라서 염증성인 천장골염(sacroiliitis)은 관절 협소, 경화, 관절강직, 마모 등을 기본으로 하고 있는데 이러한 확인을 쉽게 할 수 있게 한다.

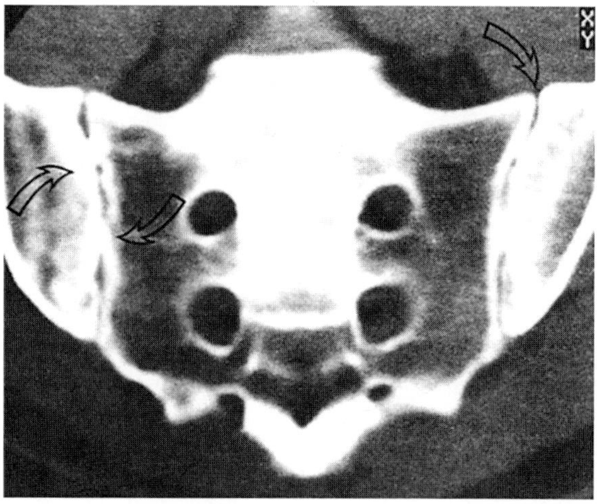

그림 8.88 라이터병 환자의 CT 스캔(수직면). 천장관절면의 경화증(화살표)협소, 마모를 보이고 있다.

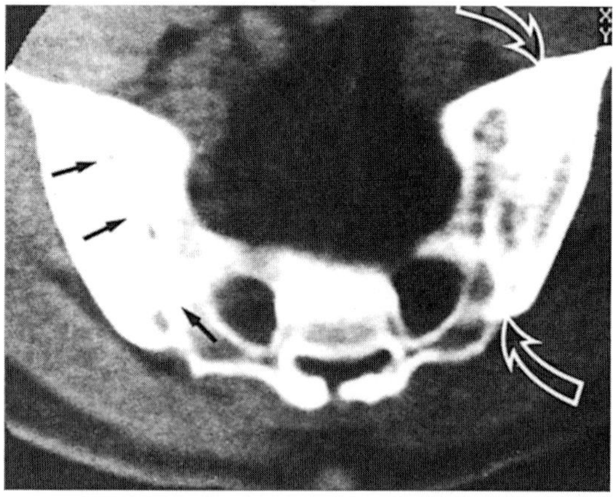

그림 8.89 강직성 척추염환자의 CT스캔. 우측천장관절(열린 화살표)의 전체강직성에 주목하도록 한다.

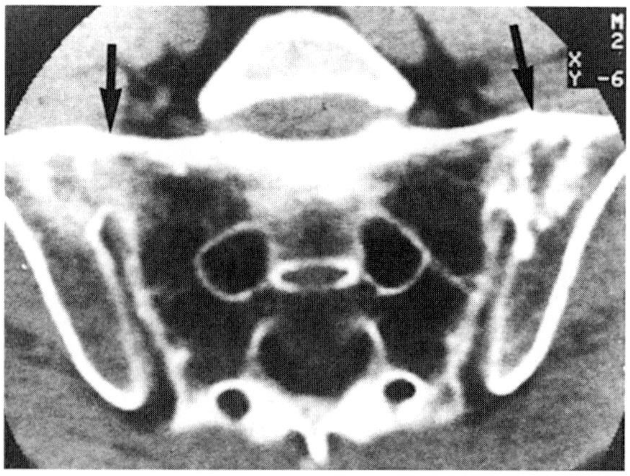

그림 8.90 강직성 척추염환자의 CT스캔. 천장관절의 양측 뼈의 강직성에 주목한다. (그림 8.87-8.90)은 라벤출판사와 Lawson 등(1982)의 허락 하에 실린 것이다)

그림 8.87-8.91은 천장관절의 활막(synovial)과 인대의 시각화된 도해로서 이것은 보조검사로 가능하다.

CT 스캔 테크닉은 요추의 선천적 또는 후천적 변화를 나타내 보일 수 있다(그림 8.78).

중앙 척수관의 면적(central spinal dimension) 뿐 아니라 lateral recess도 명확히 볼 수 있고 때로 이학적인 임상적 소견을 확증하거나 부정할 수 있다.

요천추 연접부(lumbosacral junction)는 때로 임상상(clinical picture)과는 무관하게 선천적 비정상의 부위가 있다. 그러나 그 존재여부는 확인해 두어야 한다. 이 레벨에서 볼 수 있는 비정상은 다음과 같다.

1. 후방 추간관절(posterior zygapophyseal joints)의 비대칭
2. 선천적 척추경 부재(congenital pedicle absence)
3. 부가적인 척추판(accessory laminae)
4. 횡돌기의 골성교(osseous bridging of the transverse process)
5. L5, S1극돌기의 형성 이상 또는 부재(척추이분증)
6. 관절간구부의 형성 이상
7. L5 척추의 spina magna
8. 능형화된 L5, 요추화된 S1척추 - 부분적 또는 완전

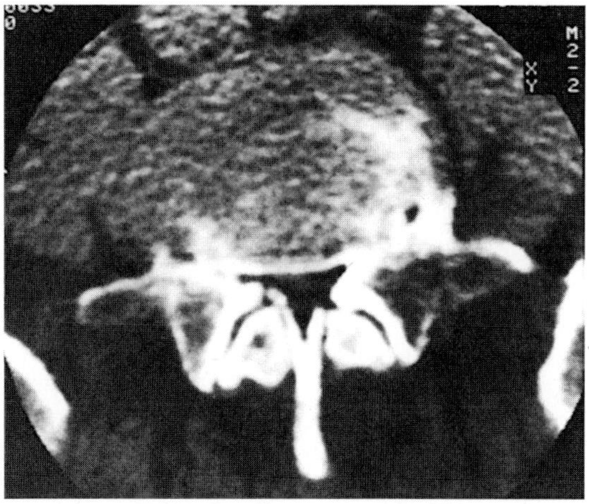

그림 8.91 L5-S1의 CT스캔으로, 양측 척추관절(zygapophyseal joints)이 확장되어 이차적인 협착을 보여주고 있다.

9. 천추화된 L5 - 부분 또는 완전
10. 천추익(ala of sacrum)과 L5의 횡돌기 사이의 관절의 후천적인 비정상
11. 천골익 높이의 비대칭은 한쪽이 다른쪽 보다 높아 천골경사를 이룬다.
12. 장요인대(iliolumbar ligament)의 석회화(calcified)(Grieve 1981)

요부, 골반 고관절 복합체의 보조검사로 기록된 소견들은 임상검사에서 주목된 소견들과 서로 관련되어 있으며 진단의 의미를 폭넓게 이해하는 것이다. 드물지만, 이들 테스트에 의한 결과만으로 바로 치료를 실시할 수도 있다.

9 장

손상의 정의

분류 : 의료적 모델

의료적 모델에서, 허리의 기능장애는 내장기적, 혈관적, 신경적, 심리적, 사회적, 및 척추증적 원인으로 분류된다(MacNab). 골반 내장기의 장애는 요추부로 통증을 전이할 수 있고 이는 실제로 양성적(benign)인 역학적 기능부전과 쉽게 혼동을 일으킨다. 말초 혈관 시스템의 불충분함도 요통을 초래하고 좌골신경통과 유사한 증상을 일으킨다. 신경적 장애는 중추 및 말초 신경계의 악성 혹은 양성 종양을 포함한다. 요천추 접합부의 병변은 마미(cauda equina)압박 병변과 유사하다. 순전한 심리적, 사회적 요통은 흔하지 않으나, 심리적 상태는 동통 경험에 매우 중요한 역할을 한다(Holstege et al 1996, Hodges & Moseley 2003). 척추증적(spondylogenic) 장애는 다음과 같이 상세히 분류된다(MacNab 1977).

1. 병리적 연조직과 뼈
   a. Scheumann's 질환 – 척추 골연화증
   b. 감염성– 화농성 골수염
   c. 계통적 염증– 류마치스성 관절염, 강직성 척추염
   d. 대사성– 골다공증, Paget's 질환, 결핵, Calve's 질환, DISH
2. 외상성 연부 조직과 뼈
   a. 골절
   b. 타박상(contusion)
   c. 척추분리증(spondylolysis)

표 9.1 천장관절 손상 질환(Bellamy et al 1983)

염증성 장애(inflammatory disorder)
강직성 척추염
Reiter's 증상
염증성 장 질환
건선성 척추염
류마치스 관절염
청소년 류마치스 관절염
화농성 관절뼈염
지중해성 열
베체트 증후군
재발성 다연골증
Whipple's 질환
관절 염증
화농성 관절염
브르셀라증
결핵성 관절염
대사성 장애
통풍
칼슘 피로인산염 결정 침착
Hyperparathyroidysm
기타
치밀화 골염
파제트병
말단골 융해증
Gaucher's 질환
Tuberous 경화증

3. 나이, 적응, 퇴행
   a. 화셋 후방 관절 관절증
   b. 추간판 척추증(spondylosis)

20세기에 들어서면서, 임상인들은 천장관절이 좌골신경통의 주된 근원이라고 믿게 되었고, 좌골 신경통뿐 아니라 급성 요통과 허리 통증도 주로 골반관절의 비정상적인 동작, 특히 천장 관절의 "유리연골결합(synchondrosis)"(Meisenbach 1911) 일 수 있다고 보았다.

표 9.2 연령별 고관절 장애 분류 (Cyriax1954)

신생아
선천성 고관절 탈구
4-12세 연령
레그칼베페르테스병
결핵
일시적 관절염
12-17세 연령
대퇴의 골단 이탈
연골연화증
젊은 청년
근육 병변
점액낭염
성인
관절염
골관절염
류마치스 관절염
강직성 척추염
점액낭염
유리체(loose bodies)

외상(trauma)외에, 나쁜 자세의 영향 및 외적 요인에 대한 요추골반의 적응(adaptation) 역시 대상기능장애(decompensation)의 원인으로 인식된다.

골반대 기능부전의 원인이 항상 명백한 것은 아니지만, 확실히 중요한 몇 가지 특성이 있다. 어떤 때는 그 병변의 정상 생리적 과정이 과도함을 명백히 나타내는 경우가 있다. 다른 때는, 외상이 중요한 요인으로, "부딪히며 앉기"나 무거운 물건들기 때처럼, 심한 스트레인 하에서 "힘이 빠지는 것" 같은 상태가 손상을 입게 되는 두 가지 요인에 속한다. 자세나 태도 역시 관절 약화나 전위를 초래함으로 중요한 요인이다. *(Goldthwait & Osgood 1905)*

역학적 골반대 기능부전의 요인은 오늘날도 여전히 같다. 역학적 손상외에, 골반대에 영향을 미치는 여러 가지의 시스템 질환이 있다. 이러한 대다수의 내용이 표 9.1에 수록되어있고, 각각의 더 자세한 내용은 Bellamy 등(1983)의 내용을 더 참조하면 된다.

의료적 모델에서, 고관절 장애는 일반적으로 연령 그룹으로 분류되거나(표 9-2), 혹은 장애 유형을 관절형 혹은 비관절 형으로 분류된다(표 9.3).

표 9.3 관절성 및 비관절성 고관절 장애(Adams 1973)

관절성 고관절 장애	
선천성기형	
	선천성 고관절 탈구
관절염	
	일시적 아동 관절염
	화농성 관절염
	류마치스 관절염
	결핵성 관절염
	골관절염
	강직성 척추염
골연화증	
	레그칼베페르테스병(가성 고관절통)
역학적 질환	
	대퇴 상부 골단 이탈
변형성 골염(파제트병(paget's disease))	
비관절성 고관절 병변	
기형	
	내반고(coxa vara)
감염	
	대전자 점액낭의 결핵

유형 ; 통합 기능적 모델

의료적 유형 모델은 치료사가 환자를 치료할 수 있는 능력을 증진하기 어렵다.

기능적으로 요추골반-고관절 부위는 원인에 관계없이 지나친 혹은 불충분한 관절 압박으로 조절력이 없거나 제한되기 때문이다.

통합 기능적 모델로(그림 5.1)은, 손상의 원인이 다음의 기능부전으로 영향을 받는다.

- 형태폐쇄(form closure)(구조적)
- 힘폐쇄(force closure)(근장막의 힘으로 작용/무작용)
- 운동조절(하중(loading)시 근육의 세부적 타이밍 작용/무작용)

또한, 힘폐쇄(force closure)와 운동조절은 환자의 감정적 상태에 영향을 받는다.

9장은 요추, 골반, 고관절 장애를 이 모델로 하여 주관적 및 객관적 검사로 부터의 임상적 소견을 고려할 것이며, 스트레스성 요실금 혹은 배뇨관의 약한 힘에 대한 논의로 종결될 것이다.

과도한 관절 압박

과도한 관절 압박은 관절 병리로부터 기인하는데 그것은 :

- 궁극적으로 관절을 융합한다(천장관절 – 강직성 척추염이나 DISH).
- 관절낭의 섬유화를 초래한다(관절 염좌 후 이차적으로). 혹은
- 관절 고정

그 외에 관절은 근육의 과작용에 의해 압박될 수 있고, 이는 과긴장 상태가 되거나(Janda 1978, Bergmark 1989, Richardson et al 1999) 과민할 수 있다(Gunn 1996).

융합된 관절은 가동운동을 할 수 없으나 섬유화된 관절은 특수한 가동운동기술이 필요하다. 도수가동기법은(10장 참조) 뼈와 관절가동성의 회복에 도움

이 되며, 운동조절 재훈련은 확보된 것을 유지하기에 필요하다. 과도한 압박이 근 과긴장과 과민성의 이차적 문제이므로, 적절한 운동조절 훈련으로 최적의 안정화 전략(10장 참조)이 요구된다.

요추(LUMBAR SPINE)

허리에 가해진 지나친 압박은 Kirkaldy-Willis et al(1978), kirkaldy-willis(1983)와 Taylor & Twomey(1986, 1992)(표 9.4)에 의해 잘 설명되고 있다. 관절 제한의 원인은 관절성, 근막성, 혹은 관절근막성으로 갑자기 혹은 너무 오랜 동안, 생리적 한계를 넘어선 회전이나 압박이 작용한 경우이다(O'Sullivan et al 2001).

해부학적으로 변화된 세부사항은 :

1. 후방 화셋 관절의 활막염(1-2 등급의 염좌)
2. 약간의 섬유륜 외피 열상 및 전, 후종인대 손상(그림 9.1)
3. 약간의 관절 아탈구(메니스코이드 관절 간 찝힘)
4. 종판(end-plate)골절(과하중 압박)(Farfan 1978, Kirkaldy-willis 1983, Bogduk 1997)
5. 관절낭과 황색인대 및 상부 관절 돌기의 연골하 골절(심한 손상의 경우)(Taylor et al 1990). 이 손상은 X-Ray로는 명백하지 않다.

주관적 소견(Subjective findings)

발생형태는 갑작스런(외상성) 혹은 잠정적인(자세성)이다. 통증은 편측 혹은 양측이며 허리 하부에 국소적으로(T 12/12째 늑골과 장골능 사이) 간헐적으로 엉덩이에 방사통이 있다. 감각무능은 별로 보고된바 없다. 악화 동작은 최대 가동범위 운동(굴곡/신전, 굽힘동작, 회전), 오랜시간 선 자세, 물건들기 등이다. 바로 누운 자세(무릎 밑에 받침 사용)에서의 휴식으로 좋아진다.

표 9.4 요추의 퇴행 과정 (kirkaldy-willis 1983)

활액염증 화셋 관절	기능부전	추간판 디스크 주변 열상(tear)
↓		↓
관절연골 섬유증식		방사상 열상 (헤르니아)
↓		↓
관절 느슨함,	불안정성	내부적 교란 (disruption)
↓		↓
아탈구 →	측면 신경 찝힘	← 디스크 흡수
↓		↓
관절돌기 증대 →	안정화 한-레벨 협착증	← 골증식 (osteophytosis)
↓	↓	
	여러 레벨 관절증 및 협착증이 반복적 염좌의 결과 일어난다.	

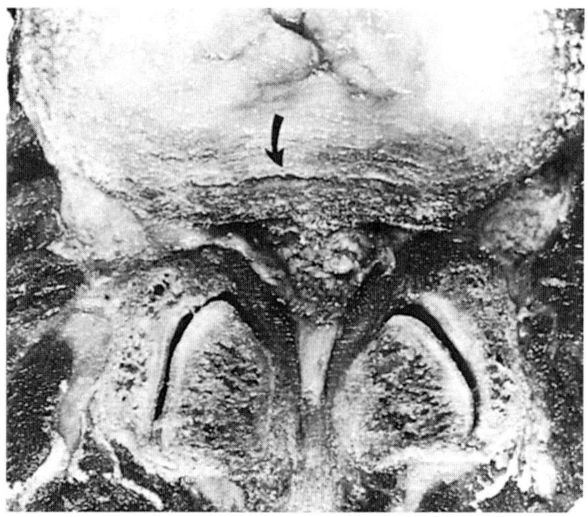

그림 9.1 섬유륜(화살표)의 횡단면 주변 열상

객관적소견(Objective findings)

외상성 손상 후 처음 며칠동안(배양기) 급성기 환자는 보행에 상당한 어려움을 가지는데 이는 적절한

발걸음을 떼려면 요추 아래의 골반 회전이 요구되기 때문이다.

자세(posture) 요추, 골반, 골반대가 심하게 압박되면 자세의 다양한 변화가 나타난다. 요추에서는 추체 분절간 근육의 과도한 참여가 선 자세에서 분절 회전을 하는 동작에서 나타나며, 운동 시 더 확대된다. 부위별 다분절(multisegmental)간 포괄근(global) 불균형은 자세 검사에서 더 현저하게 나타난다. 네 가지 일반적 자세 형태는 :

1. 발(발목관절의 저측굴곡)에 비교 해 볼 때 다리(leg)가 후방에 위치하며, 골반 전방 경사와 흉요추 전만이 증가된다(그림 9.2). 이러한 자세 패턴에서 척추 기립근은 과활동(over-activation)하게 된 복부근 활동은 저하된다.
2. 발(발목관절의 배측굴곡)의 위치에 비해 다리가 전방에 위치하며, 흉요추 전만이 감소되고(flat back) 골반의 후방경사가 나타난다. 전방 복벽(흉골반 굴곡근, 외복사근, 내복사근, 복직근)의 과활동 및 이 자세 패턴에서는 척추 기립근의 길이가 늘어난다(그림 9.3).
3. 전방 복벽과 척추 기립근은 지주(bracing) 상태로 모두 과활동된다. 이 패턴의 안정화는 흉추와 골반 혹은 하지와 발의 위치이동(displacement) 없이 요추를 과도하게 압박한다(그림 9.4).
4. 위에서 언급된 근육군의 편측 과활동은 골반에 대해 흉추의 측면 이동(shift)과 짝활동으로 흉요추의 다분절간 회선측만증(roto-scoliosis)을 초래한다(그림 9.5a). 척주(spinal column)에 비대칭이 국한되는 일은 드물며 ; 이 자세 패턴에서는 골반내의 비틀림(torsion)과 고관절 내

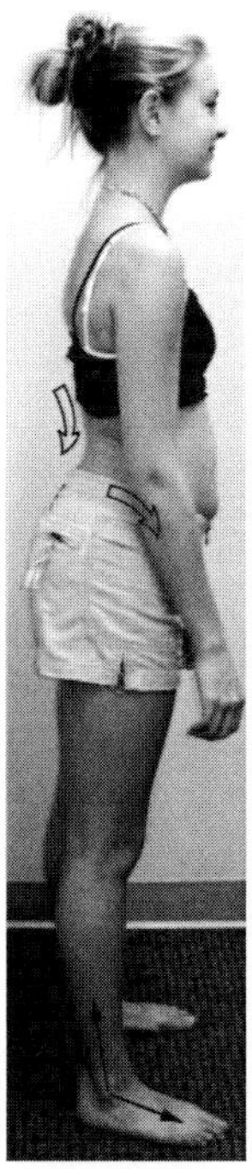

그림 9.2 이 젊은 여성 무용수의 자세는 근 불균형을 반영한다. 타이트한 장단지가 다리를 후방(장단지와 발등의 화살표)으로 끌어당기고(발목 관절의 배측 굴곡을 제한함) ; 신전 기립근이 우세하여 상대적으로 약한 전방 복벽이 전방 골반 경사를 초래하고(골반 화살표) 흉요추 전만이 과도하게 나타난다. (요추의 후방 화살표)

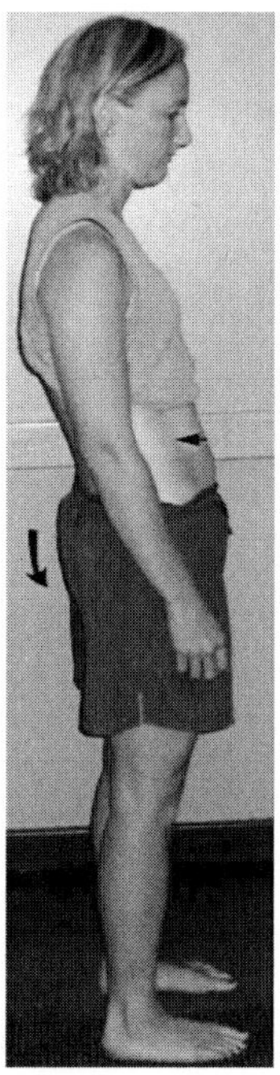

그림 9.3 이 자세는 내복사근의 과활동과 외복사근의 신장을 반영한다(복부의 수직/측면 주름을 유의할 것 : 작은 화살표시). 복직근 상부의 과활동과 짝하여 횡복근이 저활동된다(상복부 함몰과 하복부 돌출). 또한 신전 기립근이 늘어나고 긴 흉요추 후만증이 된다. 골반은 후방 경사되고(커브 화살표) 대퇴부는 중력선에서 전방 위치한다.

회전 및 다른 부위의 외회전이 동반된다(그림 9.5b).

부위별 동작 검사(Regional movement tests) 요추 화셋 관절 손상 후 처음 며칠 동안은 환자의 급성 증상과 함께 모든 가동 범위가 현저하게 제한된다. 염좌가 양쪽이면 양쪽 모두 가동범위가 제한되고, 편측 병리시는 편측 제한 만 나타난다. 급성 증상이 가라앉게 되면서(4-6일) 분절 제한 패턴은 좀 더 분명해지고 외상을 입은 관절로 증상이 국소화된다.

한쪽 다리 서기(one-leg standing) L4-L5 및 L5-S1 관절 제한이 있다면, 고관절 굴곡기의 검사에서 비대칭이 나타날 것이다. 이유는 이 검사 시 체중 부하가 없는 하지(고간절 굴곡된)방향으로 L4-L5가 회전을 할 수 있어야 하기 때문이다. 지지 기(support phase)에서의 하중 이동은 통증이 심한 경우 영향을 받게 된다.

형태폐쇄(form closure) : 위치/가동성/안정성 검사 (position /mobility/stability test) 급성기는 좀 더 세부적인 형태폐쇄(form closure)의 분석이 심

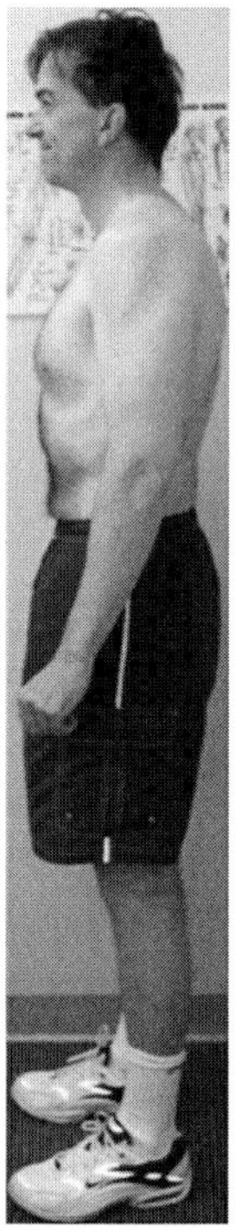

그림 9.4 복벽과 척추 기립근 모두 과활동 되면, 브레이싱이 일어난다. 이 자세는 요추를 극적으로 압박하게 된다.

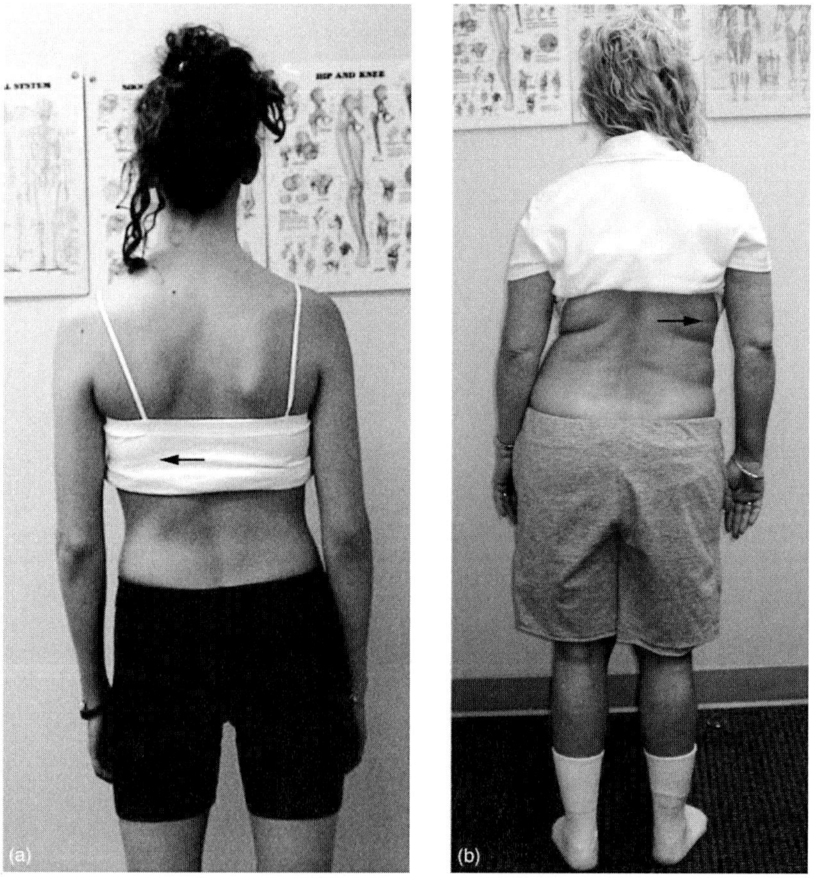

그림 9.5 복근이나 척추 기립근 어느 편의 비대칭이라도 흉요추의 다분절 rotoscolosis를 초래한다. 이는 요추 및 골반에 비해 흉추가 편측 이동을 하게 된다.
(a) 화살표는 골반대에 비해 흉곽이 좌측으로 편측 이동되는 결과를 가진다.
(b) 우측 하지의 외회전을 유의해 볼 것. 이는 흉곽의 우측 편측 이동(화살표)과 짝으로 골반 전체의 좌측 횡단면 회전이 된다.

한 동통으로 인해 제한받게 된다.

그러나, 시간이 지나면서, 수동적 골역학 가동성의 생리적 검사로 제한 동작을 확인할 수 있다. 만일 제한적 관절낭 유착(섬유성 강직 관절)이 생기면, 상부 전방과 하부 후방 미끄러짐(glide)의 관절 역학 동작의 중립지대와 탄성지대가 매우 딱딱한 끝-느낌을 나타낼 것이다. 관절이 만일 포괄근(global)의 과활동으로 압박되면(근막성 관절 압박) 중립지대 역시 감소되나 ; 탄성지대는 강직 관절의 섬유성, 견고한 중단 끝-느낌과는 다른 저항(강한 파도 속의 보트 밀기 같은)을 느낄 것이다. 관절 역학 안정성을 보는 수동 검사는 정상이다.

힘폐쇄(force closure)/운동조절 많은 연구자들(Hides et al 1994, Danneels etal 2000, O'Sullivan 2000, Hungerford 2002, Moseley et al 2002)이 요통과 다열근 및 골반 동통 환자에 대한 연구를 하면서 심부의 다열근이 억제되고 이런 환자들의 다열근은 싸이즈가 감소된다는 사실을 유의했다. 다열근의 위축은 분절이나 다분절 간에 모두 나타났다. 또한, 횡복근의 수축이 편측, 양측 모두 지연되거나 결여되었다(Hodges& Richardson 1997, Hodges etal 1999, Hodges 2001, 2003). 국소 안정화 시스템이 비효과적이면, 능동 하지직거상(ASLR)검사는 양성이고(그림 8.55-57) 요추골반 조절력이 결여된다. 분절 다열근과 횡복근의 촉진을 능동 하지 굴곡 거상과 구두지시(8장)에 대한 동시 수축 반응은 그 사람의 국소 시스템 기능부전 상태를 세부적으로 드러낸다.

요추의 분절 제한은 추체가 처한 위치에 따라 다시 소분류된다. 예를 들어, 굴곡된 L5 추체는 양측 신전 제한을 나타내고, 신전된 L5 추체는 양측 굴곡 제한을 갖게 된다. 편측 병변은 추체의 분절 회전과 위와 아래의 다분절 커브 보상동작이 나타난다.

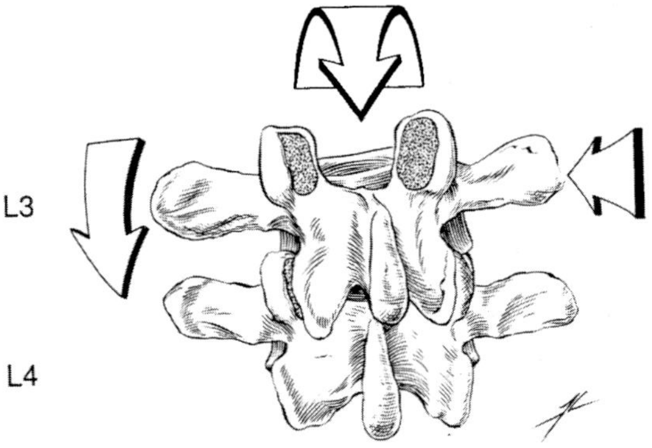

그림 9.6 굴곡, 회전/측방 굴곡된 좌측 L3-L4 : 좌측 회전/신전 제한에서 회전/측방 굴곡함.

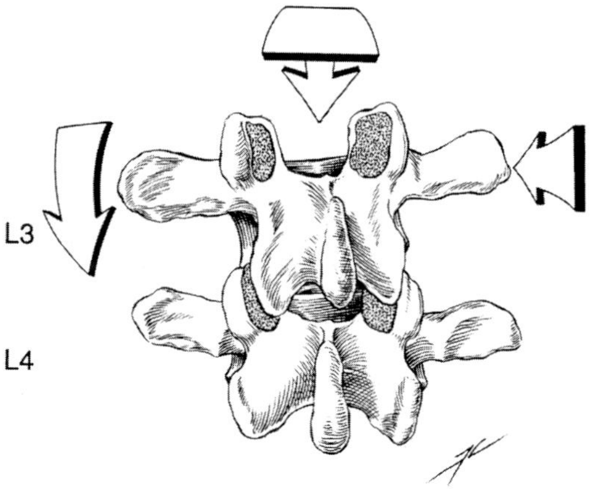

그림 9.7 좌측 L3-L4의 신전, 회전/측방굴곡 : 굴곡 제한에서 좌측 회전/측방 굴곡함.

굴곡, 회전되고/좌측 편측 굴곡된(FRSL) L_3 추체는 신전 제한과 우측 회전/편측 굴곡의 제한이 있다(또한 측방굴곡/굴곡 시의 좌측 회전 : 그림 9.6). 여기에서 신전된, 회전/측굴좌측(ERSL) L3 척추는 굴곡의 제한과 우측 전굴/측굴(그리고 측굴/굴곡에서 회전좌측 : 그림 9.7)이다. 그러나 이런 용어가 제한의 원인을 규명하지는 않음을 유의하라.

골반대(PELVIC GIRDLE)

천장관절(SIJ)의 심한 압박은 강직성 척추염과 같은 계통적 관절 병리나 혹은 역학적 관절 병리처럼, 관절낭의 섬유증(섬유성 강직 관절)의 결과로 기인된다. 천장관절의 과도한 압박은 포괄근의 과활동(근막성 압박관절)이 있을 때도 발생한다.

그 사람이 안정화 전략을 통해 우선적으로 고관절 심부 외회전근 및 좌골미골근(ischiococcygeus)을 사용하면, 이러한 근육의 계속적인 활성화는 천장관절의 하방 부위를 압박하게 된다(butt gripping : 그림 8.40).

주관적 소견(Subjective findings)

천장관절의 섬유성(강직) 압박 발병 모드는 주로 외상성 원인이다. 관절 염좌의 대응으로 관절 강직이 생기면 환자는 수개월 후에 반대편 천장관절이나 요추, 혹은 서혜부의 통증을 호소한다. 섬유화된 관절이 통증의 원인인 경우는 드물지만, 환자는 자신의 증상이 거기에서 시작되었다고 호소할 것이다.

근막에 압박으로 인한 천장관절의 발병 형태는 주로 운동조절 패턴을 변동시키게 된다. 이는 발레, 축구, 하키처럼 반복적으로 고관절 외회전을 유도하는 스포츠에서 이차적으로 나타나거나 혹은 국소 시스템의 운동조절력 상실로 인해 발달되는 보상 전략에서 생긴다.

통증의 위치는 다양하며, 이러한 압박에 의해 생체 역학적 변동의 결과 어떤 조직이 스트레스를 담당하는가에 따라 달라진다. 통증이 천장관절로부터 발생되었다면 그것은 골반 통증일 것이고(장골 능 내의 제한과 둔부 주름) 무릎 후방 외측 아래로 방사통을 나타낸다(그림 7.1).

증상이 악화되는 동작은 골반내 뒤틀림(torsion)을 일으키는 활동이나 보행 동작이다.

객관적 소견(Objective findings)

보행(Gait) 천장관절이 관절낭 섬유증으로 강직성일 때, 고관절 보폭(stride) 길이는 영향받지 않더라도 보행 시 골반내의 운동성은 현저히 감소된다. 천장관절이 고관절의 외회전 근육들의 과도한 활동(그림 8.40과 그림 8.41)에 의해 근막의 압박을 받고 있는 사람은 다리를 외회전하여 보행하려는 경향이 나타난다(찰리 채플린 보행). 대퇴 골두가 관골구(그림 8.41과 그림 9.8)(acetabulum) 내의 전방 위치에 있으면 고관절의 굴곡 신전이 제한되고 중간 입각기에서 발가락 떼기(toe-off)의 걸음 길이가 짧아진다.

골반은 대퇴 골두에 대해 횡단면 회전을 못하며 발판(block)이 공간 속에서 움직이는 것과 유사하다.

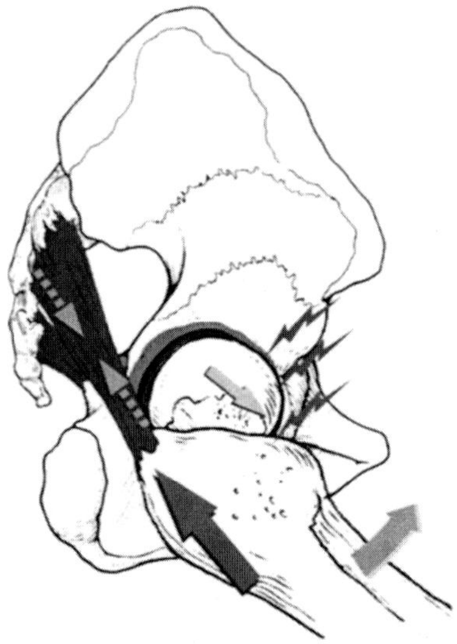

그림 9.8 고관절 외회전의 과다한 작용은 관골구(acetabulum) 안에서 대퇴 골두를 전방으로 배치하여 대퇴의 굴곡 및 신전을 제한하고 골반대가 전방 회전되게 한다.

자세(posture) 섬유성 강직이 있는 천장관절은 자세 분석 상에서 드러나지 않지만 근막의 압박이 있는 천장관절(고관절 외회전의 과다작용의 이차적 결과로)은 전형적인 모양을 보인다(그림 8.40과 그림 9.10b 및 9.13 참조). 정상적인 요추골반 부위는 넓은 골반 기저부가 상부 허리에서 좁아지는 형태로 피라미드(그림 9.9) 형태와 유사하다. 양편의 "butt gripper"는 역피라미드와 유사하며(그림 9.10a, b), 대전자 후방에서 큰 디봇(divot)을 촉진할 수 있다. 이러한 골반내 자세성의 변화는 요추부에 나타난 일반적 자세성 변화와 함께 일어난다. 양측의 "butt gripper"는 골반대의 후방 경사 시와 L4-5와 L5-S1관절 굴곡 시 작동된다. 편측의 "butt gripper"는 간혹 골반이 비틀리거나(골반내 torsion) L4-5와 L5-S1 관절에 과도한 압박으로 인해 반대쪽으로 회전될 때 힘을 지탱하게 된다.

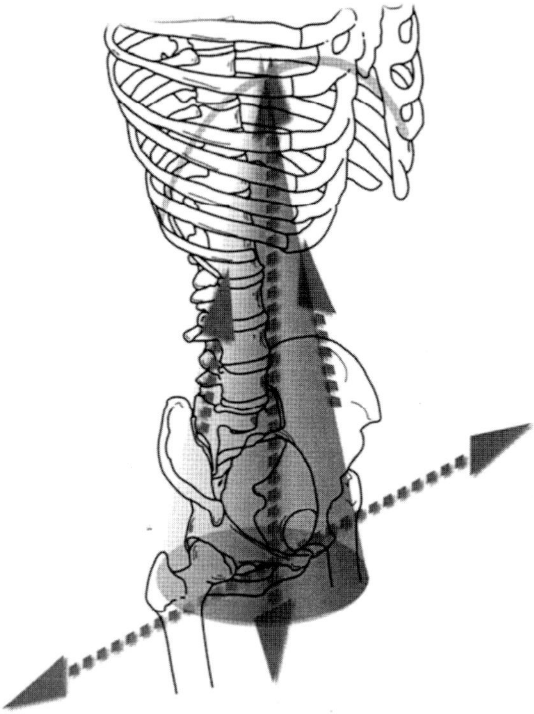

그림 9.9 이상적 요추골반 피라미드.

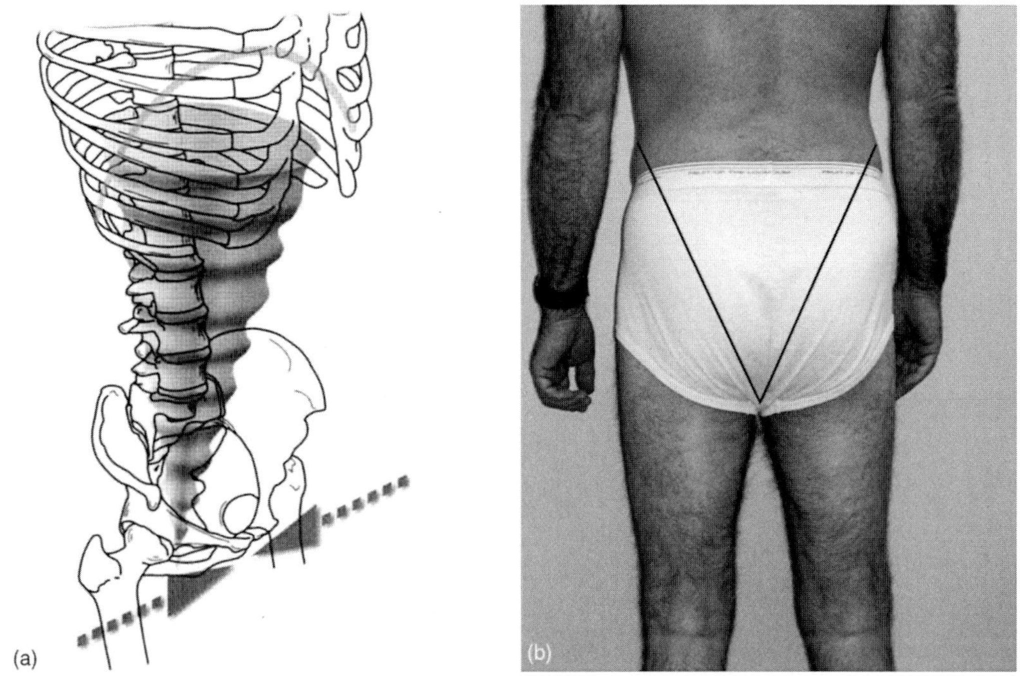

그림 9.10 (a) 역 피라미드 (b) 골반이 하방 압박되어 역 피라미드 형태로 보인다. 하부 요추 분절을 유의해보라.

부위별 동작 검사(Regional movement test) 강직성 천장관절은 전방 굴곡 및 후방 신전에서 골반 내 비틀림(torsion)을 유발하고, 이러한 비대칭성은 시상면상에서 움직일 때 나타난다. 축 회전(axial rotation) 제한은 협착(constriction)이 있는 방향으로 나타나며, 측방굴곡 제한은 협착부의 반대 방향으로 나타날 것이다. 고관절 외회전근으로 인해 편측 근막 압박이 있는 천장관절 역시 위의 현상이 나타날 것이다. 뿐만 아니라 전방 굴곡 시 골반대의 전방 경사도 현저한 제한을 보이게 된다. 전방 굴곡 커브의 첨부(apex)는 흉곽 안에 있게 된다(그림 9.11).

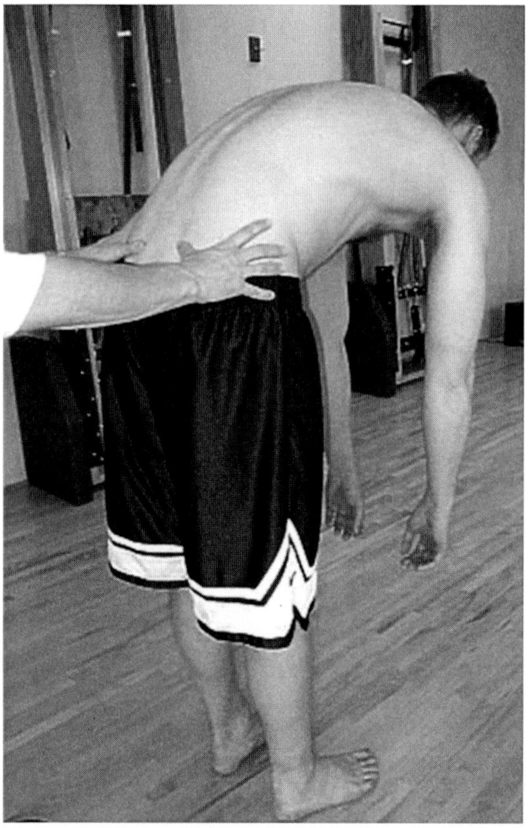

그림 9.11 고관절굴곡이 어려워 골반대가 대퇴골두보다 전방으로 경사되는 사람의 전방굴곡 패턴이다(butt gripping). 고관절 각이 열려있고(고관절 굴곡은 최소), 흉요추의 굴곡은 과다한 상태다.

한 다리 서기(One-leg standing) 모든 경우 한 다리로 서기 검사 시에 고관절 굴곡은 무명골(Innominate)의 후방 회전 시 비대칭을 보인다. 섬유성 강직이 있는 천장관절은 지지기(supporting phase) 동안 하중 이동에 별 어려움은 없으나, 근막성 압박이 있는 천장관절은 대퇴골두의 전방 이동으로 인해 고관절로 하중을 이동하기가 어려워진다.

형태폐쇄(form closure): 위치 검사/가동성/안정성 positional test/mobility/stability 섬유성 강직이 있는 천장관절과 편측 근막성 압박이 있는 천장관절은 무명골의 전방 회전과 후방 회전 동작의 중립구간 운동성이 감소된다(그림 8.10c,d). ; 이 두 가지 차이점은 탄성 구간 검사 결과 알 수 있다. 섬유성 강직이 된 천장관절은 일관된 딱딱한 끝-느낌이 있는 반면, 근막성 압박 천장관절은 근육성 저항 느낌이 있다. 끝-느낌의 정도는 검사 속도에 따라 달라지며, 근육계의 지나친 압박이 있을 때도 그러하다. 관절 역학적 안정성을 검사하는 수동 검사는 정상이다.

힘폐쇄/운동조절 섬유성 강직 천장관절이나 근막성 압박 천장관절 모두에서 운동조절력이 좋지 않다. 능동 직거상(ASLR) 검사 시 요추 골반 안정화에 동원되는 기능부전적 패턴은 매우 변동적이며, 때로 복부 볼록, 호흡참기 등이 포함되거나(그림 8.57), 흉요추 굴곡과 골반 후방 경사 및 과다 외복사근 활동이 일어난다. 골반과 흉곽 사이의 측방 이동도 일어난다. 능동 굴곡 다리를 들어 올릴 때 부위별 다열근 촉진과 횡복근의 촉진 및 구두적 지시(8장 참조)에 의한 동시 수축 반응은 그 사람의 국소근 기능부전의 특정 패턴을 나타낸다. 고관절 외회전근의 과다한 작용은 대퇴의 굴곡 및 내전이 내회전과 함께 현저히 제한된다(그림 9.12). 그 후 압통점(trigger point)의 위치를 정확히 알려면 내폐쇄근(obturator internus)과 이상근(piriformis)을 촉진해야 한다. 좌골미골(Ischiococcygeus) 역시 천장관절을 압박할 수 있으나 대퇴 가동범위에 영향을 미치지는 않는다. 실시간 초음파 이미지 촬영으로 내복사근을 동시 수축 해야만 횡복근을 수축하게 되는 상태를 볼 수 있다(그림 8.77b). 안정화 전략에 발살바가 사용되면 현저하게 방광의 하강을 볼 수 있다(그림 8.86a,b).

고관절(HIP)

고관절은 관절면의 외상성 분열로 인해 퇴행되거나 혹은 무게 부하 시 지나친 압박의 결과 이차적으로 퇴행된다. 고관절이 골반골두에서 전방으로 대퇴골두가 있는 상태로 작동되면 관절 내의 역학 수용기로부터의 정보 입력이 교란되게 된다. 이는 정적인 관절 위치, 활동 상태의 고유수용기, 고관절 휴식 상태 근 긴장 및 안정성 등에 부정적 영향을 미친다. 환자는 가동 범위 제한보다는 힘든 운동 시 팔다리 힘이 없거나 약증을 호소한다. 만일 고관절이 중심에서 벗어난 위치에서 계속 힘을 받거나, 환자가 대퇴 골두를 전방으로 유지하는 근육을 이완하지 못하면, 관절 가동 범위가 제한되거나(굴곡, 내전, 내회전) 후방 관절낭이 뻣뻣해진다(그림 9.12). 시간이 경과되면 관절의 전방 상부면에 퇴행 변화가 나타난다. 고관절의 과다 압박은 처음 생긴 근막 상의 원인으로 인한 이차적 결과이며 심각한 손상 없이도 관절낭의 섬유화를 초래하게 된다.

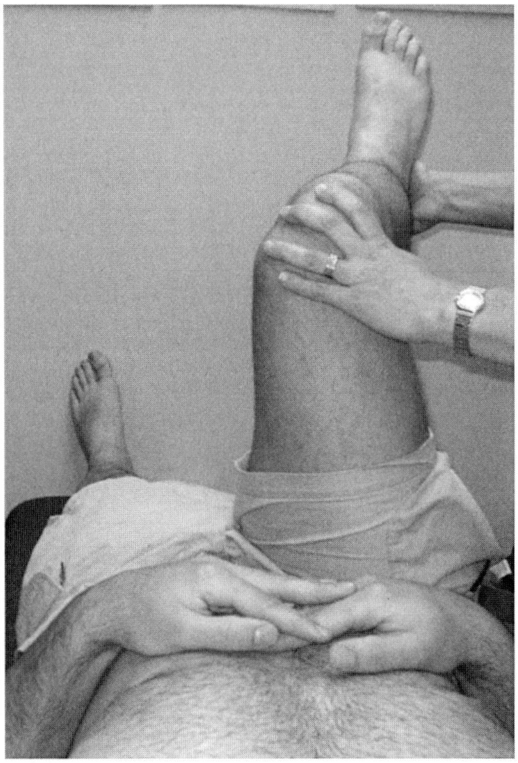

그림 9.12 대퇴골두가 전방으로 위치하면, 대퇴 굴곡의 현저한 제한과 내전, 내회전 제한이 동반된다. 대퇴 골두는 고관절 전방 조직을 찝게 되므로 간혹 서혜부 통증을 일으킨다.

주관적 소견(Subjective findings)

초기 단계에서, 고관절 압박은 근육 불균형으로 인한 이차적 결과로 국소부위의 문제보다는 전체 증상을 유발한다. 대퇴 움직임의 작은 제한만 있어도 천장관절, 요천추접합부, 슬관절, 대퇴관절 등의 보상성 과다 동작을 일으키는데 이는 동통의 일반적 원인이 된다. 시간이 경과하면서, 환자는 서혜부 전방에 통증을 호소하며 다리를 포개면 압박 증상을 느낀다. 외상이 원인이 아닌 경우, 발병 증상은 뚜렷하지 않다. 천장관절의 보상적 통증 혹은 요천추 접합부 통증은 허리의 과도한 동작이 요구되는 모든 활동 시 악화되며 대퇴의 제한으로 인한 보상 작용 시에도 그러하다. 예를 들면, 허리의 후방 굴곡은 요천추 접합부의 통증을 유발하는데 이는 대퇴 골두의 전방 위치를 보상하기 위해 대퇴 신전이 이차적으로 일어나면서 L5-S1의 과도한 신전으로 인해 나타난다. 골반대가 이미 후방 경사가 되었으므로 후방 굴곡 시 더 이상의 고관절 신전이 허용되지 않으며 L5-S1의 보상 동작이 생긴다(그림 9.13).

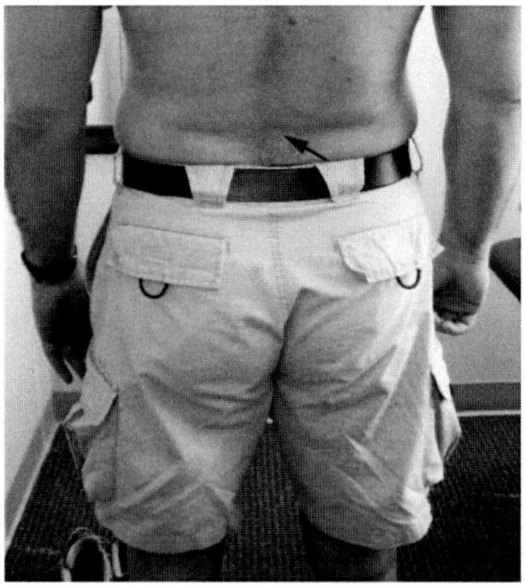

그림 9.13 체간을 뒤로 신전하여 보면 대퇴 신전 제한을 볼 수 있다. 이 환자는 둔부 gripping이 있다(반바지가 둔부 사이 위로 올라감을 유의해보면-확실한gripping 증상임). 환자의 골반 대는 대퇴 골두에 비해 이미 후방 경사되어 있으며, 요추부에서 임시적 불안정(화살표)이 생기며 후방 굴곡이 더 일어나고 있다.

표 9.5 89명의 고관절 골관절염 환자의 동통 패턴

동통부위	환자 수
대전자	71
내측둔부	40
서혜부	47
전방대퇴	63
무릎	70
정강이	40

체간 굴곡 시 통증이 있는 긴 후방 인대는 대퇴이두근이 충분히 늘려지지 않을 때 더 심해진다. 좌골결절인대(sacrotuberous lig.)에 형성된 긴장(대퇴이두근 부착점을 통해)은 골반대의 전방 경사 시 천골이 무명골에 비해 전굴(nutate) 상태를 유지 못하게 방해하게 된다.

고관절 자체의 증상이 생기면 동통위치는 달라질 수 있다. Wroblewski(1978)는 고관절 골관절염이 있는 89명의 환자들의 동통 양상을 연구하였으며, 그 동통 양상은 표 9.5에 나와 있다.

고관절은 L3 피절에서 담당하므로 L3 피절이나 경절(sclerotome)내의 어느 부위로도 통증을 전이할 수 있다. 중정도의 관절 퇴행 시 악화 요인은 보행, 층계 걷기, 쭈구려 앉기 등의 체중 부하 동작이다. 초기 단계는 좀 더 심한 스포츠 활동 등으로 증상이 악화된다.

객관적 소견(Objective finding)

고관절의 과도한 압박은 가동성 저하를 초래하며 이는 환자의 보행 패턴에서 잘 나타난다. 입각기가 짧아지고, 위아래로 절뚝거림이 생긴다. 관절낭의 역학 수용기에서 변경된 정보가 수집되면 측방 시스템(고관절 안정근)의 근력이 심하게 약화되고, 근수축의 활동적 안정성 즉, 힘폐쇄(force closure)의 상실로 인해 측방 절뚝임(보상된 trendelenberg, 그림 6.25)이 나타난다. 중력 중심은 측방으로 기울어서 한 쪽 측면의 입각기에 필요한 근력 요구를 감소시킨다.

자세(Posture) 다양한 자세를 볼 수 있으며, 그 중 엉덩이-힘주기(gripping)자세가 보편적이다(그림 8.40과 9.13 및 요추 상부를 관찰함(그림 9.2-9.5)).

부위별 동작 검사(Regeional movement test) 고관절의 어느 한쪽에 굴곡/신전 동작 제한이 오면, 허리를 완전히 굽히거나 뒤로 신전할 때 대퇴골두 위의 골반대 회전이 일어나고 골반대의 비틀림(torsion)이 나타난다. 또한 요추 하부에 다분절의 회선측만증(rotoscoliosis)도 일어난다. 외전, 내전에 제한이 있을 때 체간의 측방 굴곡이 제한으로 골반대의 관상면 상의 이동은 편위(deviation)가 일어난다. 체간의 중심축 회전은 대퇴골두가 전방 압박을 받을 때 양 방향의 제한을 가진다.

한 다리 서기(One leg standing) 고관절 굴곡기는 굴곡 동작의 심한 제한이 없으면 영향을 받지 않는 지점에서, 무명골의 후방 회전이 가동범위 초기에 일어난다. 지지기(support phase)는 흔히 양성(무명골이 전방 회전되는)을 나타내며, 이는 대퇴골두가 전방으로 유지될 때 체중 지지선에 영향을 주기 때문이다.

형태폐쇄: 위치 검사/가동성/안정성(positional test/mobility/stability) 위치적으로, 대퇴골두는 바로 누운자세 혹은 바로 선 자세에서 각각 서혜부 전방에서 쉽게 촉진된다. 환자는 하지를 외회전하여 서 있게 되며 누우면 다리가 외회전 상태로 놓이게 된다. 대퇴의 골 운동학적 가동성에 대한 생리적 검사는 제한된 패턴을 보인다. 고관절의 관절낭 패턴은 Cyriax(1954)에 의해 잘 알려져 있다.

1. 50–55° 대퇴 외전 제한
2. 중립에서 대퇴의 내회전 0°
3. 대퇴굴곡 시 90° 제한
4. 10–30° 대퇴 신전 제한
5. 대퇴의 외회전과 내전(바로누운자세) 모두 유지됨

고관절의 퇴행 과정은 이미 제시했던 것처럼, 시간이 경과 되면서 나타나므로, 병리 초기에는 객관적 검사 시 90° 대퇴굴곡 자세에서 굴곡, 내전, 내회전에 약간의 제한만 있을 뿐이다. 병리가 진행되면서, 제한 정도가 점차 확대된다. 관절 운동학적으로, 모든 방향의 중립 구간 동작이 감소된다. 탄성 구간의 분석은 섬유성 강직 관절인지 근막성 압박인지의 분별에 도움이 된다. 끝-느낌이 매우 딱딱하면 관절성 제한이고, 부드러운 끝-느낌은 근육성 문제다. 임상적으로 두 가지 문제가 함께 나타나기도 한다. 토크(torque) 검사는 이 조직에 통증이 있을 때 전방으로 증상을 유발시킨다.

Cyriax(1954)는 둔부의 주 병변 및 심각한 병리를 다음과 같이 제시한다. :

신체 증상이 둔부에 집중될 정도의 갑작스런 패턴으로 나타난다. 무릎 신전 자세로 고관절을 수동 굴곡하면 약간의 제한과 동통이 있다. 수동 고관절 굴곡은 무릎을 굴곡해서 시도해도 제한이 있으며 통증이 좀더 심하다. 검사를 더 진행해보면 고관절의 비 관절낭 패턴 제한을 나타낸다. (cyriax 1954)

관절 동작의 끝-느낌이 텅빈(통증으로 동작이 제한되기 때문) 느낌이면 관절성 혹은 근막성 조직 제한에 의해 동작이 차단되기 때문이다. 이러한 증상을 "Signs of Buttock"이라고 하며, 다음과 같은 병리적 문제가 있을 수 있으므로 검사자는 유의해야 한다.

1. 대퇴 상부의 골수염
2. 만성 패혈성 천장 관절염
3. 치골항문 염증
4. 패혈성 낭염
5. 낭염과 류마치스 열
6. 대퇴 상부의 신생종양
7. 장골 신생종양
8. 천골 골절

힘폐쇄/운동조절 Janda(1978, 1986)는 고관절 퇴행 진행초기에 관찰한 내용에서 어떤 근육군은 긴장이 타이트 해지고(슬괵근, 대퇴직근, 장요근, 내전근, 이상근, 근막장근), 다른 근육은(대둔근, 중둔근, 소둔근) 약증이 나타난다고 했다. 이는 길어지거나 짧아지는 종적(longitudinal) 및 포괄적 슬링 시스템(sling system)변화의 한 가지 예이며 다양한 패턴이 임상적으로 관찰된다. ASLR 검사 시 대퇴골두가 전방에 있고 무명골의 후방회전이 초기 가동범위(대략 50도 대퇴 굴곡)에서 나타난다.

불안정성 하의 과도한 관절 압박 (EXCESSIVE ARTICULAR COMPRESSION WITH AN UNDERLYING INSTABILITY)

관절에 관절 인대가 늘어날 정도의 큰 힘이 가해지면, 관절은 심한 외상 및 탈구를 예방하기 위한 근육 반응을 나타낸다. 근 경축(spasm)이 발생되면 관절은 비정상적 위치에 고정되며 뼈의 비대칭성이 현저해진다. 이 상태는 과도한 압박 하의 불안정성 관절이 된다(관절 고정 : 그림 8.10f). 치료는 관절면을 분리하여 재 위치하도록 빠른 속력(high velocity)의 도수기법이 필요하다(10장 참조). 이 기법으로 관절 압박을 감소시켜 뼈를 원래의 위치로 회복하게 한다. 형태폐쇄 테스트(form closure test)로 재 분석해 보면, 반대편과 비교해보아 강직성의 감소가 나타난다(그림 8.10b). 적절한 운동프로그램 도입으로 힘폐쇄(force closure)기전을 회복하는 것이 절대적으로 필요하다. 이러한 장애는 근육의 반응이 지나치거나 관절면이 왜곡된 문제를 가진 형태폐쇄와 힘폐쇄(form and force colsure)에서 모두 볼 수 있다. 이러한 환자를 치료할 때 자세, 위치, 관절 정렬 상태 등을 먼저 살펴보지 않는다면, 치료 효율성이 떨어지고 증상만 더 악화될 수 있다. 반면에 도수치료(가동화 운동, 매니퓰레이션, 근에너지기법)를 포함하여 자세를 교정하고, 위치를 바로잡고, 정렬상태를 맞춘다면, 일시적인 증상 감소와 매번 손으로 교정하는 의료인을 의존하게 될 것이다. 따라서 이러한 장애를 근본적으로 고치기 위해서는 도수치료, 운동치료, 환자교육 등의 통합적 치료 접근 방식이 요구된다.

요추(LUMBAR SPINE)

중정도의 퇴행 변화가 있는 화셋관절의 관절 속 메니스코이드(meniscoid)(그림 9.14)는 관절의 불안정성이 있을 때 굴곡/회전 부하(비틀고 들어 올리는 동작 시) 시 찝히게 될 수 있다. 따라서 근 경직으로 인한 요추부는 잠긴 자세(locked position)로 고정되고 나타나는 현상은 다음과 같다.

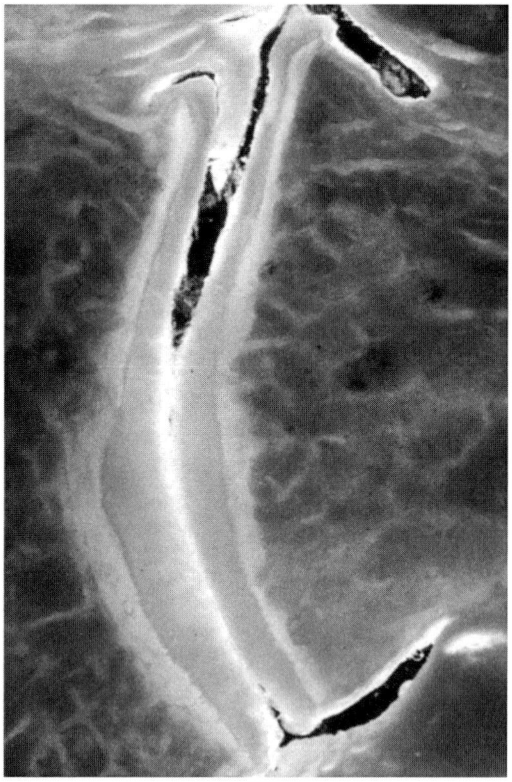

그림 9.14 건강한 메니스코이드가 봉입(inclusion)된 상태를 보이는 요추 후관절의 관상 절개임. 퇴행과 함께, 이러한 봉입(inclusion)은 점차 두꺼워지며 섬유화되고, 간혹 관절 밖으로 빠진다. 그러면 환자는 굴곡 및 측면 이전(laterally translated)된 자세를 나타낸다.

주관적 소견(Subjective Findings)

발병 양상은 갑작스럽게 나타나고 환자는 촉발 사건을 생생히 기억한다. 통증은 편측 허리 하부에 나타나며, 어떤 동작이든지 손상된 후관절을 하방으로 활주시키는 동작에 의해 심하게 악화된다. 환자는 중립 요추 자세를 유지하기 힘들어 한다. 시간이 경과되면 통증이 둔부 아래로 방사되며, 대퇴부의 후방 외측으로 통증이 퍼진다. 굴곡하여 옆으로 이동한(통증 부위에서 멀어진) 자세에서 휴식하면 도움이 된다.

객관적 소견(Objective findings)

보행 외상 직 후 며칠 동안(substrate phase) 급성기 환자는 보행이 매우 힘든데 이는 요추부 아래의 최적 보행 보폭 확보를 위한 골반 회전이 요구되기 때문이다.

자세 환자는 전형적인 굴곡, 편측으로 기울어진 자세를 보인다. 부위별로 손상부에서 먼 쪽으로 척추 후만, 회전이 나타난다. 골반은 후방 경사되고 고관절은 굴곡된다.

부위별 동작 검사 자세성 기형을 교정하려는 모든 시도를 할 때 통증은 현저하게 증가되며, 모든 동작이 아프고 제한되어 있다.

한-다리로 서기 제한이 L4-L5와 L5-S1과 관련된 경우, 고관절 굴곡 시에는 비대칭성을 나타내 보인다. 이유는 L4와 L5의 회전이 이 검사 시 무명골이 후방 회전되는 쪽으로 움직일 수 있어야 하기 때문이다. 지지기(supporting phase)에서의 하중 이동은 통증이 심한 경우 영향을 받는다.

형태폐쇄: 위치 검사/가동성/안정성(positional test /mobility/stability) 위치상으로, 손상관절은 굴곡 및 반대측 회전(통증에서 멀어진 쪽)에 있게 된다. 수동 골역학적 가동성 검사는 신전, 측방굴곡, 회전이 손상 쪽으로 제한되어 있다. 후하방 글라이딩의 관절역학적 중립 구간은 완전히 봉쇄되고(그림 8.10f) 끝-느낌은 스프링 같다. 관절의 도수 치료 전의 (10장)관절 역학적 안정성 검사는 정상으로 이는 관절이 반응성 근 경축 때문에 심하게 압박된 상태이기 때문이다.

힘폐쇄/운동조절 ASLR(능동하지직거상)은 양성인데 이는 국소 및 포괄 시스템이 압박과 통증을 더 증가시키기 때문이다. 골반의 특정 압박을 통해 국소 시스템을 조정하려는 시도는 환자가 다리를 들어 올리는 능력에 아무런 영향도 미치지 못한다.

골반대(PELVIC GIRDLE)

주관적 소견(Subjective findings)

골반대의 문제는 대개 외상이나 보통 엉덩이로 낙상을 하여(과도한 수직부하를 받는 경우) 혹은 물건을 들어 올리거나 몸을 뒤틀 때(과도한 수평부하를 받는 경우)에 발생한다. 골반대에 부하가 주어지는 즉시 통증이 일어나고 불안정 해진다. 통증은 국소적으로 보통은 편측으로 분포하며(Fortin의 분포, Fortin 외. 1994a, b) - 장골능의 경계와 둔부 주름의 범위 내), 대퇴 후 외측을 따라 아래로 방사되어 슬관절까지 이르기도 한다. 수직 부하에 의한 손상 후에, 서기, 걷기, 앉기와 같이 손상 측에 체중이 가해지는 활동은 상태를 더욱 악화시킨다. 수평 부하에 의한 손상 이후, 전방굴곡(forward bending)이나 회전은 증상을 악화시킨다. 환자는 자주 모든 자세에서 통증을 호소한다. 특히 엉덩이를 밖으로 내밀고 있는 환자들에게 이러한 증상이 일반적으로 나타난다.

객관적 소견(Objective findings)

보행(Gait) 이러한 손상(impairments)은 보행에 있어 현저한 기능 장애를 야기한다. 수직부하 손상(vertical load injury)을 입은 환자는 골반에서 부하를 유지하기 위해 목발이나 지팡이를 사용해야할

지도 모른다. 수평부하 손상(horizontal load injury)을 받은 환자는 보행 시 전방으로 굽히고 옆으로 이동하는 방법을 사용한다. 이것은 누가 보더라도 무엇인가 매우 잘못되었음을 쉽게 알아차릴 수 있다.

자세(Posture) 수직전단 병변(Vertical shear lesions) : 골반대가 수직으로 전단된 것으로 보이고 무명골의 전방 혹은 후방 회전을 동반하기도 하고 동반하지 않기도 한다. 수평전단 병변(Horizontal shear lesion) : 골반대가 수평으로 전단된 것으로 보이며 무명골의 전방이나 후방 회전 또는 천골의 회전을 동반하기도 한다. 요추와 고관절은 이 전단 변형을 보상하려고 하며 이로 인해 요추에서는 다분절 회선측만증(multisegmental rotoscoliosis)이 나타나고 고관절은 내측/외측으로 회전된다.

국소 운동검사(Regional movement tests) 전방과 후방굴곡 자세에서 고정된 천장관절(수직 또는 수평 전단 변형)은 골반 내 염전을 일으키고, 시상면상에서 움직일 때마다 비대칭이 나타난다.

한 다리 서기(One-leg standing) 한 다리 서기 검사에서 고관절 굴곡 시 무명골의 비대칭 후방회전을 볼 수 있을 것이다. 손상 측 무명골의 후방회전은 천장관절의 고정에 의해 제한된다. 손상 측으로의 부하 전달(load transfer)은 양측 전단 병변에 상당한 충격을 주므로, 지지기는 부하 이동의 실패에 명백히 영향을 미친다.

형태폐쇄 : 자세검사/가동성/안정성 자세검사는 각 전단 병변들을 구별한다. 상방 수직전단 병변은 전/후상장골극, 장골능, 좌골결절은 모두 손상측 상부에 있다. 천결절인대의 하방 궁상섬유(내측섬유)는 손상측에서 상대적으로 느슨하다. 수평전단 병변에서 천골저와 하외측각은 손상측에서 전방 또는 후방으로 향한다(전방 혹은 후방 천골전단 병변). 골운동학적 기능과 관절운동학적 기능 수동검사는 모든 동작 검사에서 전반적으로 제한을 보인다. 천장관절이 고정되어 있을 때는 관절면을 찾는 것이 불가능하다. 안정성 검사는 도수기법을 통해 관절압이 감소되기 전까지는 음성반응을 보인다. 관절압 감소 후에, 안정성 검사에서 수직면 또는 전후면(혹은 둘 다) 운동 시 중립지대(neutral zone)의 증가를 볼 수 있다.

힘폐쇄/운동조절 환자는 천장 관절이 제한되어 있을 때 다리를 들어 올리는 데에 현저한 어려움을 느낀다. 골반을 압박하여 국소 체계(local system)를 강화하는 것이 종종 ASLR을 더욱 어렵게 만들기도 한다. 관절이 도수조정(manipulated)되고 근본적 불안정성을 확인한 후에 골반을 압박 해 봄으로써, 골반 안정화를 위해 국소체계의 어느 부분에 주목해야 할지를 알 수 있을 것이다(아래 참조).

불충분한 관절 압박(INSUFFICIENT ARTICULAR COMPRESSION)

이러한 상황은 운동을 하거나 부하가 가해지는 동안 관절의 압박이 부족할 만큼 운동조절이 불충분하거나 부적절한 경우 그리고/또는 인대가 느슨한 경우에 발생한다.

요추(Lumbar Spine)

요추의 반복된 외상(trauma)은 점진적으로 해부학적 변화와 생리학적 변화를 일으켜 분절의 불안정성을 야기한다(표 9.4)(kirkaldy-Willis 1983, Panjabi 1992a,b, Bogduk 1997). 다음과 같은 해부/생리학적 변화가 일어난다. :

1. 척추관절돌기간관절 관절연골의 섬유성 연축에 이어 관절연골의 소실이 있다(그림 9.15와 9.16) (Taylor & Twomey 1986, Bogduk 1997).

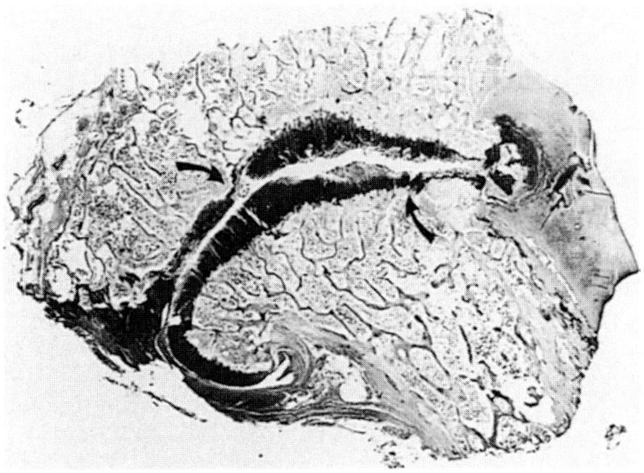

그림 9.15 척추돌기간 관절의 조직학적 단면. 얇아지고 섬유화된 관절연골(→)(reproduced with permission from Kirkaldy - Willis 1983).

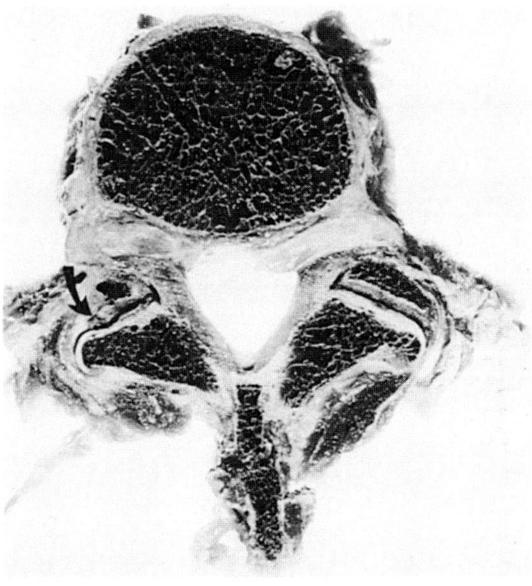

그림 9.16 L5-S1 분절 육안적 횡단면. 좌측 척추관절돌기간 관절의 현저한 퇴화(→)(reproduced with permission from Kirkaldy-Willis 1983).

2. 관절낭이 느슨해지고 장요인대가 가늘어진다.
3. 관절돌기의 골절과 이로 인한 신경궁(neural arch) 장력의 변화가 온다(Twomey와 동료. 1989, Taylor와 동료. 1990).

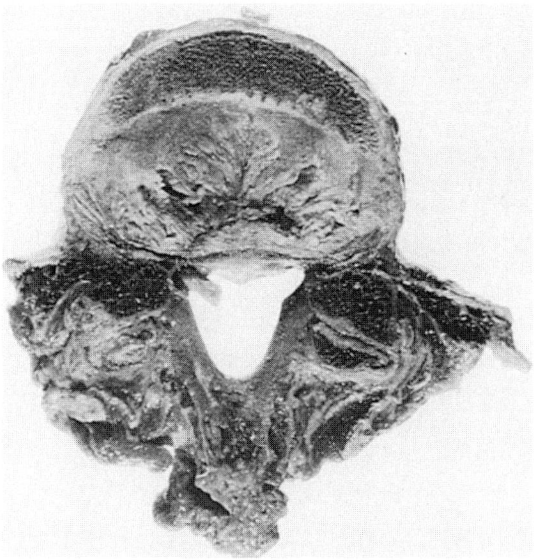

그림 9.17 L4-L5 분절 육안적 횡단면. 방사성 열구의 유착과 내측 붕괴의 초기 단계(reproduced with permission from Kirkaldy-Willis 1983).

4. 주변을 둘러싼 둥근모양의 찢어진 틈(tears)이 방사상 균열로 유착(그림 9.17)은 궁극적으로 추간판의 현저한 내측 붕괴와 추간판 높이의 감소, 주위의 팽창과 흡수로 진행되는 수핵의 탈출을 동반하기도 하고 동반하지 않기도 한다.
5. 인접한 추체의 경화(그림 9.18)가 일어난다.

요천추 연접부에서 이러한 해부학적 변화로, 체간이 축회전하는 동안 천추의 상관절돌기는 상방과 전방으로 아탈구 된다(그림 9.19). 이 동작은 L5-S1 외측 동(recess)을 좁아지게 하여 추간공(intervertebral foramen) 내 조직들의 신경학적 기능을 방해할 수 있다(Sunderland 1978).

시간이 경과함에 따라, 후방 척추관절돌기간 관절은 골증식체(osteophytes)가 생성될 정도로 넓어지고 추간판은 섬유화되며 견인 골극(traction spurs)이 추체의 전면 그리고/또는 후면에 생성되어 때때로 자연적으로 융합되기도 한다(그림 9.20과 9.21).

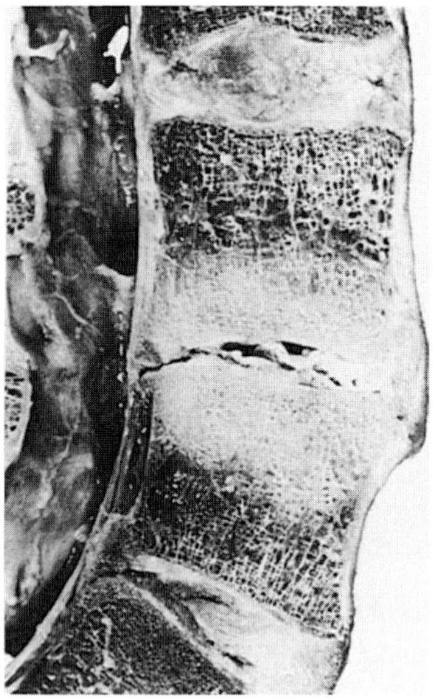

그림 9.18 요추의 육안적 시상 단면. 상당부분 재흡수된 척추 중앙부 디스크의 위/아래 추체 경화증(reproduced with permission from Kirkaldy-Willis 1983)

그림 9.19 요천추 연접부의 불안정성과 함께 진행중인 외측동(lateral recess)의 협착증. 이 표본에서 L5는 관찰자를 향해 회전되어 있다. 척추관절돌기간 관절은 열려있고(→), 상관절돌기는 추체 내측 디스크의 후면에 근접해 있어 결과적으로 외측동을 좁히고 있다(reproduces with permission from Reilly J et al 1978).

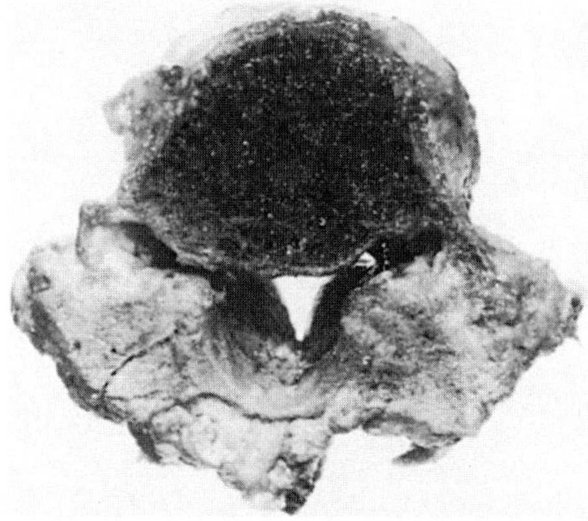

그림 9.20 L5-S1 분절의 육안적 횡단면. 고정된 중앙과 외측의 협착을 보여준다. 중심관과 외측관은 골증식증으로 현저히 좁아져있다(reproduced with permission from Kirkaldy-Willis 1983).

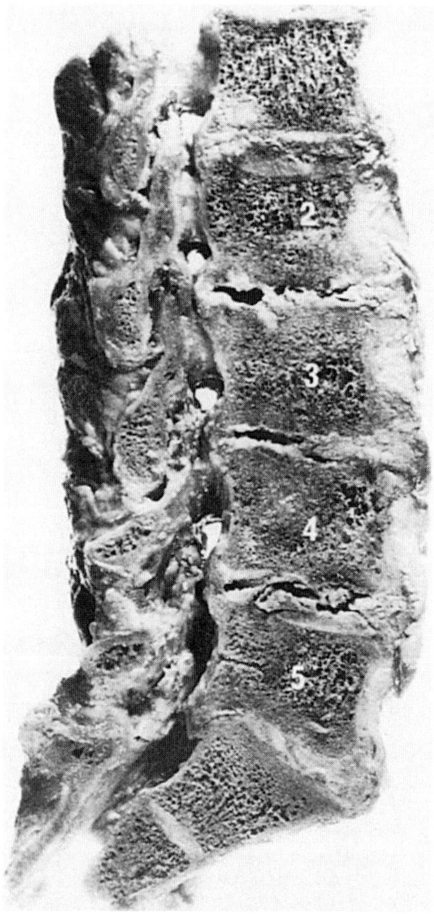

그림 9.21 요추의 육안적 시상 단면으로 여러 수준에서의 척추 협착증을 보여준다(reproduced with permission from Kirkaldy - Willis 1983).

이와 같은 변화는 퇴화 과정의 세 번째 단계인 골 안정화(osseous stabilization) 시기 동안에 나타나며, 환자는 종종 통증에서 해방된다(뿐 아니라, 가동성이 감소되고 더 이상 불안정하지 않다) (Kirkaldy-Willis 1983). 이 단계에서는 척추관 혹은(그리고) 외측 동에 생성된 골 침해(osseous trespass)에 의해 고정된 중심부 혹은/그리고 외측 협착 발달의 위험을 갖는데, 이는 신경성 혈관파행의 말초증상을 동반한다(Sunderland 1978).

주관적 소견(Subject findings)

임상적으로, 요추 분절에 불충분한 관절압박(불안정성)이 있는 환자는 종종 병증의 재현과 소실의 반복 에피소드를 가진 간헐적 요통의 장기 병력을 진술한다. 때로 이것이 그들의 초기 첫 에피소드일지도 모른다. 요통은 편측 혹은 양측일 수 있고, 피절의 원위부까지 방사될 수 있다. 추간공에서의 신경혈관 임피던스 전위에 의해 둔감(dysesthesia)이 발생하기도 한다. 증상을 악화시키는 활동에는 끝 범위 자세를 지속(회전을 동반하거나 동반하지 않은 요추의 굴곡 또는/그리고 신전)하는 것과 이 자세가 포함된 활동들(척추의 중립자세를 벗어나 오랫동안 서 있거나 앉아 있기, 체간을 전방이나 후방으로 굽히고 유지하는 자세)이 포함된다. 긴 베개 위에 슬관절을 얹고 바로 누워 휴식을 취하는 자세는 일반적으로 증상을 경감시킨다. 분절 손상에 대해 표 9.6-9.9를 참조한다.

표 9.6 불충분한 관절 압박-요추의 임상적 분류(adapted from O'sullivan 2000)

굴곡 패턴 - 후방 변위 불안정성	
발병	갑작스럽거나 반복적인 굴곡/회전 활동
증상 유발활동	지속적 또는 반복적 굴곡(삽질, 원예, 조정 등)
자세	분절상 전만의 소실로 앉은 자세에서 심해짐. 앉은 자세에서 골반 후방 경사 하흉추와 상요추부의 긴장
국소 운동검사	전굴시 불안정한 분절에서의 꺾임(hinging) 증가. 체간을 앞으로 숙이거나, 그리고 직립으로 일어설 때 손을 사용할지도 모른다. 후굴시 감소된 분절상 신전은 기립자세와 앉기, 네발기기 자세에서 척추를 가운데 유지 못하게 함 PIVM - 불안정한 분절에서 골운동학적 굴곡과 회전의 증가
형태폐쇄 테스트(가동성/안정성)	PAVM - 중립지대(neutral zone)의 증가와 탄성지대(elastic zone)의 부드러워진 끝 느낌과 관련된 관절운동학적 전후방 변위의 증가 ASLR - 요골반부 조절의 소실 - 골반이 거상된 다리 쪽으로 회전되는 경향보임. 골반에 압박을 주었을 때(국부 체계를 자극하기 위해), 불안정한 분절이 L5-S1만 아니라면 노력의 변화는 없음
힘폐쇄와 운동조절검사	ABLR - 불안정한 분절에서 양측 다열근의 위축 촉지 다열근과 함께 복횡근의 동시 수축 불능 다양한 보상 전략 - 종종 외측과 내측 복사근과 기립근을 사용하여 요부를 굴곡시켜 받치려고 함. 이러한 하흉부에의 압박은 외측으로의 늑골 확장을 막아(특히 전방으로) 호흡을 방해

PIVM, passive intervertebral movement ; PAVM, passive accessory vertebral movement ; ASLR, active straight leg raise ; ABLR, active bent leg raise.

객관적 소견(Objective findings)

보행(Gait) 보행은 지나치게 멀리 걷지 않다면 종종 통증을 감소시킨다.

자세/국소 운동검사(Posture/Regional movement tests) 과도한 관절 압박으로 인한 일반적인 자세 변화에 부가하여 : 요추(그림 9.2–9.5), 요추에 불안정성이 존재할 때 중립자세로부터 특정 분절의 전위도 고려해야 한다. O'sullivan(2000)은 환자의 현재 자세와 증상이 악화되는 움직임에 따라 이러한 불안정성을 분류할 수 있는 유용한 방법을 개발하였다(표 9.6–9.9 참조)(이 논문은 매우 훌륭한 논문이며 모든 임상가들이 볼 수 있기를 적극 추천한다. : O'sullivan 2000).

모든 환자는 일반적으로 운동조절의 부족과 이와 관련된 중립지대(neutral zone)에서 증상이 발견되고, 잦은 손상에 대한 호소를 한다. 이것은 중립지대 내에서 국소체계(local system)가 동시 수축을 시작할 때의 불안정성과 관련된다. 이러한 환자들은 보상 운동 전략을 사용하여 중립지대 외부 분절의 운동을 안정화시키고, 끝 범위 자세(end-range position)(굴곡, 외측 이동 또는 신전)로 움직이려는 것처럼 보인다. 이러한 보상 전략은 광역근(golbal system muscle)을 동원하고, 적은 부하를 들어 올릴 때 분절의 안정성을 유지하려는 차선의 방법으로 내 복압(bracing)수준을 높게 조절함으로써 수행된다(O'sullivan 2000).

굴곡 불안정성(flexion instability)을 가진 환자에게서는 분절성 후만(segmental kyphosis)을 볼 수 있다(그림 9.22a). 이는 특히 굴곡(전굴) 시에 두드러진다. 분절성 후만은 앉은 자세(그림 9.22b)와 네발기기자세에서 현저해진다. 환자는 이 두 자세에서 골반을 후방회전 하고 상요추와 하흉추를 신전시키는 경향이 있다.

표 9.7 불충분한 관절 압박 – 요추의 임상적 분류 (adapted from O'sullivan 2000)

신전 패턴 – 전방 변위 불안정성	
발병	신전/회전 활동, 갑작스럽거나 반복적
증상 유발활동	지속적 또는 반복적 신전(기립, 던지기, 달리기, 춤추기, 수영 등)
자세	분절성 전만의 증가. 기립시 골반 전방 경사. 흉요추 전반에 걸쳐 있는 척추기립근의 긴장
국소 운동검사	불안정한 분절에서의 꺾임(hinging)이 후굴 시에 불안정한 레벨상부에서의 분절상 신전의 소실과 함께 증가
형태폐쇄 테스트(가동성/안정성)	PIVM – 불안정한 분절에서의 골운동학적 신전과 회전의 증가
	PAVM – 중립지대의 증가와 탄성지대에서의 부드러워진 끝 느낌과 함께 관절운동학적 후전방 변위의 증가
힘폐쇄와 운동조절검사	ASLR – 요골반부 조절의 소실 – 골반이 거상된 다리 쪽으로 회전하려는 경향 보임. 골반에 압박이 가해졌을 때(국부체계를 자극하기 위한)에도 불안정한 분절이 L5–S1이 아니라면 노력이 증가하지는 않음
	ABLR – 불안정한 분절에서 양측 다열근의 위축 촉지 다열근과 함께 복횡근의 동시 수축 불능. 다양한 보상 전략 – 척추 기립근을 사용하여 요부를 신전시켜 받치려고 함. 하후방 흉부에 가해지는 압력은 외측 늑골 팽창 호흡을 방해(특히 후방) 환자가 바로 누웠을 때 흉곽은 거상

표 9.8 불충분한 관절 압박-요추의 임상적 분류 (adapted from O'sullivan 2000)

외측 전위 패턴 – 외측 변위 불안정성	
발병	일반적으로 굴곡 시 회전 손상
증상 유발 활동	특히 중립자세에서 지속적 또는 반복적 회전
자세	분절성 전만의 소실. 특히 앉은 자세에서 증상 악화. 앉은 자세에서 골반에 대한 체간의 외측 전위를 동반하는 골반 전방 경사
국소 운동검사	전굴의 중간 범위(mid-range)에서 체간의 외측 편위, 한 다리 서기동안 체간의 현저한 외측 이동
형태폐쇄 테스트(가동성/안정성)	PIVM – 불안정한 분절에서의 골운동학적 회전의 증가 PAVM – 중립지대의 증가와 탄성지대에서의 부드러워진 끝느낌과 함께 관절운동학적 외측 변위의 증가
힘폐쇄와 운동조절검사	ASLR – 흉부–골반의 조절 소실 – 다리를 거상하는 동안 골반대에 대해 흉부를 외측으로 이동시키려 함 골반에 압박을 증가해도(국부체계 자극) 노력이 증가하지는 않음 : 그러나, 흉부–골반 이동이 도수 조절되면 노력은 감소 ABLR – 불안정한 분절에서 양측 다열근의 위축 촉지 일방적으로 다열근과 함께 복횡근의 동시 수축 불능 다양한 보상 전략 – 전위되는 동측의 척추기립근의 표층근과 요방형근을 사용하여 요부를 회전/측굴 하여 받치려고 함

PIVM, PAVM, ASLR, active leg raise ; ABLR, active bent leg raise.

표 9.9 불충분한 관절 압박 - 요추의 임상적 분류 (adapted from O'sullivan 2000)

다방면 패턴(multidirectional pattern)	
발병	각 에피소드 후 불안정성 분절의 증가를 동반하는 외상 에피소드의 복합적 재발
증상유발 활동	모든 활동 – 비 체중 부하 자세 외
자세	굴곡, 신전 또는 측면 이동 자세에서 손상 받기 쉬움
국소 운동검사	모든 방향에서 전 범위에 걸쳐 제한됨. 모든 움직임에 경직(spasm)과 날카로운 통증(sharp pain)이 동반됨
형태폐쇄 테스트(가동성/안정성)	정확한 평가가 어려움 – 모든 수동적 움직임(각 운동 또는 병진운동)에서 현저한 경직과 통증
힘폐쇄와 운동조절검사	ASLR – 다리를 조금도 들어올리지 못할만큼 현저한 어려움 호소 검사 수행이 어려움, 압박으로 종종 통증이 증가함 ABLR – 양측 다열근의 위축 촉지. 종종 여러분절에 걸쳐 촉지됨. 복횡근이나 다열근을 수축할 수 없고 광역체계로 보상 자기동명영상(MRI) – 다열근에 심각한 지방 침윤(그림 9.25)

PIVM, PAVM, ASLR, active leg raise ; ABLR, active bent leg raise.

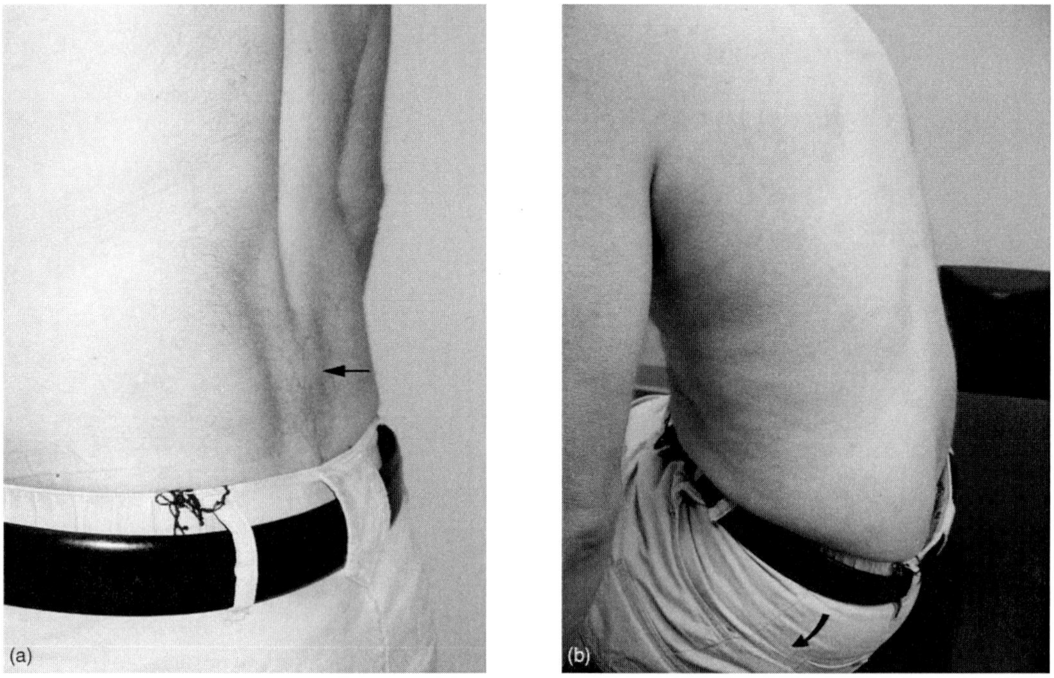

그림 9.22 L5-S1의 분절성 굴곡 불안정성을 가진 환자. 기립 시 L5-S1의 분절성 척추 후만증(→)(a)과 앉은 자세에서 후만증의 강화(b). 앉은 자세에서 골반 후방 경사(→)와 요추 전만의 소실.

신전 불안정성(extention instability)을 가진 환자는 과도한 분절성 전만을 보이는데, 이는 신전시에 두드러진다(그림 9.23). 척추후굴을 하고 있는 동안 골반을 전방(그림 9.23a,b) 혹은 후방(그림 9.13) 경사시킨 채로 유지한다. 상 요추와 하 흉추는 후굴하고 있는 동안 종종 굴곡된 채로 있는데, 이는 불안정한 분절 주변에서 경첩모양으로 융기되어 있다.

편측 굴곡 불안정성은 분절의 외측 전위(lateral shift)를 야기한다. 분절은 후만이 되고 외측으로 이동된다(그림 9.24). 외측 전위는 한 다리 서기검사와 외 편측 부하 시에 더욱 분명해 진다 – 아래 참조(O'sullivan 2000).

여러 방향에서 불안정한 분절(다 방향 불안정성)은 심각한 손상을 받는다. 과도한 분절 전위는 모든 움직이는 방향에서 확연하게 나타나며 조절하기가 어렵다.

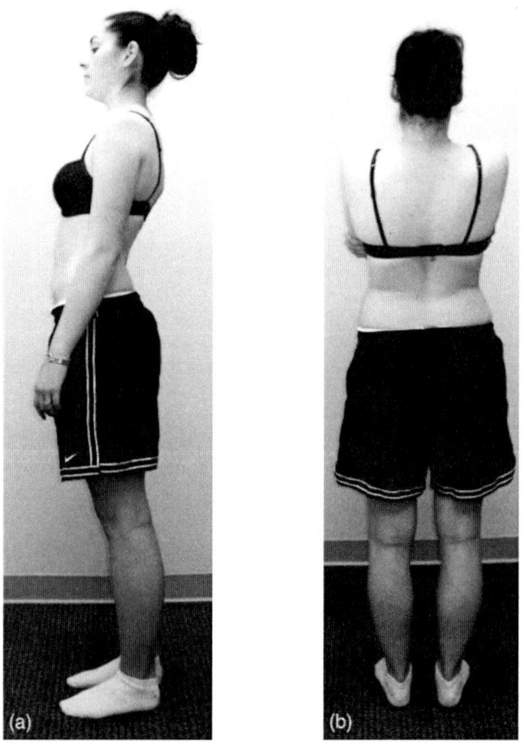

그림 9.23 (a, b) 분절성 신전 불안정성환자. 요부 중간 부위에서 흉부가 경첩모양으로 솟아오르고 후굴시 골반 전방 경사의 유지.

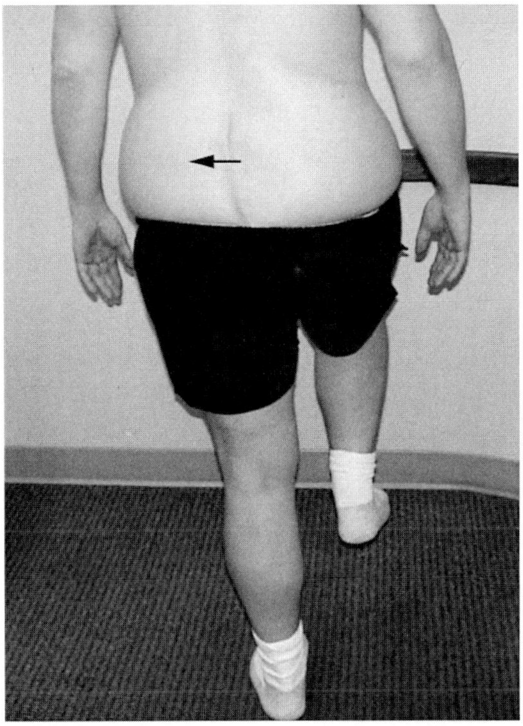

그림 9.24 L4-L5에서 좌측으로의 분절성 외측 변위 불안정성환자

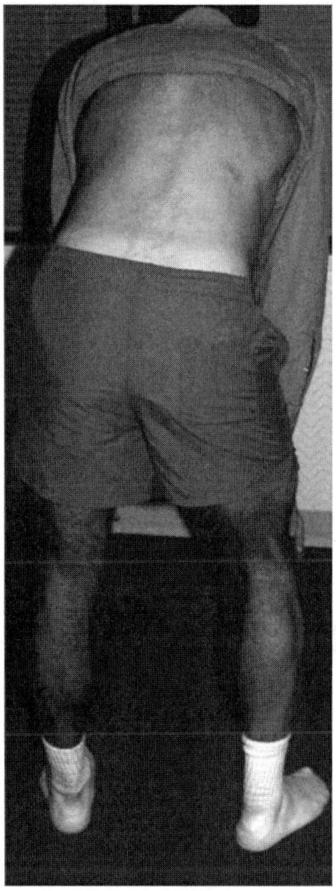

그림 9.25 손을 허벅지 아래로 늘어뜨리고 보행함으로써 전형적으로 체간을 전방으로 굽히는 분절성 굴곡 불안정성을 가진 환자.

요추 관절이 불안정할 때, 골 운동학적 운동은 종종 비생리적인 관절운동학적 활주를 동반한다. 예를 들어, 굴곡은 정상적으로 전방 변위를 동반하나, 분절이 불안정할 때에는 후방변위가 일어나고 신전 시에 전방변위가 일어나는 것을 볼 수 있다(그림 9.13 ; 피부주름에 유의). 전형적으로, 굴곡 불안정성환자는 손을 허벅지 아래로 늘어뜨리고 보행함으로써 전방으로 굽혔다가(그림 9.25) 직립자세로 돌아온다. 통증과 함께 신전 불안정성환자는 거퇴관절을 굴곡시킴으로써 후방으로 굽히는데 이는 신전을 일체 피하기 위함이다. 통증이 적은 환자는 요부를 신전하여 골반대의 전방 혹은 후방 경사를 유지할 것이다. 이 때, 불안정한 레벨(대개 L4 또는 L5)에서 깊은 피부 주름을 볼 수 있다.

한 다리 서기(One-leg standing) 외측 변위 불안정성은 한 다리에 체중이 부하될 때 더욱 분명해진다(그림 9.26a, b). 골반 내 운동에 주목하면, 고관절 굴곡 시에는 증상이 악화되는 경우가 드물거나 또는 비대칭적인 요추 분절의 불안정성이 나타난다. 그러나 지지기에는 양성 반응을 보이는 경우가 많다. 요추 분절 불안정성은 다열근 심층 섬유의 기능에 극적으로 영향을 미치며 종종 여러 분절에 걸쳐 손상을 준다. 만약 다열근 천추부 섬유들이 손상을 받았다면, 후방 골반의 힘폐쇄(force closure)는 감소하고, 이로 인해 골반의 부하 전달을 위한 자가-지주 기전(self-bracing mechanism)이 소실된다(the Pelvis Girdle 참조).

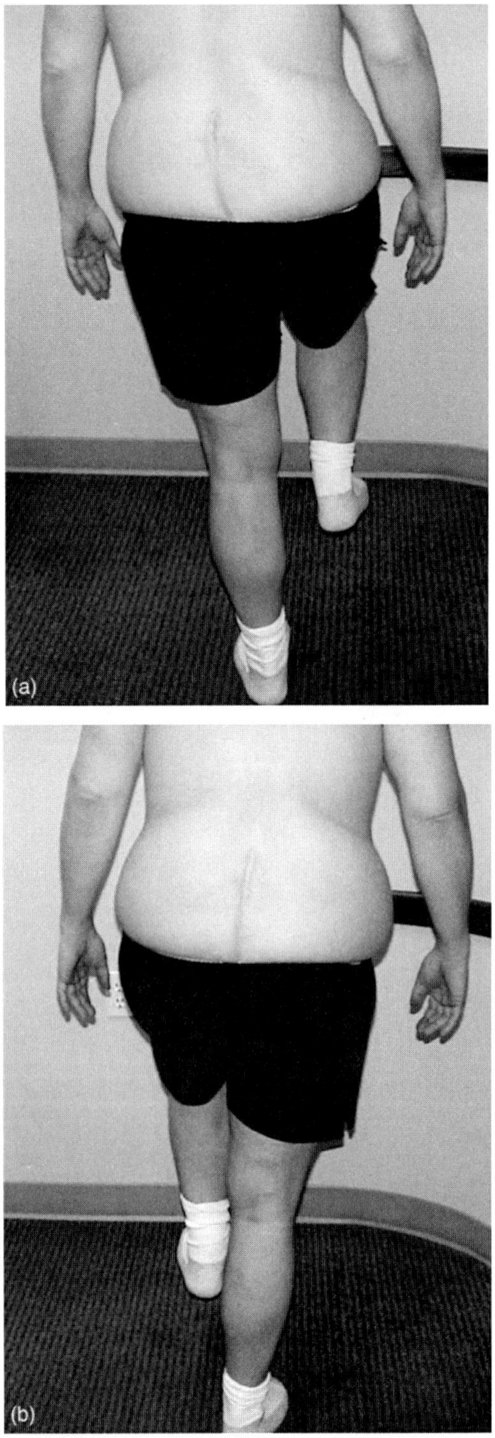

그림 9.26 L4-L5에서 수술 후 분절성 외측 변위 불안정성환자. 왼쪽 다리로 선 자세에서(a) 분절이 외측으로 전위되어 있음. 그는 오른쪽으로 서 있는 동안(b) 체간을 골반에 대해 수직으로 유지.

힘폐쇄 : 자세 검사/가동성/안정성 편안한 휴식자세(엎드린 자세)에서는 기립 시에 나타나는 자세결함이 나타나기도 하고 나타나지 않기도 한다. 수동 골운동학적 검사에서 중립지대가 상당히 넓고, 탄성지대(elastic zone)에서의 저항은 감소한 것을 볼 수 있다. 탄성지대 끝 범위에서의 통증은 주변 국소 조직의 자극 여부에 따라 증가하기도 하고 증가하지 않기도 한다. 관절운동학적 안정성을 알아보기 위한 수동 검사에서는 변위로 인한 불안정성의 방향을 확인할 수 있다(과도한 전방, 후방, 측방 변위, 혹은 회전).

힘폐쇄/운동조절 손상 분절에서, 다열근 심층섬유의 위축을 쉽게 촉지할 수 있다. 그림 9.27에서 MRI로 L5-S1에서 다방향 불안정성 소견을 보이는 환자에게서 현저하게 지방이 침윤된 다열근을 볼 수 있다. 다열근 기능의 저하는 종종 횡복근 편측 혹은 양측 동시 수축의 부재 또는 시간 지연을 동반하다. ASLR 검사에서 양성을 보이며, 요부-골반 조절이 적절하게 일어나지 않는다. 요골반부의 안정화를 도모하기 위해 사용되는 기능장애의 패턴은 매우 다양하며 복근 융기와 호흡 억제, 흉요부 골곡과 골반 후

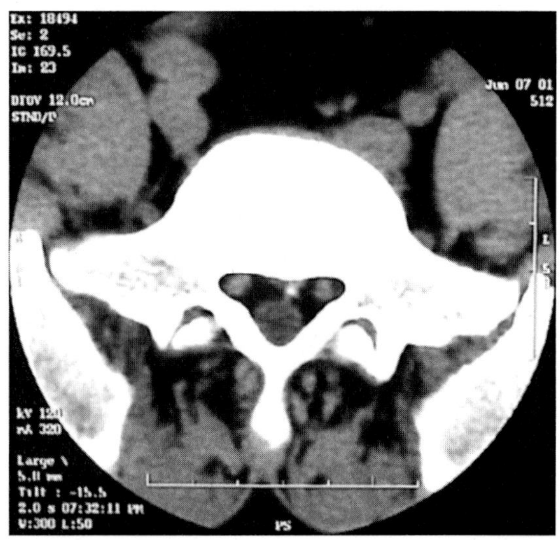

그림 9.27 요천추 연접부의 자기동명영상. 다열근 심층 섬유내의 어두운 구멍에 주목해 보고 이것은 근육의 지방 침윤에 의한 것으로 추측.

방 경사를 동반한 복사근의 과도한 활동, 흉요부 신전을 동반한 척추기립근의 과도한 활동 –골반 전방 경사 또는 요골반 외측 경사와(또는) 회전을 동반–이 속한다. 굽힌 다리를 들어 올리는 동안과 구두 지시에 따라 동시 수축하는 동안 분절 다열근과 복횡근의 촉지로 국소 체계 기능 장애의 특이한 패턴을 확인할 수 있을 것이다. 국소 체계(local system)가 적절하게 기능을 수행할 수 있고 힘폐쇄(force closure) 기전이 완전하다면, 동작의 중립지대는 안정되어 0으로 감소한다. 만약 국소체계의 기능은 최적이나 힘폐쇄(force closure) 기전이 손상을 받았다면, 중립지대는 과도하게 넓어질 것이고 이는 운동을 통한 성공적인 재활에 좋지 않은 예후가 될 것이다.

신경학적 검사(Neurological tests) 손상과 함께 신경계 기능(운동, 감각, 반사)과 신경 가동성(neural mobility)의 임피던스가 발생한다. 이는 병진 불안정(translatoric instability)으로 인해 외측동의 크기와 길이가 감소하기 때문이다. 적절한 경막/신경 가동성 검사에서 양성반응을 보일 것이다. 신경계 임피던스의 스팩트럼은 질병의 단계별로 매우 다양하다. 초기단계에서 환자는 최소한의 운동신경 약화 또는 감각둔감을 호소하나, 후에는 운동신경의 완전한 차단과 무감각을 호소하게 된다. 초기 신경학적 대상 부전을 발견하기 위해 반드시 주의 깊게 객관적 평가가 이루어져야 한다.

골반대(PELVIC GIRDLE)

골반대의 반복적 외상은 해부학적인 변화를 일으킬 수 있고 이는 천장 관절과 치골 결합의 불안정을 초래한다. 요추와 달리, 골반 관절들에의 부족한 관절 압박을 일으키는 구조적 변화를 증명하는 해부학적 연구는 거의 이루어지지 않았다. 임신 시 호르몬 변화의 결과에 대해서는 6장에서 언급하였다. 각 손상과 관련한 정보를 위해 표 9.10–9.12를 참조한다.

표 9.10 불충분한 관절 압박 - 천장관절(SIJ)의 임상적 분류

수직적 패턴(vertical pattern)	
발병	하지나 좌골 결절에의 갑작스러운 또는 반복적 수직 부하
증상 유발 활동	지속적 수직 부하(앉기, 걷기, 서기, etc.)
자세/보행	하지에의 불균등한 체중 부하. 보완된 또는 순수한 Trendelenburg 보행
국소 운동검사	전굴시 발생하는 골반 내 비대칭 ; 그러나, 소견에 일관성이 없음
	한 다리 서기 – 고관절 굴곡기에 좌측과 우측에서 비대칭적 움직임
	지지기 – 편측으로의 체중부하에 큰 어려움이 있을 것이다. 만약 가능하더라도 SIJ force closure의 불능으로 무명골이 천골에 대해 전방 회전하고 고관절에 대해 굴곡 불가능
형태폐쇄 테스트(가동성/안정성)	PIVM – 불안정한 측에서 무명골의 골운동학적 회전 증가
	PAVM – 중립지대의 확장과 탄성지대의 부드러운 끝느낌과 연관된 SIJ의 craniocaudal 병진운동의 증가
힘폐쇄와 운동조절검사	ASLR – 요골반부 조절의 상실 – 거상된 다리의 측면으로 회전 다리를 테이블 위로 올리는 것을 매우 곤란. 골반대에 압력을(전방/후방) 가하면 쉬워짐
	ABLR – 편측 천추부 다열근의 위축 촉지. 복횡근을 다열근과 함께 동시수축 하지 못함. 가변성의 국소체계 기능 부전과 다양한 보상 전략

PIVM, PAVM, ASLR, active leg raise ; ABLR, active bent leg raise.

표 9.11 불충분한 관절 압박 - 천장관절(SIJ)의 임상적 분류

수평적 패턴(horizontal pattern)	
발병	외상 - 들어올리기/비틀기 시의 손상
증상유발 활동	지속적 전굴 자세
자세/보행	골반이 비틀어져 보임 - 천골이 기립시 회전되어 하외각이 정상 높이에 있지 않음. 보행시 골반내 움직임 감소
국소 운동검사	전굴시 골반내의 비대칭이 발견되나 소견에 일관성은 없음. 환자는 보행시 손을 허벅지 아래로 내려 기립자세로 돌아오는 것을 보완 한 다리 서기 - 고관절 굴곡기에 좌측과 우측의 비대칭적 움직임 지지기 - 편측으로의 체중부하에 큰 어려움 느끼며, SIJ force closure의 불능으로 무명골을 천골에 대해 전방 회전하고 고관절에 대해 굴곡 불가능
형태폐쇄 테스트(가동성/안정성)	PIVM - 불안정측에서 천골의 골운동학적 전굴(nutation)/후굴(counternutation) 증가 PAVM - 중립지대와 확장과 탄성지대의 부드러운 끝느낌과 관련된 SIJ의 관절 운동학적 전후 병진운동 증가
힘폐쇄와 운동조절검사	ASLR - 요골반부 조절의 상실 -거상된 다리 측으로 회전. 다리를 테이블 위로 들어 올리는 것을 매우 어려워함. 골반대에 압력을 가하면(후방으로 가해질 때 가장) 수월해짐 ABLR - 편측 천추부 다열근의 위축 촉지. 복횡근을 다열근과 함께 동시수축 하지 못함. 가변성의 국소체계 기능 부전 이상근과 ococcygeus를 수축함으로써 보상하려하나 이것은 관절을 매우 압박하게 됨 ; 이 근육들이 이완되어야 근원적 안정성이 나타남

PIVM, PAVM, ASLR, active leg raise ; ABLR, active bent leg raise.

주관적 소견

천장관절과/이나 치골결합은 임신, 중한 외상, 경한 반복 외상에 의해 혹은 고관절이나 반대측 치골관절의 과운동성에 대한 보상의 결과로 불안정해 질 수 있다. 결과적으로, 병력은 매우 다양하다. 골반 통은 종종, 항상 그런 것은 아니지만, Fortin의 분포(Fortin과 동료들, 1994a,b)를 따라 분포하며, 원위로 슬관절까지 방사되기도 한다. 통증은 편측 체중 부하(수직 불안정성), 전굴 혹은 들어올리기(수평 불안정성), 바로 누운 자세(특히, 긴 후방 인대들이 통증을 감지하는 경우)와 바로 누운 자세에서 뒤집어 눕는 동작들에 의해 자주 악화된다. 통증이 있는 천장관절에 가장 편안한 자세는 침범 측을 위로 하고 반 사냥꾼자세(semi-fowler position)로 옆으로 누운 자세이다. 베개(body pillow)를 사용해 고정된 고관절과 슬관절을 지지해 주면 더욱 편안한 자세를 취할 수 있다.

객관적 소견

보행 천장관절이 불안정할 때 중력중심의 변위가 현저해 진다. 환자는 천장관절에 가해지는 전단력을 감소시킴으로써 안정성의 결여를 보상하려 한다. 보상 보행 패턴에서, 환자는 침범측 하지를 넘어 체중을 외측으로 옮겨(보상 Trendelenburg 징후) 관절에 가해지는 수직 전단력을 감소시킨다(Lee 1997a)

표 9.12 불안정한 관절 압박-치골 결합의 임상 분류

수직적 패턴(vertical pattern)	
발병	외상 혹은 임신
증상유발활동	지속적 수직 부하(앉기, 걷기, 서기, 등), 또는 고관절 외전/외회전. 침대에서 구르기 and/or 차에서 내리기는 둘다 일반적으로 증상을 악화
자세/보행	하지에의 불균등한 체중 부하. 보완된 또는 순수한 Trendelenburg 보행
국소 운동검사	전방굴곡시 골반내 비대칭이 나타나나 일관적이지 않음 한 다리 서기 – 고관절 굴곡기에 좌측과 우측의 대칭적 동작 지지기 – 한 다리에의 체중 부하를 매우 어려워함. 가능하더라도, 무명골을 천추에 대해 전방회전시키고 양측 대퇴골에 대해 굴곡시킬 만큼 치골 결합의 force closure 불가능.
형태폐쇄 테스트(가동성/안정성)	PIVM – 양측 무명골에서 골운동학적 무명골 회전의 증가 PAVM – 중립지대의 확장과 탄성지대의 부드러운 끝느낌과 함께 치골결합에서의 관절운동학적 craniocaudal 병진운동의 증가. 이 병변에서 현저한 국소 통증 호소.
힘폐쇄와 운동조절검사	ASLR – 요골반부 조절의 상실 – 거상된 다리 측으로 회전. 다리를 테이블 위로 올리는데 현저한 어려움 호소. 골반대의 치골 결합 수준에의 전방 압박시 수월 ABLR – 다열근은 종종 정상 : 그러나, pubococcygeus와 복횡근의 동시수축은 곤란. 백선(linea alba)의 분리가 동반되기도 함

PIVM, PAVM, ASLR, active leg raise ; ABLR, active bent leg raise.

(그림 6.25). 보상하지 않은 보행 패턴에서는 순수한 Trendelenburg 징후를 보이는 경향이 있다(그림 6.26). 이 때 골반대는 과도하게 내전된다(불안정한 체중 부하측에서). 대퇴골이 발에 대해 내전됨으로써 중력중심을 천장관절 쪽으로 가까이 옮겨 오며, 수직전단력은 감소한다.

자세 기립자세와 앉은 자세에서 환자는 침범측 천장관절에 부하가 가해지지 않는 휴식자세를 취하려고 한다.

국소 운동검사 전방굴곡자세에서의 소견들에는 일관성이 없는 것이 일반적이다. 한번의 검사에서 비대칭(골반 내 염전)이 보이다가도 그 다음 검사에서 사라지기도 하고 그 다음 검사에서는 다시 발견되기도 한다. 이것은 골반대의 비효율적 힘폐쇄와 크게 관련되어 있다. 만약 천추가 무명골들 간의 안정화를 도모할 수 없다면 모든 움직임은 일관성 없이 통증의 유무에 영향을 받을 것이다.

한 다리 서기 Hungerford(2002)는 골반의 비효율적 부하폐쇄의 임상적 발현증상을 보이는 남성과 여성에게서 천골에 대한 무명골의 골운동학적 운동과 관절운동학적 운동을 연구하였다. 이 연구에 참여한 실험대상자들의 조건은 다음과 같다.

1. 수직 부하 활동으로 편측 골반의 통증이 증가하는 사람
2. 기립 전방굴곡 검사에서 양성 반응(골반 내 염전)인 사람

3. 한 다리 서기 검사에서 고관절 굴곡 시 양성반응(양측 움직임의 비대칭)인 사람
4. ASLR이 양성반응인 사람
5. 관절놀이 검사(joint play test)에서 천장관절의 뻣뻣함(stiffness)이 비대칭인 사람

Hungerford는 연구를 통해 다음과 같이 기술하였다. :

1. 고관절 굴곡기(hip flexion phase) : 무명골의 후방회전이 비체중 부하측(고관절 굴곡측)에서 일어났고, 그것은 전상방 관절운동학적 활주를 동반하였다(그림 6.11). 양측의 운동량이 비대칭적이었고, 불안정한 측에서 항상 최대의 운동량을 보이지는 않았다. 이 소견은 Sturesson외(2000)의 주장 –한 다리 서기 검사로 천장관절의 가동성을 결정하는 것은 부적절하다.– 을 뒷받침하는 것이다.
2. 지지기 : 체중 부하측에서 지지측 무명골의 전방 회전이 발생하였고(고관절 굴곡으로부터 원위로), 천골에 대한 무명골의 후방 관절운동학적 미끄러짐을 동반하였다(그림 6.14). 이것은 부하전달 동안 효과적으로 천장관절을 잠그는데 필요한 압력이 부족하다는 것을 보여준다. 정상적인 실험대상자들의 연구에서, Hungerford(2002)는 체중부하 동안 무명골이 천골에 대해 후방으로 회전하고 후상방으로 미끄러진다는 사실을 확인하였다(6장 참조).

형태폐쇄 : 자세 검사/가동성/안정성 천장관절이 고정되지 않은 상태에서의 자세상 소견은 종종 주목할 만하지 않다. 수동적 골 운동학적 가동성 검사(PIMVs)는 무명골의 전후방 회전 또는/그리고 천골의 전굴/후굴의 비대칭 각 운동을 보인다. ; 불안정한 측이 비교적 더 많이 움직인다. 관절운동학 검사는 비대칭적인 중립지대에서의 운동을 볼 수 있다(불안정한 측에서 덜 뻣뻣하다). 탄성 지대의 끝느낌은 종종 더 부드러우며 국소 조직의 자극여부에 따라 통증이 악화되기도 하고 그렇지 않기도 한다. 어느 한쪽의 천장관절이나 치골결합의 관절운동학적 안정성 수동 검사에서는 변위성 불안정성(translatoric instability)의 방향을 알 수 있다(과도한 수평 또는 수직 변위).

힘폐쇄/운동 조절 골반대의 힘폐쇄는 천골 다열근의 심층 섬유와 횡복근, 골반저의 적절한 기능에 다라 달라진다. 국소 체계의 기능장애들(예 : 백선이개, 다열근 심층섬유의 위축, 시간 지연, 또는 복횡근과 골반저의 동원 실패)이 결합되어 나타날 수 있고 미묘한 정렬부정(malalignment)을 초래할 수 있다(Schamberger 2002)(무명골의 전방/후방 회전, 무명골의 내측 벌어짐(inflare)/외측 벌어짐(outflare), 전방 또는 후방으로의 천골 염전). ASLR 검사에서는 양성을 보이고 요부골반 조절이 부족하다. 요부골반 안정화를 위해 사용되었던 기능장애 패턴은 매우 다양한데, 여기에는 복부 팽창과 호흡 지연, 흉요부 굴곡과 골반 후방 경사를 동반한 복사근의 과도한 활동, 흉요부 신전과 골반 전방 경사 또는 요부 골반 외측 경사 그리고/또는 회전을 동반하는 척주기립근의 과도한 활동 등이 포함된다. 굽힌 다리를 들어 올리는 동안과 구두지시에 따라 동시수축 하는 동안 분절상 다열근과 복횡근을 촉지함으로써 국소 체계 기능장애의 특정한 패턴을 알 수 있을 것이다. 만약 국소 체계가 최적으로 기능을 수행하고 있고, 힘폐쇄 기전이 완전하다면, 움직임의 중립지대는 안정화될 수 있다(0으로 감소). 만약 국소 체계가 적절하게 기능을 수행하고 있고 힘폐쇄 기전이 손상되었다면, 중립지대는 과도하게 유지될 것이다. 이것은 운동을 통한 성공적 재활에 좋지 않은 예후이다.

신경학적 검사 이 검사는 천장 관절이 얼마 동안

불안정한 경우 L5와 S1의 기능 소실을 알아보기 위한 일반적인 방법이다.

표 9.13은 소견들과 손상 분류, 기능 통합 모델에 따른 기능 장애에 요구되는 치료를 요약하고 있다.

불충분한 요도 압박(INSUFFICIENT URETHRAL COMPRESSION) : 스트레스성 요실금(STRESS URINARY INCONTINENCE)

요실금(Urinary Incontinence : UI)은 불수의적 소변 누출로써 객관적으로 측정가능한 것을 말한다.

표 9.13 요골반 : 고관절 기능 연접부의 손상

	과도한 관절 압박	
	관절낭의 섬유화를 야기하는 관절 병리 –편측 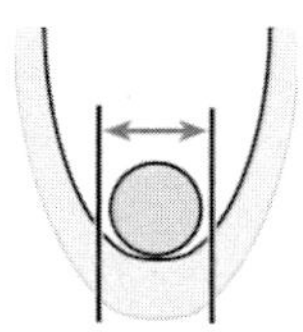	광역 체계(global system)의 과활동 – 편측 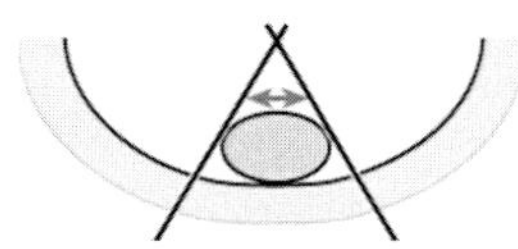
기능적 소견 (Functional findings)	전굴 검사 – 비대칭 한 다리 서리 고관절 굴곡 – 비대칭 지지 – 가변적	전굴 검사 – 비대칭 한 다리 서기 고관절 굴곡 – 비대칭 지지 – 부적절한 패턴
형태폐쇄 (Form closure) 소견	↓능동+수동 골운동학적 운동 ↓관절운동학적 운동 ↙ ↘ ↓중립지대 탄성지대 딱딱한 끝느낌 일관적 – 속도에 의해 변하지 않음	↓능동+수동 골운동학적 운동 ↓관절운동학적 운동 ↙ ↘ ↓중립지대 저항적 탄성지대 검사 속도에 따라 저항이 변함
힘폐쇄 (Force closure) 운동조절소견	ASLR – 골반 압박시 하지 거상 어려움 증가	ASLR – 골반 압박시 하지 거상 어려움 증가
치료	수동 관절 가동 운동 지속적 단계 4	신경 근막 이완 · 근 에너지 · 기능적 · 유발점 이완 · IMS 침술 국소+광역체계 기능의 회복

ASLR, active straight leg raise ; IMS, intramuscular stimulation

표 9.13 계속

	불충분한 관절 압박	
관절 고정	인대의 이완을 야기하는 관절 병리 – 편측	국소 체계(local system)의 저활동
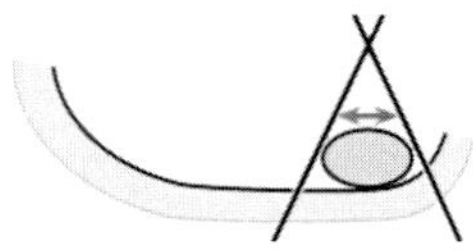	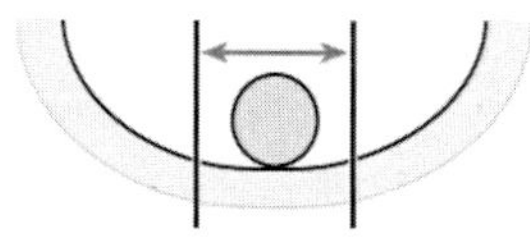	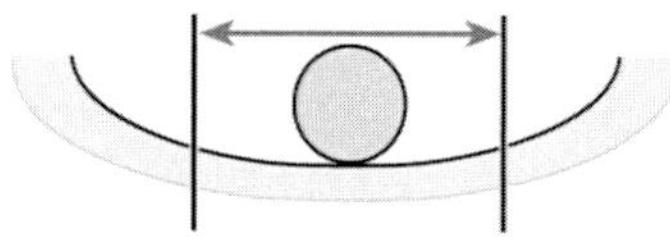
전굴 검사 – 비대칭 한 다리 서기 고관절 굴곡 – 비대칭 지지 – 손상측 체중부하 불능	전굴 검사 – 비일관성+가변성 한 다리 서기 고관절 굴곡 – 비대칭 지지 – 부적절한 패턴	전굴 검사 – 모순적 가변성 한 다리 서기 고관절 굴곡 – 변화 지지 – 변화 일치하는 소견의 모순
현저한 자세적 변화 ↓능동+수동 골운동학적 운동 ↙ ↘ 중립지대 폐쇄(block) / 탄성지대 검사를 위한 관절면을 찾을 수 없음	↓능동 골운동학적 운동 ↑수동 골운동학적 운동 ↑관절 운동학적 운동 ↙ ↘ ↑중립지대 / 탄성지대의 부드러운 비저항적 끝느낌	↑능동+수동 골운동학적 운동 ↑관절운동학적 운동 ↙ ↘ ↑중립지대 / 정상적 탄성 지대
ASLR –하지 거상의 큰 어려움 +골반압박시 노력이 크게 증가	ASLR–관절압박(어느 곳이든)시 하지거상 시 노력이 크게 감소	ASLR–정확학 관절압박(압박이 더욱 필요한 곳을 자극)시 하지 거상 노력 감소
관절 도수 견인 재평가를 통한 근본적 안정성 확인 (인대이완 참고)	prolothrapy and/or 국소 + 광역체계의 재훈련을 위한 운동조절	국소 + 광역체계의 재훈련을 위한 운동조절

스트레스성 요실금(SUI : 신체 활동 중의 누출)은 가장 일반적인 양상이다. 긴박성 요실금(UUI)은 갑작스러운 긴박한 상황이나 그것을 피하려는 욕구가 있을 때에 일어나는 누출로 종종 SUI와 함께 발생한다(혼합성 또는 MUI). Delancey(1994)에 따르면 :

기침을 하는 동안 요도 폐쇄압(urethral closure pressure)은 방광내압의 큰 상승에 대해 요도의 위치를 유지하기 위한 복압의 상승과 동시에 증가하는 것으로 알려져 있다. 스트레스성 요실금은 이러한 복압의 정상적인 전달이 소실될 때 발생한다.

요도의 힘폐쇄의 무능과 골반의 기관들을 통한 부하 전달의 실패로 SUI가 반드시 발생한다. 이것이 얼마나 일반적일까? 유병율은 연령, 연구 설계와 정의에 따라 다르다. Ashton–Miller 등(2001)은 여성의 8.5–38%가 SUI를 경험한다고 하였다. Nygaard 등(1994)은 이러한 상태는 출산 여성에게 국한되는 것은 아니며, 18–21세의 미분만 여성 운동선수 144

명에 대해 연구한 결과 28%가 SUI로 고통받고 있다고 하였다. Bo & Borgen(2001)은 여성 운동 선수 중 41%가 SUI를 경험하였다는 것을 알아냈다. Carriere는 Fantl 등(1996)의 연구를 인용하여 요실금은 여성 10명 중 4명, 남성 10명 중 1명에, 15세 미만 아동의 약 17%에게 영향을 미친다고 하였다.

확실히, 이것은 유의할 문제이나 골반 근골격계 요소들의 효과적 힘폐쇄의 소실과는 다른 문제이지 않을까? 여성들의 요실금 뿐만 아니라 요통과 골반통 호소에도 항상 주의를 기울이고 치료사들은 하나의 요소를 치료하는 것이 다른 부분에 종종 충격을 준다는 데에 항상 주의를 기울여야 하지 않을까? 이 두 가지의 기능 손상간의 연관성에 대해 최소한의 연구가 이루어져 왔다. 문헌을 검토해 보면, Panjabi의 안정성 모델(그림 5.3)에서 근골격계 뿐만 아니라 요도에 관해서 언급하고 있다.

배뇨 자제(URINARY CONTINENCE) : 요실금

우수한 연구인 Ashton-Miller 등(2001)의 논문에서 활동하는 동안 배뇨가 자제되는 기전에 대해 명확히 설명하고 있다. 필수적으로, 배뇨 자제는 두 체계 간 최적의 기능 수행에 달려있다 - 요도 지지 체계(urethral support system)와 괄약근 폐쇄 체계(sphincteric closure system).

요도 지지체계(Urethral support system)

요도를 지지하는 구조에는 다음의 것들이 포함된다. :

- 수동체계(passive system) : 골반 내 근막을 포함하는데, 이는 치골 전방에서 올라와 좌골극에서 정지하는 궁상건성 근막(arcus tendineus fascias)이라 불리는 두꺼운 근막 띠에 고정되어 있다(그림 4.28-4.29).
- 이 근막 해먹 또는 슬링의 능동 체계 : 항문거근이 포함된다. 이 근육은 1차적으로 I 형 섬유를 포함하고 있고 일정한 긴장도를 가지고 있다.
- 조절체계(control system) : 외음부 신경을 포함한다. 이 신경은 배뇨근과 골반저 간 반사의 중추조절을 담당할 뿐 아니라 항문 거근을 지배하고 있다.

수동 체계와 능동 체계는 함께 요도를 지지하는 해먹(hammock)을 형성하고 이러한 조직들의 연합/기능 수행은 요도의 force closure가 효과적으로 이루어지기 위한 필수 조건이다. 만약 이 체계가 너무 쉽게 진행된다면, 요도 압박에 대항한 방어벽을 제공할 수 없게 된다. 적절한 유추(Ashton-Miller 등, 2001)로 정원의 호스(요도)를 상상해본다. 이 호스는 트램폴린 침대(골반저)위에 놓여있고 호스내로는 물(뇨)이 흐른다. 침대가 매우 단단하여 같은 크기의 반발력을 제공하는 경우(기능적인 골반저), 호스 위에 서면 호스 내의 물의 흐름이 막힐 것이다. 그러나 침대가 매우 푹신하다면(예를 들어, 건막의 지지가 없다면), 호스에 가해지는 누르는 압력은 침대가 움푹해져 침대 속으로 호스가 만입될 것이고 물은 끊어짐 없이 계속해서 흐를 것이다.

괄약근 폐쇄 체계(Sphincteric closure system)

부가적으로 요도는 내재근(intrinsic)과 외재근(extrinsic) 양쪽 근육에 의하여 폐쇄 된다. :

- 요도 벽의 가로무늬근(내재근)은 방광에 의해서 어떤 압박을 받기 전에 수축하므로 이것은 선행 신경반응기전(anticipatory neural response mechanism)임을 암시 한다(pudendal 신경에 의해 중재될 것인가?).
- 요도 벽의 가로무늬 괄약근(외재 압박요도와 요도질 괄약근)은 1형으로 구성되고 긴장을 지속

하기에 적합하게 되어 있다.

Constantinou & Govan(1982)은 건강한 여성이 Valsalva manaver와 기침을 하고 있는 동안에 요도내와 방광내 압력을 측정한 결과 기침하는 동안에 요도 내 압력이 증가했고 방광은 거의 250ms로 압력 증가를 보이지 않았다. 이 현상은 Valsalva(아래로 잡아당기는 동작)가 일어나는 동안에는 나타나지 않았다. 이것은 골반저와 요도 사이의 선행반사에 의한 것임을 암시한다(골반저근은 기침을 할 때는 활동적이지만 힘을 줄때는 비활동적). 이와 같은 요도의 선행 폐쇄는 Thind 등(1991)의 후속 연구에 의하여 확인되었다. 그들은 그 밖에 요도 압력이 방광 내 압력을 정상화한 후 짧은 시간 동안 올라간다는 것도 알게 되었다.

Bo & Stein(1994)은 EMG로 기침을 하거나 Valsalva가 일어나는 동안에 고관절 내전근, 복직근과 대둔근의 활동을 측정하였다. 그들은 기침을 하는 동안 골반저와 고관절 내전근, 복직근과 대둔근이 요도 벽을 상승작용에 의해 수축을 일으킨다는 것을 발견하였다. 그들은 골반저 근력강화 뿐만 아니라 요도벽의 선행반사 기전을 회복시켜야 한다고 결론을 내렸다.

Sapsford 등(2001)은 골반저와 복직근의 협동작용패턴에 대하여 복벽에는 침 EMG를 골반저에는 표면 EMG를 이용하여 복직근 수축반응은 골반저 수축을 명령하고 골반저 수축은 힘을 빼거나(hollowing) 지지(bracing)하는 두 가지 역할을 복직근에 명령한다는 것을 발견하였다. 그들은 또한 치골미골근(pubococcygeus)의 최대 하 명령을 횡복직근에서 최대 반응으로 이끌어 내는 것을 발견하였다. 이 연구의 결과로 골반저는 심부복직근의 공동 활동을 촉진시키거나 그 반대의 역할을 한다는 것을 보여준다. 만약 모든 환자가 구두 지시만으로 골반저의 근육을 수축하거나 복근과 골반저를 통한 수축을 할 수 있다면 그 연구 결과를 모든 환자에게 적용하는 것이 맞지 않다. Bump 등(1991)은 50%의 여성에게서 단지 구두지시만으로 골반저 근육을 스스로 수축할 수 있다는 것을 알았다. 횡복직근과 골반저근 사이에 이 전략을 사용하기 전에 반사연결이 확실하게 요구된다는 것을 주의 깊게 분석(8장)하였다.

스트레스성 요실금(STRESS URINARY INCONTINENCE)

스트레스성 요실금은 일정기간 동안 주된 외상의 합병증 혹은 미세손상으로부터 골반저(근육과 근막)의 기능이나 통합능력의 상실이 있을 때 일어날 수 있다. 허리와 골반을 통한 불충분한 부하전달 전략 특히 복강내압을 과도하게 증가시키고 방광 아래를 반복적으로 누르게 되며 이것이 요실금을 일으키게 된다. 이와 같은 전략의 몇 가지는 이미 언급하였고 복부돌출과 호흡-지연(breath-holding), 흉요부 굴곡과 함께 복사근의 과도한 활동과 골반의 후방경사, 흉요부 신전과 함께 척추기립근의 과도한 작용과 골반의 전방경사를 일으킨다. 실시간 초음파 이미지 관찰을 통해 방광이 내려가는 이 전략을 관찰할 수 있다(그림 8.85b와 8.86b). 골반통증 환자그룹에 대한 O'Sullivan 등(2002)은 ASLR검사 동안에 방광이 내려가는 경향을 실시간 초음파 이미지를 통해 보고하였다. 골반대에 압박을 가하면 이 하강현상이 줄어든다.

기능적인 활동을 할 때 방광이 어느 정도 하강하는 것이 적절하고 정상인가? Peschers 등(2001b)은 출산경험이 없는 건강한 여성 39명을 대상으로 기침과 Valsalva 동안에 방광 경 회음부 초음파를 통해 방광경의 운동범위를 측정하였다. 그들은 기침과 Valsalva 동안에 모두 다양하게(2-32m) 변하는 것과 장기간 지연 면에서 스트레스성 요실금은 요도운동성과 연합한다는 것을 발견하였다. SIJ(Buyruk 등 1995b)은 운동양의 폭넓은 변화에 따라 나타날 수가 있고 요도의 운동 크기보다 요도 폐쇄와 배뇨자제(요도의 효과적인 폐쇄)보다 확실한 것 같다고 하였다.

Howard 등(2000)은 세 집단의 여성으로부터 기침과 Valsalva 동안에 방광경의 하강에 대해 조사하였는데 ; 다 출산 여성의 배뇨자제(17명), 초산 여성의 배뇨자제(18명), 초산 여성의 요실금(23명) 등이었다. 이 연구에서 세 집단 사이에 방광경의 운동양에서 통계적인 차이가 없었고 요도의 운동은 배뇨자제 조건이 아니라는 것을 설명하였다. 기침과 Valsalva 시에 방광경의 운동 양을 비교했을 때 기침할 때 두 배뇨자제 집단에서 운동이 적게 나타났다. 요실금집단에서는 거꾸로 기침과 Valsalva 시에 운동 양의 차이가 없는 것으로 나타났다. 분명히, 기침을 하는 동안에 배뇨자제 집단에서는 변화가 있었고 요실금 집단의 여성에게서는 변화가 없었다. 기침하는 동안 세 집단 모두 같은 양의 압력이 발생되었지만 단단한 정도 지수(stiffness value, 방광경 운동성에 따른 압력변화 분류)는 다출산 여성의 배뇨자제 집단에서 최고였고, 초산 여성의 배뇨자제 집단이 그다음이고, 초산 여성의 요실금 집단이 가장 낮았다. Howard 등(2000)은 이것의 이유는 배뇨자제 집단 여성의 골반저 기능의 차이라고 하였다. Thind 등(1991)은 요도의 선행압력 발생이 SUI 여성에게서 감소하였고 그것이 골반저의 약증을 초래하는 이유라고 언급하였다.

Allen 등(1991)은 골반저근육과 신경의 손상을 알아보기 위해 96명의 다 출산 여성의 출산 전과 출산 후를 조사하였다. 그들의 연구결과는 질을 통해 출산한 여성은 골반저의 근력 손상을 입었고 출산 후 두 달에도 회복이 일어나지 않았음을 보여주었다. 그들은 또한 질 분만 여성의 80%가 부분적인 신경변성이 있었다고 침 EMG 결과를 보고 하였다. 출산과정에서 능동적인 이차 단계가 긴 여성의 경우 EMG에서 대부분 신경변성을 보였다. Ashton-Miller 등(2001)은 levator ani 신경의 손상인 경우 신경지배근육의 위축이 올 것이고 수동적인 지지 구조(골반내부근막, endopelvic fascia)가 더 스트레스를 받게 되어 자궁탈출의 결과를 가져오게 된다고 느꼈다. 한편 골반내부근막 결함이 일어나면 골반내부근막의 분리의 원인이 될 수 있다. 이것은 요도를 지지하고 근막의 단단한 정도를 단측 혹은 양측으로 저하시킨다. 이런 현상이 일어나면 골반저는 자궁을 지지해야만 하고 요도를 능동적으로 폐쇄해야 한다. 그러나 그들은 "만약 근육이 근막조직으로부터 완전히 분리되면 그것은 아마 수축할 것이지만 수축은 요도를 들어 올리거나 위치를 안정시키는데 효과적이지 못할 것이다"(Ashton-Miller 등, 2001)라고 하였다.

Bo 등은 무작위 통제 임상실험에서 골반저의 기능을 재훈련시키는 방법(근력과 지구력을 위한 인식훈련 : 10장 참조)은 스트레스성 요실금 치료를 받는 여성들(60%)에게 효과적이라고 하였다. 그들의 프로그램은 골반대(횡복직근과 다열근)의 두 가지 폐쇄능력 회복에 목표를 두고 있다.

Summary

요부와 골반(횡복직근과 다열근, 골반저)의 국소체계 기능회복에 초점을 맞추는 도수물리치료사는 골반저 기능장애를 특수화하여 - 요골반부에 부하 전달 실패, 허리와 골반 관절의 효과적인 폐쇄능력, 혹은 요도의 효과적인 폐쇄능력 상실 조절에 대해 같은 조건으로 치료해야 한다. 연구들은 분명하게 전체 골반의 기능과 장애 양쪽에 대한 일반적인 이해를 돕는다. 요골반 고관절부 손상에 대한 치료는 폐쇄로부터의 회복을 고려하고 폐쇄능력, 그리고 그 부위의 모든 구조의 운동조절이 포함된다. 끝으로 기능은 개별적인 선택을 하면서 관절과 조직의 안정성과 함께 가동성(부드럽게 가동이 되면서 안정성이 있는)을 요구한다.

10 장

요추골반 - 고관절 기능장애의 치료

목 차

일반적 원리

요골골반 고관절 부위에 장해를 받은 환자는 개개인마다 독특한 임상상을 나타내 보이기 때문에 규범적인 치료를 실시해야만 한다. 드물게는 단지 한 관절에만 기능장애가 있는 경우도 있고(하나의 강직성관절(stiff joint) 또는 조절이 잘 되지 않는 하나의 관절) 좀 더 일반적으로는 다양한 문제가 공존하는 것으로서 그것은 개개의 환자에 대한 운동의 특수성과 독특한 테크닉의 결합으로 구성해야 한다. 그러나 통합모델에 의한 치료의 원리는 아직 경험이 부족한 치료사에게는 훌륭한 길잡이가 될 것이다. 그 첫 단계는 사정(assessment)을 통하여 소견을 분석하는 것으로서(제 8장 참조) 개인에 따라 나타나는 것은 다음과 같다.

- 사례 1. 주로 강직성관절(형태폐쇄) 또는 전체 시스템의 과긴장(힘폐쇄/운동조절)으로 너무 과도한 압박을 받고 있지 않는지?
- 사례 2. 주로 느슨한 관절(형태폐쇄)로 인하여 너무 적게 압박을 받고 있지 않는지, 운동의 중립지대에서 조절이 잘 안되고 있는지, 그리고/또는 국소 시스템(힘폐쇄/운동조절)의 타이밍과 불충분한 보충으로 압박을 적게 받고 있는 것은 아닌지?
- 사례 3. 요추골반-고관절 복합체 이외의 다른

부위가 지나치게 압박을 받고 있거나 너무 적은 압박을 받고 있지 않은지?

첫 사례에서, 치료사는 도수기술과 운동을 사용할 것을 결정할 수 있는데 관절에 압력을 줄이고(가동성 증가), 가동성을 갖는 안정성을 강조하는 것으로 좀 더 최적의 안정화 방법을 재 성립시키는 운동계획을 따르게 된다. 두 번째 사례에서는, 치료사는 국소 시스템의 재교육을 강조하여 즉시 시작 프로그램을 결정할 수 있고(안정성 증가) 그 다음에는 나중에 필요하면 압력을 줄이는 기술/운동(가동성 증가)을 결정할 수 있다. 가장 일반적인 사례는 세 번째 사례로 이것은 감압과 안정성의 결합이 요구된다. 형태폐쇄(관절의 가동성과 안정성)의 연속적인 평가와 치료에서 치료로 이어지는 치료계획은 힘폐쇄/운동조절에 직접적인 영향을 준다.

요추골반-고관절의 통증과 기능장애가 있을 때에는 네 가지의 모든 요소-형태폐쇄(form closure), 힘폐쇄(force closure), 운동조절(motor control), 정서(emotion)에 대한 효과적인 조치와 주의가 요구된다. 최종적인 목적은 생활하고 움직이는데 더 건강한 방법을 가르치는 것으로서 환자에게 지속적인 압박과 조직의 긴장을 피해야 한다는 것이다. 치료사들은 이 과정을 촉진시키기 위하여 도수치료를 사용한다. ; 그러나, 첫 번째 역할은 단지 환자가 최적의 기능을 필요로 하는 변화를 만들 수 있을 때까지 회복과정을 통하여 환자를 가르치고 지도하는 것이다.

만일 임상적 소견에서 감압을 시사한다면 다음의 치료원리가 필요할 것이다.

1. 척추관절돌기, 천장골, 그리고/또는 고관절의 가동성(형태폐쇄-가동성)을 회복한다.
2. 골성의 정렬과 요추, 골반대, 그리고 대퇴골 사이를 바르게 한다.
3. 최적의 힘폐쇄를 회복하고 국소 시스템(힘폐쇄/운동조절)의 훈련을 통한 중립지대를 조절한다.
4. 기능적 움직임(일상생활동작의 예행연습, 작업-또는 스포츠-특수한 운동 패턴- 기능적 통합)을 포함한 국소와 전체 시스템의 통합을 회복하도록 한다.

만일 임상적 소견에서 압박을 많이 가해야 한다면 다음의 치료 원리가 필요할 것이다.

1. 골성의 정렬과 요추, 골반대 그리고 대퇴골 사이를 바르게 한다.
2. 최적의 힘폐쇄를 회복하고 국소 시스템(힘폐쇄/운동조절)의 훈련을 통한 운동조절을 한다.
3. 교육과 훈련 시에 사용하였던 천장골 벨트나 테이핑과 같은 외부지지가 필요하다(항상 그러한 것은 아니다).
4. 외부관절(무릎, 발, 흉추)의 가동성/안정성을 회복 시켜야 한다. 왜냐하면 그들의 기능부전은 요추골반-고관절 부위(형태폐쇄-가동성)의 관절에 과도한 스트레스를 부여하는 보상패턴으로 제공될 수 있기 때문이다.

관절가동성의 회복

섬유 경직성 관절

경직성 관절에는 수동적 관절 가동기술(passive articular mobilization technique)이 가장 효과적이다. 그 기술은 관절조직의 과민성(irritability)에 따라서 등급화된다. 오래된 섬유염은 지속적인 등급 4+의 수동 가동술이 요구된다.

근막 압박된 관절/영역

근육의 과활성으로 압박받은(근막의 압박)관절은 전체적 시스템에서 과긴장을 감소시키는(경직성의 감소) 많은 신경근 기술(테크닉)들이 있는데 요추천추-고관절 영역에 포함되는 테크닉은 다음과 같다.

1. 능동적 가동술 또는 근에너지기법(Mitchell & Mitchell 2001, Schamberger 2002)
2. 기능적 또는 두개천골 기술
3. 발통점 기술(Travell & Rinzler 1952)
4. 근내 자극(IMS-건침)(Gunn 1996)
5. 능동적 가동, 발통점 이완, 그리고 운동의 복합을 통한 심상(image)의 사용(Franklin 1996, Lee 2001a, Lee DG 2003, Lee LJ 2003)
6. 최적의 호흡 패턴을 회복하는 기술(Chaitow 등 2002, Lee DG 2003, Lee LJ 2003)
7. 의식적으로 움직임을 북돋는 운동(Feldenkrais, hanna somatics, Pilates), 중립위 척추의 발견(Lee LJ 2003) 그리고 최적의 요천추 추체(자세의 재교육)(Lee 2001a).

고정된 관절

고정된 관절을 위한 수동적 관절의 도수치료 기술(Hartman 1997)은 안정화 운동을 하기 전에 관절의 위치와 가동성을 회복시키는데 필요한 처방을 할 수 있다.

정렬의 교정

부하는 관절을 통하여 좀 더 효과적으로 전달되는데, 압박으로 적당히 정렬되어 있고, 긴장된 힘은 모든 구조들 사이에 전단(shear)된다. 좋지 못한 정렬은 개개의 구조들에 과도한 스트레스(긴장 또는 압박)를 줄 수 있고, 결국에는 조직파열로 유도된다(염증과 통증). 그러므로 관절의 움직임을 위한 정렬을 교정하는 기술과 회전의 즉각적인 중심 통로(PICR ; path of the instantaneous center of rotation)의 회복 기술(Hall & Brody 1999, Sahrmann 2001)은 대부분의 치료 계획에 필요하다. 그것은 다음과 같은 테크닉들이 포함된다.

1. 능동 가동술/정렬 기술(근 에너지) (Mitchell & Mitchell 2001, Schamberger 2002)
2. 의식적인 움직임의 운동-중립의 척추와 최적의 요천 추체의 발견(자세 재교육)(Lee 2001a)

힘폐쇄와 운동조절의 회복

최근의 연구로, 근육과 관절기능의 이해가 확대되었고, 따라서 요통과 기능장애를 위한 운동방법을 변화시키는 운동처방도 이루어지게 되었다(Bergmark 1989, Bullock-Saxton 등 1993, 1994, Hides 등 1994, 1996, Hodges & Richardson, 1996, 1997, O'Sullivan 등 1997, Richardson 등 1999, Danneels 등 2000, Hodges 2000, 2003, Jull & Richardson 2000, Moseley 등 2002). 어떻게 관절들이 안정화가 되는지 그리고 어떻게 부하가 신체를 통하여 전이되는지에 대한 새로운 개념은 손상 후 최적의 움직임을 얻기 위하여 고유수용성, 자동 근 활동 그리고 운동조절의 중요성에 집중시키고 있다.

요통과 기능장애를 위한 성공적인 재활은 신체조절(conditoning), 건강훈련, 무통, 비손상집단과는 다른 운동이 요구된다는 것이 확실하게 입증되어 있다(5장).

손상에 대한 재활 계획이 서 있을 때, 운동은 정체된 치료가 아니라 통합된 치료계획의 한 부분으로서 처방되어야 한다. 만일 운동이 관절가동(형태폐쇄)의 회복 없이 처방되었다면, 환자의 통증과 기능 소실은 때로 좋지 못한 상황으로 이어지게 될 것이다. 이것은 어떤 운동이 요통치료를 위하여 단순히 적당한 회수의 운동으로 그 문제를 중재할 때 단지 "나쁘다" 또는 "성공적이지 못하다"는 결론에 도달될 수 있을 것이다.

마찬가지로, 처방된 운동의 형태는 매우 중요하다. 요통과 골반통에서 개개의 근육들의 강도와 힘에 초점을 맞추기 보다는 운동조절의 결손을 바르게 지지하도록 입증해야 한다. 일상적인 운동을 통하여 부주의한 환자들은 재훈련된 운동패턴에서 성공이 제한될 것이고, 만일 좋지 못한 패턴과 조절이 가중된다면 운동으로 악화될 것이며, 관절구조에 자극을 주고 증상을 악화시키는 결과를 초래할 것이다. 문제는 처방된 운동 때문이 아니라 어떻게 운동을 실행 하였는가 하는 것이다. 쪼그려 앉은 자세를 취하고 있는 세 사람은 서로 다른 세 가지의 근육의 회복과 시기(타이밍)의 결합으로 세 가지의 서로 다른 운동방법을 시도할 수 있을 것이다. 따라서, 계획된 운동의 중재가 있을 때 치료사들은 "A라는 운동"에는 "A라는 근육"이 사용된다는 보증이 없다는 것을 기억해야 한다. 각 환자에서 만일 "운동 A"가 "근육 A"의 훈련목적(적당한 회복, 적당한 타이밍, 지구력 등)에 도달되었다면 치료사는 상향되었는지를 관찰하고, 평가하고 결정해야 할 것이다. 근육 활성화의 비기능적 패턴을 교정하는 열쇠는 운동의 의식을 가르치는 것이다. ; 이것은 치료사와 환자 양쪽 모두 주목할 필요가 있다.

요추골반-고관절 영역에서 힘폐쇄와 운동조절을 복원하는 목적은 운동사슬의 모든 관절을 통하여 부하 전달이 최적화되는 것으로서, 고정방법과 운동패턴을 회복시키는 것이다. 최적 부하 전이(transfer)는 국소와 전체 시스템에서의 근력, 협응력과 타이밍의 정확한 변조가 있을 때, 각 관절(분절 조절)에서 중간지대의 조절을 확실히 하고, 척추의 오리엔테이션(척추의 만곡, 골반 위의 흉추, 하지와 관련된 골반), 그리고 관련된 주위 환경으로부터의 자세의 균형조절(Hodges 2003)이 정확할 때 일어난다. 환자에 대한 우리의 목적과 결과는 가동성에서의 안정성, 자세의 경직성이 없는 안정성, 힘없이 주저앉게 되지 않으면서(붕괴되지 않으면서) 움직임의 유연성을 지니는 것이다. 이 장에서 언급하는 운동들은 이러한 목적에 접근하도록 설명하고 있으며 ; 초점은 도수적인 지시, 심상, 그리고 운동조절 시스템으로 변화시키기 위한 동작으로, 압박과 긴장된 힘에 균형을 맞추는데 초점을 두고 있는 것이다.

국소와 전체 시스템의 최적조건은 최적의 고정방법으로 이루어진다. 이러한 환자들은 다음과 같은 능력을 갖추어야 할 것이다.

- 요추골반 영역과 흉곽과 고관절의 관계에서 양측의 중립적 척추정렬을 발견할 수 있는 능력과 조절을 유지하는 것이다.
- 원기를 회복하는데 확실한 능력 그리고 긴장 유지, 확실한 분절 조절(중립영역의 조절) 에 대한 요추 골반의 국소 안정의 분리된 수축
- 분절이나 국소의 붕괴 없이 척추(굴곡, 신전, 측굴, 회전)를 내외측으로 움직일 수 있는 능력
- 기능적이고, 특별한 일, 자세와 움직임에서 특별한 운동에서 흉곽과 사지들에서 조화를 이루는 이상의 모든 것을 유지하는 능력을 갖추어야 한다.

최적화하(suboptimal) 고정 방법

요추 골반영역에서 국소 시스템의 분절의 억제는 전체 시스템의 과촉진되는 다분절과 연합되어 볼 수 있는 것이 일반적이다(Arendt-Nielsen 등, 1996, Kaigle 등 1998, Richardson 등 1999, Radebold

등 2000, 2001, Comerford & Mottram 2001). 영역에 대한 운동조절의 회복은 국소와 전체 시스템 양자에서 말하는 기능장애에 필요하다. 국소 시스템의 억제는 중립지대(neutral zone)의 조절부족의 영향 때문이고 ; 전체 근육의 과도한 활동은 압박이 증가되고 자주 통증이 있기 때문에 가동범위가 소실되고 움직임의 경직성을 나타내는 것이다. 과도한 활동과 몸통의 전체적인 근긴장은 적합한 기능적 운동패턴의 재훈련을 제한할 뿐아니라 회복과 국소근육의 훈련을 억제할 수 있다.

다분절적으로, 과도한 요추전만, 불충분한 요추전만, 그리고 측만같은 자세변화는 일반적으로 나타나게 되고(그림 9.2-9.5) 이것은 항상 전체 시스템의 기능장애 패턴으로부터 초래된다. 8장에서 설명되는 객관적인 테스트는 특수한 레벨과 과도한 움직임의 방향/요추와 골반의 불안정성을 나타낸다. ; 이러한 소견들은 운동하는 동안 분절조절을 어느 방향으로 어떻게 하는가를 지시하게 될 것이다. 평가의 과정은 환자의 전체적 대응에 특별한 패턴과 우성, 특히 기능적 운동과 운동조절 테스트(한발로 서기, 능동적으로 다리 똑바로 펴서 올리기(ASLR), 능동적으로 다리 구부려 올리기(ABLR))를 나타낸다. 우성근육은 최적화하 고정 방법을 포함시키고 과도한 과정을 통하여 관찰되는 것이 필요한데 그것은, 특히 운동이 좀 더 어렵고, 진행이 되었을 때이다. Janda (1986)와 Sahrmann(2001)은 전체 시스템에서 불균형의 공통적인 패턴을 관찰하며, 기술을 설명하고, 운동은 전체적인 기능장애를 바로잡는데 사용하였다. 그렇지만 불균형된 전체적인 근육을 단순히 치료하는 것은 국소 시스템에서의 결함을 바르게 치료하는 것과는 같지 않은 것을 유의해야 할 것이다. 따라서 힘폐쇄의 회복을 위한 운동재활 프로그램과 운동조절은 다양한 면이 있기 때문에 다음과 같은 사항이 포함되어야 할 것이다.

- 전체 시스템(기능부전패턴)을 이완하는 운동과 심상(imagery)
- 감소된 전체적 강직, 재교육의 촉진, 국소 시스템의 회복 운동의 촉진 행위, 그리고 전체 시스템의 균형 활동 촉진에서 중립적인 척추 자세의 인식을 훈련하는 운동
- 개별적인 국소 시스템 근육들의 분리와 회복을 위한 운동
- 국소 시스템 근육들의 조화와 지구력, 정확한 훈련에 대한 프로토콜
- 국소와 전체 시스템의 종합적인 타이밍과 조화에 대한 운동
- 약하고 불균형적인 특수한 전체적 근육을 목적으로 한 운동
- 전체 근육 길이의 유지/회복에 대한 운동
- 기능적 운동과 활동으로 변화시키기 위하여 국소 그리고 전체 근육의 통합을 위한 운동

이러한 요소들의 개별적인 특수한 운동은 이 장에서 설명할 것이다.

형태폐쇄의 회복(가동성)-요추의 척추관절돌기 관절

다음은 복구(repair)의 각 단계(기질단계, 섬유아세포단계, 성숙단계)에서의 요추의 척추돌기관절의 가동성을 회복하기 위한 특수치료의 적응증에 대한 윤곽이다.

손상 후 첫 4-6일(기질단계)간의 치료목적은 상처의 지혈(homostasis)이다. 안정하면서 냉찜질을 자주 적용하는 것이 가정에서 선택할 수 있는 치료이다. 요추를 위한 안정자세는 고관절과 슬관절을 약간 구부려 베게로 무릎아래를 받치고 바로 누운 자세를 취하는 것이다. 표면은 단단하나 딱딱하지 않아야 한다. 임상에서는 TENS나 간섭전류치료기

와 같은 진통을 위한 전기치료기를 사용하는 것이 진통에 효과가 있을 것이다. ; 그러나 신체적 스트레스가 너무 크다면 환자는 이 시기에 회복되지 않을 것이다.

어떤 운동의 능동적인 범위를 해결하기 위하여, 특별한 분절 골운동학적 회복(신전 회전/오른쪽 측굴(ERSR), 굴곡 회전 왼쪽 측굴(FRSL) : 9장 참조)은 명백히 해야 할 것이다.

회복의 섬유아세포 단계(손상 후 4-6주 이상)에서의 치료의 목적은 분절의 관절학적 가동성의 회복이고, 최적의 정렬을 확실히 하고, 분절과 영역의 힘폐쇄와 운동조절을 회복해야 한다. 수동과 능동의 가동성 기술은 관절운동회복에 효과적이다. 여기에 더하여, 특수한 가정 운동은 치료시기에 얻어진 관절가동성의 증가를 유지하는데 도움이 된다. 3가지 특수 요추분절 기능장애를 위한 도수치료 치료기술과 가정 운동을 설명할 것이다.

L5-S1 : 굴곡 회전/왼쪽 측굴

이 분절에 제한이 있는 환자는 오른쪽 L5-S1신전, 회전/측굴이 제한되고(골운동학) 오른쪽 L5-S1 척추관절돌기 관절의 하후방 활주가 감소된다(관절운동학). 다음과 같은 도수치료 기술을 가동성 회복에 사용한다.

특수 견인-수동 가동술

이것은 유용한 초기의 가동술로 관절자극과 주위의 연부조직에 따라 등급을 정할 수 있다. 처음에는 2와 3 등급의 기술이 적응되며, 통증 범위와 근 경련의 회복 범위 내에서 시행되어야 한다. 큰 원심성 신경섬유는 활막안에 위치하고 있는 기계적수용기로부터 자극을 받아 척수에서 입력되는(유해성)작은 섬유의 구심성전달에 의해 억제되는 척수관문기전으로 통증을 제거하게 된다(4장 참조). 이 기계적수용기들의 자극은 또한 전체적인 근육과 관계된 분절의 추내근섬유에 감마 원심성 방전이 제거되고, 근육은 때로 과긴장된다.

환자와 치료사의 자세 환자는 옆으로 누워 무릎과 고관절을 약간 구부리고, L4와 L5 척추 사이의 극상간 공간은 발쪽의 손으로 촉지한다. 흉요추 척추는 L4-L5의 회전이 일어날 때까지 회전된다. 머리쪽 손은 L5척추와 천추 사이의 극상간 공간을 촉지하는 한편 발쪽 손은 환자의 고관절과 무릎을 최대로 구부리고 무명골을 후방으로 회전시킨다. ; L5-S1은 중립으로 남아있도록 한다. 동시에 환자는 치료대의 끝으로 아래쪽 다리를 신전시킨다. 위쪽 다리의 발은 아래쪽 다리의 슬와부에 대어 놓는다. 환자의 아래쪽 외측 흉곽은 환자의 가장 위쪽 무명골에 접촉시킨다.

교정 기술 - 가동술 치료사는 견인을 하기 위하여 환자의 골반대에 몸을 기대고, 환자의 아래쪽 외측 흉곽을 똑바로 발쪽으로 힘을 주어 요천추 연접부에 가하도록 한다(그림 10.1). 치료사의 머리쪽 팔도 동시에 환자의 위쪽 흉곽을 고정하고 상방으로 견인하도록 한다. 기술의 등급은 관절/근막반응으로 하도록 한다.

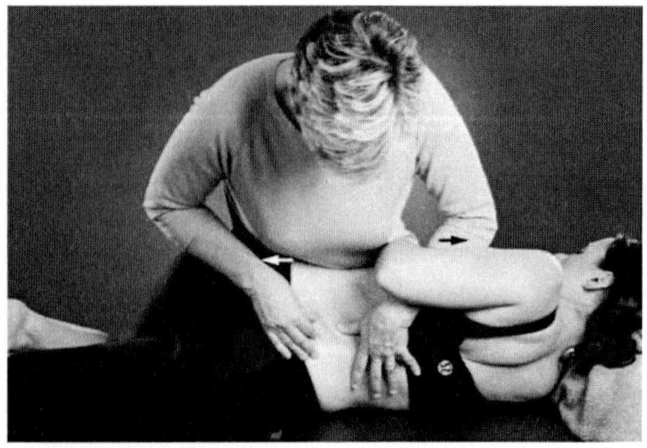

그림 10.1 수동 가동술-요천추 연접부의 특수한 견인. 화살표는 환자의 골반대와 가슴에 적용하는 힘의 방향이다. (© Diane G. Lee 물리치료사 협회로부터 허락됨)

회전/측굴–수동과 능동 가동술

치유의 초기에 회전/측굴이 제한되는 원인은 보통 근육때문인데 그것은 제한을 주는 활막의 유착이 시간적으로 형성되어 있지 못한 상태이기 때문이다. 이러한 경우에는 2 또는 3등급 회전/측굴의 수동 가동술(Grieve 1981)이 다분절 근육들에 신경생리학적 효과를 위해서 사용될 수 있다. 치료의 결과는 능동 가동술(아래 참조)과 연합하여 사용했을 때 최대의 결과를 가져온다. 만일 손상이 오래되었고 유착이 형성되어 있다면(활액막의 섬유증), 4+등급의 지속적인 가동술이 가장 효과적이다.

환자와 치료사의 자세 환자는 왼쪽 옆으로 누워, 고관절과 슬관절을 약간 구부리고, 치료사는 L4와 L5 척추사이의 극상간 공간을 발쪽 손으로 촉지한다. 흉요추 척추는 L4–L5의 회전이 일어날 때까지 회전한다. 만일 가동술이 확실히 편안하게 느껴지면 초점화와 국소화를 시키고 완전 관절 잠금은 피하도록 한다(Hartman 1997). 머리쪽 손은 L5척추와 천추 사이의 극상간 공간을 촉지하는 한편 발쪽 손은 환자의 고관절과 무릎을 최대로 구부리고 무명골을 후방으로 회전시킨다. ; L5–S1은 중립으로 남아있도록 한다. 동시에 환자는 치료대의 끝으로 아래쪽 다리를 신전시킨다. 위쪽 다리의 발은 아래쪽 다리의 슬와부에 대어 놓는다. 환자의 머리쪽 팔은 환자의 흉곽을 지지하는 한편 다리쪽 팔은 골반대를 지지한다.

교정기술–수동 가동술 이 자세로 부터, L5–S1은 어느 한쪽의 흉곽이나 골반대를 통하여 신전과 우회전/측굴(골운동학 동작)로 수동적으로 가동시킨다(그림 10.2). 동시에 우측 척추관절돌기 관절은 하방과 후방(관절운동학 동작)으로 가동시킨다. 가동술 테크닉은 관절/근막 반응을 따라서 등급화하여 실시한다.

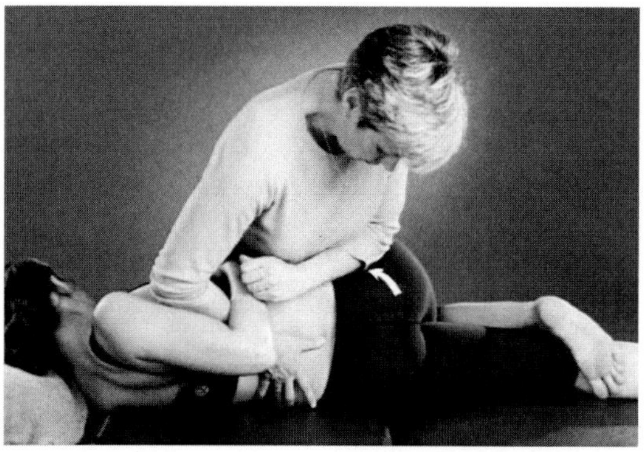

그림. 10.2 요천추 접합부의 신전과 우측회전/측굴을 위한 수동가동술(굴곡된 회전/측굴된 외쪽 영역). 화살표는 치료사에 의해 적용되어지는 힘의 방향을 의미(© Diane G. Lee 물리치료사 협회로부터 허락받아 재현).

교정기술 – 능동 가동술 L5–S1은 신전과 우회전/측굴(골운동학 동작)로 수동 가동술을 시도한다. 처음에 제한된 지점으로부터, 환자는 저항 그 이상의 운동을 하도록 지도하는 한편 치료사는 골반대나 흉곽에서 부드럽게 회전하는 힘을 가한다. 등척성 수축을 5초 유지한 다음 완전히 이완시키도록 한다. 관절은 수동적으로 신전과 우회전/측굴의 새로운 생리학적 범위를 갖게 된다. 테크닉은 영역 운동검사의 재평가, 자세검사, 그리고 관절운동학적 가동 검사(우측 L5–S1 척추관절돌기 관절의 하후방 활주)를 3회 반복한다.

가정에서의 운동 가정에서의 운동은 치료기간동안에 얻게 된 분절운동을 잘 유지하는 것이 성공적인 재활에 이르게 하는 중요한 것이다. 상처의 회복도 지속적으로 일어나기 때문에 새롭게 형성되는 교원질섬유의 적응도 가능한 한 관리를 잘 해야 한다(7장 참조). 회복의 초기 섬유아세포 시기에, 운동은 통증이 없는 범위에서 잘 수행해야 한다. 이러한 장해(impairment)를 위해서, 환자는 바로누운자세, 무릎 구부린 자세(신전 촉진)에서 골반 전방경사를 지도해 주어야 한다. 이것은 편측 신전을 촉진시켜 요추 바로 아래 골반의 외측 경사로 결부시킬 수 있다(그림 10.3).

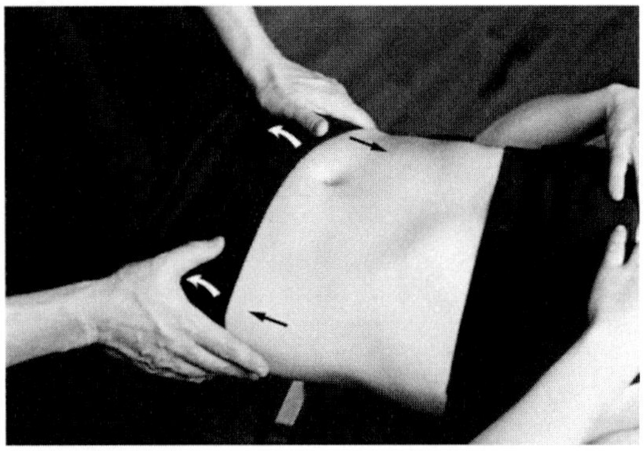

그림. 10.3 요천추 접합부의 전방골반 경사는 우측 외측 경사(검은 화살표)와 쌍을 이루고 신전과 우측 회전/측굴로 촉진된다. (© Diane G. Lee 물리치료사 협회로 부터 허락받아 재현).

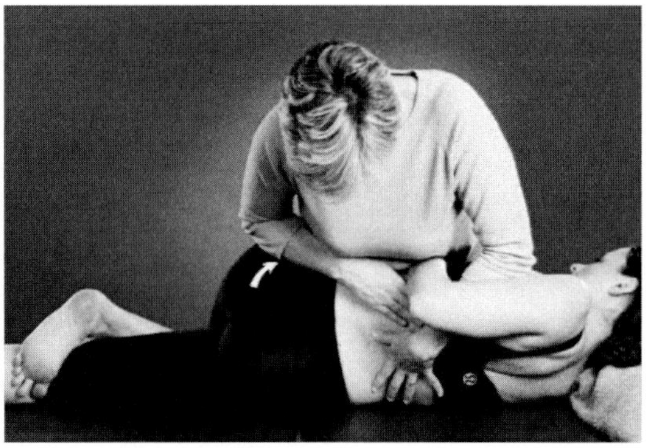

그림 10.4 요천추 접합부(신전된 회전/측굴된 오른쪽 부위)의 굴곡과 왼쪽 회전/측굴을 위한 수동가동술. 우측의 척추관절돌기는 이 기술로 상방 전방으로 가동된다. 화살표는 치료사의 힘의 방향을 의미(© Diane G. Lee 물리치료사 협회로부터 허락받아 재현).

L5-S1 : 신전된 회전/우측굴

특수 견인-수동 가동술

굴곡 회전 왼쪽 측굴(FRSL)의 병변에서 처럼, 특수한 견인은 유용한 최초의 가동술으로 관절의 자극에 따라 등급을 정한다. 이 테크닉의 세부사항과 목적은 위에 설명한 것과 동일하다.

회전/측굴-수동과 능동 가동술

환자와 치료사의 자세 환자는 오른쪽 옆으로 누워 고관절과 슬관절을 약간 구부리고, L4와 L5 척추 사이의 극상간 공간은 발쪽 손으로 촉지한다. 흉요척추는 L4-L5의 회전이 일어날 때까지 회전시킨다. 만일 이 테크닉이 확실히 편안하다면 초점화된 그리고 국소화된 완전관절잠금(full articular locking)은 피하도록 한다(Hartman 1997). 머리쪽 손은 L5척추와 천추 사이의 극상간 공간을 촉지하는 한편 발쪽 손은 환자의 고관절과 슬관절을 최대로 구부리고 무명골을 후방으로 회전시킨다. ; L5-S1은 중립으로 남아있도록 한다. 동시에 환자는 치료대의 끝으로 아래쪽 다리를 신전시키도록 한다. 위쪽 다리의 발은 아래쪽 다리의 슬와부에 고정해 놓는다. 환자의 머리쪽 팔은 환자의 흉곽을 지지하는 한편 다리쪽 팔은 골반대를 지지한다.

교정기술-수동 가동술 이 자세로 부터, L5-S1은 어느 한쪽의 흉곽이나 골반대를 통하여 굴곡과 좌회전/측굴(골운동학 동작)로 수동적으로 가동시킨다(그림 10.4). 동시에 우측 척추관절돌기 관절은 상방과 전방(관절운동학 동작)으로 가동된다. 테크닉은 관절/근막 반응을 따라서 등급화 한다.

교정기술-능동 가동술 L5-S1은 굴곡과 좌회전/측굴(골운동학 동작)로 수동 가동술을 시도한다. 처음에 제한된 지점으로 부터, 환자는 저항 그 이상의 운동을 하도록 지도하는 한편 치료사는 골반대나 흉곽에서 부드럽게 회전하는 힘을 가한다. 등척성 수축을 5초간 유지한 다음 완전히 이완시킨다. 관절은 수동 신전과 우회전/측굴의 새로운 생리학적 범위를 갖게 된다. 테크닉은 영역 운동검사의 재평가, 자세검사, 그리고 관절운동학적 가동 검사(우측 L5-S1 척추관절돌기 관절의 하후방 활주)를 3회 반복한다.

가정에서의 운동 가정에서의 운동은 치료기간 동안에 얻게 된 분절운동을 잘 유지하는 것이 성공적인 재활에 이르게 하는 중요한 것이다. 상처의 회복도 지속적으로 일어나기 때문에 새롭게 형성되는 교원질섬유의 적응도 가능한 한 관리를 잘 해야 한다(7장 참조). 회복의 초기 섬유아세포 시기에, 운동은 통증이 없는 범위에서 잘 수행해야 한다. 이러한 장해(impairment)를 위해서, 환자는 바로누운자세, 무릎 구부린 자세(신전 촉진)에서 골반 전방경사를 지도해 주어야 한다. 이것은 편측 신전을 촉진시켜 요추 바로 아래 골반의 외측 경사와 결부시킬 수 있다(그림 10.5).

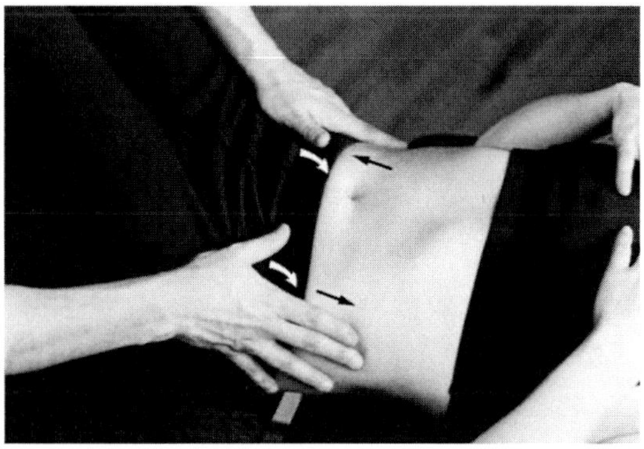

그림 10.5 요천추 접합부의 후방 골반경사는 좌측 외측 경사(검은 화살표)와 쌍을 이루고 굴곡과 좌측 회전/측굴로 촉진된다. (© Diane G. Lee 물리치료사 협회로부터 허락받아 재현).

L4-L5 : 척추관절돌기 관절 ; 굴곡-왼쪽

신연 도수치료

완만하게 퇴행되는 척추관절돌기 관절의 관절내 반월판 모양(meniscoid)은 관절의 부적절한 안정성(stabilization)으로, 굴곡/회전의 부하로 인하여 올가미에 걸린 것처럼 될 수 있다. 다음의 신연 도수치료는 반월판 모양을 재위치 시키는데 유용하다. 분절의 신경근 재훈련(아래 참조)은 만일 재발이 되면 다음과 같이 해야 한다.

환자와 치료사의 자세 환자는 오른쪽 옆으로 누워 고관절과 슬관절을 약간 구부리고, L3와 L4 척추 사이의 극상간 공간은 발쪽 손으로 촉지한다. 흉요척추는 L3-L4의 회전이 일어날 때까지 회전한다. 만일 이 테크닉이 확실히 편안하다면 초점화된 그리고 국소화된 완전 관절잠금은 피하도록 한다(Hartman 1997). 머리쪽 손은 L4-L5척추 사이의 극상간 공간을 촉지하는 한편 발쪽 손은 환자의 고관절과 무릎을 최대로 구부리고 무명골을 후방으로 회전시키고 L5-S1을 굴곡시킨다. ; L4-L5는 중립으로 남아있도록 한다. 동시에 환자는 치료대의 끝으로 아래쪽 다리를 신전시킨다. 위쪽 다리의 발은 아래쪽 다리의 슬와부에 고정해 놓는다. 환자의 머리쪽 팔은 환자의 흉곽을 지지하는 한편 다리쪽 팔은 골반대를 지지한다. 머리쪽 손/무지는 L4의 극돌기에 단단하게 고정한다.

교정기술-도수치료 이 자세로 부터, L4-L5의 왼쪽 척추관절돌기 관절의 시상 요소는 L5-S1을 굴곡하여 고정하고 골반대를 통하여 순수한 축회전 힘으로 빠른 속도와 낮은 진폭으로 순간밀치기(thrust)로 신연시킨다(그림 10.6). 때로 국소적 운동검사를 확인해야 하는데 그것은 가동범위가 극적으로 회복하는 경우도 있기 때문이다. 그러나 관절의 불안정(불충분한 관절 압박)과 힘폐쇄/운동조절의 결여는 후에 재검사를 통하여 명백하게 입증해야 할 것이다.

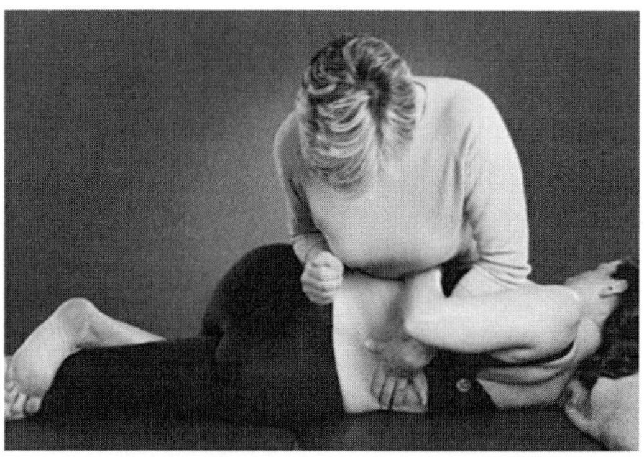

그림 10.6 L4-L5에서 왼쪽 척추관절돌기 관절의 고정을 제거하기 위한 신연도수치료. 힘은 골반대와 L4아래 L5척추의 순수한 축회전이다(© Diane G. Lee 물리치료사 협회로부터 허락받아 재현).

형태폐쇄(가동성)의 회복–천장관절

이 절에서는 외상성 관절 염좌에 따른 회복(예, 기질, 섬유아세포, 성숙)의 각 단계에서 천장관절(천장관절)의 가동성 회복이 적용되는 특수한 치료에 대하여 설명하겠다. 천장관절 손상 후 처음 4–6일 동안(기질 단계)의 치료목적은 상처의 지혈이다. 집에서는 안정과 냉찜질을 자주 해주는 것이 선택할 수 있는 치료이다. 통증이 있는 천장관절에서의 안정 자세는 통증이 있는 쪽을 위로하고 옆으로 누어 고관절과 슬관절을 베게로 지지하는 자세를 취한다. 병원에서는 TENS와 간섭치료와 같은 진통을 위한 전기치료기를 사용하여 통증을 효과적으로 제거할 수 있다. ; 그러나 이시기에 환자가 물리적 스트레스가 통증을 제거하는 것보다 더 심하다면 시도하지 말아야할 것이다. 걷기, 서있기, 앉기 같은 체중부하 활동은 처음 몇일간은 최소화해야 한다. 똑바로 서있을 때는 지팡이를 사용하여 골반을 통하여 전달되는 부하를 덜어주는데 도움을 주어야 할 것이다.

어떤 동작의 능동적 범위를 해결하려면, 특수한 골운동학 제한(항상 무명골의 후방 회전/천추의 전방운동)이 명백한지를 알아야 한다. 섬유아세포의 회복단계(손상 후 4–6주 이상)에서의 치료목적은 관절 가동성의 회복, 확실한 최적의 정렬, 힘폐쇄의 회복과 골반대를 통한 운동조절이다. 수동과 능동 가동술은 관절 운동을 회복하기 위하여 사용하고, 여기에 더하여, 가정에서의 특별한 운동은 치료시기에 관절 가동성을 증진시키는데 득이 될 것이다. 만일 손상이 오래되고, 유착이 형성(관절낭 섬유화)되어 있다면, 4+ 등급을 유지하는 테크닉이 가장 효과적이다.

천장관절 : 오른쪽 무명골의 전방 회전/ 오른쪽 천골의 반전굴

오른쪽 무명골의 후방회전 제한(천골의 굴곡)(골관절 운동학)과 오른쪽 천장관절의 전상방활주의 상실(천골에서 무명골 움직임으로 설명된다.)로 제한이 나타나는 사람이다. 다음의 도수치료기술을 가동성 회복에 사용한다.

천장관절의 제한–수동 가동술

연부조직 주위와 관절의 자극에 따라 등급화 할 수 있는 이 기술은 예비적인 가동술로 유용하다. 처음에는, 2등급 또는 3등급의 테크닉이 해당되고, 통증의 범위와 반응성 근경련의 범위 안에서 실시한다. 관절낭안에 위치해 있는 기계적수용기로부터 입력되는 큰 구심성섬유는 척수에서 입력되는 작은 섬유의 구심성 전달(침해성)을 억제한다. 이러한 것들은 척수의 관문기전을 매개로하여 통증의 인식을 억제한다(4장 참조). 기계적 수용기의 자극은 또한 과긴장성 근육과 관련하여 추내근섬유에서 감마 원심성 발사(discharge)를 억제한다.

환자와 치료사의 자세 환자는 바로누워, 슬관절과 고관절을 굴곡한다. 치료사는 한 손의 장지와 약지로 후상장골극(PSIS)의 내측 천추주름(sacral sulcus)을 촉지한다(그림 8.28). 굴곡된 무릎과 고관절은 치료사의 어깨와 팔로 지지한다. 대퇴는 고관절의 운동장벽에 대해 굴곡, 내전, 내회전한다. 신연은 중립 천장관절 자세나 무명골의 후방회전의 제한이 되는, 두 가지 중 하나로부터 적용한다. 이것은 무명골의 후방회전의 운동제한이 감지될 때까지 수동적으로 대퇴를 굴곡시킴으로서 성취할 수 있다.

교정기술–수동 가동술 이 자세로부터 천장관절의 신연은 대퇴의 길이를 따라 후방외측 힘을 적용함으로 성취된다(그림 10.7). 천장관절은 후방으로 신연되는 것을 느낄 수 있다. 적용되는 힘의 정도는 관절/근막 반응으로 감지된다.

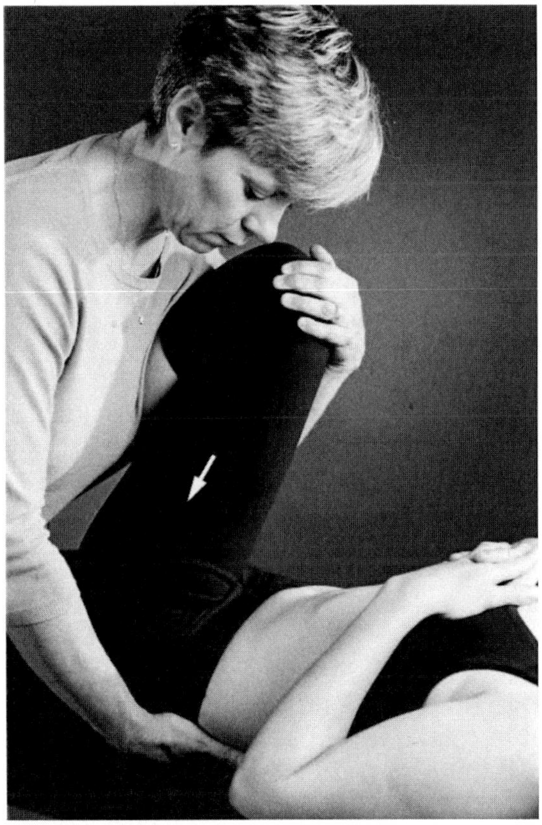

그림 10.7 중립 SIJ자세에서 왼쪽 SIJ의 신연을 위한 수동가동술. 화살표는 치료사의 힘의 방향을 의미(© Diane G. Lee 물리치료사 협회로부터 허락받아 재현).

무명골의 후방회전 또는 천골 전굴(nutation)–수동과 능동 가동술

치유의 초기에서, 천장관절의 후방회전이 제한되는 원인은 근막 때문인데 그것은 제한성 관절낭 유착이 시간적으로 형성되어 있지 못한 상태이기 때문이다. 이러한 경우에는 2 또는 3등급(Grieve 1981)의 수동 가동술이 근막에 신경생리학적 효과를 위해서 사용될 수 있다. 치료의 결과는 능동 가동술과 연합하여 사용했을 때 최대의 결과를 가져온다. 만일 손상이 오래되었고, 유착이 형성되었다면(활막섬유염) 등급 4+의 지속적인 가동술 테크닉이 가장 효과적이다

환자와 치료사의 자세 환자는 바로누워, 무릎과 고관절을 굴곡한다. 한손의 장지와 약지로 후상장골극(PSIS)의 내측 천추주름을 촉지한다(그림 8.28). 다른 손은 동측의 전상장골극(ASIS)과 장골능(crest)을 촉지한다.

교정기술 – 수동 가동술 등급 2-4의 후방회전 힘은 천장관절에서 전상방 활주를 만드는 우측 무명골에 적용된다(그림 10.8). 이 활주는 또한 천골의 전굴과 연합된다. 만일 관절이 뻣뻣하다면, 힘은 3분이상 지속되고(4등급), 지속하는 동안 결합조직은 늘어짐을 느낄 수 있고, 계속해서 관절운동학적 가동성 검사는 관절운동의 회복으로 확인한다. 천장관절은 우측 천골기저에 등급 2-4굴곡 힘을 편측으로 적용함으로 천골을 통하여 가동시킬 수 있다(그림 10.9).

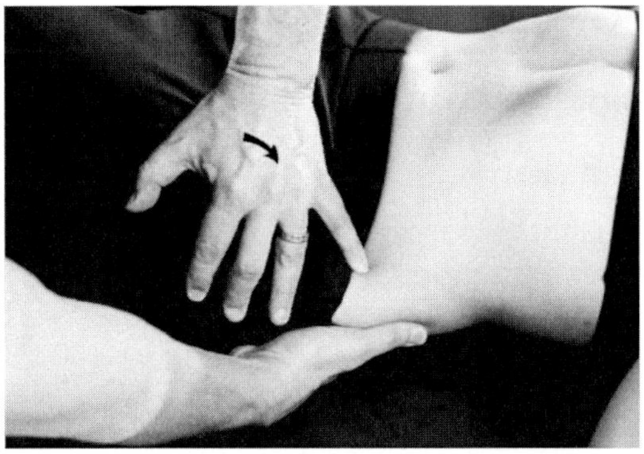

그림 10.8 오른쪽 무명골의 후방 회전을 위한 수동가동술. 화살표는 치료사의 힘의 방향을 의미(© Diane G. Lee 물리치료사 협회로 부터 허락받아 재현).

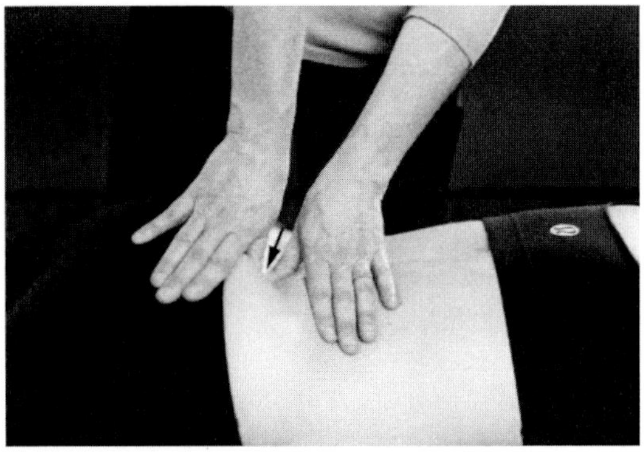

그림 10.9 오른쪽 천골기저의 숙임(nutation)을 위한 수동 가동술. 화살표는 치료사의 힘의 방향을 의미(ⓒDiane G. Lee 물리치료사 협회로부터 허락받아 재현).

교정기술 – 능동 가동술 환자는 바로누워, 무릎과 고관절을 굴곡한다. 한 손의 장지와 약지로 후상장골극(PSIS)의 내측 천추주름을 촉지한다(그림 8.28). 무명골의 후방회전 제한은 무명골의 후방회전의 운동장벽이 감지될 때까지 수동적으로 대퇴를 굴곡시킴으로서 성취할 수 있다(그림 10.10). 이 자세로부터, 환자는 고관절 굴곡에 더 많은 저항을 느끼게 되고, 저항은 치료사가 부드럽게 증가한다. 등척성 수축을 5초 유지한 다음 완전히 이완하기를 반복한다. 그 다음에, 무명골은 수동적으로 후방회전의 새로운 장벽을 갖게 된다. 테크닉은 천장관절의 관절운동의 가동성 검사(전상방 관절 활주)와 자세검사, 영역 운동검사를 3회 반복 재검사 한다.

가정에서의 운동 가정에서의 운동은 타올을 이용한 자가 능동 가동술을 시행할 수 있다. 환자는 대퇴굴곡에 의해 무명골의 후방회전의 운동장벽을 갖게 되고, 다음에 타올의 저항으로 고관절 신전을 부드럽게 수축한다(그림 10.11). 수축은 5초간 유지한 다음 완전히 이완하기를 반복한다. 그 다음에, 무명골은 수동적으로 후방회전의 새로운 장벽을 갖게 된다.

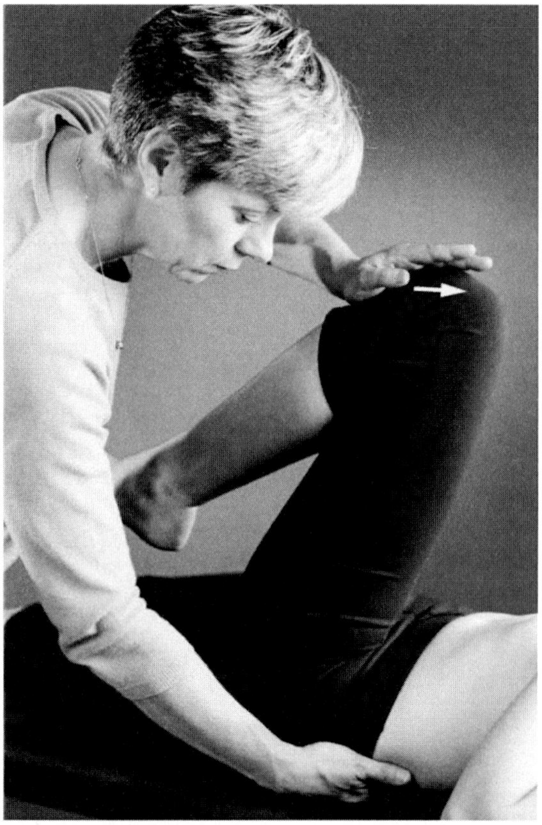

그림 10.10 오른쪽 무명골의 후방 회전을 위한 능동 가동술. 화살표는 환자가 저항을 주고 있는 상태에서 치료사의 힘의 방향을 의미(ⓒDiane G. Lee 물리치료사 협회로부터 허락받아 재현).

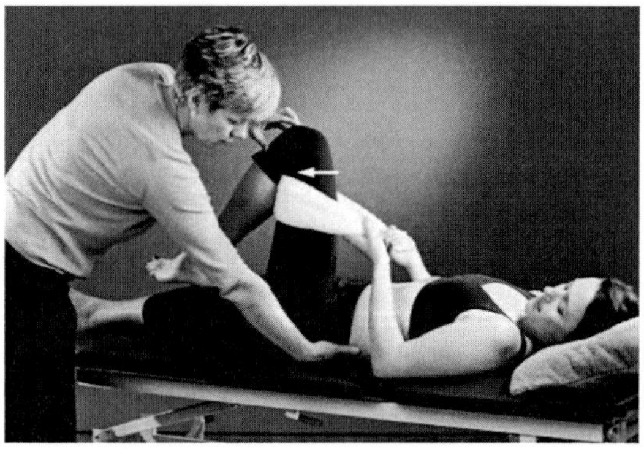

그림 10.11 가정에서 운동-가동범위(무명골의 후방 회전)를 유지하기 위하여 자가 능동 가동 운동은 치료기간동안 효과가 있다. 환자는 대퇴굴곡에 의해 무명골의 후방회전의 운동장벽을 갖게 되고 그리고 다음에 타올의 저항으로 고관절을 신전을 하면서 부드럽게 수축한다. 무명골의 후방회전을 위한 새로운 운동 장벽은 이완기 후에 나타난다. 화살표는 환자가 저항을 주고 있는 상태에서 치료사의 힘의 방향을 의미(ⓒDiane G. Lee 물리치료사 협회로부터 허락받아 재현).

천장관절 : 우측 무명골의 후방회전/우측 천골의 전굴

오른쪽 무명골의 전방회전 제한(골관절 운동학)과 오른쪽 천장관절의 후하방활주의 상실로 제한이 나타나는 사람이다. 이것은 천장관절의 일상적 자세, 그리고 빈번하지 않은 경직성, 전방 회전이 손상될 때까지 흔히 나타나는 관절 제한은 아니지만, 전체 계통의 불균형으로 무명골이 후방회전되는 것을 발견하는 것은 일반적인 것이다(바른 정렬 기술 : 골반 내의 왜곡 : 무명골 후방회전, 아래 참조).

무명골의 전방회전 또는 천골의 반전굴–수동과 능동 가동술

환자와 치료사의 자세 환자는 바로누워, 무릎과 고관절을 굴곡한다. 한 손의 장지와 약지로 후상장골극(PSIS)의 내측 천추주름을 촉지한다(그림 8.28). 다른 손은 동측의 전상장골극(ASIS)과 장골능(crest)을 촉지한다.

교정기술–수동 가동술 등급 2–4의 전방회전힘은 천장관절에서 후하방 활주를 만드는 무명골에 적용된다(그림 10.12). 이 활주는 또한 천골의 반전굴과 연합하게 된다. 만일 관절이 경직되어 있다면, 힘은 3분이상 지속되고(4+등급), 지속하는 동안 결합조직은 늘어짐을 느낄 수 있고, 계속해서 관절운동학적 가동성 검사는 관절운동의 회복으로 확인한다. 천장관절은 천골의 하외측 각도에서 등급 2–4 반전굴 힘을 편측으로 적용함으로 천골을 통하여 가동시킬 수 있다(그림 10.13).

교정기술–능동 가동술 환자는 치료대의 가장자리에 가깝게 엎드려눕고, 발쪽 손으로는 대퇴원위부 전면을 잡고, 무명골의 후상장골극(PSIS)은 머리쪽 손의 수근부위로 촉지한다. 무명골의 전방회전 제한은 발쪽 손으로 대퇴를 수동적으로 신전시키고 그리고 머리쪽 손으로 무명골에 대해 전방회전의 힘을 적용하여 성취할 수 있다(그림 10.14). 이 자세로부터, 환자는 고관절 신전에 더 많은 저항을 느끼게 되고, 저항은 치료사가 부드럽게 증가한다. 등척성 수축은 5초간 유지한 다음 완전히 이완하기를 반복한다. 그 다음, 무명골은 수동적으로 전방회전의 새로운 장벽을 갖게 된다. 테크닉은 천장관절의 관절운동학 가동성 검사(후하방 관절 활주)와 자세 검사, 영역 운동검사를 3회 반복 재검사 한다.

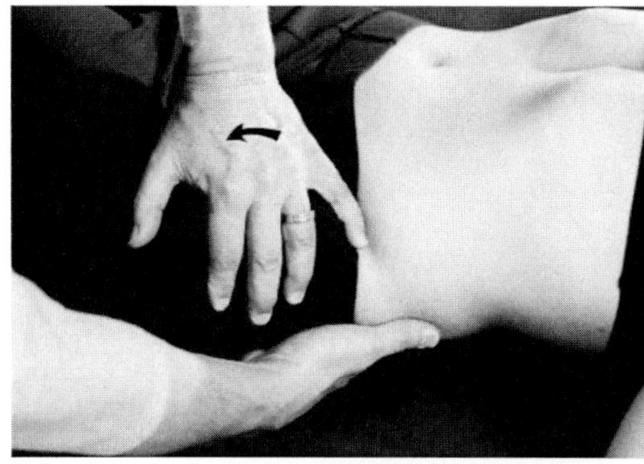

그림 10.12 우측 무명골의 전방회전을 위한 수동가동술. 화살표는 환자가 저항을 주고있는 상태에서 치료사의 힘의 방향을 의미(© Diane G.Lee 물리치료사 협회로부터 허락받아 재현).

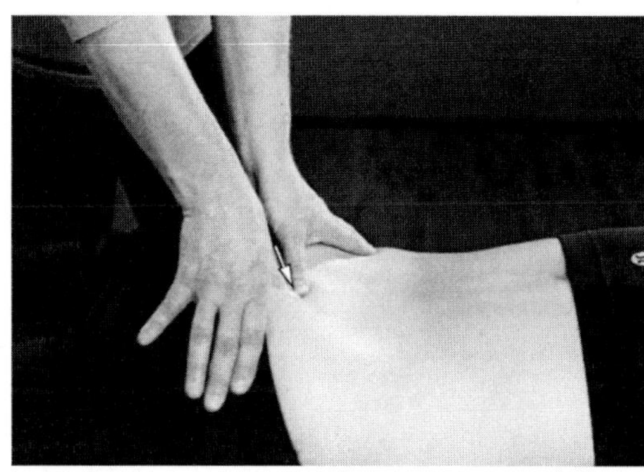

그림 10.13 오른쪽 천골기저의 반대숙임을 위한 수동가동술. 화살표는 환자가 저항을 주고있는 상태에서 치료사의 힘의 방향을 의미(© Diane G. Lee 물리치료사 협회로부터 허락받아 재현).

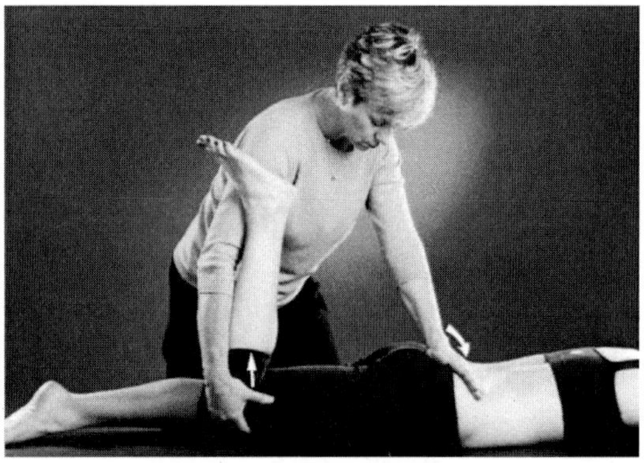

그림 10.14 오른쪽 무명골의 전방회전을 위한 능동가동술. 운동 장벽으로부터 치료사는 환자가 저항을 주는 상태에서 신전 힘을 부드럽게 적용한다. 화살표는 환자가 저항을 주고있는 상태에서 치료사의 힘의 방향을 의미(© Diane G. Lee 물리치료사 협회로부터 허락받아 재현).

그림 10.15 가정에서의 운동-무명골의 전방 회전(화살표)을 촉진하는 편측 고관절 신전의 특별한 운동(© Diane G. Lee 물리치료사 협회로부터 허락받아 재현).

가정에서의 운동 발판이나 의자위에 한쪽다리를 앞으로 뻗어 올려놓고 신전자세로 바르게 정렬하면(고관절의 내회전 또는 외회전도 아님)신전된 다리쪽의 무명골은 전방회전이 촉진될 것이다(그림 10.15). 신전된 다리쪽은 "엉덩이 잡기"로 골반은 후방으로 절대로 기울어지지 않게 될 것이다.

천장관절 : 상방 전단 고정–무명골

천장관절에 힘이 최대로 가해지게 되면(엉덩방아를 찧거나 올리기/비틀림 손상), 연골인대가 약해지게 되고, 근육은 탈구를 방지하기 위하여 관절에 더 심한 외상 반응(스파즘)을 일으키게 될 것이다. 이렇게 초래된 스파즘은 비정상적 안정자세로 관절이 고정될 수도 있고 골반대(무명골 그리고/또는 천골)의 현저한 비대칭이 나타날 수도 있다. 이것은 과도한 압박(그림 8.10f)하에서 불안정한 관절과 정렬의 교정만큼 감압은 안정화(stabilization) 운동이 주어지기 전에 필요하다.

천장관절의 상방 전단 고정(shear fixation)은 수직 힘이 천장관절의 저항 한계를 넘어 골반대(골반 하방으로 떨어짐)를 관통했을 때 일어날 수 있다. 자세 검사에서 전상장골극(ASIS), 후상장골극(PSIS), 그리고 좌골 결절은 장애가 있는 쪽(천골은 상대적으로 하방이다.)의 상방에 있다. 게다가 무명골은 전방 또는 후방 중 한 방향으로 회전된다. 만일 무명골이 전방과 상방으로 회전되어 있다면, 편측 천골결절인대는 느슨하게 될 것이다. 천장관절의 중립지대운동은 관절이 감압된 후까지 검사에 나타나지 않을 것이다.

천장관절의 하방 신연–수동 도수치료

환자와 치료사의 자세 만일 무명골이 전방으로 회전되고, 상방으로 고정되어 있다면, 환자는 엎드려 누운자세를 취하고, 무명골이 후방으로 회전되고 상방으로 고정되어 있다면, 환자는 바로 눕는 자세를 취한다. 아래쪽 다리는 발목(거퇴)관절의 근위부를 잡고, 고관절을 신전(만일 무명골이 전방으로 회전) 또는 굴곡(만일 무명골이 후방으로 회전)하여, 내측으로 회전시킨다. 도수치료 장벽은 하퇴전체를 길이로 잡아당김으로 가능해진다(그림 10.16).

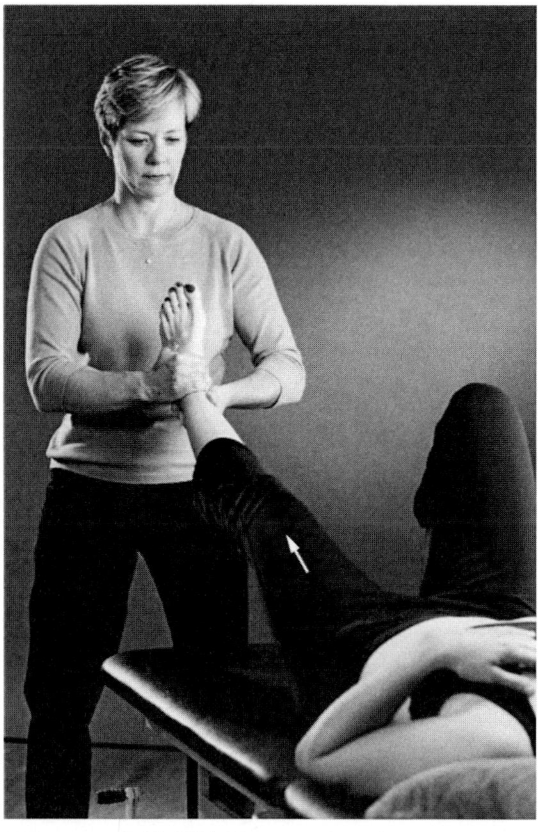

그림 10.16 후방회전에서 왼쪽 무명골의 고정을 수직 진동으로 감압을 시키는 감압에 대한 도수치료. 화살표는 환자가 저항을 주고있는 상태에서 치료사의 힘의 방향을 의미(© Diane G. Lee 물리치료사 협회로 부터 허락받아 재현).

교정기술–도수치료 빠른 속도, 낮은 진폭의 당김(tug)은 다리를 천장관절의 하방면(inferior aspect)으로 신연시키면서 가한다(그림 10.17). 고정을 감소시킨 다음, 천장관절의 관절운동학적 안정성 검사(arthrokinetic stability test)는 두미방향으로(crainocaudal direction) 운동(motion)의 중립지대(neutral zone)가 증가되는 것을 볼 수 있다. 무명골과 천골사이의 어떤 남아있는 비정렬(malalignment)은 골반대를 적당한 벨트(아래 참조)나 테이프로 지지하여 교정(이하의 정렬 교정 기술 참조)한다. 치료는 힘폐쇄/운동조절(안정화 운동치료)의 회복으로 다음과 같다.

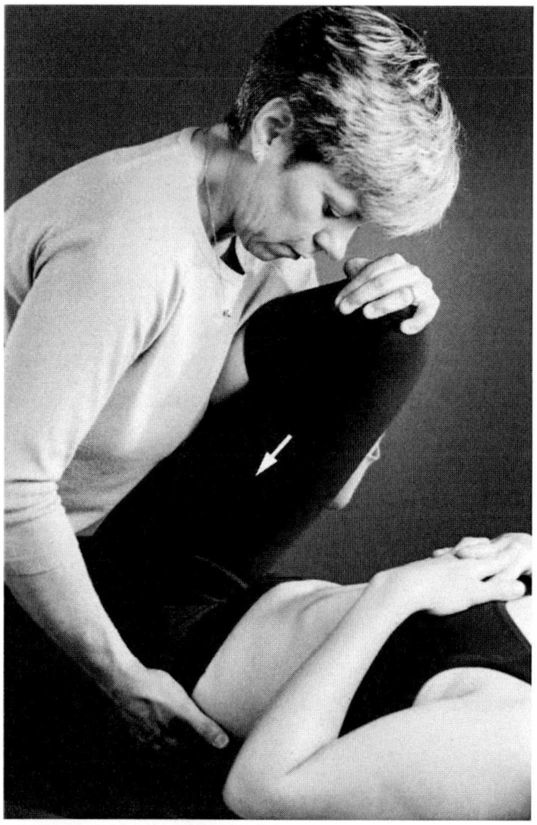

그림 10.17 우측 무명골의 고정을 수평전방 흔들림으로 감압하는 도수치료(중립회전에서 천장관절의 후방 신연). 화살표는 환자가 저항을 주고 있는 상태에서 치료사의 힘의 방향을 의미(© Diane G. Lee 물리치료사 협회로부터 허락받아 재현).

천장관절 : 후방 회전 고정-무명골

이 고정은 항상 젊은 사람의 관절에서 일어난다. 발병의 양상은 보통 외상으로 인한 것으로, 일반적으로 다리의 회전력으로 발생한다. 과도한 발길질에 대하여 목표물을 헛 맞추었을 때 일반적으로 발생한다. 무명골이 후방회전으로 고정되었을 때, 전상장골극(ASIS)은 상방, 후상장골극(PSIS)은 후방, 좌골결절은 전방이 된다. 그러나 머리와 발쪽면의 수준과 천골결절인대는 고정된 쪽에서 현저한 긴장에 미치지 못한다. L5 척추는 천골처럼 장애가 있는 쪽을 향하여 회전될 수 있다. 천장관절 운동의 중립지대는 관절 감압 후까지는 검사에 나타나지 않을 것이다.

천장관절 수동 수기요법에 대한 후방신연/전방회전

환자와 치료사의 자세 환자를 테이블 가장자리와 나란히 엎드리게 한 채, 치료사는 다리쪽 손으로 원위 대퇴부 전면을 촉지하고, 머리쪽 손의 손목부분은 무명골의 후상장골극을 촉지한다. 무명골의 전방회전에 대한 도수치료 장벽(barrier)은 다리쪽 손으로 대퇴를 수동적으로 신전하면서 도달하고, 머리쪽 손은 전외측력을 무명골에 가하면서 느낀다(그림 10.18).

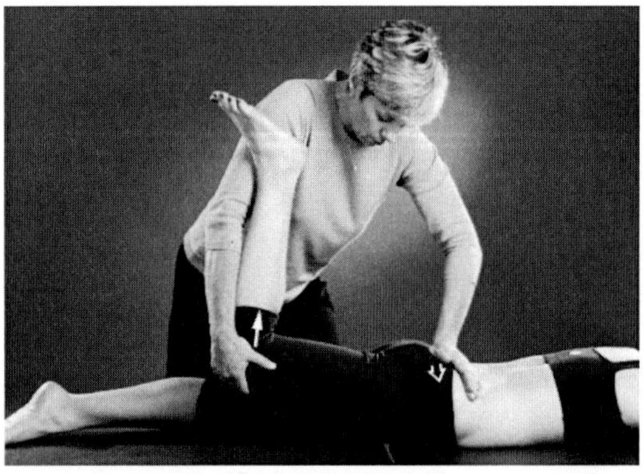

그림 10.18 우측 무명골 후방회전 제한을 감압(decompression)하는 도수치료(Diane G. Lee 물리치료사협회로부터 허락받아 재현). 화살표는 치료사가 적용하는 힘의 방향이다.

교정기술 – 도수치료 다른 손은 동시에 대퇴를 신전하면서 무명골을 전방으로 회전시키는 동안 빠른 속도와 순간밀치기(thrust)는 전외측 방향으로 무명골에 가한다. 후방장골극의 외측 압박력은 천장관절의 후방면이 신연된다. 고정이 감소된 상태에서 천장관절의 관절 안정성 검사를 실시하면 전후방 방향의 증가된 운동 중립 범위를 보일 것이다. 만약 무명골과 천골간의 비정렬이 존재한다면, 골반대를 적절한 벨트(그림을 보자) 또는 테이핑으로 지지한 후에 교정할 수 있다. 힘폐쇄(force closure)/운동조절(안정화 운동치료)을 회복하는 치료는 다음과 같다.

천장관절 : 전방회전 제한(fixation)-무명골

손상의 기전은 상당한 요인으로 다리의 과신전으로 발생되는 외상이다. 자세검사를 하면 전상장골극은 하방, 후방장골극은 상방, 좌골조면은 후방으로 움직이고, 시상면의 수준에서 천골결절인대는 기능부전측의 정상인대 보다 덜 긴장된다. 요추 5번과 천골은 손상측 반대로 회전하고, 검사 동안 천장관절의 정상 운동영역은 관절이 감압된 이후에야 비로소 위치를 찾을 수 있다.

후방신연/천장관절의 후방회전-수동 도수치료

환자와 치료사의 자세 환자는 고관절과 슬관절을 굴곡한 상태로 바로누운자세를 취한다. 한 손은 중지와 약지로 후상장골극의 바로 내측면에 천골절흔을 촉지한다(그림 8.28).

굴곡된 고관절과 슬관절은 치료사의 어깨와 팔로 지지한다. 대퇴부는 고관절 운동의 한계점까지 굴곡과 내전한다. 천장관절의 후방측면의 신연을 위한

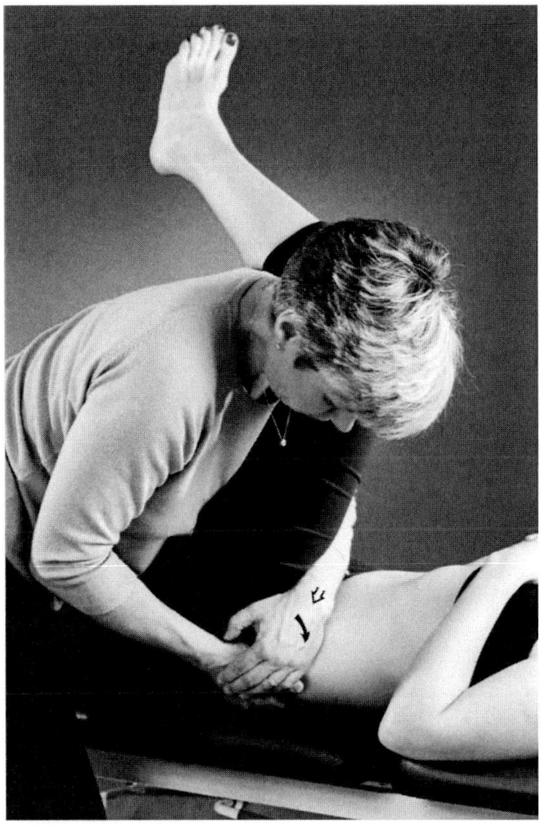

그림 10.19 우측 무명골의 전방회전 제한(천장관절의 후방회전과 신연)을 감압하는 도수치료. 화살표는 치료사가 적용한 힘의 방향이다. (Diane G. Lee 물리치료사협회로부터 허락받아 재현)

도수치료 장막(manipulation barrier)은 무명골의 후방회전이 동반된 후외측력을 가함으로써 가능하다(그림 10.19).

교정기술 - 도수치료 빠른 속도와 작은 진폭으로 후외측 순간밀치기(thrust)는 천장관절을 신연하기 위해 무명골에 적용한다. 적절하게 고정한 후 천장관절의 관절 안정성 검사를 실시하면 전후방 방향의 증가된 운동 중립지대를 찾을 것이다. 무명골과 천골간에 약간의 부정렬이 존재한다면, 교정한 후에 골반대에 적절한 벨트(아래를 참조), 테이핑으로 지지한다. 힘폐쇄/운동조절(안정성 운동치료)을 회복시키는 치료는 그 후에 실시한다.

천장관절 : 수평전단 고정(전방 또는 후방)-천골의 우측

발병의 유형은 주로 떨어지거나 비틀릴 때 손상을 받는다. 환자는 자주 천장관절의 손상 시 "뚝"하는 소리를 듣거나 예민한 통증을 느낀다고 한다. 자세성 검사에서 천골 기저부와 하외측각(ILA)방향이 관절 제한측으로 둘 중 어느 하나가 전방 아니면 후방으로 위치하고, 이런 전위는 체간의 모든 자세에서 나타난다-과굴곡, 중립, 과신전.

천장관절 운동의 중립지대는 관절이 감압되고 나서야 비로소 찾을 수 있다.

천장관절 수동 도수치료의 후방신연

환자와 치료사의 자세 환자는 좌측으로 누워 하지는 신전하고, 상부 고관절과 슬관절은 굴곡한 상태에서 흉요부 척추는 요추 5번에서 천추 1번 분절이 우측으로 완전히 돌아간다는 느낌이 들 때까지 회전한다. 요추 5번은 요천추부에 회전을 유지하기 위해 한 손은 견고하게 안정시켜야 한다. 다른 손으로는 우측 무명골이 골반대를 통하여 순수한 척추축으로 천장관절의 후방면을 벌어지게 하거나 신연

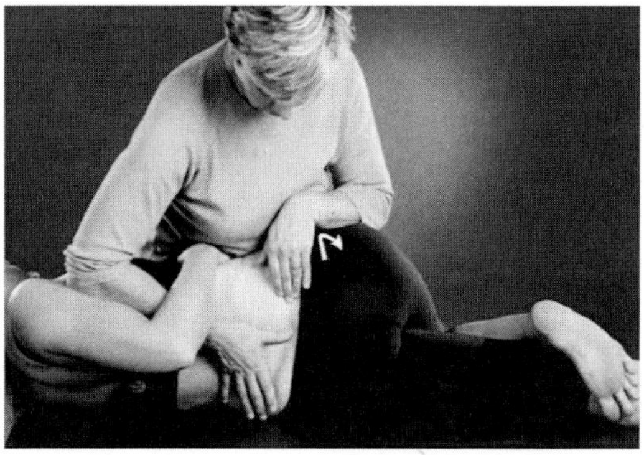

그림 10.20 우측 천장관절의 수평적 천골 전단 제한을 감압하는 도수치료(Diane G. Lee 물리치료사협회로부터 허락받아 재현). 화살표는 치료사에 의해 적용되는 힘의 방향이다.

되도록 우측 무명골을 내측으로 회전시킨다(그림 10.20). 이 테크닉은 천추 1, 2 또는 3분절에 집중해야 한다.

교정기술–도수치료 빠른 속도와 작은 진폭으로 적용하는 순간밀치기(thrust)는 천장관절의 후방부를 신연하기 위해 우측 무명골에 적용할 수 있다. 이 테크닉은 천골의 전방 아니면 후방 전단 제한에 효과적이다. 적당하게 고정한 후에 천장관절의 관절 안정성 운동 검사시 전후 방향에 있어 증가된 중립 운동지대를 찾게 될 것이다. 무명골과 천골간에 어떤 부정렬이 존재한다면, 교정 후에(아래를 보시오.) 테이핑으로 지지한다. 힘폐쇄/운동조절(안정화 운동 치료)을 회복하는 치료는 그 다음 실시한다.

형태폐쇄(form closure)가동성(mobility)의 회복 – 고관절

고관절의 관절가동범위 제한은 매우 흔하나 통증은 자주 일으키지 않는다. 그것은 천장관절 또는 요추관절의 이차적인 과운동성을 야기시킬 수 있다. 고관절은 대근육들의 근육 불균형에 의해 부정렬이 될 수 있다(그림 8.41). 이 두 가지의 제한된 관절과 부정렬 관절은 운동성에 대해 심각한 결과를 초래하게 된다. 그 후 관절이 경직되어 있을 때 관절의 운동성을 회복하기 위해 수동 관절 가동술을 적용할 수 있다. 치료 단계에서 선택적인 가정운동 프로그램은 운동성을 증가시키고, 유지하는데 도움이 될 것이다. 아래 내용은 대퇴골두를 재정렬하고, 딱딱한 부위(butt gripper)를 이완하는 기술을 통해 힘폐쇄와 운동조절이 회복되는 것을 보여준다.

섬유성 고관절

고관절의 외측 신연–수동과 능동적 가동술

가동술 기법은 관절을 감싸는 연부조직의 민감도에 따라 단계별로 적용될 수 있다.

등급 2와 3단계는 통증이 있는 관절에 적용하고, 만약 관절이 뻣뻣하면 4단계 기술로 3분 정도 지속적으로 적용할 수 있다.

환자와 치료사의 자세 환자를 바로 누운 상태에서 고관절과 슬관절을 굴곡하고, 가동술 벨트로 환자의 근위부 대퇴부를 감싸서 치료사의 골반대에 안전하게 감아서 유지한다(그림 10.21).

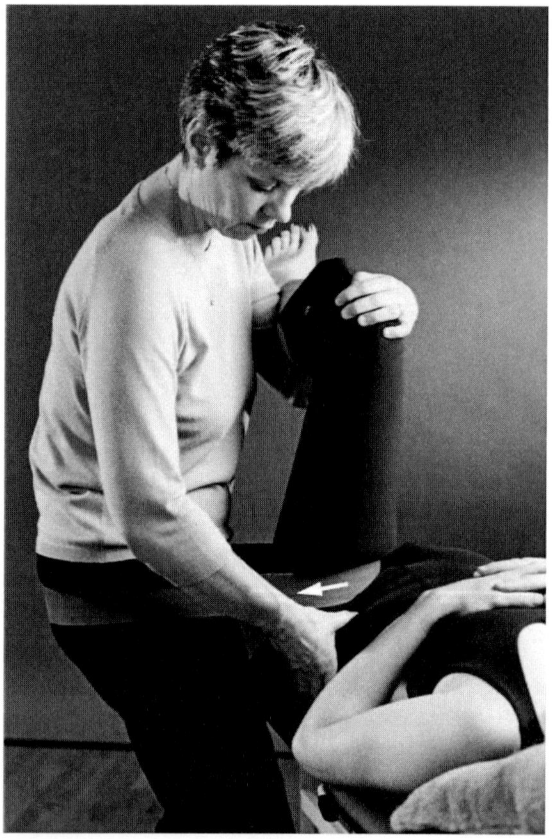

그림 10.21 고관절의 신연을 위한 수동 가동술(Diane G. Lee 물리치료사협회로부터 허락받아 재현). 화살표는 치료사에 의해 적용되는 힘의 방향이다.

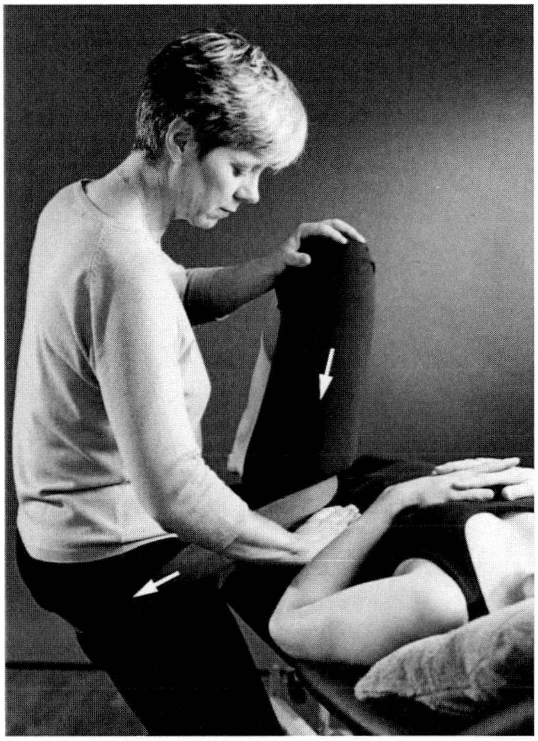

그림 10.22 굴곡된 상태에서 대퇴골두의 후방 활주를 위한 수동 가동술 환자에게 대퇴골이 흙속에 파묻히는(대퇴부의 화살표) 상상을 하도록 주문하면서 외회전의 이완을 유도한다. 치료사가 무릎을 굴곡함으로써 가동술 벨트에 의해 대퇴는 후방활주가 이루어진다. 즉 고관절의 신연과 함께 발생된다. 환자 대퇴의 화살표는 하방향 대퇴(sinking femur)를 가리키고, 가동술 벨트의 화살표는 치료사의 의해 적용되는 힘의 방향을 말한다(Diane G. Lee 물리치료사협회로부터 허락받아 재현).

교정기술 – 수동 가동술 고관절은 대퇴골두와 평행하게 외측력을 적용함으로써 신연된다. 적용력의 후전방 방향은 대퇴골의 전경(anteversion)의 각도에 따라 다르다. 그러므로 적용되는 기술은 관절과 근막의 반작용에 따라 등급화 된다.

교정기술 – 멀리간 가동술(Mulligan mobilization) 운동성과 동시에 능동 가동술 기법은 위에서 설명한 것처럼 외측으로 신연하면서 동시에 제한된 방향으로 능동적인 움직임(굴곡, 신전, 외전, 내전, 내·외회전)을 추가하는 기법이다.

가정에서의 운동 치료기간에 증가된 움직임을 유지할 수 있도록 관절가동범위 운동법을 가르쳐 준다.

대퇴골두의 후방 활주–대퇴 굴곡시

고관절 외회전의 지속적인 과활동은 후방관절낭을 단단하게 하는 원인을 초래한다.

다음 기법은 심부 외회전근이 이완된 후에 사용할 수 있다(경직이 감소되는것을 느껴본다. –전체 시스템의 이완법(downtraining), 아래 내용)

환자와 치료사의 자세 환자를 바로 눕게 하여 고관절과 슬관절을 굴곡시킨 다음 대퇴부에 가동술 벨트로 고정하고, 치료사의 골반을 안전하게 벨트로 감싼다.

관절의 전면에 충돌없이 움직임의 한계점까지 대퇴를 굴곡/내전한다.

교정기술 – 수동 가동술 대퇴 굴곡과 내전의 운동의 한계점에서 대퇴골두의 전후방 활주는 치료사가 무릎을 약간 굴곡함으로써 가동술 벨트에 의해 발생된다(그림 10.22).

치료사에 의한 촉진 – 구두지시 환자에게 대퇴가 부드러운 흙 또는 진흙 속에 가라앉는 전화 수화기로 상상하게 하고, 대퇴골두가 관절순 내에서 후방으로 이완할 수 있는 법을 알려주도록 한다. 이러한 상상은 고관절 외회전근의 더 많은 이완을 촉진하고, 더욱 더 심부 후방 관절낭의 신장을 제공한다. 고관절의 외측 신연도 함께 이루어진다.

가정에서의 운동 환자는 환측 발을 발판 또는 벽에 지지한 채로 바로 눕는다. 작은 공은 대전자 또는 만져서 예민한 부위에 위치시킨다(그림 10.23). 이 운동은 둔부를 이완하게 되고(볼을 둔부에 두고) 중력에 의해 대퇴골두가 전방 관절순에서 벗어나 다리가 후방으로 움직여지고 후방 관절낭의 신장을 제공하게 된다. 환자들은 자주 진흙 속에 전화 수화기가 가라앉는 상상을 하게 되면 이완과 신장이 더 잘 이루어진다는 것을 깨닫게 된다. 네발기기 자세(그림 10.24) 또는 짐볼을 잡고 있는 좌우(앞뒤)흔들기

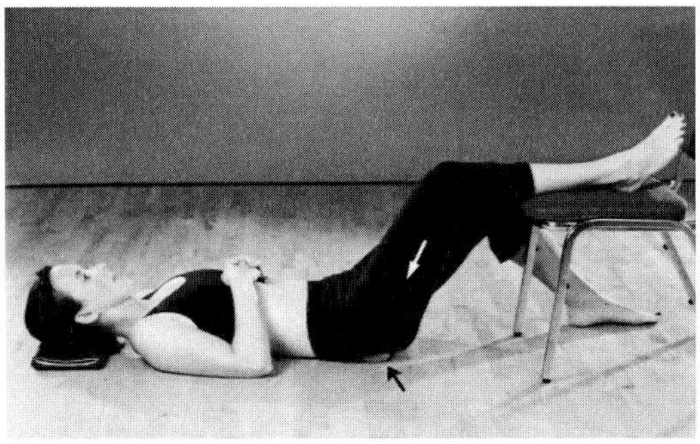

그림 10.23 대퇴골두를 후방으로 재정렬하는 가정운동. 볼(작은 검은색 화살표를 주목)은 둔부근육의 압박을 제공한다. 둔부근을 의식적으로 이완하면 중력에 의해 대퇴부가 후방으로 내려가게 되고(굵은 흰색 화살표), 그러므로 대퇴골두를 재정렬 시키고, 고관절의 후방 관절낭을 부드럽게 신장시킨다(Diane G. Lee 물리치료사협회로부터 허락받아 재현).

자세(rock 'n' roll)(그림 10.25)는 고관절의 운동을 위해 유용하게 사용된다.

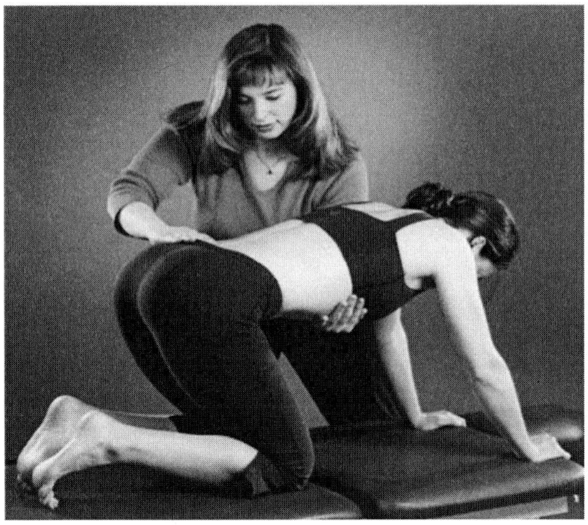

그림 10.24 네발기기 자세에서 고관절 전후 움직임(hip rock). 환자에게 골반대를 전방으로 90도 기울인 상태에서 흉요부 척추를 중립으로 유지하도록 한다. 이런 자세를 유지하는 동안 환자에게 직접 골반을 후방으로 움직이면서 고관절 각도를 점점 증가시키도록 주문한다. 그렇게 함으로써 골반이 후방경사(고관절 굴곡)되면서 전만이 감소된다. 치료사는 한 손으로 전만을 유지하면서 요추를 늘이도록 주문하는 동안 다른 손은 흉부 후만증을 유지할 수 있도록 늑골부를 지지한다(Diane G. Lee 물리치료사협회로부터 허락받아 재현).

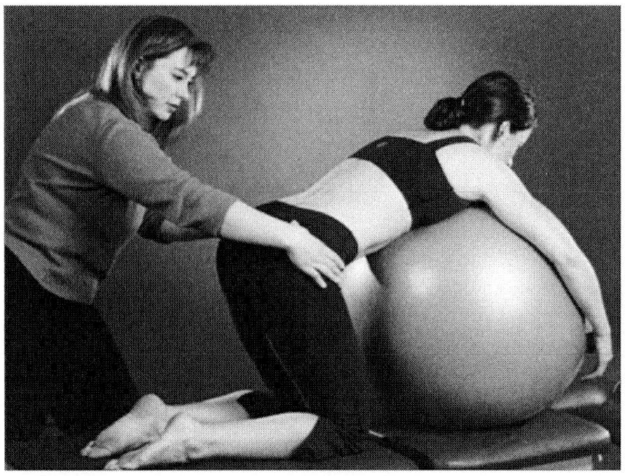

그림 10.25 좌우(앞뒤) 흔들기(Rock 'n' roll)짐볼에서. 볼로 우선 흉추만곡을 지지하고, 치료사는 요추전만과 골반 전방경사를 환자가 후방으로 움직이고, 그 다음 전방으로 움직이는 동안 유지하도록 한다. 이런 움직임은 환자는 골반을 후방으로 경사 시키게 될 것이고, 요추는 후방으로 움직이는 동안 굴곡이 일어나고, 전방으로 움직이는 동안 여전히 굴곡과 후방경사가 일어날 것이다. 골반은 고관절 굴곡과 회전을 동반한 대각선 후방향으로 움직일 수 있다(Diane G. Lee 물리치료사협회로부터 허락받아 재현).

대퇴골두의 후방활주–대퇴 신전에서

이 기법은 신전에서 대퇴골두를 재정렬 하는데 유용하고, 보행 시 마지막 입각기에 필수사항이다.

환자와 치료사의 자세 환자를 슬관절을 굴곡한 상태에서 엎드리게 한 후, 한 손으로는 대퇴의원위부를 다른 손은 대전자의 후방면을 촉지하도록 한다.

교정기술 – 수동 가동술 대퇴 신전/내회전 움직임의 한계점은 다리쪽 손으로 유지하고, 대퇴골두의 전후방 활주는 대전자를 전방과 내측방향의 활주로 적용한다.

천장관절 벨트와 테이핑

천장관절 제한을 도수치료를 한 후에 중립지대 운동내의 기본적인 증가는 명백해지게 되었다. 동시에 외적인 지지는 힘폐쇄와 운동조절이 회복될 때까지 과도한 병진운동(translation)을 방지하는데 도움이 될 수 있다. 단지 외적인 지지(테이핑 또는 벨트)는 근력회복의 부수적인 도구로 사용한다. Damen 등(2002)은 벨트를 골반에 적용했을 때 천장관절의 단단함이 증가된다는 것을 도플러 영상(Doppler imaging)을 사용하여 볼 수 있었다고 보고했다. 천장관절 벨트는 시장에서 구입할 수 있고, 대부분 압박의 정도를 조절하면서 사용하는데 효과적이다(Vleeming 등 1992). 그러나 환자들은 가끔 일반 벨트의 품질보다 더 높고 낮은 압박력을 요구하고, 흔히 압박(양측 전방, 양측 후방, 편측 전방/또는 편측 후방)의 위치를 명확히 적용하는데 어려움이 있다고 한다. 이것은 천장관절 벨트의 새로운 제품을 요구하는 것이다. –압박벨트(Lee 2002)(그림 10.26a, b).

근본적으로 이 벨트는 가벼운 천 재질로 구성되어 있으며, 골반대 주위를 감싸서 접착포로 안전하게 부착된다. 압박끈은 압박 위치를 명확히 하는 벨트로 사용된다. 끈은 명확한 위치에 압박의 양을 증가시키기 위해 겹치게(중첩)할 수 있다. 두 개의 다른 길이의 네 개의 끈이 달린 벨트도 있다. ASLA 검사(8장)는 정확하게 어디에 얼마나 많은 압박이 필요한지를 결정하는데 사용된다. 골반대의 양측 전방 압박으로 환자가 보다 적은 힘으로 다리를 들어 올리는 것을 가능하게 한다면, 두 개의 끈으로 각각 밴드를 외측으로 고정하고, 그 밴드를 전방 중심선(치골결합)으로 당기는데 사용될 수 있다. 하나의 밴드도 동시에 사용된다. 골반대의 양측 후방 압박(후상장골극 : 그림 8.59)으로 환자가 보다 적은 힘으로 다리를 들어 올리는 것을 가능하게 한다면, 두 개의 끈으로 각각 밴드를 외측으로 고정하고, 그 밴드를 후방 중심선으로 당기는데 사용될 수 있다. 하나의 밴드도 동시에 사용된다. 편측 전방 압박과 편측 후방 압박이 가장 효과적이라면, 하나의 밴드는

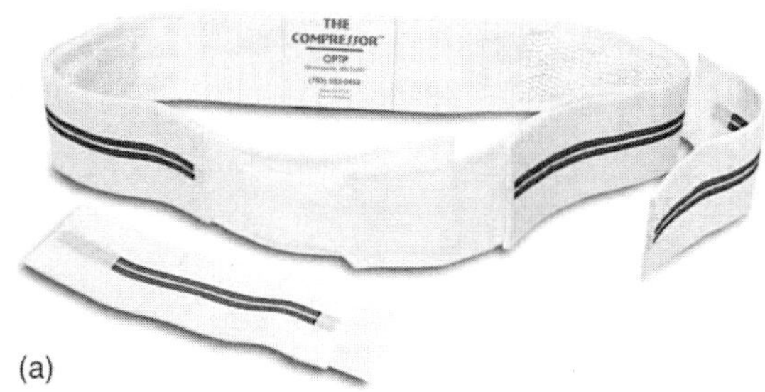

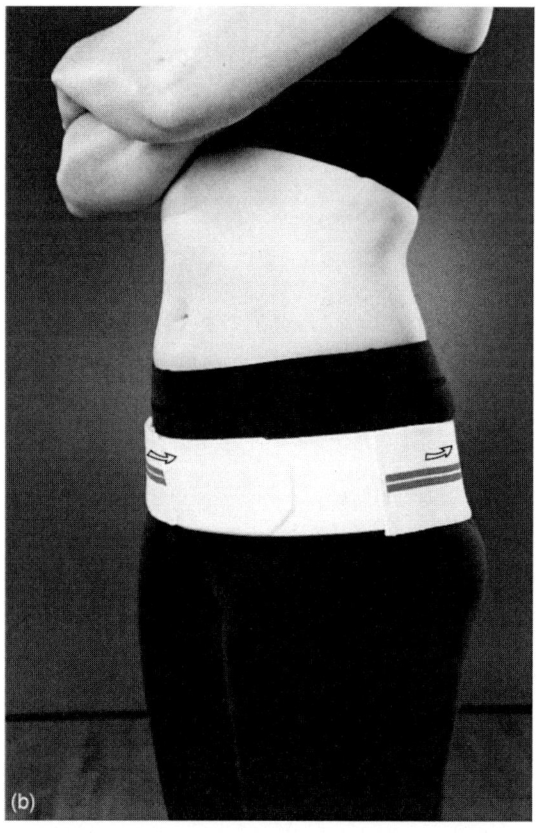

그림 10.26 (a) 이 압박기는 압박끈의 수와 위치를 다양하게 함으로써 골반대에 압박의 양과 위치를 명확하게 적용할 수 있도록 고안된 벨트이다. (b) 적용해 있어 압박끈은 우측 전방 골반과 좌측 후방 골반에 적용할 수 있다(Diane G. Lee 물리치료사협회로부터 허락받아 재현).

전방으로 부착하고, 하나의 밴드는 후방으로 부착한다(그림 10.26b). 일단 밴드를 한번 부착하면, 능동하지직거상(ASLR)시에 반복하여 사용하게 된다. 환자는 누워서 또는 서있는 자세에서 다리를 들어 올릴 때, 필요한 힘의 감소로 골반대를 통하여 부하를 전달하는 능력에 현저한 차이가 있음을 알아야 한다. 동일한 원칙과 검사는 테이핑을 압박벨트 대신 사용한다면 적용이 된다. 초기에 골반에는 환자가 수직으로 있을 때마다(서있거나, 앉아있거나, 또는 일상생활 중에) 테이핑 또는 벨트로 지지해야 한다. 관절 일치력이 회복됨에 따라 환자는 압박의 양(압박끈의 긴장을 점차 완화)을 줄이고, 결국에는 단시간내에(30분 이후) 모든 벨트를 제거해야 한다. 궁극적으로, 환자는 어떠한 외적인 지지의 필요성도 없어야 한다.

일단 밴드를 한번 부착하면, ASLR은 반복사용 한다. 환자는 누워서 또는 서있는 자세에서 다리를 들어 올릴 때, 필요한 힘의 감소로 골반대를 통하여 부하를 전달하는 능력에 현저한 차이가 있음을 알아야 한다. 동일한 원칙과 검사는 테이프를 압박기 대신 사용한다면 적용된다. 초기에 골반에는 환자가 수직으로 있을 때마다(서있거나, 앉아있거나, 또는 일상생활 중에) 테이프 또는 벨트로 지지되어야 한다. 관절제한이 회복됨에 따라 환자는 압박의 양(압박끈의 긴장을 점차 완화)을 줄이고, 마침내 단시간내에(30분 이후) 모든 벨트를 제거해야 한다. 궁극적으로, 환자는 어떠한 외적인 지지의 필요성도 없어야 한다.

증식요법(PROLOTHERAPY)

증식요법(Dorman 1994, 1997)은 힘폐쇄의 소실(관절의 불안정성)이 진행될 때 적용하고, 부분적 시스템(local system)이 부하를 받고 있는 관절에 충분한 압박과 보상작용을 제공할 수 없을 때 사용된다. 힘폐쇄 기전이 효과적일 때, 국소 시스템의 근육의 동시수축은 관절 압박을 초래하여 관절의 견고함을 증가시킨다. 결과적으로 운동의 중립지대는 영점으로 감소된다. 국소 시스템이 적절하게 수축함에도 불구하고 관절의 견고함(안정성)을 증가시킬 수 없다면, 능동적 힘폐쇄 기전은 전단력을 조절하는데 비효율적이다. 이것은 운동으로 성공적인 재활을 목적으로 한 불운한 예후의 증상이며 증식요법의 우선적인 적응증이다. 증식요법에 있어, 불안정성 관절의 인대는 염증 반응을 유발하는 자극적인 용액을 주입한다. 염증성 조직의 섬유아세포의 다음 분열은 인대의 단단함을 증가시키는 콜라겐 생성을 촉진시킨다. 일반적으로 치료할 인대에 매 2주마다 주사를 놓고, 이 치료는 4회에서 6회까지 반복한다. 이 과정에서 치료사의 역할은 관절의 과도한 전단력을 방지하기 위해 외적인 지지와 테이핑으로 안정성을 확보 해주고, 적절한 재정렬은 능동 가동술 기법을 사용하여 유지할 수 있도록 한다. 가끔 증식요법시 통증으로 인한 정서적인 부분도 고려되어야 한다. 일단 힘폐쇄 기전이 운동의 중립지대(관절 활주는 국소 시스템의 동시수축에 의해 감소될 수 있다.)에 영향을 미친다면, 생체역학적인 회복이 시작된다. 그러면 힘폐쇄와 운동조절에 대한 재교육은 바로 시작할 수 있다.

힘폐쇄와 운동조절의 회복

특별한 운동을 설명하기에 앞서, 프로그램을 진행하는데 몇 가지 중요한 고려사항을 토론하는 것이 중요하다.

치료사가 고려할 사항들이다.

- 환자에게 새로운 운동방법의 중요성을 지도한다. 통증과 손상(제 5장)으로 인한 근협응성훈

련이 대뇌의 프로그램화 된다는 사실과 연습의 중요성, 신중한 운동, 그리고 일상생활과 연계의 중요성에 대하여 말하도록 한다. 환자에게 이것은 실제로 운동이기 보다는 오히려 "건강한 육체로 살아가는 방식을 변화시킨다"는 것을 상기시켜 주는 것이 중요하다.

- 환자에게 "실행은 완전함을 추구하기 보다는 지속성을 만든다" 운동의 양보다 오히려 질의 중요성을 강조하도록 한다.
- 운동프로그램은 환자의 필요성에 따라 특정하게 정하게 되며 일반적인 것이 아님을 유념하게 한다.

이것은 잘못된 움직임 패턴과 구분하기 위해 필요하다.

치료사는 다음과 같은 것을 구분해야 한다. :

- 잘못된 조절의 수준(제 8장 : 부위별 운동 검사)
- 잘못된 조절의 방향(제 8장 : 부위별 움직임 검사와 근협응력 분석(form closure analysis)
- 수준 또는 제한된 운동부위(제 8장 : 관절 안정성 분석)
- 과활동/우세한 대근육 또는 근슬링(slings of muscles)(제 8장 : 관절 안정성/운동조절 분석)
- 무기력/회복이 늦은 근육(국소 안정화) 또는 근슬링(대근육)(제 8장 : 관절 일치력/운동조절 분석
- 어떤 특정한 근육 길이/근협응력(제 8장 : 관절 일치력/운동조절 분석)

- 조직 건강, 조직 예민성, 그리고 치유단계를 기초로 한 운동프로그램을 고안하고 수정하게 한다(제 7장). 속도의 진행은 새로운 과제를 습득하는 환자의 능력과 같은 수많은 요소에 달려있다.

전체 체간근(global trunk muscle)의 강도, 지구력, 그리고 힘은 검진 시 근 기능의 중요한 요소들이고, 손상으로 평가되었 때 치료되어져야 한다. 그러나 운동을 설명하고자 하는 것이 이장의 의도도 아니고, 몇 가지 요소들을 주제로 다루기 때문에 그런 요소들을 위한 프로토콜을 다루자는 것도 아니다(McArdle et al 1991, Farrell et al 1994, Brukner & Khan 2002 McGill 2002). 대신에 당면한 운동의 요점은 회복하고자 하는 근육을 자기 신체로 인식하고, 상상을 통해 재활성화 되도록 운동조절을 회복하는 것이다. 뇌가 그 근육을 인식하지 않으면 근육의 강화 운동은 다른 근육이 대신하여 강화되기 때문에(예를 들어, 대둔근을 사용하기 위해 고관절 신전 운동을 하는데 슬괵근이 사용될 수 있다) 회복하고자 하는 소근육과 대근육들의 협응과 활성화는 운동처방 전에 알아두어야 할 필수사항이다. 그래서 운동의 초점은 적합한 기술사용, 교정이 필요한 분절의 인식과 잘못된 부위를 운동조절하는 것이다. 일단 뇌가 그 근육을 "인식" "(found)" 하면, 지구력, 강도, 그리고 힘을 기르는 프로토콜은 환자의 특정한 목표의 필요성에 따라 적용시킬 수 있다. 요골반 안정화 운동프로그램의 발표에 의하면, 특정한 근육의 강화 운동은 흔히 요골반–고관절 부전기능이 있는 환자에게 영향을 미친다고 한다. 다른 근 길이 차이는 강도(길이–장력의 상호관계)와 운동의 제한을 의미한다. 다른 근 길이의 근본적인 원인에 대한 평가는 근육의 기능부전을 교정하는데 매우 중요하다. 그것은 드물게 단단한 근육을 단순히 신장시키는 정도는 아니다. 8장에 근 길이 제한의 흔한 형태에 관한 검사들이 설명되어 있다(전체 시스템 슬링 : 길이 분석). 이러한 검사 자세는 치료사의 보조 신장기법 또는 가정운동으로 채택할 수 있다. 신경로의 활성화를 유발하는 기법은 근육을 이완하는데 더 효과적이며, 이것은 능동가동

술 또는 근에너지, 상호신경지배, 그리고 근육내자극(IMS)들이 포함된다. 이완된 근육의 신장성을 유지하기 위해서는 가정운동 프로그램이 무엇보다 중요하다. 이러한 운동의 몇 가지 예들은 이 장의 뒷부분에 설명되어 있다. 독자들은 신장과 유연성 운동에 관한 더 많은 이해를 다루고자 할 때 다음 출처를 참고 하기 바란다(Kendall et al 1993, Stark 1997, Hall & Brody 1999).

경직완화 - 전체 시스템(GLOBAL SYSTEM)의 이완법(DOWNTRAINING)

자세 재교육, 중립 척추, 그리고 "고관절 외회전근 과활동"("BUTT GRIPPER")

이 장은 중립척추 유지, 호흡패턴 교정, 그리고 고관절 근육을 이완하는 움직임을 인식하는 운동을 소개하고자 한다. Sapsford 등(2001)은 "배꼽말아넣기"("hollowing")(우선적으로 복횡근(TA)과 내복사근(IO)의 "복근 힘주기"("bracing")(모든 복근의 수축) 운동을 할 때 척추자세와 복근 동원에 대한 자세의 효과를 연구한 결과, 복횡근 활동이 가장 많이 일어나는 척추자세는 중립 척추 자세였다. 비록 연구가 적은 수의 대상자로 시행되었지만, 결과는 다른 임상적인 연구와 일치하였다. 특히 요골반 부전기능이 있는 환자를 위한 대체 방법은 보통 "고관절 외회전근 과활동"(그림 8.40) 또는 부하를 이동하는 복근 힘주기(그림 9.4) 방법이 있다. 이런 활성화된 형태는 골반 후방경사, 굴곡된 척추, 그리고 고관절 경직을 초래한다. 먼저 척추자세를 교정하지 않고 소근육(복횡근, 다열근의 심부섬유)만의 분리 운동은 치료사나 환자 모두 자주 실망하게 된다.

자세교정을 위한 두 가지 방법은 다음과 같이 사용할 수 있다. :

1. 환자에게 수동적으로 중립 척추자세를 인식하게 하고, 집에서 환자 스스로 자세를 취할 수 있는 방법을 가르쳐 준다(아래 사진에 옆으로 누운 자세를 보라). 또는
2. 특히 환자에게 척추기립근과 천부 다열근의 과도한 대근육 활동없이 능동적으로 중립 척추를 찾을 수 있도록 가르친다.

지금까지 척추자세를 찾은 상태에서 소근육들의 동원을 자극하고, 분리 운동을 하는 것이 더욱 효과적이며 효율성이 있다는 것을 임상적으로 경험해 왔다. 평소 중립 척추를 익히기 위해 능동적인 운동뿐만 아니라 수동적인 운동 모두 환자의 운동프로그램에 포함시키고, 이 두 가지 운동은 각기 다른 자세로 수행할 수 있어야 한다. 예를 들어, 다리를 굴곡하고 골반 후방경사를 유지한 상태에서 누워있는 환자에게 중립 척추자세를 취하는 방법과 체간 및 고관절 대근육의 긴장을 유지하면서 이완하는 방법을 익히기 위해 골반을 위로 감아올리고 아래로 감아 내리는 운동을 실시한다(아래를 보라). 이것은 상당한 정신 집중력이 필요하고, 환자의 척추자세는 운동의 실행과 치료사에 의해 수행되는 동일한 수기이완과 모빌리제이션 기법으로 향상될 것이다. 만약에 이 운동(적은 각도지만 약간의 골반 후방경사가 된다)으로 통하여 중립 척추로 완전히 이완할 수 없다면, 이 자세에서 복횡근(TA)을 강화하는 부가적인 자극은 여전히 외복사근(EO)을 강화하는 것이 될 것이다. 그래서 복횡근만의 강화와 선택적인 운동은 다른 자세에서 시행되어야 한다. 복횡근의 선택적인 운동 자세를 변화시켜 주면, 뇌는 순간적인 집중력을 제공하게 될 것이다. 그것은 운동학습에서 재훈련하는 운동으로 매우 중요하다. 선택적이고 교대적인 자세는 환자가 중립 자세를 쉽게 찾을 수 있는 방법 중에 한 가지이고, 복횡근을 강화하는데 가장

짧은 시간이 소요될 것이다. 옆으로 눕거나 엎드려 누운 자세는 골반 후방경사 운동이 어려운 환자를 위해 가장 흔히 변경하는 자세이다(아래 사진 참고). 중립 척추 운동의 장점과 효과에 대해서도 언급되어야 한다. 특히 중립 척추의 재훈련을 위한 능동적인 운동을 시행함으로써 환자는 신체의 움직임에 대한 새로운 위치를 배우게 되고, 학습을 통하여 새로운 안정화 전략들을 강화하게 된다. 척추 만곡과 흉골반 정렬의 비대칭을 교정하게 되면 신체 전체슬링(global sling)에 더 많은 대칭성 활동을 촉진하게 되고, 지속적인 신장을 통해 신체 내에 제한된 부위를 찾게 될 것이다. 앞으로 핵심적인 재활의 목표는 직립, 기능적 자세와 활동시 안정성 운동 프로그램을 향상시키는 것이다. 선 자세에서 운동을 시행할 때 환자는 종종 습관적으로 나쁜 자세 또는 여전히 우세한 대근육 활동만 증가시키는 과신전(overerect) 자세를 취하게 되고, 과운동성이 존재하는 관절에서만 움직임이 일어나고, 전형적으로 경직된 관절에서는 움직임을 회피한다. 재활의 초기 단계에서, 환자가 서서 심지어 구두(언어)와 촉각자극을 사용하더라도 중립 척추자세를 취하는 것은 쉬운 일이 아니다. 볼 위에 바로누운자세에서 네발기기 자세로 발전할 경우 점점 부하가 적은 자세가 되며, 운동 프로그램이 진전됨에 따라 점점 직립자세로 발전시킨다. 그래서 중립 척추의 훈련은 자세 재교육 과정의 필수적인 사항이고, 부분적 시스템과 전체 시스템의 양측 기능부전을 찾을 수 있다. 중립 척추자세는 정상적인 척추 만곡이 존재하는 자세이고, 흉추가 골반위의 중앙에 위치하는 자세로 정의된다. 각기 다른 신체의 자세(바로누운자세, 네발기기 자세, 앉은 자세, 선 자세)에서 동일한 척추자세 인식은 바람직하다. 다시 말해서 중립 골반경사(같은 관상면에서 전상장골극(ASIA)과 치골결합)로 점진적이고, 편평한 만곡, 요추전만, 흉추후만, 그리고 경추전만이다.

Kendall 등(1993)은 다른 자세들을 구분하는 기초를 제공하였는데 자주 더 많은 특정한 분절의 분석과 촉지는 필요하다고 했다. 각 부분에서 정상적인 만곡의 증가 또는 감소를 찾아야 하며 비정상적인 만곡의 특정한 수준도 찾아야 한다. 흔한 형태는 상부 요추 수준, 흉요추 접합 부위, 하부 흉추에서 과도한 전만이 발생되는 반면에 하부 요추에서는 골반 후방경사로 전만의 감소(L4–L5와 L5–L1 수준이 굴곡된 상태)를 보인다(그림 9.22a). 척추전방전위증 증세가 있는 환자는 종종 감소된 전만 또는 과도한 전방 전단으로 위와 아래의 굴곡된 분절을 가지고 있다. 그래서 척추자세와 만곡에 대한 분절 분석은 평가 시 필요하고, 과도한 굴곡 또는 신전의 상태는 아래 운동을 하는 동안 수기와 구두 자극으로 교정할 대상들이다.

중립 척추 – 수동적으로 옆으로 누워있는 자세

환자와 치료사의 자세 환자는 양쪽 무릎을 굽히고 치료사를 향해 옆으로 눕는다. 치료사는 환자의 요추 부위에서 환자를 향해 선다. 치료사의 머리쪽 손은 요부 만곡을 촉지하면서 과도한 굴곡 또는 신전 상태를 파악한다. 다리쪽 손은 환자의 족관절 아래로 밀어 넣고, 양다리의 무게는 치료사의 다리쪽 대퇴부로 지지한다(그림 10.27).

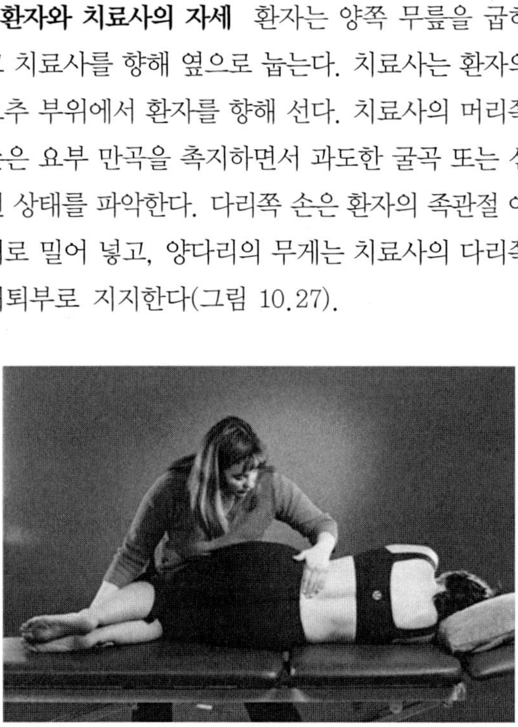

그림 10.27 중립 척추 - 수동적으로 옆으로 누워있는 자세

교정기술 하지의 움직임으로 요추에서 발생되는 만곡의 변화를 촉지할 수 있기 때문에 수동적으로 굴곡과 신전을 시킨다. 일반적인 전만자세를 찾았을 때 그 자세에서 양다리를 치료대 난간(plinth)에 위치시킨다. 그 밖에 신체의 발 위치를 주목하도록 한다. 중립 척추자세는 종종 발바닥이 체간과 같은 면에 있다는 것을 알 수 있다. 환자에게 집에서도 이 자세를 취하는 방법을 가르쳐 주도록 한다. 발바닥을 벽에 대고 누워있는 자세와 등쪽을 벽에 치는 동작도 도움이 되는 방법이다. 환자에게 습관적으로 옆으로 눕는 자세와 새로운 자세에서 요추 만곡을 모두 촉지해 보도록 한다. 환자에게 치료사의 도움 없이도 중립 자세를 취할 수 있도록 권장한다.

중립 척추 – 바로 누운 자세에서 양 다리 굽히고 골반 거상 – 하강(Crook lying roll-up-roll-down)

환자와 치료사의 자세 환자는 고관절과 슬관절을 굴곡한 상태에서 편안하게 바로 눕는다.

치료사는 환자 옆에 바로 선다. 요추 밑에 넣은 한 손으로 여러 개의 극돌기 사이 공간을 손가락을 벌린 채 미끄러져 내려가며 촉진한다. 휴식 시 요추의 방향을 주목한다. 흉곽을 관찰하면서 거상된 흉골과 하부 흉추 아래 공간을 찾아본다. 이 자세를 유지하는 동안 치료사는 운동의 목표에 대해 환자에게 교육한 대로("당신의 하부 요추는 매우 편평하다/요추 만곡이 편평하지 않아 요추의 만곡을 변화시킬 필요가 있다.") 촉각 피드백이 제공될 수 있도록 손가락으로 유도한다. 환자로 하여금 운동의 움직임을 인식하도록 환자의 손을 상부와 하부 흉골에 놓도록 하고, 치료사의 한 손은 고관절을 촉진하며, 다른 한 손은 하부 복부를 촉진할 수 있도록 놓는다(그림 10.28a).

치료사는 운동을 하는 동안 그리고 움직임을 연속적으로 반복하는 가운데 양 손으로 최적의 운동 실행에 필요한 교정을 결정할 수 있는 몇 개의 중요한 지점을 촉진하도록 움직여야 한다.

교정기술 – 말과 손에 의한 지시 환자로 하여금 침대에서 하복부를 잡아 당긴 다음 발바닥에 힘을 준 상태에서 "C"(골반 후방경사와 척추굴곡)모양으로 부드럽게 척추를 굴리면서 하부 흉추 수준까지 들어 올리라고 주문한다(그림 10.28b). 고관절과 척추를 높이 들어올리는 것은 굴곡된 척추를 유지할 수 있는 환자의 능력에 달려있다. 단 거상 시 척추 신전 또는 척추기립근 작용이 활성화 되는 시점 이후에는 고관절과 척추를 들어올리는 것을 허용해서는 안 된다. 그리고 나서 환자에게 침대에서 흉곽부터 시작하여 척추가 침대에 닿도록 주문한다. 흉곽은 흉추 후만을 유지하기 위해 침대를 누르도록 하고, 척추뼈는 단번에 한 분절이 움직이듯 쭉 펴도록 한다. 일단 요추가 치료대에 편평하게 되면 환자에게 "미골을 치료대에 놓으세요." 또는 "골반을 전방으로 굴리세요."라고 주문하고, 요부에 작은 만곡이 일어날 수 있도록 유도한다(그림 10.28c). 전만이 발생하는 부위를 관찰하고 촉진한다. –흉골을 내미는(흉추 신전) 동작에서 과도한 분절 전만이 일어나지 않는가를 지켜본다(예 : L3). 목표는 모든 요추 분절에서 동시에 일어나는 요추 전만이다. 환자에게 움직임을 여러 번 반복하게 하고, 이완된 자세의 끝 범위를 향상시키기 위해 매시간 치료사의 손으로 자극한다. 환자의 힘으로 요추 신전이 일어나지 않도록 주의한다. 이런 능동적인 움직임은 강한 흉추 기립근 수축 또는 표층 다열근 수축(신체의 한 부위)을 초래하여 심부 안정화 근육의 동원을 억제할 것이다(뿐만 아니라 잠재적으로 요통을 증가시키고 과도한 압박으로 고통을 겪을 것이다.).

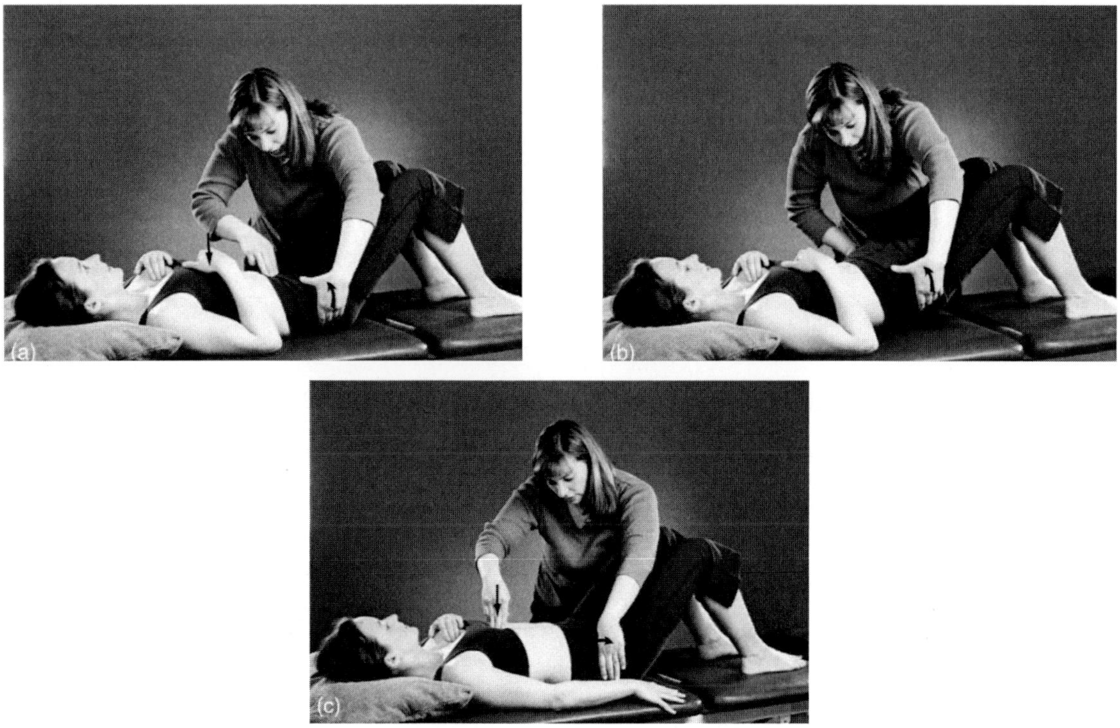

그림 10.28 중립 척추 : 바로 누운 자세에서 양 다리 굽히고 골반 거상-하강.
(a) 환자는 움직임이는 동안 흉추(수직 화살표)를 이완하면서 흉골을 스스로 꽉 누를 수 있도록 촉진한다. 흉골의 거상을 결코 허용해서는 안 된다. 치료사는 하복부를 부드럽게 안으로 당기는 것을 자극하기 위해 하복부를 촉진하고, 골반의 후방 경사(곡선 화살표)와 척추 굴곡(화살표)을 촉진하기 위해 고관절 주위를 촉진한다. (b) 고관절과 골반은 상부 요추와 하부 흉추 수준에서 굴곡 움직임을 계속 유지하면서 침대에서 들어 올린다. 고관절은 척추 굴곡이 유지될 수 있는 지점까지만 들어 올린다. ; 예를 들어 거상은 흉요추 접합부에서 멈춘다. (c) 요추 전만이 되도록 이완한다. 치료사는 골반이 전방경사 상태에서 앞으로 떨어지므로 흉요부 신전을 방지하기 위해 하부 흉골(수직 화살표)에 부드럽게 후방 압박을 준다. 치료사의 좌측 손은 골반을 전방과 하방으로(곡선 화살표) 당겨줄 뿐 아니라 전방 고관절을 이완하도록 자극한다. 연속적인 운동을 반복할 때 치료사는 요추 전만을 만들어 주기 위해 요부를 촉진할 수 있고, 천부 다열근과 척추기립근이 골반을 거상하는 동안 그리고 중립 전만의 마지막 이완 지점까지 계속 이완할 수 있도록 훈련시킨다(Diane G. Lee 물리치료사 협회에서 인정한 출판물).

손 조절의 중요한 부위 :

- 손가락은 전만의 길이에 필요한 수준에 고유수용성 자극을 제공할 수 있다. -수직선에 있는 극돌기를 따라 활주한다.
- 가슴을 들어 올리는 것을 방지하기 위해 흉골에 손을 놓는다. -하중을 유지
- 고관절 "접히는 부위"와 골반의 "개방"(전방경사)을 촉진하기 위해 고관절 주름에 손을 위치시킨다(그림 10.28c).
- 감소된 대근육 수축과 경직(rigidity)을 촉진하기 위해 흉곽, 골반, 그리고 고관절의 작은 움직임(부드러운 회전)을 사용

말과 손에 의한 지시 :

- "엉덩이에 힘을 빼고 미골을 치료대에 내려 놓을 때 좌골조면(sitz bones)이 넓어지도록 하세요."
- "고관절이 치료대에 닿으면 고관절에 하중이 실리도록 하세요."
- "골반이 전방으로 내려올 때 하부 요추는 길어지도록 하세요."
- "흉골과 치골의 최저부 사이의 선을 상상해 보세요. ; 그 선은 이완 단계시 더 길게 가져야 한다. ; 길이가 늘어나면서 치골이 전방으로 내려

오는 반면에 흉골 지점은 여전히 머물러 있다."
"흉부에 하중을 유지하고, 등을 이완하세요."

이상적인 반응 골반 거상 시 요부와 흉부의 신전근은 이완되고, 분절 굴곡은 골반에서 하부 흉추까지 발생한다. 하강 요소의 끝 범위에서 흉부는 요추가 수동적으로 전만되어 내려오기 때문에 여전히 굴곡된 자세가 유지된다. 전후방 고관절 근육들은 상대적으로 이완된다(특정한 과긴장 근육 없이).

진행/고려사항 환자가 둔부를 이완할 수 없고, 최소 관절가동범위의 운동을 수행할 수 없다면 베게 받침으로 무릎아래 부위에 베게 받침을 놓아 다리를 지지해 준다.

앉은 상태에서 중립 척추(neutral spine)를 위한 자세 재교육 –최적의 피라미드 모양의 지지면 설정

환자와 치료사의 자세 환자는 의자 또는 침상(plinth) 위에 앉는다. 치료사는 "엉덩이 근육의 뭉침 현상(butt gripping)"이 나타나는 환자의 환측에 서거나 무릎을 꿇고 앉는다. 좌골결절 아래에 한 손을 놓고 다른 한 손은 장골능(iliac creast) 위에 놓는다(그림 10.29).

교정기술–말과 손에 의한 지시 환자에게 양쪽 엉덩이에 똑같은 양의 무게가 느껴지도록 앉게 하고 그 무게가 좌우 똑같이 분배되는지를 확인한다. 환자는 치료사로부터 약간 떨어져서 기울어지게 앉아 환측 엉덩이에 가해진 무게가 줄어들게 한다. 치료사는 환자의 엉덩이를 들어올리고(lift) 당김(pull)으로써 좌골결절이 외측후방을 향하게 하고 다시 장골능에 내측으로 가볍게 반대측으로 힘을 가하면서 엉덩이가 다시 의자로 돌아가도록 한다. "엉덩이의 환측 좌골이 뒤쪽으로 더욱 넓어지고 열린다는 상상을 하세요."라고 말로 지시한다. 이러한 새로운 자세에서 환자는 양쪽 좌골결절 사이에 가해지는 무게가 더욱 같게 되는 것을 느낄 수 있고, 이런 교정기술은 넓고 안정적인 최적의 피라미드 모양의 지지면(base)을 제공할 수 있다.

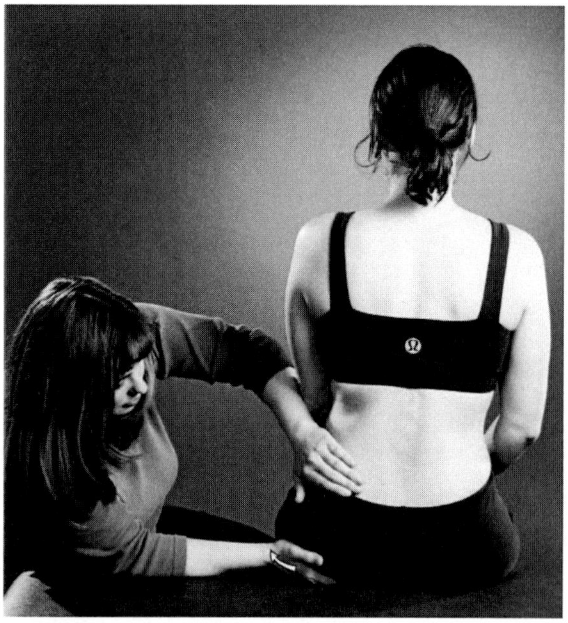

그림 10.29 앉은 자세에서의 척추 중립위 : 적절한 피라미드 모양의 지지면의 설정.
이 사진에서는 치료사가 왼쪽 골반을 교정하는 동안 환자는 오른쪽으로 기울여 앉는다. 힘의 강도는 "엉덩이 근육의 뭉침" 정도에 의해 결정한다. 마지막 자세는 좌우 엉덩이에 체중이 같은 정도로 골고루 분배되고, 골반 높이를 회복하는 것이다.

이상적인 반응 새로운 자세에서 골반은 수평면에서 중립회전되고 장골능의 높이도 수평이 된다. 교정 전 자세와 비교해볼 때, 요추의 외측굴곡과 회전은 감소되거나 완전히 교정된다. 환측 고관절의 앞뒤근육(hip muscles)은 더욱 부드러워지고 긴장도(tone)는 같아진다. 또한 대퇴골두는 무명골구 안에서 더욱 뒤쪽으로 놓이게 된다(고관절의 앞쪽에 더욱 깊은 주름이 생긴다).

진행/고려사항 환자에게 앉은 자세에서의 기능적 활동과 운동을 할 수 있도록 피라미드 모양의 지지면을 설정하는 방법을 설명한다. 무게를 이동하고 다시 되돌리기 위해 환자는 동측 손을 사용하여 좌골결절을 외측후방으로 당긴다. 환자는 좌골결절이 같은 위치에 놓여지도록 여러 번 반복할 필요가 있다. 환자 스스로 손을 이용해 교정할 필요 없이 넓은 피라미드 모양의 지지면을 만들 수 있는 자세를 취할 수 있도록 최종적인 목표를 달성하기 위해서는 고관절의 뒤쪽 근육을 이완시키는 운동과 기술을 동시에 수행해야 한다. 고관절 굴곡이 제한되어 있는 환자들은 운동 시작 시에 높은 의자에 앉게 하여 골반이 대퇴골두 위에서 앞쪽으로 움직여 중립회전 위치가 되도록 한다.

앉은 상태에서 중립척추를 유지하기 위한 자세 재교육 – 척추위치의 설정

환자와 치료사의 자세 환자는 지지면이 적절한 피라미드 모양이 되도록 의자 또는 공위에 앉는다. 만약 환자가 한쪽 또는 양쪽 고관절에 굴곡 제한이 있다면, 앉은 높이를 높여서 골반이 대퇴골두 위에서 앞쪽으로 움직이도록 한다(요추에서 중립전만이 나타나도록 한다.). 치료사는 환자의 옆쪽에 서거나 무릎을 꿇고 앉는다(그림 10.30). 손의 위치는 교정이 필요한 척추부분에 둔다(말과 손에 의한 지시로 참고한다.). 처음으로, 흉추부위의 커브를 교정하고 요추 커브, 그리고 마지막으로 머리와 경추의 위치를 교정한다.

교정기술 – 말과 손에 의한 지시 흉추 후만(thoracic kyphosis)이 감소된 부분을 위한 교정(일반적으로 과도한 척추기립근의 활동을 동반한다.).

"가슴을 아래로 내려놓으세요(sink)." 또는 "아래에 있는 내 손이 무겁게 느끼도록 내리 누르세요."

"가슴을 아래로 내릴 때, 당신의 뒤쪽 어깨가 넓어진다고 생각하세요."

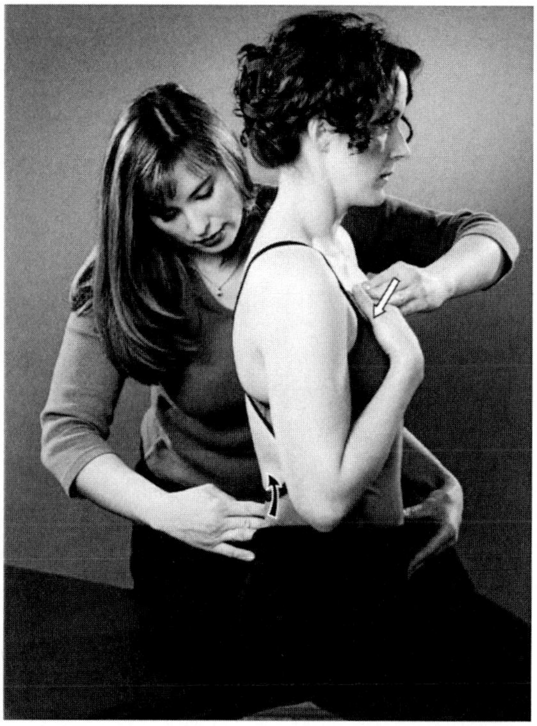

그림 10.30 앉은 자세에서의 척추 중립위 : 척추 위치의 설정
이 사진에서 치료사는 편평한 흉추후만을 고정하고, 요추 4,5번에서의 요추전만을 감소시키는 것을 보여준다. 치료사는 왼손으로 흉추상부의 흉추후만을 증가시키고 골반을 따라 흉곽이 뒤로 이동하도록 흉골 위에 압력을 가해 내리누른다. 치료사의 오른손을 천추의 상승과 요추의 완만한 전만, 그리고 흉곽 아래에서 나타나는 골반의 전방전위를 촉진시키기 위해 요추 극돌기를 통해 천천히 전상방으로 압력을 가한다.

"가슴을 무겁게 누를 때, 흉골에서 배꼽(belly button)까지의 거리가 짧아진다고 상상하세요."

흉추후만(thoracic kyphosis)이 증가된 부분을 위한 교정

"등(back)에 끈(string)이 붙어 있다고 생각하고 (커브가 증가된 부분을 촉진한다.) 그 끈이 하늘로 조금씩 당겨진다고 상상하세요."

"흉골이 조금씩 들려진다고 생각하세요."

감소된 요추전만(lumbar lordosis ; 굴곡된 요추) 교정

"꼬리뼈까지 끈이 붙어 있다고 생각하고, 그 끈이 하늘로 조금씩 당겨진다고 상상하세요."

"꼬리뼈에서부터 점차 길어진다."

"치료사의 손가락으로부터 점차 길어지는 것 같이 골반을 앞쪽으로 쏠리게 하세요."

"골반이 둥글다고 상상하고, 좌골을 넓게 만들어 골반 끝이 앞쪽을 향하도록 하세요."

"엉덩이를 넓게 벌리고, 고관절에 주름이 생기도록해보세요."

"골반을 앞뒤로 흔들어 공이 구르도록 하세요."

증가된 요추전만(lumbar lordosis ; 하나 또는 여러 곳에서 과신전된 요추) 교정

"이완하면서 등을 둥글게 만들어 등이 늘어나 길어진다고 생각하세요."

"등이 아취모양이 아니라 부드러운 커브로 늘어난다고 생각하세요."

치료사의 손 위치를 위한 도수적 신호와 부가적인 것들(조절 포인트) :

- 흉골 상부(상부의 흉추후만 감소를 위해)
- 흉골 하부(하부의 흉추후만 감소와 흉곽의 전방 이동을 위해)
- 흉곽 후면(과도한 흉추후만을 위해)
- 요추 극돌기(더 큰 전만이 필요하거나 또는 요추전만이 과도한 곳을 위해)
- 흉골병 관절(흉골각)과 치골상부(이 지점의 수직 정렬을 위해)
- 흉곽의 양쪽 전외측 또는 하부 흉곽의 후외측(전체적으로 흉곽을 후방, 전방 또는 수직으로 당길 때)
- 장골능과 고관절 굴곡 부분(골반 전방경사를 촉진시키기 위해)

손으로 지시를 할 때, 치료사는 적절한 커브를 만들기 위해 조절점(points of control)을 사용한다. 흉추후만을 증가시키기 위해서 흉골에 둔 손은 후하방(inferior and posterior)으로 압력을 준다. 흉곽에 둔 손은 과도한 커브가 나타나는 곳의 옆쪽으로부터 약간 전상방(superior and slight anterior)으로 압력을 준다. 평평한(flat) 요추를 교정하기 위하여 손가락은 약간 전상방을 향하게 하고 들어올리는 듯한 느낌으로 힘을 준다. 한두개 분절에서 요추전만이 과도하게 나타나기 때문에 과도한 전만이 나타나는 위와 아래 분절을 굴곡시키고 손가락을 편 상태로 과신전된 분절에 수직압력을 주어 커브를 늘려(lengthening)주고 신장(stretching)시킨다.

이상적인 반응 요추전만을 유발하는 것은 척추기립근을 수축시키기 위한 것이 아니라 최적의 커브(optimum curve)를 만들어내는데 있다. 앉은 자세와 같은 직립 자세(upright position)에서 척추기립근과 표층다열근의 긴장도는 어느 정도 나타나야 하지만, 대칭적이어야 하고 과도하지 않아야 한다. 흉곽과 골반사이의 경직(rigidity)은(골반에서부터 흉곽까지의 분리된 움직임이 없을 때) 척추기립근의 과도한 작용을 유발한다(흉곽의 외측 움직임을 관찰하고, 긴장도를 확인하기 위해 촉진한다.). 요추전만은 흉골에 위치한 손에 의해 촉진되기 때문에, 흉추굴곡은 먼저 교정되어야 하고 전상방으로 움직여서는 안 된다(흉추후만은 유지된다.). 목표는 흉추에서는 완만하고 일정한 후만이, 요추와 경추에서는 완만하고 균등한 전만이 나타나는 것이다. 하나 또는 두 개의 분절에서 과도한 굴곡 또는 신전이 나타나지 않도록 확인하고 관찰한다. 환자의 체중은 좌골결절 중심부에 똑같이 위치해야 하고 치골결합과 전상장골극은 같은 평면 위에 위치해야 하며 흉골병 관절(흉골각)은 치골결합과 같은 수직선상에 있어야 한다. 만약 흉곽이 골반보다 전방이나 후방으로 움직였다면 이러한 두 지점은 흉추골반 정렬(thoracipelvic alignment)을 교정하고 학습시키기 위한 촉진점(palpation point)으로 사용한다. 치료사는 흉곽 아래로 골반을 이동시켜 유지하거나 또는 골반의 정렬을 따라 흉곽을 이동시켜 적절한 피라미드 모양의 지지면을 유지하는 방법을 함께 사용한다.

진행/고려사항 호흡(breath)은 본래의 커브를 촉진시키기 위해 사용될 수 있다. "깊게 호흡하고 몸 안의 빈 공간을 공기로 채우세요."

- 어깨 견갑골 사이(흉추 중간부위가 전만인 경우)
- 흉골 아래(흉추 중간부위가 후만인 경우)
- 마지막 늑골 사이
  - 후방으로(전만인 경우)
  - 전방으로(후만인 경우)

척추커브는 먼저 시상면(sagittal plane)에서 교정해야한다. 이 교정은 회전과 외측굴곡(side bending)과 같은 부작용을 야기하기도 한다. 이러한 비대칭은 대근육(global slings)의 길이와 동원(recruitment)의 불균형, 특히 흉추골반 정렬을 조절하는 것과 관련이 있다. 견갑골의 위치와 견갑흉추 근육(scapulothoracic muscle)과 관련된 균형은 흉추골반 정렬에 영향을 미친다. 교정기술은 다음과 같다. :

- 회전되고 외측굴곡 된 흉곽의 위치를 양쪽(bilaterally)으로 촉진하면서 흉곽에 완만한 견인을 제공하여 비대칭적인 것을 교정한다(이 방법은 환자의 이완을 야기한다.). 예를 들어, 만약 흉곽이 오른쪽으로 회전되어 있고 오른쪽으로 외측굴곡되어 있다면, 치료사는 우측 흉곽하부(right lower ribcage)는 전상방으로 힘을 가하고, 좌측 흉곽하부(left lower ribcage)는 후하방으로 힘을 가한다.
- "내려간" 견갑골(하강되고 아래쪽으로 회전된)은 흉요추 외측굴곡(thoracolumbar lateral bending)과 같은 쪽에서 나타난다. 견갑골을 손이나 테이프로 지지해주는 것은 척추 위치를 교정하는데 도움이 될 것 이다.
- "오른쪽 흉곽 앞쪽을 넓게 하세요(open).", "오른쪽 흉곽과 골반 사이의 공간이 증가하거나 길어지는 것 같은 상상을 해보세요."와 같은 말의 지시(언어적 신호)는 환자 스스로가 비대칭을 교정하는 것처럼 만든다.
- 외측 늑골의 확장(expansion)과 호흡패턴은 비대칭적이다. ; 비대칭적인 척추 위치를 유발하는 근육의 긴장을 이완시키기 위해 외측늑골을 한쪽으로만 확장시키는 것을 재교육 한다.

촉진된 척추의 중립위는 환자에게 새로운 자세를 유지하게 하고, 호흡을 정상적으로 할 수 있도록 만든다. 호흡 시에 척추의 위치가 어떻게 변화하는지를 관찰한다(첨단에서 야기되는 호흡 ; apical breathing은 가끔 과도한 흉요추 신전을 야기한다.). 척추의 중립위를 유지하는 것을 촉진하기 위해서 호흡방법을 재교육시킨다(외측 늑골의 확장, 아래를 보세요.). 체간과 하지 위치의 작은 편향(deviation)은 호흡주기와 관계가 있다(Hodges 2003). 그러나 이것은 과도하거나 또는 대근육활동과 자세경직(rigidity)을 증가시키지는 않는다. 고관절의 내외측 회전을 확인하고, 만약 환자가 고관절을 능동적으로 움직일 수 없거나 수동 회전으로 할 수 없다면, 이것은 "엉덩이 근육의 뭉침 현상"과 전체 근육의 과도한 긴장을 나타낸다(아래의 전체적인 강직을 확인해 보아라.).

중립위치(neutral)를 회복하기 위한 일반적인 운동기술은 골반을 앞뒤로 움직여주는 것(pelvic rock)이다. 환자는 공이나 의자에 앉아서 골반을 전후방으로 굴리고 전후방의 두 자세 사이에서 "편안한 자세"를 찾는다. 만약 특별한 손에 의한 지시 또는 말에 의한 지시를 주지 않았다면, 이러한 종류의 운동은 주의해야만 한다. 요추골반에 기능장애(lumbopelvic dysfunction)가 있는 사람들에게 있어 "편안한" 자세는 이미 과도한 움직임이 있었다거나 조절이 저하된 부분의 움직임을 제한(restriction)하거나 금지시키는 것 중 하나라는 임상적 의미를 갖는다. 환자는 완전한 중립위치의 척추를 취할 수 없다. 이러한 운동을 행하는 동안 치료사는 대상작용(substitution pattern)을 관찰하고 촉진해야 한다. 그러나 골반을 앞뒤로 흔드는 것(pelvic rock)과 같은 특별한 교정기술은 흉추골반의 움직임(thoracopelvic movement)을 분리시키는 방법을 알게 만들고 좌골에 대하여 중력중심이 내려오는 점이라는 것을 인식시키는데 유용하게 사용된다. 골반이 후방경사된 환자는 중력중심이 좌골의 뒤쪽을 지나가고, 골반이 전방경사 되어 있는 환자는 중력중심이 좌골의 앞쪽을 지난다. 중력중심을 좌골선상으로 지나가게 하는 것이 목표이며, 환자가 독립적으로 운동할 때 스스로 확인하도록 유도한다.

네발기기 자세에서의 척추의 중립위

환자와 치료사의 자세 환자는 마루바닥 또는 침상 위에서 네발기기 자세를 취하고 어깨는 손 위에, 고관절은 슬관절 위에 오도록 한다. 만약 한쪽 또는 양쪽 고관절에 굴곡제한이 있다면, 고관절을 슬관절보다 앞쪽에 오도록 한다(만약 그렇게 하지 않는다면 환자는 요추전만을 야기할 수 없다.). 치료사는 환자 옆에 무릎을 꿇고 앉거나 선다. 치료사의 손은 교정이 필요한 흉추와 요추 커브에 놓는다(그림 10.31).

교정기술 – 말과 손에 의한 지시 흉추후만이 감소된 환자를 위한 말의 지시(언어적 신호) :

그림10.31 척추 중립위 : 네발기기 자세
이 사진에서 치료사의 위쪽 손은 흉곽아래에서 흉추후만을 회복하고, 골반과 같은 선상으로 흉곽이 이동하도록 한다. 아래쪽 손은 언어적 신호를 주는 동안 전상방으로 압력을 가해 요추 전만을 촉진한다.

"흉곽을 나에게 가까이 가져오도록 하세요; 내가 가슴을 들어올릴 때 등을 넓게 만들어 보세요."

"숨을 들이쉬면서 공기가 등(back)쪽으로 이동하도록 해보세요."

요추전만이 감소된 경우 :

"치료사의 손가락 아래가 늘어날 때, 당신 등의 위쪽부분을 넓게 유지하세요."

"엉덩이를 넓게 만들고, 등의 아래쪽 부분을 당겨서 완만한 아취형태가 되도록 만드세요."

"골반을 바닥 쪽으로 당기고, 고관절 주름을 생기게 하면서 흉곽을 넓게 만들어 그대로 유지하세요."

흉추후만이 증가된 경우 :

"늑골을 바닥 쪽으로 당기면서 나의 손 아래 있는 척추를 늘려주세요."

요추전만이 증가된 경우 :

"등을 천장 쪽으로 둥글게 만드세요(반대로 굴곡된 상태). 그리고 다시 허리 아랫부분의 아취를 만들면서 길고 완만하게 만든다고 생각하세요(여기서는 손에 의한 지시가 중요하다.)."

치료사의 손위치를 위한 부가적인 사항과 조절의 포인트 :

- 흉골병관절(위쪽 흉추후만이 감소된 경우)
- 하부 흉곽의 아랫부분을 지지(아래쪽 흉추후만이 감소된 경우)
- 흉곽 뒤쪽의 극돌기(척추후만이 과도하게 나타난 경우)
- 요추의 극돌기(전만이 증가하여 커브의 연장이 필요한 곳)
- 장골능(요추전만의 대칭을 더욱 촉진/척추를 신장시키고 골반 전방경사를 위해)
- 고관절 주름(creases)(고관절의 주름을 촉진하고 엉덩이를 넓히기 위해)

말로 지시를 할 때, 치료사는 이상적인 커브를 만들기 위해서 조절점을 사용한다. 흉추후만이 증가되는 것을 촉진하기 위해 흉골 아래에 놓인 손가락은 후방으로 천천히 압력을 줄 수 있다. 또는 팔 전체로 흉곽을 감싸 안고, 흉곽 뒤쪽이 넓어지게 하기 위해 뒤쪽으로 들어준다. 과도한 후만을 감소시키기 위해, 흉곽 뒤쪽에 놓인 한 손은 전방으로 그리고 약간 위쪽으로 압력을 가하면서 천골에 놓인 다른 한 손은 언어적 신호와 함께 아래쪽으로 밀어주어(distraction) 길어지는 것과 같은 느낌이 들도록 한다. 편평한 요추를 교정하기 위해서는, 손가락을 천천히 전상방으로 밀어 골반이 앞쪽으로 당겨짐으로써 길어지는 듯한 느낌이 생기도록 해야 하고 이때 흉추는 정상적인 후만을 유지해야 한다. 요추전만이 하나 또는 두개의 분절에서 과도하게 나타날 경우, 환자는 요추를 완전히 굴곡시켜 커브를 반대로 만든다. 환자가 전만쪽으로 다시 돌아갈 때, 과도한 전만이 나타나는 분절의 위, 아래에서 나타나는 과도한 전만에 주의를 기울인다. 장골능을 가볍게 흔들어주면서 아래(caudal)쪽으로 밀어주어 과신전된 분절에서 커브가 길어지거나 신장되는 느낌이 생기도록 한다. 머리와 목의 위치는 지지되었던 체간을 이완시킨 후에 교정한다. 일반적으로 비대칭적인 상태를 보이고, 손에 의한 지시와 말에 의한 지시는 적절한 척추의 중립 위치를 만들기 위해 한쪽(one side)에 더욱 집중해야 한다는 것에 주의한다. 예를 들어, 한쪽 고관절에서 "엉덩이 근육의 뭉침 현상"이 나타났을 때, 회전과 외측굴곡이 골반과 척추에서 나타날 수 있다. 척추의 중립 위치를 위해 신호를 줄 때, 특별한 문제가 나타나는 고관절을 이완시키고 환측의 흉곽과 골반 사이가 늘어나는 것에 환자가 집중할 수 있도록 한다.

이상적인 반응 손으로 제공한 보조력을 감소시킴으로써 환자는 숨을 참거나(breath-holding) 복부를 과도하게 긴장시키지 않고 완만한 흉추후만과 요추전만의 새로운 자세를 유지할 수 있다. 환자가 자세를 유지하면서 정상적인 호흡을 하도록 한다. 만약 흉곽상부가 앞쪽으로 내려앉거나 견갑골의 조절이 부족하거나, 요추전만이 감소되었거나 긴장되고(bracing)숨을 참는다(전체 체간이 딱딱해진다.)면, 환자는 운동할 준비가 아직 되어 있지 않다는 것을 의미한다.

진행/고려사항 환자에게 숨을 들이쉬고 내쉬게 한 다음, 요추골반을 안정시키는 심부근육(stabilizer)을 천천히 연결시킨다. 서서히 치료사의 보조를 감소시키면서 환자에게 새로운 자세를 유지하도록 한다. 환자에게 무릎 꿇은 자세를 취하게 한 다음, 다시 네발기기 자세로 돌아오게 만들 때 환자가 스스로 적절한 자세를 찾는지 관찰한다. 필요에 따라 손에 의한 지시와 말에 의한 지시를 반복하고, 환자가 보조 없이 교정된 자세를 찾도록 하기위해 치료사의 손으로 제공한 보조력을 감소시킨다.

지지하고 서있는 자세에서의 척추 중립위

환자와 치료사의 자세 환자는 벽으로부터 최소 15–30cm(6–12in) 떨어진 곳에 양발을 지지하고 벽을 등지고 선다. 무릎을 살짝 구부리고 골반 뒤쪽이 가장 먼저 닿게 보조하도록 한다(그림 10.32). 일반적으로 좋지못한 경흉추 자세(cervicothoracic position)를 유발시킬 수 있으므로 머리는 흉곽 위에 똑바로 유지하고 벽에 기대지 않는다. 치료사는 환자 옆에 서고 요추커브, 흉골, 그리고 위에서 설명한 교정이 필요한 다른 곳을 촉진한다.

그림 10.32 척추 중립위 : 지지하고 서있는 자세
환자는 척추의 위치를 교정할 수 있도록 스스로 촉진하는 지점을 사용한다. 위쪽에 위치한 손은 흉골병관절에 두고, 아래쪽 손은 치골결합을 촉진한다. 이 자세에서 척추를 중립 위치로 교정하는 연습을 할 때, 환자는 두 손이 수직선상에 위치하도록 한다.

교정기술 – 말과 손에 의한 지시 앉은 자세에서의 사용된 교정기술들은 서있는 자세에서도 적용할 수 있다. 먼저 흉추커브를 교정하고 다음으로 요추커브를 교정한다.

이상적인 반응 앉은 자세에서처럼 척추기립근 또는 표층 다열근의 과도한 작용 없이 완만한 요추전만과 흉추후만을 갖는 것이 목적이다. 요추와 흉요추관절 주변 근육의 긴장 뿐 아니라 요추 커브를 확인하는 것 또한 중요하다. 엉덩이 근육의 뭉침 현상 없이, 고관절이 자유롭게 움직여야 한다.

진행/고려사항 등을 벽에 대고 서서 요추가 평평해지도록 하고, "엉덩이를 이완하고 치골을 앞쪽으로 당겨보세요."라는 말의 지시로 전만을 감소시킨다. 환자에게 요추 커브를 어떻게 촉진해야 하는지 알려주고, 스스로 새로운 교정자세를 취할 수 있도록 한다. 환자는 벽을 향해 가하는 엉덩이의 압력 조절에 주의를 기울이면서 오른쪽과 왼쪽 사이의 압력이 똑같아지도록 만든다. 유사하게 벽을 향해 가하는 흉곽후면의 압력도 같은 정도가 되도록 만든다. 동일하지 않은 압력은 흉추골반 정열이 교정되지 않아 비대칭적으로 회전될 때 야기된다. 고관절의 내외측 회전은 "엉덩이 근육의 뭉침 현상"을 방지하기 위해 사용한다.

바로누운 자세에서 고관절–엉덩이 근육 뭉침의 이완

이상근(이상근증후군)과 좌골미골근의 과도한 활동은 천장관절의 과도한 압박을 초래한다. 반면에 내폐쇄근과 외폐쇄근, 쌍자근, 대퇴방형근의 과도한 작용은 고관절 후면의 압력을 증가시킨다. 아래의 치료기술은 엉덩이와 천장관절의 압력을 감소시키고 근육을 이완시키기에 유용한 기술이다.

그림 10.33 골반후벽(posterior pelvic wall)과 고관절 외회전근의 이완.
이 사진에서 치료사의 오른손은 복횡근의 수축을 관찰하고 매우 천천히 장골을 따라 내측 방향으로 힘을 가한다. 반면 왼손은 골반저근과 후벽의 뒤쪽에서 나타나는 압통점을 관찰하고, 매우 천천히 치골결절을 향해 외측방향으로 힘을 가한다.

그림 10.34 대퇴골두를 교정하기 위한 손의 위치. 고관절 외회전근의 이완을 촉진하기 위해 대퇴의 세로방향과 평행하게 매우 완만한 힘을 가한다. 만약 이러한 기술이 성공하면, 고관절 내회전과 외회전은 매우 자유롭고 쉽게 느껴진다(저항이 없다).

환자와 치료사의 자세 환자는 고관절과 슬관절을 편안하게 구부리고 똑바로 눕는다. 머리쪽(cranial hand)손으로는 복횡근 또는 다열근, 그리고 장골능을 촉진한다. 이러한 선택은 힘폐쇄/운동조절의 평가를 통해 얻는다. ; 근육을 촉진하여 환자를 분리하는 것은 가장 어려운 일이다. 다리쪽 손(caudal hand)은 골반 뒤쪽 벽과 과도한 활동을 보이는 고관절 외회전근을 촉진한다(압통점을 찾는다.).

교정기술 – 말과 손에 의한 지시 환자에게 복횡근 또는 다열근을 수축시키기 위해 가볍고 완만하게 숨을 들이쉬고 내쉬라고 지시한다(말의 지시는 근육계를 부분적으로 분리하고 인식시키는 훈련에 유용하게 사용된다.). 환자는 낮은 강도로 복횡근과 다열근의 수축을 유지하고, 다음 호기 시에 촉진하는 압통점에 주의를 기울인다(치료사는 그 지점에 부드럽게 압박을 가한다). 다음 호기 시에 "좌골을 이완시키고 따로따로 움직여보세요(move apart)." "치료사의 손가락 아래 근육을 부드럽게 만드는데 집중하세요."라는 신호를 준다. 장골 상부에는 내측방향의 압력을, 좌골의 하부에는 외측방향의 압력을 매우 부드럽게 가해준다(그림 10.33). 근육의 반응을 관찰한다. ; 이때 힘은 부적절한 곳에 가해지거나 반사적인 근수축을 야기해서는 안되며, 단지 이완시킬 정도의 고유수용성 정보를 제공한다. 복횡근과 다열근을 사용한 교정된(앞에서 설명한) 호흡을 3-4회 정도 반복하며, 다리쪽 손(caudal hand)은 대퇴골 원위부로 움직인다(그림 10.34). 대퇴골과 평행하게 매우 부드러운 압력을 가하고(신경계로 고유수용성 정보를 다시 제공하기 위해서), 환자는 다음 호기시에 대퇴골이 진흙 속으로 천천히 가라앉는 전신주처럼 생각하도록 한다. "다리의 무게를 대퇴골 뒤쪽에 있는 골반으로 가져가세요."라고 한다. 만약 환자가 치료사의 지시를 성공적으로 따라하면서 골반후벽(post. pelvic wall)과 고관절 외회전근을 이완시킨다면 고관절의 내회전, 외회전을 매우 자유롭고 쉽게 움직일 것이다. 만약 이러한 자세에서 계속 저항이 나타난다면 엉덩이는 아직도 뭉쳐있는 것이다.

선 자세에서의 고관절 이완, 자세 재교육

환자와 치료사의 자세 선 자세에서, 환자는 "divot"의 가장 깊은 부분에서 대결절(greater trochanter)의 후면과 서혜인대(inguinal ligament)의 중앙지점에서 고관절의 앞쪽을 촉진한다. 치료사는 환자의 앞쪽에 무릎을 꿇고 앉아 환측 고관절과 반대쪽 골반을 촉진한다(그림 10.35).

교정기술 – 말과 손에 의한 지시 "치료사의 손가락과 손가락 아래 있는 근육에 집중하세요. 그 곳의 긴장도(tension)를 느끼면서, 엉덩이의 뒤쪽이 넓어져 근육이 서서히 용해되는 것(melting)처럼 생각해보세요. 당신의 엉덩이가 치료사의 손가락 쪽으로 다시 돌아오는 것을 느껴보고 엉덩이 앞쪽에 있는 구(groove)가 엉덩이를 뒤쪽으로 움직임으로써 더욱 깊어지고 부드러워 지는 것을 상상 해보세요." 치료사는 환자의 고관절에 놓인 손으로 뒤쪽으로 천천히 힘을 가하고, 흉곽 아래에서 골반의 움직임을 촉진한다.

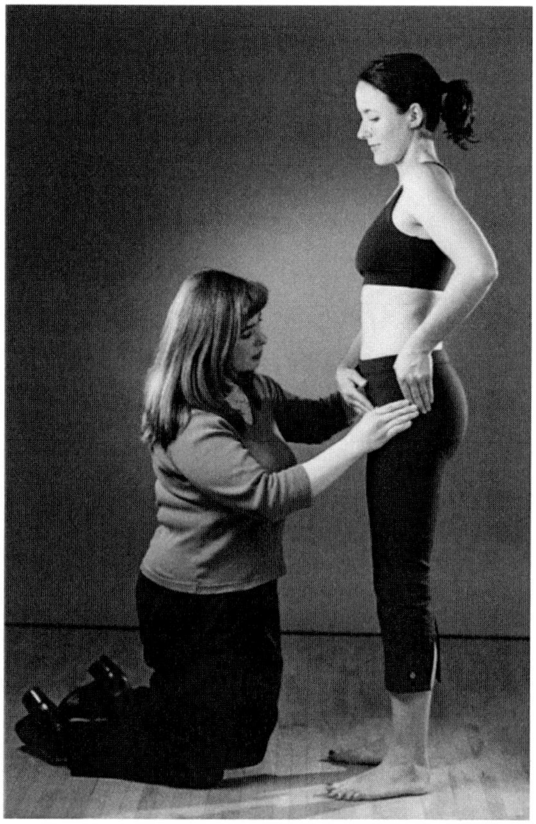

그림 10.35 선 자세에서 "엉덩이 근육 뭉침"의 이완. 치료사는 환자에게 대결절 뒤쪽과 서혜부 앞쪽에서 대퇴골두를 촉진하는 방법을 알려준다. 치료사는 이완을 촉진하고 엉덩이의 뒤쪽이 넓어지고 고관절 앞쪽 굴곡부분이 깊어지는 것을 보여준다.

이상적인 반응 Divot을 촉진하기는 쉽지 않다(깊지 않기 때문에). 좌골(innominate)은 흉골병관절(흉골각) 아래에서 치골결합이 수직정렬 상태인 것처럼, 흉곽 아래에 정렬된 대퇴골과 골반은 수직정렬 상태가 되어야 한다(그림 8.1). 만약 고관절은 이완되고, 흉곽 아래에서 골반이 완전히 이완되지 않았다면 정렬상태를 교정하기 위해 촉진점을 치골결합과 흉골병관절(흉골각)로 이동한다(그림 10.32). 척추 커브 교정이 더욱 필요하다면, 위에서 먼저 설명한 신호들을 사용할 수 있다. 자세교정 과정에서, 제공된 신호가 효과적이었다면 교정된 다른 자세를 만들 것이고, 선 자세에서 필요에 따라 간단하게 적용할 수 있다.

호흡 패턴의 회복

횡격막은 복강내압이 증가되는 동안 척추분절을 안정화시키기 위해 호흡을 유지하는 것을 포함하여 많은 기능을 갖는다(5장을 보세요.). 요추골반 기능장애(lumbopelvic dysfunction)가 있는 환자들은 일반적으로 호흡방식의 변화를 보이는데, 그 결과 호흡과 척추안정성 모두에서 효율성이 감소한다. 차선의 호흡 패턴(suboptimal breathing pattern)을 평가하고 재교육함으로써 일부 교정 목표들은 동시에 해결할 수 있다. 첫째로, 횡격막 기능이 증가한다. 둘째로 원치 않는 대근육(global muscle) 특히, 복부표층근(복사근, 복직근), 척추기립근 그리고 고관절 근육의 과도한 경직(rigidity)을 감소시킬 수 있다. 마지막으로, 호흡은 생존을 위해 일차적으로 수행되어야 하기 때문에 호흡이 우선 시 되어야 하며 척추안정성에 대한 요구는 2차적인 것으로 간주한다. 처음으로 수행되는 호흡 훈련은 다른 국소적인 근육(local system muscle)의 지구성 훈련과 성공적인 동원(recruiment)을 위한 단계로 설정한다(복횡근과 다열근의 심부근, 골반저근).

호흡근이 적절하게 작용할 때, 흉곽은 3차원적인 움직임을 보인다. 적절한 복식호흡은 흡기 시에 복부와 흉곽하부 모두 확장된다(DeTroyer 1989). 요추골반 기능장애가 있는 환자들은 외측과 외측후방으로의 늑골 확장과 같은 중요한 공통 구성요소를 잃어버리게 된다. 외측/외측후방 확장이 유발되지 않을 때, 가슴의 상부(과도한 보조 호흡근의 활동과 관련하여) 또는 복부(기능적인 복횡근 수축을 어렵게 한다)에서 과도한 움직임(excursion)이 나타난다. 몇몇 요인들은 외측/외측후방 확장의 감소를 야기할 수 있다. 흉곽(척추 또는 늑골)에서 관절 움직임 제한, 척추기립근의 흉추부위, 후거근(serratus posterior), 하복근 또는/그리고 복횡근의 과긴장, 이러한 대근육의 과도한 동원은 호흡주기 동안 나타나지만 제한되지는 않는다. 객관적 평가(objective assessment)를 수행하는 동안 관절의 제한과 근육의 과긴장 상태를 주의한다. 호흡중에 나타나는 복근의 동원상태 또한 평가한다(아래 설명). 만약 흡기 시에 복근이 동원된다면, 흉곽 확장은 끝부분(apical region)으로 제한될 것이다. 똑바로 누운 자세에서 편안하게 호흡하는 동안에 호기는 복부의 표층근의 작용 없이 수동적으로 야기된다. 복횡근만 분리시킨 수의적 운동을 가르치기 전에 이러한 방식을 교정하는 것이 중요하다. 복횡근의 분리된 수축은 나타날 수 없고, 더욱이 운동프로그램 진행과정중에 일어나는 복근의 과도한 수축은 복횡근의 적절한 수축을 방해한다(부적절한 타이밍을 야기한다.).

외측 늑골확장(lateral costal expansion)의 관찰과 촉진(facilitation)

환자와 치료사의 자세 환자는 다리를 쭉 펴거나 다리를 구부린 자세로 눕는다(둘 중 환자는 더욱 편한 자세를 선택한다). 복부와 흉곽의 아랫부분은 가능한 많이 노출시킨다. 치료사는 환자의 옆에 서고, 환자를 만져보기 전에 가슴과 흉곽 외측 그리고 흡기와 호기 시에 복부를 관찰한다. 가슴의 상부(apical breathing), 흉곽 하부의 외측부분(외측늑골의 확장) 그리고 복부(복부의 상, 하부)를 관찰하여 가장 많이 움직이는 부분을 기록한다. 다음으로 하부 흉곽의 외측에 손을 대고 움직임의 크기와 좌우대칭 여부를 관찰한다. 호기 시에 복부에서 나타나는 움직임도 기록한다. 치료사의 손은 하부흉곽 외측면에 그대로 두고, 환자에게 흡기 시 방향을 고

치도록 생각하게 한다(그림 10.36). 만약 외측후방으로의 움직임이 더욱 제한되었다면, 치료사는 손을 더욱 흉곽의 뒤쪽으로 움직여야 한다. 한쪽의 움직임이 제한되었다면, 치료사는 제한된 곳과 같은 방향으로 서고 한 손은 흉곽 아래 뒤쪽에, 다른 한 손은 같은 높이의 흉곽 앞쪽에 둔다(그림 10.37).

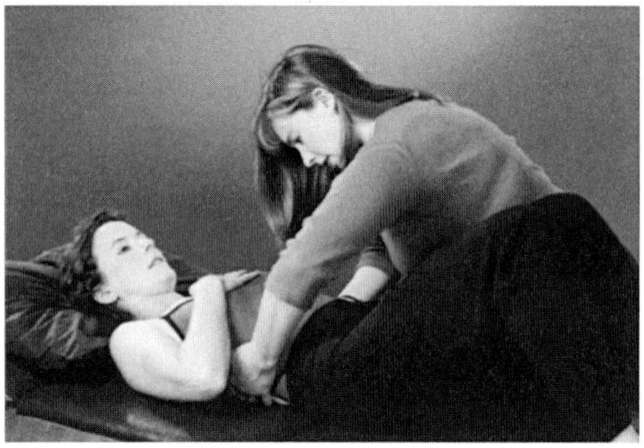

그림 10.36 누운 자세에서 외측 흉곽 확장의 촉진. 흡기 시 방향 교정을 위해 필요한 지점을 환자에게 알려주기 위해 치료사는 손으로 자극을 준다. 늑골에 반동(springing)을 줌으로써 더욱 쉽게 촉진할 수 있다. 이 사진에서 환자의 한쪽 손은 가슴 위쪽 부분이 과도하게 움직이는지를 관찰하기 위해 사용되었다.

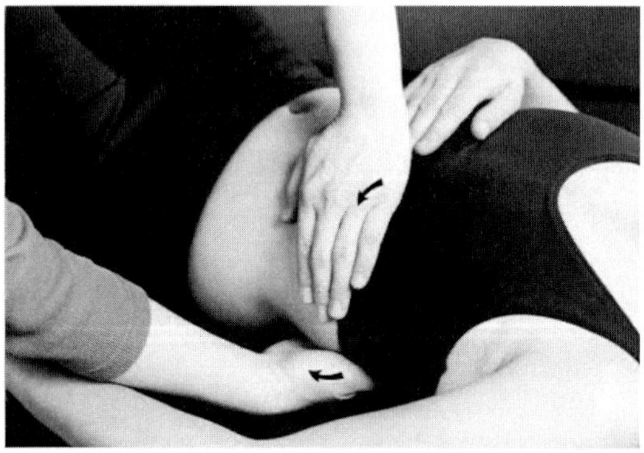

그림 10.37 편측으로 제한된 늑골 확장을 교정하기 위한 손의 자세. 흡기 시에 흉곽의 뒤쪽을 외측으로 당긴다. 호기 시에는 흉곽 전면에서 외측후방으로 압력을 준다.

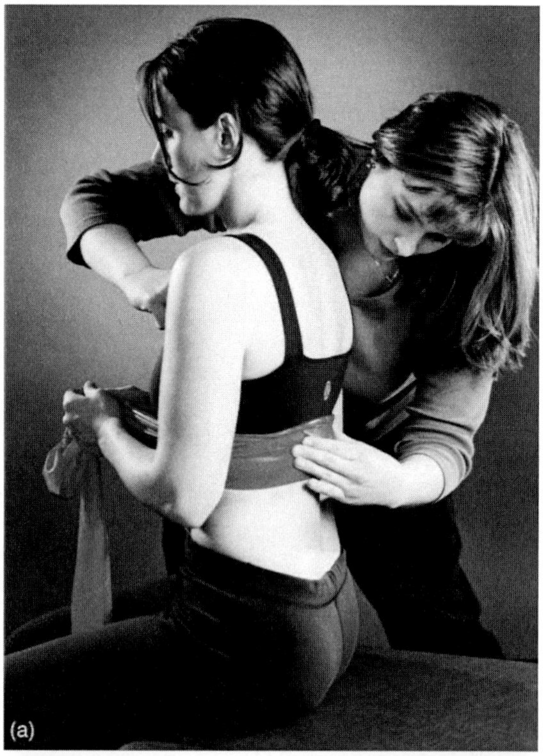

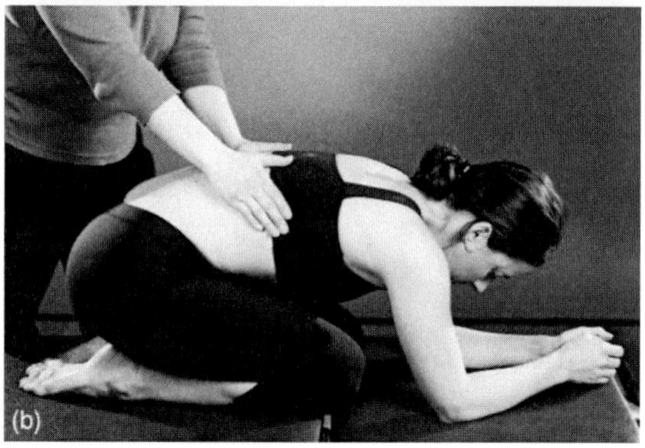

그림 10.38 후외측방향(posterolateral)으로의 늑골확장을 촉진하는 기술.

(a) 외측과 후외측 방향의 고유수용성 되먹이기 기전을 위해 저항운동밴드를 사용한다. 호흡 중에 환자는 밴드 쪽으로 흉곽이 넓어진다고 생각한다. 이 사진에서 치료사는 늑골의 뒤쪽이 넓어지도록 환자에게 신호를 주고 있다.

(b) 기도하는 자세. 치료사의 손은 흉곽후면에서 부드럽게 압력을 가하고, 호흡 시 "당신의 등을 넓어지게 만들어보세요."라고 지시하며 신호를 준다.

교정기술 – 말과 손에 의한 지시 "숨을 안으로 들이쉴 때, 공기를 당신의 손으로 가져온다고 가정해 보세요." "숨을 들이쉴 때 우산이 펴지는 것처럼 늑골이 움직인다고 가정하세요." "각 호흡 시에 늑골이 벌어져서 치료사의 손 쪽으로 움직이도록 하세요." 호기의 마지막에 양손으로 천천히 부드럽게 안쪽방향으로 압력을 주고, 흡기시작 이후로는 압력을 약간 줄여준다(rib springing). 치료사의 손을 따라서 흉곽이 벌어지게 하고 호기의 마지막에 다시 압력을 부드럽게 가한다. 편측에서 제한이 나타날 때, 척추기립근 쪽으로 압력을 천천히 가하고, 흡기 시에 손 쪽으로 벌리라는 신호를 주면서 뒤쪽에 놓인 손으로 늑골을 외측으로 당긴다. 환자가 숨을 내쉴 때, 앞쪽에 놓인 손으로 눌러 후방으로 압력을 가한다(흉추굴곡을 촉진하기 위해).

호기근의 활동을 위해 : "숨을 내쉴 때, 공기가 밖으로 빠져나가도록 하고, 복부를 이완시키세요." "치료사가 바깥쪽으로 천천히 공기를 당긴다고 가정해 보세요." "아~ 하면서 숨을 내쉬세요." "숨을 내쉴 때 흉곽과 흉골이 무겁게 바닥쪽으로 내려가도록 하세요." "숨을 내쉴 때 치료사의 손쪽으로 흉곽이 따라 내려오도록 하세요." 치료사는 환자가 숨을 내쉴 때는 그대로 유지하고, 근육을 이완시키기 위해서 흉곽을 조금씩 흔들어준다.

진행/고려사항 환자는 호흡패턴(breath pattern)에 집중하여 몇 분 동안 정상적인 호흡과 심호흡을 하루에 2–3회씩 훈련한다. 환자는 자신의 손을 흉곽의 한쪽면에 두고, 스스로 피드백을 제공한다. 반대로 저항운동밴드(예. theraband)를 사용하여 흉곽하부 주위의 고유수용성 피드백을 제공할 수 있다(그림 10.38a). ; 유연성과 흉곽의 확장을 야기할 수 있는 최소한의 저항을 사용한다. 이러한 기법은 특히 외측후방 확장이 감소된 환자, 과도한 척추기립근의 활동을 보이는 환자 그리고, 과도한 흉요추 신전을 보이는 환자에게 유용하다. 바람직한 호흡패턴으로 평가된 변형된 자세들은 환자에게 다른 자세에서의 수행을 더욱 용이하게 한다. 늑골의 외측후방 확장을 촉진하기 위해 기도하는 자세(prayer position)를 사용할 수 있다(그림 10.38b). 환자는 팔꿈치를 구부려서 바닥에 놓고 무릎을 구부린다. 엉덩이는 발뒤꿈치에 닿도록 하고 머리는 손 위에 편안하게 둔다. 이러한 굴곡된 척추자세는 흉곽 뒷부분을 넓어지게 하고, 과도한 하복부 호흡을 억제하는 동안 척추기립근의 과긴장 상태를 이완하게 한다. 배가 나온 환자들은 바로 누운자세에서의 호흡운동이 불편할 수 있는데, 옆으로 누운자세로 변경하여 호흡운동을 하면 더욱 쉽고 성공적으로 운동할 수 있다. 새로운 호흡패턴을 더욱 자연스럽게 수행할 수 있게 되면, 다른 활동(앉기, 서기, 걷기 등)을 하는 동안, 다른 자세 그리고 하루 중 다른 시간에 호흡패턴을 연습한다.

호흡, 후외측 방향의 늑골 확장(costal expansion)과 척추기립근의 이완(erector spinae release)

환자와 치료사의 자세 환자는 다리를 쭉 펴거나 무릎을 구부리고 똑바로 눕는다(환자가 더욱 편안한 자세로 선택한다.). 치료사는 환자의 옆에 선다. 치료사는 손을 국자모양으로 만들어 양쪽 체간과 흉곽 아래에 두고, 흉추부 척추기립근의 과긴장된 곳을 촉진한다. 2번째 요추와 흉요추관절(thoracolumbar junction)을 시작으로 흉추의 중간/상부까지 움직여 가며 과긴장된 상태가 가장 심한 곳을 찾는다. 만약 일차적으로 한쪽에만 제한이 있다면, 그림 10.37에서 설명한 것처럼 한 손을 사용하는 방법으로 교정한다.

교정기술 – 말과 손에 의한 지시 위에서 설명한 호흡기술을 사용하는 동안, 환자가 숨을 내쉬는 만큼 깊게 누르는 압력을 과긴장된 근육에 가하면서 다음과 같이 말로 지시한다. : "당신의 등이 바닥에 떨어진 잉크 얼룩(blot)이라고 가정하고, 숨을 내쉴 때마다 잉크 자국이 점점 더 크게 마루바닥에 퍼진다고 생각하세요." 환자가 숨을 내쉴 때, 만약 흉곽의 뒤쪽이 넓어진다면 손 전체로 흉곽을 외측으로 당기고, 손가락 끝(finger pads)으로는 근육의 압통점에 압력을 가한다. 만약 한쪽 손만을 사용한다면, 환자가 숨을 내쉴 때 앞쪽에 놓인 손을 이용해 후방으로 압력을 가함으로써 무거운 느낌을 느끼도록 한다.

전체 근긴장의 체크포인트

재활과정을 통한 우리의 목표는 경직(rigidity)을 줄이고 움직임과 안정성을 증가시키는 것이다. 요추골반-고관절 기능장애가 있는 환자들은 여러 곳에서 볼 수 있다. 아래의 기술들은 치료와 운동을 하는 중 어느 때라도 대근육(global muscle)에 과도한 활동이 있는지 알아보기 위해 사용한다.

늑골 흔들기(Rib wiggle)

손은 양쪽 흉곽의 외측면에 둔다. 한 손은 한쪽 방향으로 수평방향의 힘(translation force)을 외측으로 제공하고, 다른 한 손은 반대방향으로 수평방향의 힘을 준다. 좌우로 진동하는 수평방향의 병진운동(oscillatory translation)을 여러 번 반복하여 제공하고, 가해지는 힘에 대한 저항의 크기를 기록한다. 작은 힘을 가해 대칭적인 외측 움직임을 유발한다. 외측관절 움직임의 감소는 움직임의 제한을 나타낸다.

호흡패턴(Breathing pattern)

호흡하는 동안 흉곽을 관찰한다. 만약 전체 근육의 과도한 활동이 나타난다면, 양쪽 또는 한쪽 흉곽이 부적절하게 확장되는 것이다.

고관절의 내회전/외회전

고관절의 내외측 회전 범위의 감소는 대근육의 과도한 활동을 의미한다. 소근육(local system)이 동원될 때에도, 고관절 회전이 쉽게 일어나도록 변화시키지는 못한다. 따라서 많은 운동에서 고관절 회전은 대근육(global system)이 과도하게 동원되지 않았다는 것을 의미한다. 이러한 테스트는 누운자세, 무릎을 구부리고 누운자세, 앉은 자세, 지지하고 서있는 자세 그리고 다른 기능적인 자세에서 더욱 쉽게 수행된다. 치료사는 환자의 하퇴를 가볍게 잡고, 고관절은 수동적으로 내회전 시킨 후, 외회전 방향으로 서서히 힘을 준다. 반면 환자는 능동적으로 고관절을 내/외회전 시키려는 시도에 의해 스스로 확인할 수 있다(chicken exercise는 저항이 있을 때 척추가 중립 위치를 유지하는 것을 보여준다. : 체간과 하지의 분리-보조를 받고 서있는 자세, 아래).

발가락 흔들기(Toe wiggle)

운동이 진행됨에 따라 직립자세, 체중부하 자세, 하지의 정렬과 대근육의 활동을 고려해야 한다. 발가락이 굴곡상태를 보이는 것은 하퇴의 대근육(global sling)활동이 불균형 하다는 것을 나타낸다. 환자에게 운동 중에 "발가락에 힘을 빼세요."라고 말하고, 운동을 반복하는 동안에는 "발가락을 흔드세요."라고 말로 지시하는 것은 발가락의 경직(rigidity)을 교정하는 효과적인 방법이다.

정렬을 교정하기 위한 기술 (CORRECT ALIGNMENT)

요추, 골반 그리고 고관절 중 하나의 관절에서 압력이 감소하면, 뼈의 정렬이 나타난다. 때때로 압력을 줄이는 방법이 정렬상태를 회복시키기도 하지만, 만약 잘못된 정렬 상태가 존재한다면 다음과 같은 기술들로 대근육계(global system)의 긴장 균형을 조절할 수 있다. 이러한 기법들은 요추 여러 분절에서 나타나는 회전을 동반한 측만(rotoscoliosis)과 골반 내 회전(torsions)을 교정하는데 사용한다(좌골의 회전/들뜸 그리고 천골회전). 결과적으로 운동은 적절한 정렬상태를 유지하고, 오래된 부적절한 습관으로 돌아가는 것을 방지한다.

요추 여러 분절에서 나타나는 회전을 동반한 측만–좌측 편측굴곡/우측 회전

환자와 치료사의 자세 환자는 팔로 반대쪽 어깨를 잡고 발을 바닥에 지지하고 앉는다. 치료사는 환자의 왼쪽에 앉는다. 뒤쪽 손(dorsal hand)은 외측굴곡 된 커브 끝지점의 요추를 촉진한다. 앞쪽 손(ventral hand)은 반대쪽 어깨위에 두고, 요추가 우측으로 외측 굴곡 되고 좌측으로 회전하는 것을 제한한다(그림 10.39).

교정기술 – 능동적 움직임 치료사가 체간의 우측 회전에 대해 완만한 저항력을 제공하는 동안 환자는 이러한 자세를 계속 유지하는 방법을 배우게 된다. 등척성 수축은 5초 동안 유지한 다음 완전히 이완한다. 새로운 외측굴곡/회전이 제한되는 지점에 집중하게하고, 움직임을 3회 반복한다.

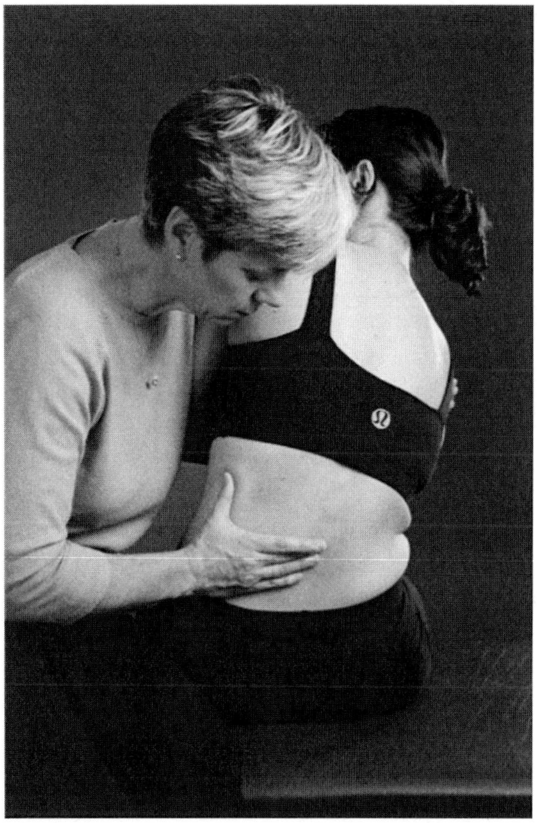

그림 10.39 요추 여러 분절에서 나타나는 회전을 동반한 척추 측만(rotoscoliosis)을 교정하기 위한 좌측 굴곡과 우측 회전을 통한 능동적인 움직임 기술

골반 내 긴장–좌골의 전방회전

환자와 치료사의 자세 환자는 고관절과 슬관절을 굴곡한 상태로 눕는다. 한 손은 3,4번째 손가락으로 천골구의 내측에서 후상장골극 쪽으로 촉진한다. 굴곡된 고관절과 슬관절은 치료사의 어깨와 팔로 지지하고, 고관절의 굴곡, 내전, 내회전을 제한한다. 좌골의 후방회전 제한은 수동적으로 대퇴골을 굴곡, 내전, 내회전하는 것에 의해 새로운 제한점을 갖는다(그림 10.10).

교정기술 – 능동적 움직임 이러한 자세에서 환자는 치료사에 의해 완만하게 증가된 고관절 굴곡에 저항하는 것을 배우게 된다. 등척성 수축은 5초 이상 유지하고 그 후, 완전히 이완한다. 좌골은 후방회전의 새로운 제한점을 가지게 되며, 이러한 기술은 3회 반복한다.

골반 내 긴장-무명골의 후방회전

환자와 치료사의 자세 환자는 치료대 끝쪽에 가까이 엎드린다. 대퇴 원위부의 전면은 머리쪽 손(caudal hand)으로 촉진하고, 좌골의 후상장골극은 다리쪽 손(cranial hand)으로 촉진한다. 좌골 전방회전의 제한은 다리쪽 손으로 좌골을 전방회전 시키면서, 머리쪽 손으로 대퇴를 수동적으로 신전시켜서 교정한다(그림 10.14).

교정기술 - 능동적 움직임 이런 자세에서 환자는 치료사에 의해 천천히 증가된 고관절 신전에 대해 저항하는 것을 배우게 된다. 등척성 수축은 5초 이상 유지되어야 하며, 그 후 완전히 이완한다. 그 후 수동적으로 좌골은 새로운 제한점을 가지게 되며, 이러한 방법을 3회 반복한다. 좌골의 내회전과 외회전은 다열근과 복횡근의 기능감소를 보여주며, 소근육인 두 근육의 균형과 기능이 회복되는 것으로 교정할 수 있다. 천골회전(앞쪽 L/L, R/R, 뒤쪽 R/L, L/R)은 골반저근과 다열근의 기능을 감소시키며, 이 두 근육 사이의 균형을 회복시키는 것에 의해 교정될 수 있다.

근육내 자극을 통한 압력의 감소

IMS와 dry needling은 Chan Gunn(Gunn 1996)에 의해 발달된 방법이며, 이러한 방법은 과긴장 된 대근육을 이완시키는데 효과적이다. Gunn(1996)에 따르면 관절을 가로지르는 근육의 길이가 짧아지면, 관절 압력이 증가하고, 정렬상태가 망가지게 되며, 관절통(arthralgia)과 같은 관절의 통증이 갑자기 나타날 수 있다고 하였다. 짧아진 근육에 dry needling을 시행한 후 촉진에 의해 즉각적으로 근육이 이완된 것을 확인할 수 있고, 환자는 이완되고 움직임의 범위가 증가하는 느낌을 느낄 수 있다. 이러한 이완은 국소적이고 대근육의 신경근 재교육과 IMS를 함께 적용할 때 나타나며, 오래 지속될 수 있다.

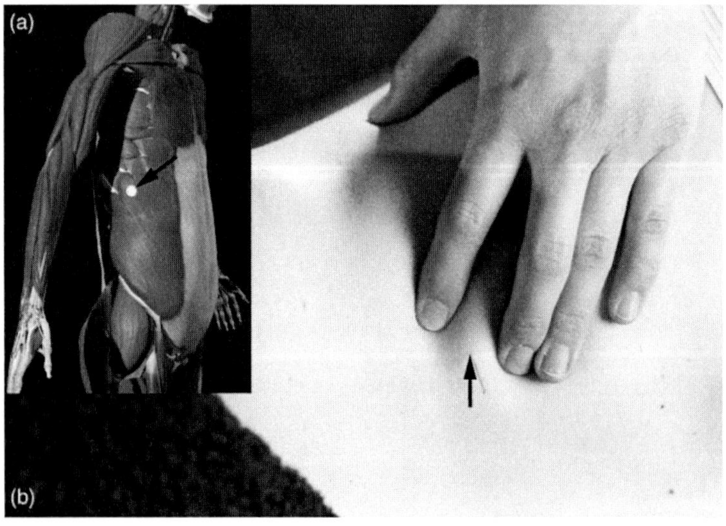

그림 10.40
(a, b) 늑골전면부에서 과긴장된 외복사근을 직접 이완시키기 위한 근육 내 자극점. 치료사는 손가락 사이에 늑골을 고정시키고, 늑골의 앞쪽에 바늘(needle)이 위치하도록 해야 한다. 임상에서, 바늘의 조절은 항상 다른 한 손을 사용하며 그림에서는 생략하였다.

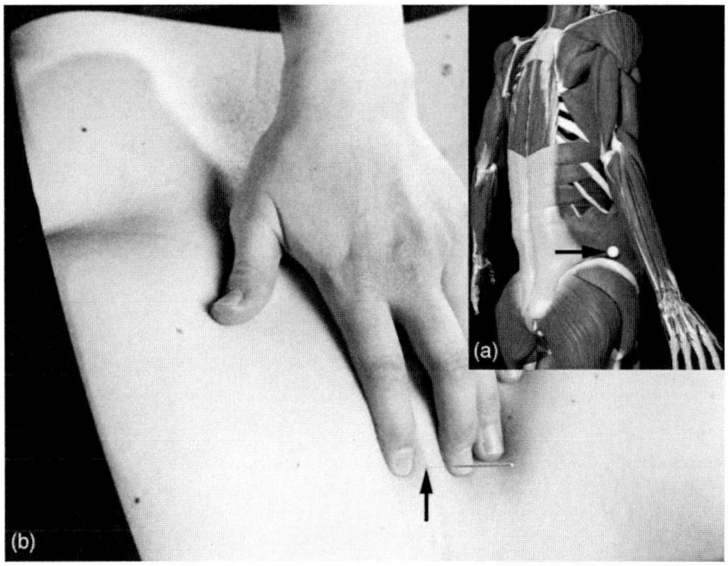

그림 10.41
(a, b) 장골능을 따라 나타나는 과긴장된 내복사근을 이완시키기 위한 근육 내 자극점.

Dr. Gunn은 근육 내 과긴장된 압통점 뿐만 아니라 손상된 근육을 지배하는 척추분절 모두를 치료할 수 있다고 주장하였다. 요추골반–고관절 부분에 압력이 감소되었을 때, 아래의 근육들(그리고 이러한 근육과 관련된 척추분절)을 IMS로 치료할 수 있다. :

1. 외복사근 – T7–T12 지배분절(그림 10.40a,b)
2. 내복사근 – T7–L1 지배분절(그림 10.41a,b)
3. 척추기립근 – 모든 척추분절의 dorsal rami(그림 10.42a,b)
4. 천골위의 표층 다열근 – 모든 척추분절의 dorsal rami(그림 10.43a.b)
5. 좌골미골근 – 천골총 S3, S4(그림 10.45)
6. 이상근, 쌍자근, 내폐쇄근, 대퇴사두근, 중둔근 – ventral ramiL4, L5, S1(그림 10.44a–c)
7. 내폐쇄근 – L5, S1, S2(그림 10.45)
8. 광배근 – C6, C7,C8(그림 10.46a,b)
9. 대둔근 – L5, S1,S2(그림 10.47a,b)
10. 대퇴근막장근 – L4, L5(그림 10.48a,b)

소근육의 분리와 인식 훈련(ISOLATION AND AWARENESS TRAINING FOR THE LOCAL SYSTEM)

소근육을 재교육하기 위해, 환자에게 대근육으로부터 소근육을 분리시키고, 분리시킨 심부근육의 긴장성 수축을 유지하는 방법을 먼저 가르친다. 이것은 대근육과 연결하여 소근육이 정상기능을 수행하도록 하는 것이기 때문에 인위적으로 수행해야 한다(artificial). 그러나 기능적인 움직임과 근육의 작용이 함께 나타날지라도, 중추신경계는 대근육과는 상관없이 독립적으로 소근육을 조절한다. 기능장애가 있는 경우, 이러한 독립적인 조절을 잃게 된다. ; 소근육의 운동조절 전략이 변화하기 때문에 그것을 분리시켜 훈련해야 한다. 분리시키는 방법, 긴장을 유지하는 능력의 훈련, 소근육의 동시수축(co-contraction) 훈련, 기능적 활동에서 대근육과 통합하는 방법은 소근육의 조화로운 균형훈련에 효과적이다(Hides 등 1996, 2001, O'sullivan 등 1997, Richardson 등 1999).

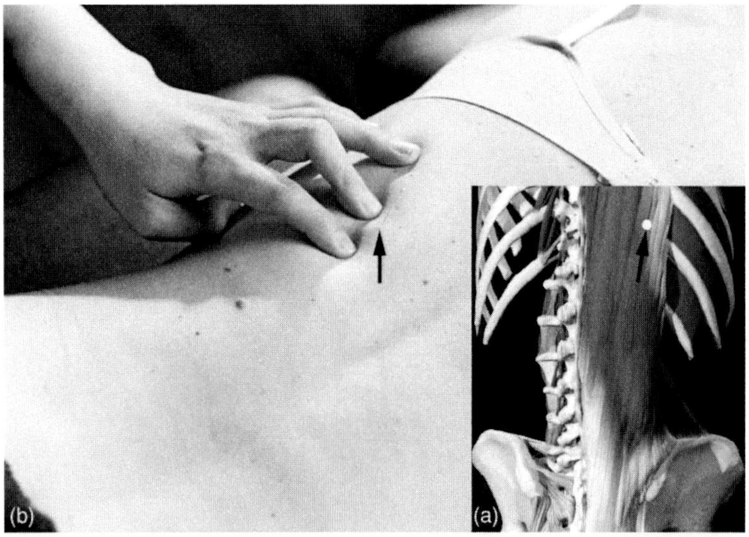

그림 10.42
(a, b) 늑골 후면에 위치한 과긴장된 장늑근, 요장늑근(iliocostalis lumborum)을 이완시키기 위한 근육 내 자극 점. 치료사는 손가락 사이에 늑골을 고정시키고 늑골의 뒤쪽에 바늘이 위치하도록 해야 한다. 임상에서, 바늘의 조절은 항상 다른 한 손을 사용하며 그림에서는 생략하였다.

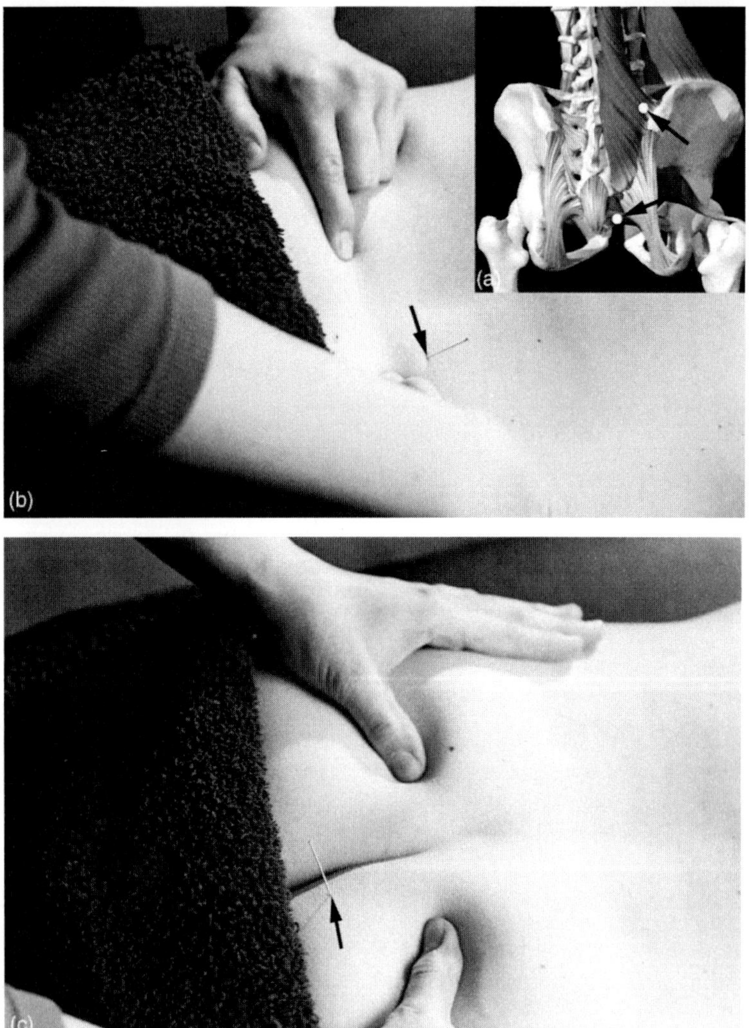

그림 10.43
(a) 과긴장된 천골다열근(sacral multifidus)의 표층과 좌골미골근의 이완을 위한 자극점.
(b) 표층 다열근
(c) 좌골미골근(ischiococcygeus)

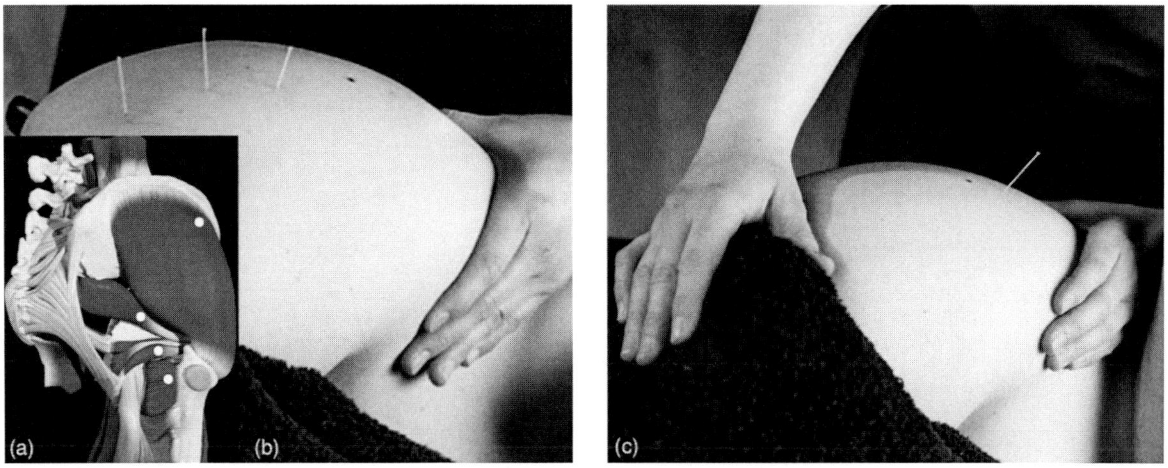

그림 10.44 (a) 과긴장된 이상근, 심부에 위치한 고관절 외회전근과 중둔근을 이완시키기 위한 근육 내 자극점. (b) 이상근, 내폐쇄근/쌍자근, 대퇴방형근 (c) 중둔근

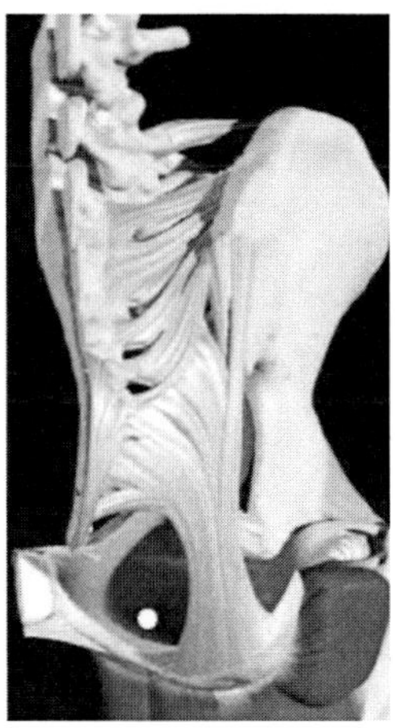

그림 10.45 일반적인 트리가포인트와 내폐쇄근에 대한 효과적인 근육내 자극점 (Reproduced with permission from Primal Pictures 2000)

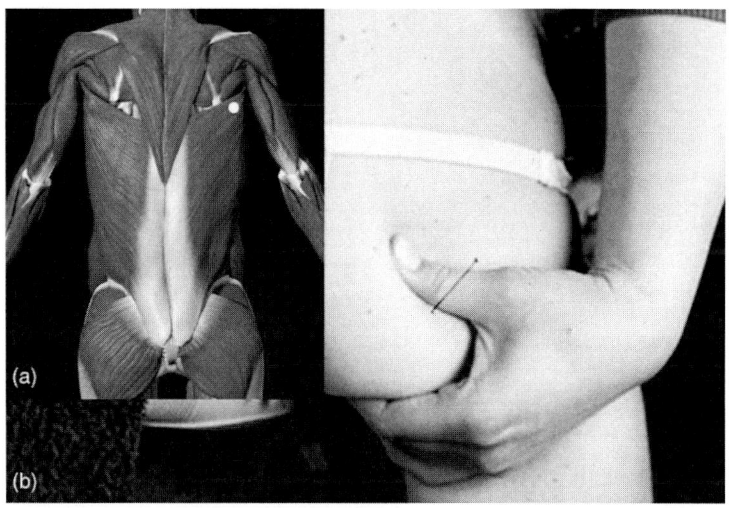

그림 10.46 (a, b) 광배근은 흉곽과 요부 모두에 작용하는 강력한 압축근(compressor)이다. 이곳은 효과적으로 이완시키기 위한 근육 내 자극점이다. 일반적인 트리가포인트와 내폐쇄근에 대한 효과적인 근육내 자극점(Reproduced with permission from Primal Pictures 2000)

소근육의 동시수축에 대한 평가는 8장에 소개되어 있으며, 건강한 운동계(healthy motor system)에서 소근육의 활동을 설명하고 있다. 기능장애 환자에게 있어서 이러한 신호는 가끔 요구된 근육의 회복을 촉진하기에 부적절하다. 결과로는 :

- 하나 또는 그 이상의 소근육의 활동이 없다(복횡근, 다열근의 심부근, 골반저근).
- 하나 또는 그 이상의 소근육의 비대칭적 활동(반응의 크기와 시점에 있어)
- 하나 또는 그 이상의 소근육의 위상활동(모양이 변하는 활동)

- 적절한 작용 그러나 수축하는 동안에 적절한 횡격막 호흡을 유지하기 위한 무능력
- 대근육의 과도한 활동양상과 연합된 그 이상의 것들

이러한 부적절한 작용형태는 촉진, 시진 그리고 초음파 검사로 알 수 있다. 그러나 소근육계에서 하나 이상의 기능장애가 종종 나타나기 때문에, 임상가들은 어느 근육을 먼저 교정할 것인지를 결정해야 하고, 소근육에서 나타난 어떠한 문제점(deficiencies)이라도 적절하게 치료해야 한다. 임상적으로 도수 압박의 방법과 가장 먼저 교정된 소근육을 평가하는 ASLR test에서 얼마나 쉽게 수행되는지를 관찰해야 한다. 이러한 근육은 한쪽 다리로 서기 검사의 지지단계(support phase)처럼 기능적인 검사에서 가장 유의하게 나타난다(8장). ASLR과 도수근육은 대근육과 소근육의 기능향상에 따라 압력의 크기와 위치를 변화시키는 형식으로 치료의 각 단계 후에 재평가 한다.

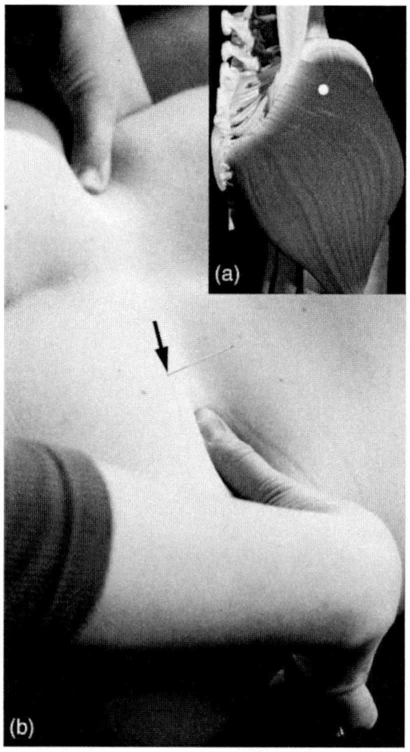

그림 10.47 (a,b) 과긴장된 대둔근을 이완시키기 위한 근육 내 자극점.

소근육 회복의 첫 단계는 근육의 해부학, 위치 그리고 기능에 대해 환자를 교육시키는 것이다. 환자는 소근육을 위한 운동(뇌에서 근육을 사용하는 방법의 장

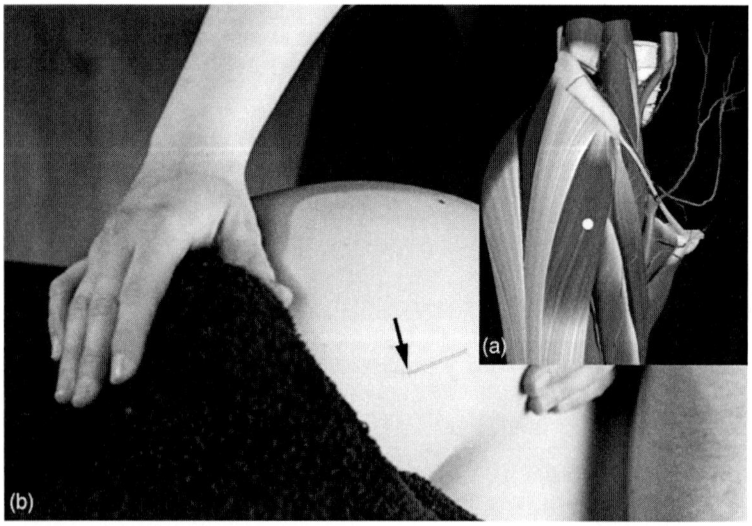

그림 10.48
(a,b) 과긴장된 대퇴근막장근의 이완을 위한 근육 내 자극점.

애이기 때문에, 뇌에 전해지는 신호를 사용해야 한다)과 근력과 힘(무게와 움직임을 이용한다)을 위한 운동 사이의 차이점을 이해하고, 기능장애를 보이는 근육의 회복을 위한 훈련을 시작할 수 있다.

횡격막을 재훈련시키는 방법은 위에 설명되어 있다. 골반저근, 복횡근, 그리고 다열근의 심부섬유를 위한 특별한 촉진 신호와 기술은 아래에 기술되어 있다. 그러나 소근육의 훈련에 적용할 수 있는 일반적인 지침이다.

- 목표는 적절한 호흡방법과 그것을 유지하는 동안 소근육의 동시수축과 대칭적 수축이다.
- 최고 수의적 수축의 10-15% 정도의 최소 수축을 장려한다. 가끔 환자에게 결과를 야기할 수 있는 수축정도 보다 약한 정도로 수축하는 것을 요구할 수 있다.
- 대근육은 활성화되면 안 된다.
- 수축과 동반된 척추와 골반의 움직임이 없어야 한다.
- 환자는 가능한 한 천천히 수축한다. ; 적절한 수축 속도를 촉진하기 위해 말에 의한 지시를 느리게 주고, 촉각에 의한 지시도 느리게 제공한다. 위상반응(phasic response)이 있거나, 대근육의 움직임이 관찰되면 수정한다.
- 대근육은 최대한 이완하고, 적절한 방법으로 호흡하고, 척추의 중립위치를 촉진하는 자세를 선택한다.
- 뇌－신체 연결을 회복하기 위해 움직임 대신에 상상과 정신적 목적을 사용한다. ; 행동대신에 생각한다.
- 비대칭적 활동을 알아내기 위해 양쪽으로 근육을 촉진한다. 환자는 기능장애를 해결하기 위해 여분의 정신적 에너지와 여분의 촉진압력을 조금씩 사용할 수 있다. 운동을 위해 선택된 자세가 기능장애 쪽의 동원능력에 영향을 줄 수 있으므로 주의 한다(예, 좌측으로 옆으로 누운자세 vs 우측으로 옆으로 누운자세).

골반저근(PELVIC FLOOR)

Sapsford 등(2001)은 복근의 작용은 골반저근의 수축과 동반된다고 설명하였다. 전면부의 골반저근(치골미골근)의 수축을 가정하거나 설명하는 것은 분리된 복횡근 수축을 야기하기 위한 유용한 촉진기술이며, 아래에서 설명한다. 이 연구에서는 골반 중립위(position of neutral pelvic tilt) 자세에서 골반저근의 최대하 수축을 사용하는 것이 복횡근의 수축을 가장 촉진시키는 방법이라 하였다. 복벽의 촉진은 골반저근 기능의 지표로 유용하게 사용된다. ; 부풀거나 또는 긴장성 수축이 나타나는 것은 초음파에서 levator plate(기능적 골반저근)의 하강과 일치한다(O'sullivan 등 2002). 그러나 만약 골반저근의 작용을 위한 말에 의한 지시와 함께 성공적으로 복횡근 수축의 분리가 야기된다면, 골반저근이 정상적으로 수축되었는지 확인할 수 없다. Bump 등(1991)은 언어적 교육이나 필기교육을 시행하였을 때, 부인과와 요동역학적 검사에 문제가 있는 여성 환자 49%에서 골반저근의 수축이 교정되었다고 하였다. 골반저근의 기능장애는 요천추 기능장애를 가진 환자 뿐 아니라(O'sullivan 등 2003), 천장관절 기능장애(O'sullivan 등 2002)를 가진 환자에게서도 나타날 수 있다. 따라서 골반저근의 기능을 알아보는 특별한 평가가 필요하다.

골반저근의 기능을 평가하기 위한 비침습성(non-invasive) 방법은 실시간 초음파 검사를 하는 것이다(8장에서 설명). 방광을 수평면과 사방면(parasagittal view)으로 보면, 골반저근의 수축은 방광 벽의 침식(encroachment)과 느린 속도로 움푹 들어가게(indentation)하는 결과를 보인다(그림 10.49

a,b). 실시간 초음파(real-time ultrasound)를 관찰할 때, 수축이 나타나지 않거나 발살바(valsalva) 반응이 나타나면, 화면에 적절한 반응이 나타나도록 환자에게 다른 신호를 주어야 한다. 골반저근의 긴장성 안정화 기능을 재훈련 할 때, 뒤쪽(항문)보다는 앞쪽(질 또는 요도)에 집중하여 느리고 완만하게 최대하 수축이 일어나도록 주의한다. 환자는 10초 수축, 10회 반복을 마지막 목표로 설정한다. 그러나 수축 회수와 수축 시간을 매일 다르게 주어 정확하게 수행한다. 환자에게 스스로 수행할 수 있는 운동 지침을 제공한다. 요실금 스트레스를 가진 환자 그룹은 비대(hypertrophy)와 근력 훈련 그리고, 골반저근의 긴장성 유지능력을 훈련하기 위해 두 가지의 지침이 필요하다(Bo 등, 1990). 여기에 나타난 적용법은 다른 소근육과의 결합과 분리 모두에 있어 골반저근의 안정기능과 운동조절 손상에 사용된다.

실시간 초음파는 복벽의 촉진과 함께 사용할 수 있고, 골반저근의 기능을 평가하기 위해 관찰할 수 있다. 비정상적인 반응의 일반적인 임상양상은 촉진과 교정방법에 설명되어 있다.

초음파 영상 – 방광이 움푹 들어가거나, 올라가는 움직임이 없는 관찰

방광모양은 후하방면에서는 변하지 않고, 사면에서는 전상방 운동(cranio ventral motion)이 나타나지 않는다(그림 10.49a). 몇몇 움직임들은 호흡주기 동안 명백하게 나타나지만, 환자가 요도를 짜내거나 질/고환을 올리는 생각을 할 때는 변화가 없다.

복벽의 촉진 일반적으로 복벽의 긴장도는 변하지 않는다. 손가락을 눌러보아 복부의 부드러움을 감지할 수 있다.

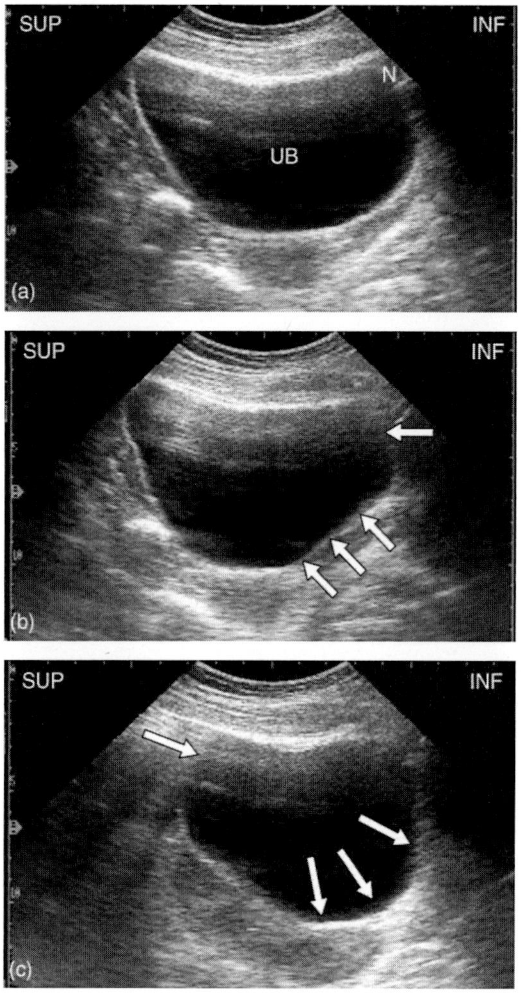

그림 10.49 초음파 영상 : 방광, 시방면.
(a) 휴식기. UB, 방광 ; N, 방광경(neck of bladder) ; SUP, 상방 ; INF, 하방. 만약 골반저근의 수축이 나타나지 않는다면, 이 영상은 변하지 않을 것이다. ; 방광벽이 올라가는 현상이나 울퉁불퉁해지는 것을 관찰할 수 없다.
(b) 골반저근의 동원으로 방광벽의 후하방 측면이 느리게 울퉁불퉁해지고, 후상방으로 이동하였다.
(c) 발살바 현상에 의해 방광의 모양이 변형되었고, 전하방으로 이동하였다.

시진 호기 시에 숨을 참는 것과 골반저근 또는 복부 표층근이 작용하는 것은 동시에 나타난다. 그러나 일반적으로 복부 표층근의 다른 움직임이 나타나지 않는 것은 수축을 시도할 때 명백히 나타난다.

교정기술 – 말에 의한 지시 이러한 경우 환자는 수축에 대한 생각과 수축의 실행 사이에서 완전한 신경경로(neural pathway)를 가질 수 없다. 수축을 야기해야 하기 때문에, 초음파 결과에 주의하면서 다른 신호를 사용해야 한다. 말에 의한 지시의 예 :

- 여성의 경우 : "쥐어짜는 생각 대신에 tampon을 들어올린다고 가정하세요."
- 남성의 경우 : "차가운 호수에서 천천히 걷는다는 상상을 하고, 물이 허벅지 사이를 올라오기 시작했다고 가정하세요."
- "당신의 치골과 꼬리뼈가 끈으로 연결되어 있고, 좌우측 좌골 사이가 연결되어 있다고 생각해보세요. 끈을 졸라매는 것처럼 가운데로 끈을 당기세요."
- 다른 방법으로, 복횡근 또는 다열근의 심부 섬유를 위한 신호는 수축을 야기하기 위해 사용할 수 있다.

• 만약 부적절한 호흡방법이 나타난다면, 교정된 횡격막 호흡을 가르치는 것이 필수적이다. ; 골반저근의 기능을 회복하는 것은 횡격막의 기능과 밀접한 관련이 있으며, 그것은 복강내압에 영향을 미친다.

반응의 부재는 신경손상과 골반저근의 과긴장 또는 골반저근의 근막연결(fascial connection)이 불충분한 것으로부터 야기된 결과이다. 만약 위와 같은 신호 후에도 반응이 관찰되지 않는다면, 호흡패턴을 교정하거나 골반저근 교육도구(www.neen-health.com)와 같은 되먹임 기구(feedback tool)를 사용할 수 있다. 이러한 도구들은 몇몇 고유수용성 피드백을 제공할 수 있고, 교정된 활동을 수행할 수 있다는 확신을 가지고 수축을 연습해야 한다. 골반저근의 기능은 실시간 초음파 검사를 통해 1-2주 후에 재평가 한다. 만약 그 후에도 변화가 없다면, 골반저근을 전문으로 하는 치료사에게 보내거나 골반저근의 도수검사를 제안한다.

초음파 영상 – 방광이 움푹 들어가는 현상 없이 후하방 움직임(발살바)의 관찰 (no indentation of the bladder, caudodorsal movement(Valsalva)observed)

방광을 사방면로 보면 후하방(caudodorsally)으로 움직인다(그림 10.49c). 수평면에서 보면, 뒤쪽 구성물이 보이고 비대칭적인 것들이 모두 뚜렷하게 보인다.

복벽의 촉진 부풀거나/긴장이 나타나고, 이것은 천천히 또는 빠르게 증가한다.

시진 표층의 복근 특히, 내복사근과 외복사근의 작용을 기록한다. 흉곽에서 굴곡이 일어나며, 만약 척추기립근의 흉추부분의 동시수축이 없다면, 복횡근의 굴곡요소가 반대로 작용한다. 복부는 흉곽이 좁아지는 것과 동시에 부풀게(bulge) 된다.

교정기술 – 말에 의한 지시 목표는 발살바 움직임을 야기하는 대근육의 작용을 감소시키고, 골반저근의 적절한 상승(lift)을 훈련시키는 것이다. 환자가 화면에 집중하도록 하고 치료사는 수축을 시도할 때 야기되는 방광모양의 변화와 움직임을 설명한다. 호기 동안 복부 이완에 특히 집중하여 정상적으로 호흡하도록 한다. 환자가 복부에 집중하지 않도록 양쪽 허벅지 안쪽을 촉진한다. 같은 신호를 조금 수정하여 사용할 수 있다. 언어적 신호의 예 :

- "골반저근 앞에 있는 허벅지 안쪽으로부터 긴장(tension)을 끌어올린다고 가정하고, 골반저근을 들어올리세요."
- "골반저근이 아래쪽으로 내려가 있는 것에 집중하고 탐폰을 천천히 부드럽게 올리는 것을 상상하세요."
- "발살바가 나타나면 더욱 천천히(마지막 수축 속도의 10% 정도로 한다.) 가볍게 수축하세요(마지막 수축은 10% 정도로만 수축한다고 생각한다.)."

가끔 환자들은 첫 번째 주기(session) 후에 발살바를 유발하지 않는다는 확신을 가지고 집으로 돌아가 연습하지만 이것은 단지 골반저근이 상승하지 않았거나 최소로 수축한 것이다. 환자는 부풀지 않는 느낌을 확인하기 위해서 양쪽 복부(전상장골극 내측)를 촉진한다. 효율적인 훈련방법은 방광의 상승을 위한 구성요소들을 각 주기에서 순차적으로 연습시키는 것이다.

초음파 영상 – 발살바에 의해 방광이 움푹 들어가고 올라감을 추적관찰

방광벽의 이상적인 반응은 관찰되지만, 그 후 즉각적으로 방광의 전하방 움직임이 야기된다. 또한 발살바는 긴장성 수축을 유지하고자 하면 느리게 나타난다.

복벽의 촉진 복벽의 긴장은 부풀거나/긴장에 따른 복횡근 수축과 일치한다.

시진 복벽의 아래 부분이 약간 편평해지는 것은 바깥에 있는 복근, 특히 내복사근, 외복사근의 작용에 의해 나타난다. 만약 척추기립근이 흉추부위에서 동시수축이 없다면, 복사근 굴곡움직임이라는 반작용에 의해 흉곽 굴곡이 일어날 것이다. 하복부가 부풀어 오르는 현상은 일반적으로 흉곽이 좁아지는 것과 동시에 나타난다.

교정기술 교정신호에 의해서 속도와 수축의 노력이 감소하는 것이 가장 바람직한 반응이다(위의 언어적 신호를 본다.). 바람직한 신경경로가 존재하지만 부적절한 발살바에 의해서 과지배되기도 한다. 환자가 화면을 보면서 발살바가 유발되기 전에 수축을 멈추는 것과 방광을 후하방으로 미는 방법을 배우는 것은 효과적이다. 환자가 집에 돌아가서 연습하기 전에 화면을 보지 않고 발살바가 야기되기 전에 멈추는 것을 여러 번 시도하는 것이 중요하다. 새로운 운동전략을 받아들여 환자 자신의 것으로 만들어야 한다. 발살바가 시작되기 전까지 수축은 얼마나 오래 유지할 수 있느냐 하는 것 또한 중요하다. 분리된 수축이 유지되는 두 번째 숫자를 기록한다. 화면을 보면서 부풀리기 위해 복벽을 촉진하는 것을 가르쳐야 한다. ; 환자는 발살바가 일어나지 않도록 하고, 가능한 한 길게 오랫동안 수축하여 유지하도록 연습한다.

초음파 영상 – 방광이 움푹 들어가며 올라가고, 오랜 시간 유지할 때 수축이 느리게 이완하는 현상(지구력감소)

복벽의 촉진 복벽의 긴장은 복횡근 수축과 함께 일어나게 되지만, 수축을 유지하려는 환자의 시도에 의해 천천히 이완된다.

시진 복벽의 아랫부분의 작은 편평함은 수축을 유지하려는 환자의 시도에 의해 이완된다.

교정기술 종종 환자들은 수축을 유지하는 동안 초음파 영상과 복벽의 촉진에서 나타나지 않는 것을 수축이 이완되었다고 생각한다. 이러한 경우, 환자가 수축할 때 진짜로 수축이 일어나는 것인지를 구분하는 것이 중요하고, 진짜로 수축하는 것을 느끼는 것이 교정의 시작이요 요점이다. 화면을 보면서 복부를 촉진하는 것을 가르치고, 화면을 보지 않고 수축하는 것을 반복하여 새로운 방법을 환자의 것으로 만들어야 한다.

초음파 영상 – 비대칭적인 활성화

비대칭적인 활성화는 환자의 복부 옆구리의 반응을 주목해야 하는데 환자 본인 스스로 비대칭적인 것에 특별한 관심을 갖고 노력하면 일반적으로 교정된다. 그러나 만약 신경성, 근막, 또는 근 긴장도 등에 손상이 있다면 내부 촉진과 골반저의 치료에 탁월한 전문치료사에게 의뢰하여 대칭적인 골반 기능을 회복시키는 훈련을 다시 받아야 한다.

복횡근

환자와 치료사의 자세

이 운동을 교육시키기 위해 선택한 초기 자세는 복근의 고유수용성 피드백에 이상적인 스트레칭을 실행하는 동안 대근육을 이완시키는 자세로 한다. 각 환자를 위한 최선의 자세는 환자들의 보상전략(substituion strategies)에 따라 매우 다양하다. 예를 들어 무릎을 구부리고 바로 누워있는 자세(supine crook lying)는 가장 협조적인 자세이며 척추기립근과 같은 대근육을 이완시킨다. 그러나 이 자세는 복근에 약간의 스트레칭을 유발시키게 되면 환자가 복횡근을 끌어당기는 작용을 할 때 피드백이 발생된다. 옆으로 누운(sidelying) 자세는 복부에 가해지는 중력으로 인해 더욱 많은 스트레칭이 나타나게 된다. 둥글게 말은 타월을 환자의 허리 밑에 받치고 배게를 두 무릎사이에 끼워 옆으로 누운 자세는 전반적으로 근육을 이완시킬 수 있는 협조적인 자세가 될 수 있다. 네발서기(four-point kneeling)자세는 복근이 가장 많이 늘어지는 자세이며 환자로 하여금 복부근육을 끌어당기는 기분을 이해시키기 위한 가장 좋은 자세가 될 수 있다. 그러나 이 자세는 분리된 수축을 실행하는데 있어서 쉬운 자세는 아니다. 많은 하중과 자세적인 도전으로 인해 보상전략들이 발생하며 쉽게 확인될 수 있다. 분리된 수축을 훈련시키기 위한 협조적인 자세는 관찰된 전반적인 대체 패턴에 근거하여 선택할 수 있다. 중립자세는 복횡근 수축을 촉진시키기 때문에 요추는 중립적 자세를 취해야 한다(Sapsford 등, 2001). 특히 복사근이 강한 환자는 더욱 그렇다(요추를 굴곡한다든지 요추전만을 편평하게 하든지 골반이 후방 경사되는 것을 금한다.).

양쪽 전상장골극(ASIS)에서부터 약 2.5cm(1 in.) 정도 내측 그리고 약간 하복부를 촉진한다(그림 10.50). 적절한 수축이 일어나는지 아닌지를 환자가 알 수 있도록 촉진기술을 가르친다. 옆으로 누운 자세에서 치료사는 수축작용이 개시되도록 손바닥을 부드럽게 오므리면서 하복부에 피드백을 제공한다. 대근육활동 없이 국소의 적절한 분리된 수축현상을 보기위해 복벽과 체간을 관찰한다.

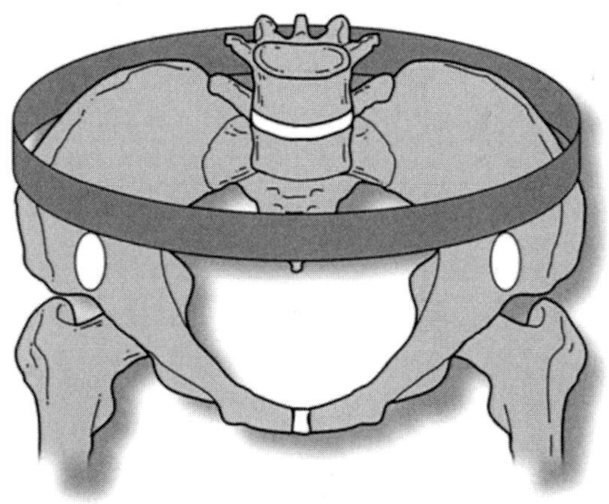

그림 10.50 골반의 양쪽 전상장골극의 내측을 둥글게 감싸고 있는 원형의 테두리는 복횡근 수축을 촉진하기 위한 부위들이다. 분리된 수축은 서서히 그리고 부드럽게 납작해지며 긴장감이 증가되는 것이 손가락을 통해 느껴질 것이다. 부풀리거나 빠르게 수축하는 것은 내복사근이 수축하는 것이다. 골반 전체를 둘러싸고 있는 테두리는 복횡근과 다열근 섬유의 상호수축에 의해 발생하는 원을 뜻한다. (Diane G. Lee Physiotherapist corp.로부터 게재 승인)

교정테크닉 - 말과 손에 의한 지시

여러 가지의 말에 의한 지시로 복횡근만의 단독적인 수축을 촉진시킬 수 있다.

- "숨을 들이쉬세요. 숨을 내쉬세요. 숨을 멈추고 아랫배에 있는 제 손가락 또는 손을 천천히 밀어 보세요."
- "골반 밑 대퇴 사이를 천천히 긴장시킨다는 생각을 하세요. 그리고 제 손가락이 있는 아랫배까지 긴장을 시켜보세요."
- "골반 앞 뼈들(ASISs)을 천천히 붙인다고 여겨보세요."
- "골반 앞 뼈들(ASISs)을 천천히 떨어뜨린다고 여겨보세요."
- "불두덩에서 위장을 밀어낸다고 생각하세요." "골반 밑을 아주 천천히 들어 올린다고 생각하세요."(여성들은 질을 들어 올린다고 생각하고, 남성들은 고환을 약간 들어 올린다고 생각해도 된다.)

치료사는 말로 지시하면서 천천히 복부를 내려누르도록 한다. 압박은 치골 바로 위에 가할 수도 있고, 복부에서 손을 오목하게 하여 압박을 가할 수도 있다. ; 가능한 한 천천히 내려누르도록 하고, 빠른 위상반응(phasic response) 보다는 긴장성 수축이 생기도록 한다. 만약 상복부에 과도한 수축이 일어난다면 치료사는 위장 쪽에서 떨어진 대퇴 내측상부에 부드러운 압박을 가하는 동안 환자는 양쪽 ASIS에서 계속 촉진할 수 있다. 그런 다음 환자는 아래쪽을 수축한다고 여기도록 한다.

이상적인 반응과 비정상적인 반응

촉진하고 있는 손가락 밑에서 서서히 긴장되는 느낌이 감지되어야 한다. 이 근육은 10-15%의 수축만이 필요하다는 것을 염두에 두어야 한다. 만약 환자가 너무 많은 힘을 쓰거나 빨리 수축하려고 한다면 촉진하고 있는 손가락에서 팽창되는 느낌과 손가락을 밀어내는 느낌이 있고 이것은 내복사근이 작용하는 것이다. 비슷한 내복사근의 팽창은 기침을 할 때나 누워서 머리를 들 때 느낄 수 있다. 이러한 동작에서는 골반이나 척추의 움직임이 없으며 상복부에 약간의 움직임이 있을 뿐이다. 복직근과 복사근은 반듯이 이완되어야 한다. 만약 늑곽이 내려가고 안쪽으로 끌어 당겨지면 이것은 외복사근 활동의 징후이다. 늑곽을 부드럽게 외측으로 밀면서 늑곽을 흔들 때 많은 저항감을 느끼게 되면 이것은 전체적인 근육의 과도한 활동에 의해 늑곽이 고정되어 있다는 것을 뜻한다. 그리고 국소적인 복횡근 수축이 이루어지고 있지 않다는 것이다. 복횡근의 단독적인 수축은 늑곽이 외측 압력에 대한 반응으로 쉽게 움직인다.

대개의 비정상적인 반응이 여기에 열거되어 있으며 실시간 초음파영상으로 패턴에 따라 분류되는 것을 볼 수 있다. 독자는 실시간 초음파가 촉진 및 관찰 기술에 부수적인 것이며 국소적인 근육 활성화를 가르치는 본질적인 도구가 아니라는 것에 주목하여야 할 것이다. 그럼에도 불구하고 이 실시간 초음파가 환자에게 피드백을 제공하고 기능장애를 객관적으로 사정하는데 있어 종종 유용한 진단기로 사용될 수 있다.

초음파 영상 - 복횡근 동원 없음, 내복사근의 대상작용 없음

영상: 실시간 초음파영상으로 아래와 같은 것이 보인다(그림 10.51).

- 복횡근 근육층 두께에 변화가 없다.
- 복횡근이 외측으로 늘어나는 현상이 없거나 복횡근의 내측근막이 외측으로 미끄러지는 현상이 없다.

• 내복사근 근육층 두께에 변화가 없다.

촉진 : 다음과 같은 느낌이 감지된다.

• 하복부는 부드럽게 유지되고 ASIS 내측에 긴장감이나 수축현상이 감지되지 않는다.

• 심층부 근막의 긴장감 보다 천층부 근막에 긴장감이 촉진된다. 이 현상은 외복사근 수축으로 인해 발생하는 것으로 촉진지점 위에 나타나는 외복사근 근막 긴장의 결과이다. 초음파영상은 복횡근의 활동이 없다는 사실을 확인한다. 초음파 화면에서 나타나는 외복사근 활동과 근육 두께의 변화 사이에 상관관계는 빈약하기 때문에 초음파영상에서 관찰된 외복사근의 변화는 없을 것이다(Hodges et al., 2003). 외복사근의 활동은 이 근육의 부착점인 하부 늑골부위에서 촉진할 수 있다(그림 10.52). 만약 척추에 움직임이 없다면 척추 척추기립근이 동시에 활동하는 것이 촉진된다. 늑골 흔들기 검사(rib wiggle test)는 제한될 것이다.

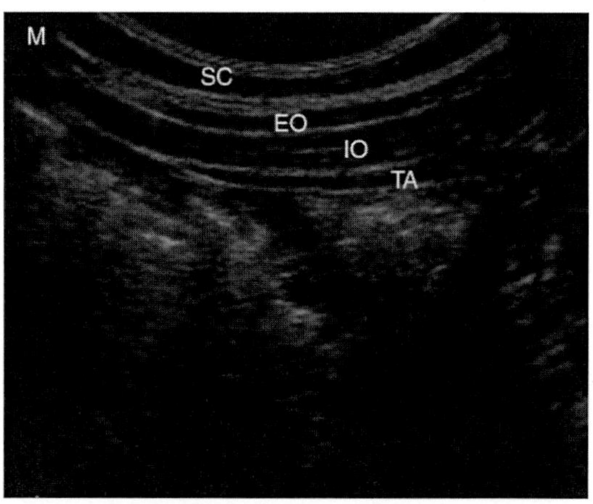

그림 10.51 외측 복벽의 초음파영상, 횡단면상. M : 내측, SC : 피하조직, EO : 외복사근, IO : 내복사근, TA : 복횡근. 초음파 영상은 이완된 복근을 촬영한 영상과 동일하게 나타난다. 이것은 내복사근의 대상작용이 없이 복횡근 수축이 없는 것과 일치한다. (Diane G. Lee Physiotherapist Corp. 게재승인)

관찰 : 관찰에서는 다음과 같은 것에 주목하도록 한다. 복횡근이 수축하지 않으면 하복부가 평평해지지 않거나 당겨지지 않는다. 그러나 초음파에서 관찰되지 않는 대상패턴이 나타날 수 있다. 가능한 시나리오는 다음과 같은 경우이다.

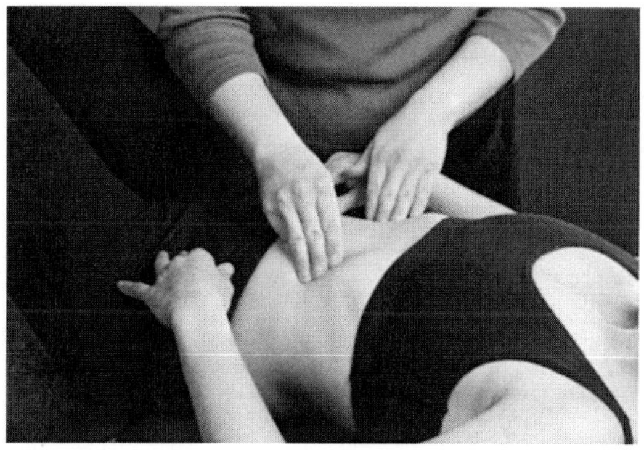

그림 10.52 복횡근(TA)과 외복사근(EO)의 촉진지점. TA의 수축을 느끼려면 환자의 양측 전상장골극 바로 내하측에서 촉진한다. 치료사는 하부늑골의 전면에 붙는 EO의 대상작용을 촉진한다. (Diane G. Lee Physiotherapist Corp. 게재승인)

• 외복사근 수축 – 복벽의 움직임은 상복부에서부터 시작되어 외복사근이 부착하는 늑곽에서 관찰된다. 이것은 또한 복벽의 좌우경이 증가하는 것(허리가 넓어짐) 뿐만 아니라 배꼽 바로 위 복부에 수평의 피부주름을 짓게 한다. 외측 늑골의 확장은 줄어들게 된다. 척추기립근이 이완된 상태라면 흉요추 굴곡과 흉골하각이 좁아진다(그림 8.55b).

• 숨을 들어 마신 후 멈춘 상태(breath-holding) – 상복부가 위로 움직이면서 안쪽으로 당겨진다. 척추기립근이 동시에 수축한다면 흉곽이 부풀고 들린다.

교정기술 : 여러 교정기술들을 시도할 수 있다.

• 자세 바꾸기 : 복횡근 또는 다른 복근들에 어떠한 활동도 없다면 측와위(그림 10.53), 4점 무릎자세, 지지된 기립위(그림 10.32)와 같이 복부에

더욱 중력이 작용하도록 하는 자세를 선택하여야 한다. 고유수용성 입력의 증가는 종종 바람직한 반응을 충분히 일으킨다. 만약 반응이 외복사근에 일차적으로 일어나면(외복사근-우세패턴) 환자의 자세가 중립척추(neutral spine)자세인지 확인하도록 한다. 측와위나 복와위는 복벽의 이완을 허용하는 좋은 자세이다.

- 외복사근이 우세한 경우 : 호기 동안에 외복사근의 활동을 점검한다. "숨을 들이쉬세요. 숨을 내쉬세요. *이제 배에서 힘을 빼세요.* 숨을 멈추고 천천히 손을 밀어 아랫배를 든다고 생각하세요(또는 다른 이미지를 사용)." 말로 하는 지시는 복부에서 먼 곳 즉 골반저를 생각한다든지, 대퇴내측부터 긴장되게 한다든지, 다열근(심부 섬유) 수축 등에 초점을 두는 것이다.
- 복근의 활동이 없는 경우 - 위에서 한 대로 말로 지시를 하면서, 하복부를 촉진하면서 이 부위를 더욱 인식하도록 집중한다.

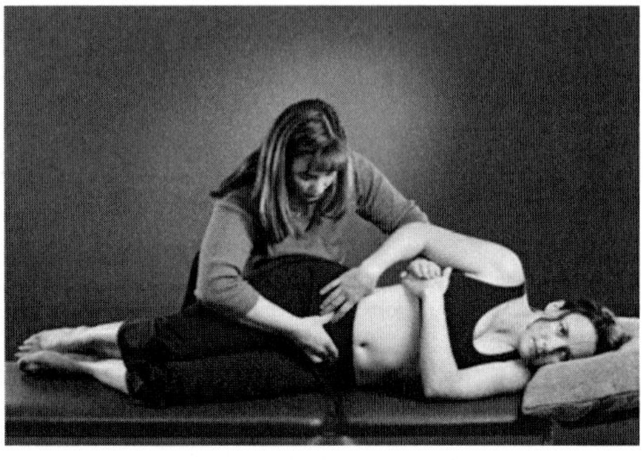

그림 10.53 복횡근 단독 촉진 : 측와위. 이 사진은, 환자는 왼손으로 늑골의 외측확장을 촉진하고 오른손으로는 복횡근의 수축을 촉진한다. 치료사는 마찬가지로 촉진하면서 손으로 촉진을 시도한다. 환자들은 종종 아래쪽에서부터 하복부가 들리는 것을 알아차린다는 것에 주목하여야 한다(이 경우에는 왼쪽). 비대칭성 복횡근 수축이 있는 환자는 비활성되는 쪽을 측와위로 하면 더욱 대칭이 되도록 촉진할 수 있다. (Diane G. Lee Physiotherapist Corp. 게재승인)

초음파 영상 - 복횡근 없음, 내복사근의 대상작용은 있으나 외복사근과 복직근의 대상작용은 있을 수도 없을 수도 있음

영상 : 실시간 초음파영상으로 아래와 같은 것이 보인다(그림 10.54a,b).

- 내복사근층은 위상반응이 빠르면 두께가 빨리 증가되고 느리면 점차적으로 두께가 증가된다. 밑의 복횡근층의 두께는 증가되지 않고, 근막의 외측 활주 역시 관찰되지 않고, 복횡근층이 외측으로 조이지도 않는다. 내복사근의 내측가장자리에서 근막 긴장의 결여로 아래쪽으로 부풀어 오는 것이 종종 관찰된다. 이러한 현상으로 내측 근막선이 흐려진다. 환자에게 똑같은 패턴으로 천천히 수축해 보라고 하면 이러한 것을 알 수 있지만 더욱 천천히 일어난다.

촉진 : 촉진으로 아래와 같은 것을 느낄 수 있다.

- ASIS 내측에서 빠르거나 느리게 부풀어 오는 것(긴장하는 것보다 더한)을 느낄 수 있다.
- 외복사근 또는 복직근이 내복사근와 함께 동원되는 것을 알기 위해 늑곽하부(제 8늑골 이하)와 흉골하부를 따라 순서대로 촉진한다.

관찰 : 관찰할 때는 다음과 같은 것을 주목하도록 한다.

- 내복사근 양측 수축만으로 흉골하각(infrasternal angle)이 부풀어 오른다(넓어짐). 마른 사람에게서는 상전섬유를 촉진하거나 볼 수 있는데, 이것은 경사밴드(oblique band)가 장골릉 전방에서 늑골쪽 상내측 방향으로 주행하기 때문이다. 만약 내복사근과 외복사근이 함께 활동하면 하복부가 돌출되면서 늑곽이 조여지는 지주(bracing) 현상과 외측 흉곽의 팽창이 감소되는 것이 관찰될 것이다.

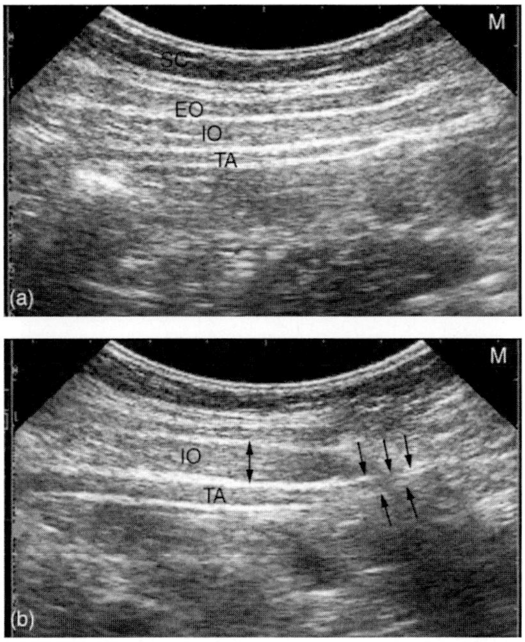

그림 10.54 외측 복벽의 초음파 영상, 횡단면상. M : 내측, SC : 피하 조직, EO : 외복사근, IO : 내복사근, TA : 복횡근. TA가 먼저 수축하지 않는 우세한 IO. (a) 이완된 복벽. (b) IO층의 두께가 증가되어 있고(쌍방향 화살), 근육의 내측가장자리가 복부 안쪽으로 부풀려 있으며, 내측으로 근막선이 희미하다(작은 화살). 이 예에서는 TA층 두께의 변화로 인하여 작은 TA수축이 IO수축과 함께 일어난 것이다. 그러나 여기에는 TA의 외측 고정(corset)이 없으며 IO수축 전에 실시간 수축은 일어나지 않는다. (Diane G. Lee Physiotherapist Corp. 게재승인)

- 복직근 활동은 흉요추의 굴곡과 골반의 후방경사가 나타날 것이다.
- 척추기립근의 동시수축은 흉요추 굴곡 정도가 감소되는 것이 관찰되지만 체간의 강직과 "늑골 흔들기(rib wiggle)"을 제한한다.
- 일차적인 기능부전성 보상패턴이 한쪽에 있으면 수축과 함께 늑곽이 외측으로 이동한다.

교정기술 : 여러 교정기술들을 시도할 수 있다.

- 자세 바꾸기 : 체간 이완을 최대한 촉진시킬 자세를 선택한다. 이것은 바로 누운 자세, 바로누워 무릎 구부린 자세(골반이 후방경사되지 않도록 될 수록 길게), 엎드려 누운 자세(그림 10.55)이다. 척추기립근이 천층복근과 함께 동원이 된다면 이완을 촉진시키기 위하여 엎드린 자세에서 배 밑에 베개를 놓는다.
- 복부로부터 주의집중을 분산시키기 위해 언어와 촉각적 암시로 시작한다[골반저의 활성화, 대퇴내측의 긴장 유발, 다열근(심부 섬유)의 수축].
- "숨을 들이마시고, 내쉬세요. *이제 배의 힘을 완전히 빼세요.* 숨을 쉬지 말고 골반 밑을 천천히 들어 올린다고 생각하세요."라고 하며 호기 때 천층복근의 활동을 체크한다.

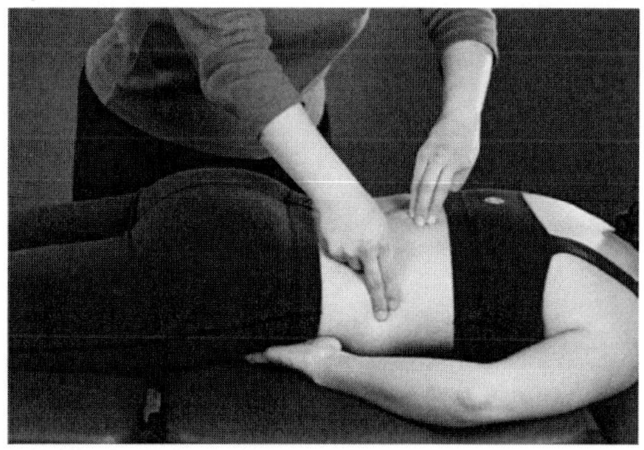

그림 10.55 복횡근(TA)만의 촉진 : 복와위. TA의 동원을 시도하기 전에 복벽의 이완을 돕기 위하여 환자에게 "그대로 배의 힘을 빼세요."라고 한다. 치료사가 흉추의 척추기립근과 외복사근 외측부의 활동을 모니터하는 동안 환자는 양쪽 TA수축을 촉진한다. (Diane G. Lee Physiotherapist Corp. 게재승인)

초음파 영상 – 복횡근 수축만 일어나는 것은 아님

복횡근 수축이 먼저 나타나고, 이어서 내복사근과 다른 복근들이 나타난다(빠르던 늦던 간에). 이것은 근육이 적절한 타이밍을 갖추어져야 됨을 의미한다. 그러나 복횡근의 단독 수축을 얻기 위해서는 전반적인 시스템의 동원이 아주 빨리 일어났다가 사라질 필요가 있다.

영상 : 실시간 초음파영상으로 아래와 같은 것이 보인다(그림 10.56a,b).

- 복횡근층 두께가 증가되고 내측 근막의 연결이 외측으로 당겨져 외측으로 움직인다. 이것은 내복사근층의 두께가 증가된 후에 일어난다. 여기에는

복횡근수축에 의해 밑에 있는 근막의 긴장 때문에 내복사근의 내측의 팽창이 작고 또한 근막의 내측 희미한 부분이 작다(밑에 있는 복횡근 없이 내복사근 수축과 비교했을 때). 이 현상은 복횡근 수축에 의해 아래쪽 근막이 긴장되기 때문이다.

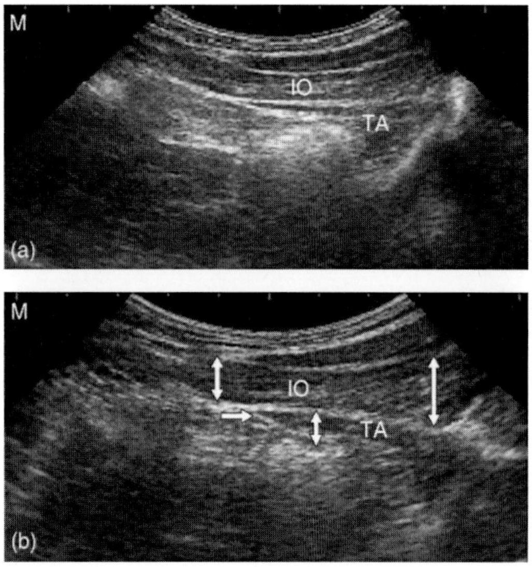

그림 10.56 외측 복벽의 초음파 영상, 횡단면상. M : 내측, IO : 내복사근, TA : 복횡근. (a) 이완된 복벽. (b) IO 수축에 이은 TA 수축. 실시간 영상으로 먼저 TA층 두께의 증가가 일어나고(작은 쌍방향 화살), 내측 근막 부착부의 외측 활주(수평 화살)와 외측으로 일부 TA가 조인다. 이것은 IO층의 두께가 많이 두꺼워진 후 급히 일어난다(큰 쌍방향 화살). 그림 10.54b와 비교하여 내측 근막선과 구분하여야 한다. (Diane G. Lee Physiotherapist Corp. 게재승인)

촉진 : 촉진으로 아래와 같은 것을 느낄 수 있다.

- ASIS 내측에서 빠르거나 느린 팽창 후 심부 긴장감을 느낄 수 있다.
- 외복사근 또는 복직근이 내복사근와 함께 동원되는 것을 판단하기 위하여 제 8늑골 밑(그림 10.52)과 흉골 밑에서 촉진한다.

관찰 : 관찰하는 때는 다음과 같은 것에 주목하도록 한다.

- 하복부는 표층복근 활동 때문에 서서히 평편해진다(위에서 설명되었음).

교정기술 : 여러 교정기술들을 시도할 수 있다.

- 느린 수축 조장 ; 현재 수축 속도의 50%로 시작하여 점차 새로운 속도의 50%로 진행한다.
- 가벼운 수축 조장 ; 현재 쓰는 힘의 50%로 시작하여 점차 새로운 힘의 50%로 진행한다. 환자는 최대 수의수축의 10-15%만 쓴다는 것을 염두에 두고, 실제로 수축을 하는 것보다는 수축이 된다는 생각을 하도록 한다.
- 전반적으로 근육의 활동 속도와 힘이 줄어들면 근육들이 더욱 이완되도록 환자의 자세를 바꾸도록 한다.
- 초음파 스크린에 환자가 직접 집중하도록 한다. 환자에게 전체 근육층(특히 내복사근)이 움직이기 전에 수축을 멈추도록 한다. 이것이 숙달되면 환자는 스크린을 보지 않고도 수행하게 됨으로써 새로운 기술을 체득하게 된다.

복횡근과 내복사근(외복사근과 복직근은 함께 나타나든지 안 나타나든지)이 함께 나타난다면 이것은 타이밍이 부정확하며 국소적인 시스템과 전반적인 시스템의 조정이 분리되지 않았다는 것을 의미한다.

영상 : 실시간 초음파 영상으로 다음과 같은 것들이 보인다.

- 복횡근층이 두꺼워지고 외측으로 움직이며, 내측 근막연결이 외측으로 끌어당긴다. 이것은 내복사근층의 두께가 동시에 증가되는 현상에 의해 나타나는 것이다. 흔히 복횡근만의 수축에서 관찰되는 것보다는 복횡근층의 외측 슬라이드는 적다. 그리고 내측 근막연결이 희미한 것은 복횡근의 수축 정도에 따라 발생할 수 있다(그림 10.54a, b). 외측에 조이는 현상이 발생하지만 이것은 복횡근과 내복사근층 모두가 동시에 안쪽으로 움직이는 것이다.

촉진 : 촉진으로 아래와 같은 것을 느낄 수 있다.

• 빠르거나 느리게 부풀어 오르는 현상을 ASIS 내측에서 느낄 수 있다(이 촉진으로는 아래 부위에서 복횡근 활동이 있는지 확인할 수 없거나 또는 촉진될 정도로 크게 부풀어 오르지 않는다.).
• 외복사근 또는 복직근이 내복사근과 함께 동원되는지 알기 위해 흉곽하부(제 8늑골 아래, 그림 10.52)와 흉골하부 부위를 촉진한다.

관찰: 관찰할 때는 다음과 같은 것에 주목하도록 한다.

• 천층 복근의 활동 징후가 뚜렷이 나타나며, 전반적인 근육들이 활동하는가에 달려 있다(위 참조).

교정기술: 여러 교정기술들을 시도할 수 있다.

• 복횡근 단독운동에서 다른 방법을 시작하기 전에 전반적인 근육 활동을 저하시킬 수 있는 맨손 또는 다른 기술들(muscle energy, 외측 늑곽호흡, 흉관절 제한 치료, IMS, 근전도 피드백)을 고려해 본다.
• 복벽을 최대한 이완시킬 수 있도록 환자의 자세를 바꾼다.
• 천천히 수축하도록 격려한다. 현재 속도의 50% 정도로 시작하며 다시 그 속도의 50%씩 감소시킨다.
• 가볍게 수축하도록 격려한다. 현재 노력의 50% 정도로 시작하며 다시 그 노력의 50%씩 감소시킨다. 자발적인 최대수축의 10-15%만이 필요하다는 것을 환자에게 상기시키고 실제로 수축하는 것보다는 수축을 한다고 여기도록 한다.
• 복부로부터 주의를 분산시키는 언어적 촉각적 암시를 시작한다(골반저를 활성화하고, 대퇴내측부터 긴장시키고(그림 10.57), 다열근을 수축시킨다.).
• 호기 때 천부복근의 활동을 검사한다. "숨을 들이 쉬세요, 내쉬세요, 이제 배에서 힘을 완전히 빼세요, 숨을 쉬지 말고 골반바닥을 부드럽게 들어 올린다고 생각하세요."라고 지시한다.

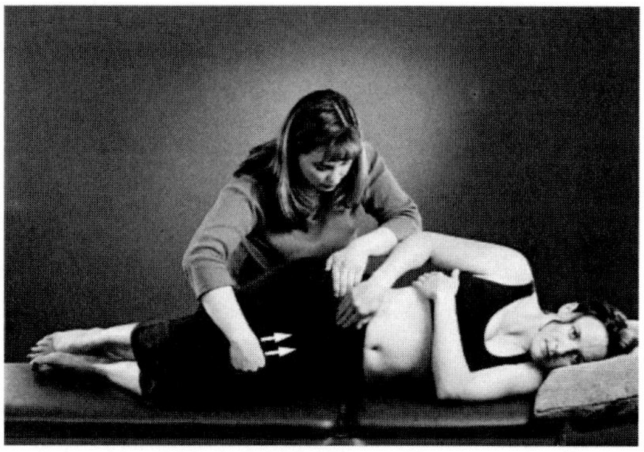

그림 10.57 복횡근 단독운동 : 옆으로 누운 자세. 이 사진에서 환자는 왼손으로 외측 늑곽이 팽창되는 것을 촉진하고 오른손으로는 복횡근(TA) 수축을 느끼도록 한다. 치료사는 오른쪽 TA의 이상적인 수축현상을 촉진하고 동시에 반대쪽 손으로 양쪽 대퇴부 안쪽에 부드러운 압력을 가한다. 대퇴를 촉진하고 있는 손을 약간 미끄러지듯 올리면서(화살표) "허벅지에 있는 내 손가락으로부터 긴장감이 올라와 골반바닥 앞쪽으로 움직인다고 생각하세요."라는 암시를 준다. 필요하다면 이러한 연상법을 하복부에까지 연장할 수도 있다. (Diane G. Lee Physiotherapist Corp. 게재 승인)

초음파 영상 – 비대칭성 패턴

이 영상은 가장 일반적인 임상적 모습이며 다열근과 골반저 기능의 비대칭에서 흔히 나타난다. 이러한 시나리오는 한쪽에서는 이상적인 반응이 나타나며 다른 쪽에서는 비정상적인 반응이 나타난다. 또는 양쪽에서 비정상적 현상이 보이기도 하는데 반응에는 차이가 있다. 비대칭성을 교정하려면 위의 촉진테크닉(facilitation techniques)을 배합하는 필요가 있을 것이다. 옆으로 누운 자세(그림 10.53과 10.57)는 환자가 누어있는 쪽 복횡근을 치료하기 위한 좋은 자세이다. 비대칭성 문제를 위한 성공적인 치료는 단독운동을 시작할 때 기능부전이 있는 부위에 환자의 집중과 주의를 조금 증가시킴으로써 얻어질 수 있다. 복횡근/다열근의 비대칭성에 대한 영상은 동시수축 전략(co-contraction strategies)에서 설명된다.

다열근의 심부 섬유

환자와 치료사의 자세

환자는 척추를 바르게 할 수 있는 중립자세를 취할 수 있고, 전체 근육들 특히 척추기립근, 고관절 심부 외회전근 및 골반저 후방부위 근육이 가장 이완될 수 있는 자세를 선택하도록 한다. 엎드린 자세는 오른쪽과 왼쪽 동원의 대칭성을 비교하기에 유용하다. 그러나 단독운동을 연습하기 위한 환자에게는 가장 쉬운 자세는 아니다. 옆으로 눕는 자세는 근육을 쉽게 촉진할 수 있고 척추 중립자세를 취할 수 있도록 이완시키기에 좋은 자세이다. 바로 누워 무릎을 구부린 자세(crook lying) 역시 일부 환자들에게는 좋은 자세가 될 수 있다.

다열근은 근위축이 있는 요추 극돌기 바로 외측 또는 천골 양쪽 부위에서 촉진한다. 심부 섬유를 모니터하기 위해서는 근육은 척추 가까이에서 촉진하여야 한다. 하부 요추와 천골부 외측 근육들은 더욱 천층 섬유로 구성되어 있다. 환자에게 기능부전이 있는 부위를 찾는 방법(근육의 부드러운 부분을 느끼도록)과 손가락으로 근육을 촉진하는 방법을 가르친다.

교정기술 – 말과 손에 의한 지시

다열근 심부섬유의 단독된 수축을 촉진시키기 위해 몇 가지 말로 하는 지시가 도움이 될 수 있다.

- "내 손가락 밑에 있는 근육을 느껴보세요. 그리고 이 근육이 내 손가락 쪽으로 부풀리도록 몸 안에서 긴장된다고 생각하세요."
- "이 두 뼈(촉진하고 있는 PSIS)를 느껴보세요. 그리고 이 두 뼈가 서로 끌어당긴다고 생각하세요."
- "당신이 마치 인형인 것처럼 생각하세요. 그리고 어떤 사람이 당신의 한쪽 다리를 뜯어내어 붙이지는 않고 떼어낸 자리에 두었다고 생각하세요. 자 당신의 척추에서 에너지가 나와 다리로 흘러서 다시 다리가 붙는다고 생각하세요." 또는 "척추에서부터 고관절(사타구니)을 연결하는 줄이 있다고 생각하세요. 이 줄을 허리에 있는 근육으로 끌어당기면 분리된 다리를 다시 붙일 수 있다고 생각하세요."

척추가 매달려 있다는 상상은 다열근 심부섬유의 수축을 촉진시키는데 효과적이다. 다양하게 설명할 수 있겠으나 일반적인 내용은 척추는 양쪽으로부터 이어진 탄탄한 와이어에 연결된 중심축이라는 것이다. 와이어에 가해진 긴장감은 좌우가 똑같아야 한다. 만약 한쪽 심부 다열근의 활동이 소실되면 와이어의 연결이 소실돼 회전하게 되어 그 쪽 척추가 변위된다고 설명될 수 있다. 척추를 지지하기 위해 와이어를 따라 수직으로 올라오는 에너지에 대한 상상은 매달려 있다는 느낌을 조성하는데 도움이 된다. 모든 경우 심부 다열근은 기능부전이 있는 양쪽 부위에서 촉진된다. 이곳이 "당김 와이어(guy wire)"가 부착되는 곳이다. 이 와이어의 하부 부착점은 다양할 수 있다. 궁극적으로 선택한 상상은 심부 다열근에서 최상의 반응을 불러일으키는 것이다. 치료사의 손에 의한 촉각적 압력의 타이밍은 상상을 조성하고 근육이 얼마나 빠르게 수축되어야 하는가에 대한 피드백을 제공한다. 손가락은 다열근 깊숙이 파고들어 들어 올리는 느낌을 주기위해 두개골 방향의 압력을 가한다. 와이어의 하부 부착점들은 ASIS 바로 내측(그림 10.58a), 치골 상부(그림 10.58b) 또는 골반저(그림 10.58c)가 될 수 있다. 촉각적 피드백 순서는 먼저 앞쪽의 촉진점부터 시작한 다음에 다열근 촉진점까지 만져본다. 마지막으로 복횡근 또는 골반저 수축을 활성하기 위한 지시가 심부 다열근 수축을 활성화 시키는데 사용될 수 있다.

이상적인 반응과 비정상적인 반응

서서히 형성되는 근육의 경직감은 촉진하는 손가락에 두터운 부종이 움푹 들어가는 것처럼 느껴질 수 있다. 빠른 수축은 천층 다열근 또는 요추기립근의 활성을 나타내는 것으로 손가락이 빠르게 몸으로부터 밀려나오는 느낌일 것이다. 흉추 척추기립근이 수축하고 있다면 천층부의 빠른 긴장 또한 촉진될 수 있다. 대부분의 척추기립근의 건은 요추 다열근 위에 있으며(그림 4.33), 근육의 활동 특히 근육이 잘 발달된 환자는 건의 긴장도를 변화시킨다. 근육이 이완되었을 때 손가락을 근육 속으로 밀어 넣는 것이 다열근 심부 근섬유(근육에 손가락을 밀어 넣기가 단단하고 힘든 느낌)와 비교할 때 얼마나 쉬운 것인가(뭉개진 바나나와 같은 느낌)를 환자에게 가르치는 것이 중요하다. 골반이나 척추의 움직임이 관찰되지 않아야 하며, 전체 복근이나 둔부 근육의 활동이 없어야 한다. 복횡근의 동시수축은 수용할 수 있고 바람직하다.

일반적으로 일어나는 비정상적인 반응은 여기에 열거 되었으며 실시간 초음파영상에서 나타나는 패턴에 따라 분류되어 있다. 독자는 실시간 초음파가 촉진과 관찰 기술에 대한 보조적이라는 것을 인지해야 한다. 그리고 이것은 국소 근육의 활성을 가르치는데 있어 필수적인 도구는 아니라는 사실을 알아야 한다. 그러나 환자에게 피드백을 제공하고 객관적인 기능부전을 평가하기 위해 유용한 도구로 사용될 수 있다.

초음파영상 – 다열근의 심부 또는 천부섬유의 동원 없음

영상 : 실시간 초음파 영상으로 다음과 같은 것들이 보인다(그림 10.59a).

- 초음파에서 근육층 두께의 변화는 나타나지 않는다.

촉진 : 촉진을 통해 다음과 같은 것들이 느껴진다.

- 근육은 부드럽고 다열근에서 긴장감이 느껴지지 않는다.
- 흉추의 척추기립근의 긴 건의 긴장으로부터 천층에서 빠른 긴장감이 반복적으로 느껴질 수 있다.
- 복부 촉진으로 복횡근수축이 있거나 또는 복횡근이 여전히 비활동성으로 남아있을 수 있다.
- 대상작용을 하는 모든 근육의 활동이 느껴진다(예, 복사근).

관찰 : 관찰할 때는 다음과 같은 것에 주목하도록 한다.

- 호흡을 멈추는 모습이 흔히 관찰된다. 또한 환자가 치료사 손가락에 저항하는 힘을 줄 때 골반이 후방경사되거나 요추마디가 굴곡되는 모습 역시 흔히 관찰된다. 복부가 긴장되는 모습도 나타난다.
- 만약 흉추 기립근이 활동하면 흉추기립근의 기시점에서 대칭 또는 비대칭으로 긴장감이 발생할 것이다. 그리고 복근의 동시수축이 발생하지 않는 한 척추에 신전현상이 발생할 것이다.

교정기술 : 여러 교정기술들을 시도할 수 있다.

- 환자가 근육을 찾을 수 있을 때까지 다양한 이미지를 연상하도록 한다. 만약 요추 굴곡이 발생한다면 "근육을 부풀리는 것"보다는 매달려있거나 들어 올리는 기분을 강조하는 암시를 사용한다.
- 과긴장 현상이 있는지 골반저의 후면[좌골미골근(ischiococcygeus)]과 둔부 후부를 검사한다(그림 10.33). 만약 둔부 움추림(butt griping) 모습이 있다면 이것은 다열근의 활동을 억제하는 것이다. 다열근의 수축을 촉진시키기 위해 먼저 환자

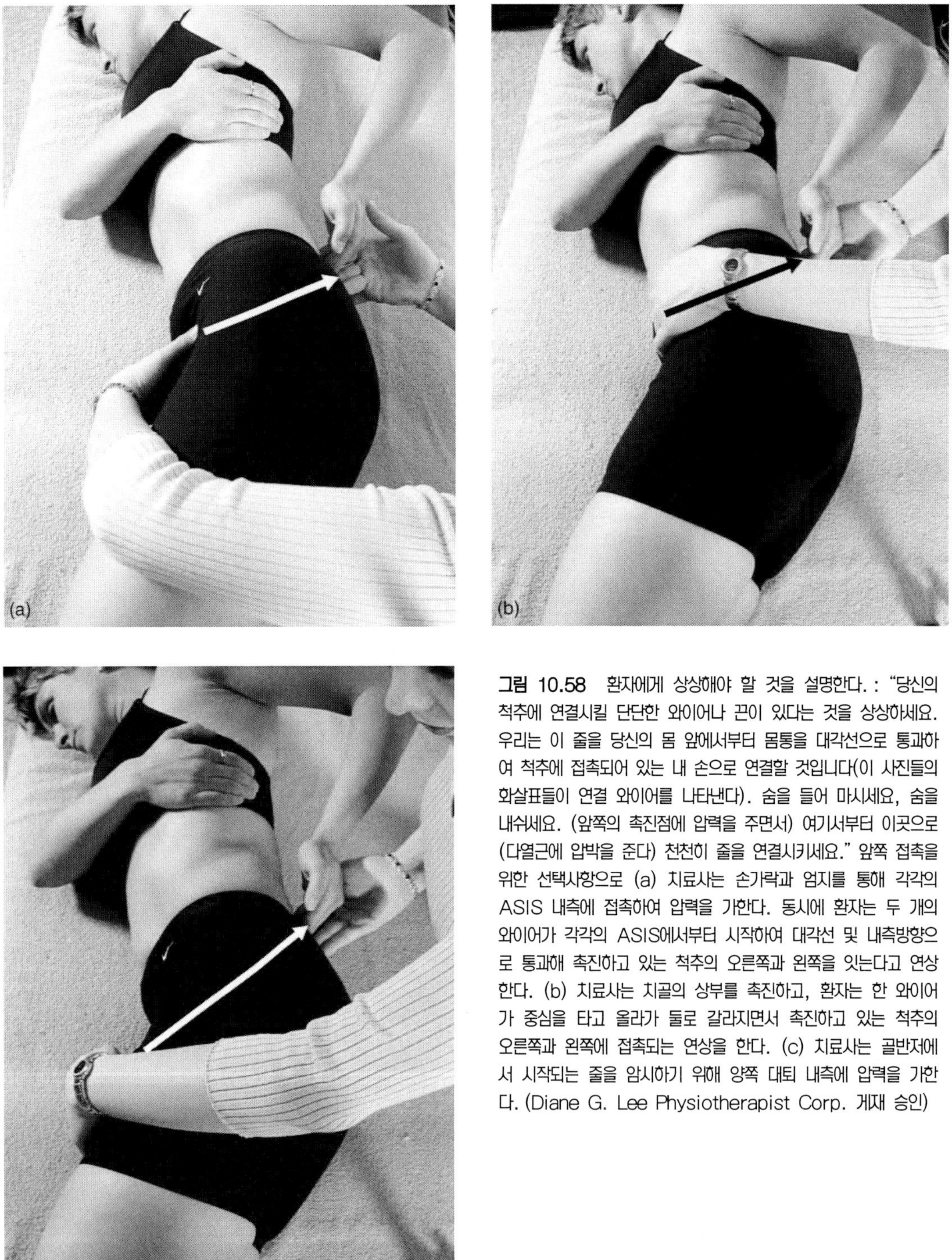

그림 10.58 환자에게 상상해야 할 것을 설명한다. : "당신의 척추에 연결시킬 단단한 와이어나 끈이 있다는 것을 상상하세요. 우리는 이 줄을 당신의 몸 앞에서부터 몸통을 대각선으로 통과하여 척추에 접촉되어 있는 내 손으로 연결할 것입니다(이 사진들의 화살표들이 연결 와이어를 나타낸다). 숨을 들어 마시세요, 숨을 내쉬세요. (앞쪽의 촉진점에 압력을 주면서) 여기서부터 이곳으로 (다열근에 압박을 준다) 천천히 줄을 연결시키세요." 앞쪽 접촉을 위한 선택사항으로 (a) 치료사는 손가락과 엄지를 통해 각각의 ASIS 내측에 접촉하여 압력을 가한다. 동시에 환자는 두 개의 와이어가 각각의 ASIS에서부터 시작하여 대각선 및 내측방향으로 통과해 촉진하고 있는 척추의 오른쪽과 왼쪽을 잇는다고 연상한다. (b) 치료사는 치골의 상부를 촉진하고, 환자는 한 와이어가 중심을 타고 올라가 둘로 갈라지면서 촉진하고 있는 척추의 오른쪽과 왼쪽에 접촉되는 연상을 한다. (c) 치료사는 골반저에서 시작되는 줄을 암시하기 위해 양쪽 대퇴 내측에 압력을 가한다. (Diane G. Lee Physiotherapist Corp. 게재 승인)

의 자세를 바꾸거나 긴장을 감소시키는 이완테크닉을 사용한다.

- 흉추기립근이 활동적이라면 이 근육들이 최대한 이완될 수 있는 엎드려 누운 자세를 선택한다(그림 10.60).

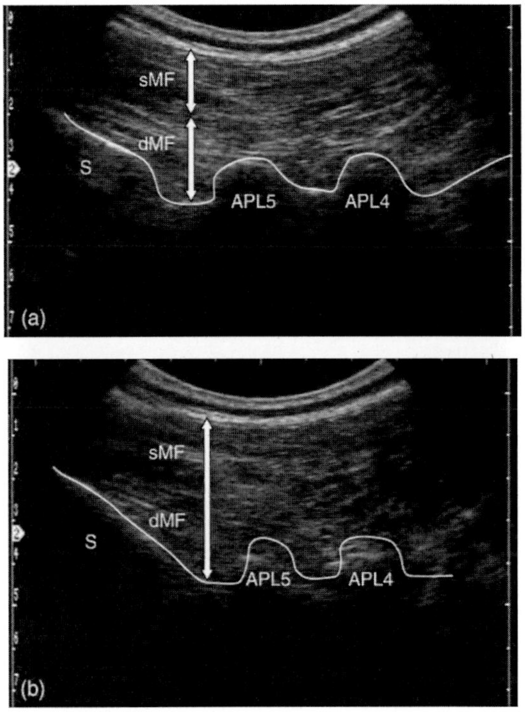

그림 10.59 요천골의 다열근 초음파영상, 세로 상(longitudinal view). APL4, 관절돌기 L4 ; APL5, 관절돌기 L5 ; S, 천골; dMF, 심부 다열근 ; sMF, 천부 다열근. 두 영상의 화살표들은 심부 또는 천부 다열근이 수축할 때 근육활동이 나타나는 것을 지적한다.
(a) 근육을 동원하라는 암시에도 다열근 심부 또는 천부섬유의 활동이 발생하지 않을 때에는 영상에 변화는 없으며(근육층 두께에 변화가 없다.), 안정상태에서 촬영된 영상과 유사하다. (b) 다열근 심부 및 천부섬유의 동시 수축은 추궁판에서부터 대부분의 천부섬유까지 전체 근육에 두께의 변화가 나타난다. (Diane G. Lee Physiotherapist Corp. 게재승인)

- 호흡패턴을 검사하여 호흡을 멈추는 시간이 없도록 확인한다. 척추기립근을 이완시키기 위해 숨을 내쉬는 호기단계를 이용한다.

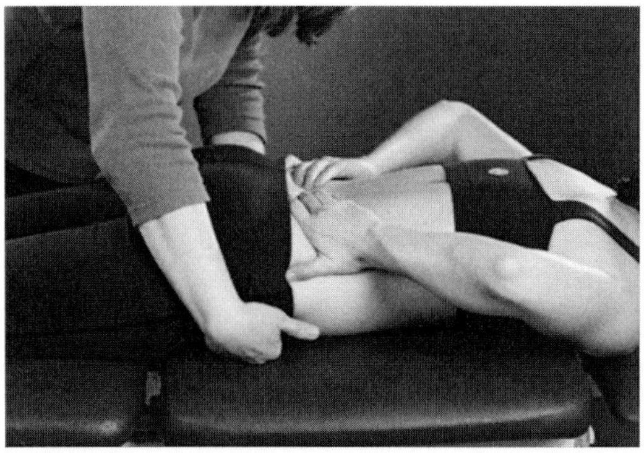

그림 10.60 다열근 심부섬유의 회복 : 엎드린 자세. 이 자세는 흉추기립근의 과도한 활동을 감소시킬 수 있다. 복부 밑에 베개를 놓으면 지지력을 증가시킬 수 있으며 체간의 이완을 촉진시킬 수 있다. 치료사가 복횡근의 동시수축을 검사하는 동안 환자는 양쪽 다열근이 수축하는지를 감지하기 위해 촉진한다. 환자의 촉진점은 복부전면으로부터 "당김 와이어(guy wire)"를 연상시키기 위한 암시로 사용될 수 있다. (Diane G. Lee Physiotherapist Corp. 게재승인)

초음파 영상 - 다열근 심부섬유의 동원 없이 천부섬유만 작용

영상 : 실시간 초음파 영상으로 다음과 같은 것들이 보인다.

- 다열근의 심층에서 근육층의 너비에 변화는 없다. 천층의 너비 증가는 빠르고 상동반응이 흔히 관찰 된다.

촉진 : 촉진을 통해 다음과 같은 것들이 느껴진다.

- 빠른 수축 현상이 발생하기 전에 심부 긴장감을 촉진할 수 없을 만큼 손가락이 근육으로부터 빠르게 밀려나오게 된다.
- 촉진점 외측에서 다열근섬유의 빠른 수축이 번갈아 느껴진다. 그러나 촉진점 내측(심부섬유)은 부드럽고 비활동적이다.

관찰 : 관찰에서는 다음과 같은 것에 주목하도록 한다.

- 만약 천부 다열근이 복근의 동반수축 없이 활동적이라면 요추전만이 증가되는 현상이 나타난다.

만약 복근 긴장이 동반된다면 요추 만곡의 변화는 발생하지 않을 것이다.

교정기술: 여러 교정기술들을 시도할 수 있다.

- 심층 근육을 위한 단독운동을 시작하기 전에 천층 섬유의 긴장과 감수성을 감소시키는 맨손 또는 다른 기술들의 사용을 고려한다.
- 환자로 하여금 그 근육을 찾을 수 있도록 다양한 연상방법을 시도한다. 신전을 유발시킬 수 있는 연상은 피하도록 한다(예, "허리를 뒤로 굽히는 척을 하되 실제로 움직여서는 안 됩니다."). 이것은 천부 섬유를 동원하기위한 준비상태로 이어지기 때문이다.
- 호흡패턴을 검사하여 호흡을 멈추는 시간이 없도록 확인한다. 호기를 이용하여 척추기립근과 천부 다열근의 이완을 촉진하도록 한다.
- 천부 다열근을 최대로 이완시키도록 환자의 자세를 바꾼다. 복부 밑에 베개를 대는 것이 효과적이다.

초음파영상 – 다열근 심부 및 천부섬유의 동시위상수축

영상: 실시간 초음파 영상으로 다음과 같은 것들이 보인다(그림 10.59b).

- 천층과 심층의 두께의 변화는 빠른 위상반응(phasic response)이 동시에 발생한다.

촉진: 촉진을 통해 다음과 같은 것들이 느껴진다.

- 빠른 수축이 발생하기 전에 심부 긴장감을 촉진할 수 없을 만큼 손가락이 근육으로부터 빠르게 밀려나오게 된다.

관찰: 관찰할 때는 다음과 같은 것에 주목하도록 한다.

- 만약 다열근이 복근의 동반활동 없이 활동적이라면 요추전만이 증가되는 것은 분명하다. 만약 복근경직이 동반된다면 요추만곡의 변화는 발생하지 않을 것이다.

교정기술: 여러 교정기술들을 시도할 수 있다.

- 심층 근육을 위한 단독 운동을 시작하기 전에 천부 섬유의 긴장도와 감수성을 감소시키는 맨손 또는 다른 기술들을 사용하는 것을 고려한다.
- 힘을 주지 말고 아주 천천히 수축하도록 격려한다. 반복적으로 속도와 힘주는 것을 감소시킴으로써 활성화패턴이 변화될 수 있어 다열근의 심층에서 주로 긴장감이 먼저 발생된다. 수축을 중지시키는 지점을 환자에게 교육시키기 위해 초음파와 맨손 암시를 사용한다(부풂 현상이 많이 발생하기 전).
- 환자로 하여금 그 근육을 찾을 수 있도록 다양한 연상방법을 시도한다. 신전 운동을 유발시킬 수 있는 연상은 피한다(예, "허리를 뒤로 굽히는 척하되 실제로 움직여서는 안 된다."). 이것은 천부 섬유를 동원하는 준비상태로 이어지기 때문이다.
- 호흡을 멈추지 않도록 호흡패턴을 확인한다. 호기에 척추기립근과 천부 다열근이 이완되도록 독려한다.

초음파영상 – 다열근의 심부섬유 다음 천부섬유(분리 되지 않은 정확한 타이밍)

이것은 수용할 수 있는 동원패턴이다. 그러나 천부 다열근의 수축은 저하되어야 하므로 너무 과도하거나 또는 상동성인 것은 아니다. 초음파영상, 촉진, 관찰은 심부와 천부섬유의 동시수축에 대해 앞에서 설명한 것과 유사할 것이다. 그러나 심부 수축은 천부 수축과 겹쳐져 희미해지기 전에 초음파와 촉진에서 관찰될 수 있다. 속도와 힘주는 노력을 감소시키기 위한 암시는 다열근 천부의 활동을 감소시키는데 효과적이며, 이를 통해 심층에서 주로 수축현상이 발생한다.

초음파영상 – 비대칭적 활성

이 현상은 가장 일반적인 임상적 모습이며 복횡근 또는 골반저 기능에서 흔히 비대칭적인 모습으로 나타난다. 한쪽 다열근의 심부섬유는 약하게 동원된다. 흔히 동측 또는 반대측의 천부 다열근의 과도한 활동과 함께 나타난다. 비대칭의 교정은 모든 국소 근육을 위해 앞에서 설명된 복합적 촉진테크닉(facilitation techniques)이 필요할 것이다. 환자의 한쪽에만 주의를 기우리고 집중하는 것이 핵심이다. 복횡근/다열근의 비대칭성 문제를 치료하기 위한 연상법은 다음 장에 있는 동시수축 전략에서 설명한다.

국소 시스템의 동시수축과 지구력 훈련

목표한 국소근육에 한정된 수축을 일으키기 위한 성공적인 방법을 확인한 후 환자는 정상적인 호흡을 하면서 긴장성 수축 시간을 증가시키기 위해 노력하도록 격려한다. 환자에게 근육의 작용이 중지되었을 때와 또는 언제 대상패턴이 시작되는 것인가를 교육시키는 것이 매우 중요하다(예를 들어 복횡근 작용이 서서히 사라지면서 내복사근이 작용한다.). 이 방법을 통해 환자는 그들 스스로 10초 동안의 수축을 10번 반복하는 운동프로그램을 날마다 모니터하면서 진행할 수 있다. 그러나 매 운동 세션 중 수축하는 시간과 횟수는 수행하는 운동기술이 얼마나 정확한가에 따라 달라진다. 반복횟수를 줄이는 대신에 세션횟수를 늘리는 것(예, 5초 수축, 10회 반복하기를 하루에 10번)보다 한 세션에 많은 횟수를 반복하는 것(예, 5초 수축, 50번 반복하기를 하루에 한번)보다 더욱 효과적이라는 사실을 환자에게 주지시키도록 한다. 기댄 자세에서 실행하는 운동기술이 완벽하게 될 때 더욱 직립된 자세에서 운동하는 방법을 운동프로그램에 추가한다. 환자에게 앉은 자세, 기대어 서있는 자세, 서있는 자세와 보행 중에서도 똑같은 수축운동을 하도록 지도한다. 치료사는 이러한 새로운 자세에서 실행하는 수축운동이 정확하게 실행되고 있는지 검사해고, 전체 근육들이 지나치게 활동하지 않는지 확인해야 한다(전반적인 강직을 검사하기 위한 체크포인트를 사용할 것). 다음은 기능 향상에 관한 아이디어를 소개한다.

만약 환자가 비대칭성 근수축을 보인다면 언어적 암시와 상상은 기능부전이 있는 부분에 더욱 집중하도록 변경시킬 수 있다. 일반적으로 복횡근 단독수축의 이상적인 반응은 다른 쪽 내복사근의 보상반응이 나타나는 것은 매우 일반적인 현상임으로 치료사의 섬세한 촉진과 관찰은 매우 중요하다. 어떤 경우에는 먼저 양측의 수축을 지시한 후 환자에게 약한 반응이 나타나는 곳에 "조금 더 힘낸다."는 생각을 하도록 지도한다("왼쪽 복부를 조금 더 끌어 당겨", "왼쪽 ASIS를 더욱 중심으로 끌어당겨", "오른쪽 허리 아래에 있는 줄을 더 끌어당겨" 등의 연상). 다른 경우 기능부전이 있는 곳을 지시할 때 최고의 결과가 나타난다("왼쪽 복부를 끌어당기는 생각만 하세요", "왼쪽 ASIS만 중심부위로 끌어당기세요", "오른쪽 허리 아래에 연결되는 줄을 생각하세요."). 환자는 한쪽만 수축한다고 생각하지만 양쪽에 수축이 나타나며 치료사에 의해 촉진된다. 일반적으로 기능부전 쪽 근육의 활동이 낮으며 단독수축은 더욱 뚜렷해 질 때 이러한 지시들은 양측성 지시로 진행되어야 한다.

궁극적인 목적은 정상적인 호흡 패턴(정상적인 횡격막 호흡)과 함께 국소 근육 –골반저, 복횡근, 다열근 심부섬유– 의 동시수축이다. 동시수축을 유발시키기 위해 연상은 복합적으로 또는 변경될 수 있다. 다열근만을 위한 연결와이어 연상은 흔히 복횡근과 심부 다열근의 동시수축으로 나타난다. 지시들은 다른 여러 방법으로 복합될 수 있다. 예를 들어 "복횡근을 위해 양쪽 ASIS를 함께 천천히 연결시키세요. 그리고 치골 중심에서 연결된다는 것을 상상하세요. (다열근을 위해) 치골에서부터 선을 그어 몸을 통과해서 내 양쪽 손가락이 있는 척추 양쪽을 따라 연결하세요." 어떤 경우에는 한 근육에 대한 지시가 다른 근육의 동시수축을 일으키는데 충분하다는 것을 촉진을 통해 알 수 있다(환자는 골반저를 들어 올린다고 생각하지만 복횡근과 심부 다열근에서도 동시수축이 느껴진다.). 비대칭적 패턴이라면 대각선 또는 와이어를 고안하여 기능부전이 있는 왼쪽 복횡근과 오른쪽 다열근을 동시에 찾을 수 있다. "오른쪽 ASIS(또는 오른쪽 골반저)에서 내 손가락이 있는 왼쪽 요추하부까지 와이어를 연결한다고 생각하세요."(그림 10.61) ASLR 적용이 비대칭적 압박에 가장 유익하다면 비대칭적 동시수축을 위해 비대칭적인 연상으로 시작하는 것이 근육을 분리해서 노력하는 것보다 더욱 빨리 유익한 기능적 결과를 나타낸다(ASLR 향상, 단하지 입각기 향상).

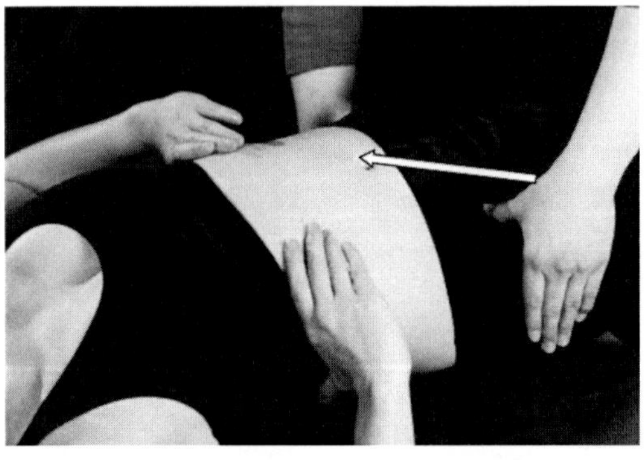

그림 10.61 심부 국소 안정근 시스템의 비대칭성을 치료하기 위한 지시. 치료사는 말로 지시하면서 촉진점에 깊은 압박을 주면서 촉진하고 있다. 이 사진에서 왼쪽 엄지는 복횡근을 촉진하고 있으며 오른 손(허리 밑)은 심부 다열근을 촉진하고 있다. 화살표는 대각선으로 잇는 줄을 나타낸다. 환자는 수축을 유지하면서 적절한 호흡 패턴을 위한 자기 암시를 위해 양쪽 늑곽 부위를 촉진하고 있다. (Diane G. Lee Physiotherapist Corp. 게재 승인)

국소 및 전체 시스템의 협조

국소 및 전체 시스템의 협조는 기능운동에 필수적인 것이다. 국소 시스템의 기능은 관절마디의 관계만을 조절하며 과도한 전단(shearing)을 방지한다. 골반과 늑곽의 관계 또는 체간과 사지 사이의 정위 조절에서는 매우 미약한 작용만 할 뿐이다. 이것은 척추의 정위, 기능적인 사지의 운동, 전체 시스템의 자세균형을 조절하는데 매우 중요하다. 여기에서는 국소 안정근이 수축하기 위한 기반과 전체 근육의 알맞은 동원을 증진할 수 있는 운동에 대해 설명한다. 이 목적은 전체 근육활동에 필요한 자세와 조절운동을 유지하면서 심부 국소 시스템의 동시수축을 유지하는 것이다. 너무 빨리 전체적인 운동으로 진행하지 않도록 주의해야 한다. 그리고 분절을 국소화시키고 긴장을 유지하기 위한 수의적인 능력은 국소 시스템의 조정능력이 상실되지 않았다는 것을 확인하기 위해 재평가되어야 한다. 사용된 특정 운동 프로그램은 각 환자의 상태에 따라 변경될 것이다. 그러나 진행을 위한 일반적인 방법은 그림 10.62과 10.63에서 보여준다. 이 방법은 Richardson 등(1999)이 개발한 지침서에서 발췌하였다.

운동들은 사지가 움직이는 방향이나 외력(중량, 저항운동밴드, 도르래)의 적용 방향에 따라 요추와 골반을 통한 굴곡, 신전 또는 회전을 조절하기 위해 고안되었다. 직립자세와 사지의 운동은 전체적인 근육의 활동과 전체적인 근육의 슬링이 필요하다. 각각의 운동 진행은 먼저 *운동조절(movement control)*에 초점을 맞추어야 한다. 요추-골반-고관절 기능부전 환자들에게 체간운동으로부터 골반의 운동을 분리하는 것을 완벽하게 익힌다는 것이 가장 중요한 일이다. 기능적인 패턴에는 먼저 근위부의 조절을 숙달하는 것에 초점을 맞추고 그 다음에 사

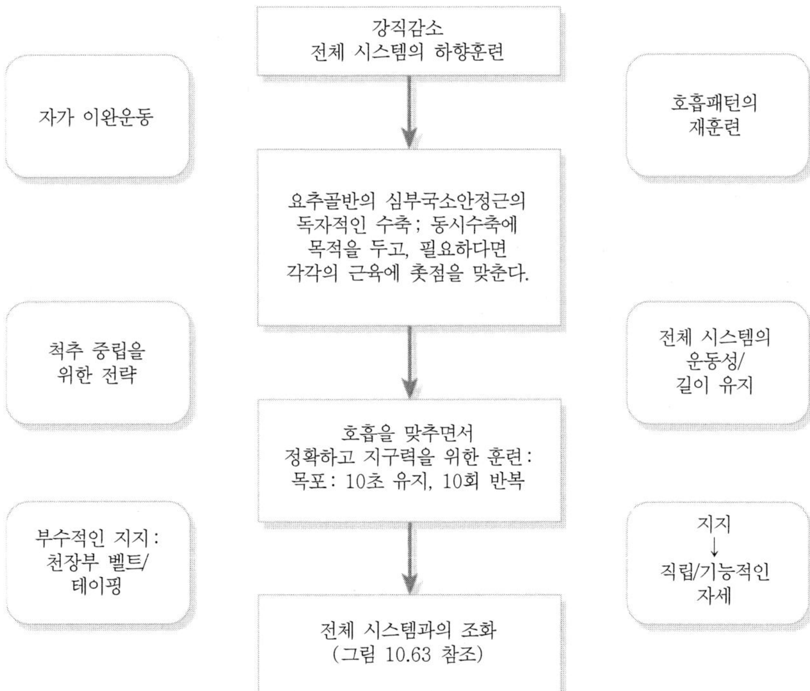

그림 10.62 요추와 골반의 안정을 위한 프로그램

지의 안정을 추가시킨다. 운동조절에 익숙해지면 운동은 기능적으로 근육을 강화시키기 위해 *저항운동(resisted movement)*으로 진행되어야 한다. 조절 기능이 상실된 방향과 부위(천장관절 대 요추관절)를 확인한다는 것은 매우 중요한데, 환자마다 운동에 순응하는 것이 다르기 때문에 운동프로그램을 명확히 해야 하기 때문이다.

전체적인 근육들이 협조되고 심부 국소 안정근의 수축전단계가 적절한 시간대에 활성화될 때 결과적인 운동은 최적의 정렬상태와 유연한 운동으로 실행될 것이다. 불충분하게 조절된 부위의 촉진은 국소 안정근에 의해 유지된 중립구역의 조절을 나타낼 것이다. 체간에 대한 사지의 위치와 골반에 대한 흉부위치에 대한 관찰은 인체에 가해지는 힘을 동일하게 분배하고 전하는 운동사슬(kinematic chain)에서 모든 관절의 유지된 배열을 보여줄 것이다. 전반적인 신체의 정렬은 전체적인 슬링시스템(global sling system)에서 균형된 길이, 근력, 타이밍에 의해 유지된다. 불안정한 바닥면에서 균형을 잡기위한 동작 중 나타나는 근육반응의 질에 대한 관찰을 통해 장기간의 과도한 전반적인 근육의 활성화와 체간의 강직현상이 없이 자세균형의 조절을 보여줄 것이다(Hodege 2003).

각 새로운 운동을 위해 치료사가 부하가 이동되지 않는 부위를 촉진하고 결과를 확인하는 것은 매우 중요한 일이다. 이것은 국소 안정시스템이 새로운 운동 또는 부하가 가해지는 환경에서 기능이 계속되는지 아닌지를 나타낼 것이다. 촉진점들은 다음과 같다. :

- 골반대의 경우, 사지 부하로 인해 골반의 전방회전이 일어나지 않는 것을 확인하기 위해 환측의 골반과 천골을 촉진한다(그림 8.7).
- 요추의 경우, 관련된 방향(굴곡, 신전, 회전, 또는 전단)에서의 조절상실 검사를 하기 위해 관절

주(articular pillars) 또는 극간(interspinous spaces)을 촉진한다.

• 고관절의 경우, 대퇴골두의 전방변위나 회전조절의 상실을 검사하기 위해 골반과 대퇴의 대전자를 촉진한다(고관절의 위치변화는 관절 안전성에 변화를 주어 고관절근육이 요추골반의 국소 안정근을 대신한다.)(그림 8.6).

사지 전체의 운동을 포함하는 운동이 추가될 때 운동사슬(kinetic chain)에서의 각 관절은 관절 위치와 운동을 위한 최적의 축 조절을 위해 관찰되고 촉진되어야 한다. 골반에 대한 흉부의 위치는 시상면, 관상면 및 횡단면에서의 변화를 모니터하여야 한다. 대퇴골두는 외회전/내회전, 외전/내전, 굴곡/신전의 조절력 상실 없이 앉은 자세(무명골구에 중심을 둔 자세)를 유지하여야 한다. 무릎은 과도한 회전이나 외전/내전(내반 또는 외반 위치) 되어서는 안된다. 발은 과도하게 회외 또는 회내 되어서는 안된다. 폐쇄운동(closed kinetic exercise)에서 무릎은 슬개골 중심이 서혜인대의 중심점과 둘째 발가락 사이에 바르게 배열되어야 한다. 운동 중 촉각암시,

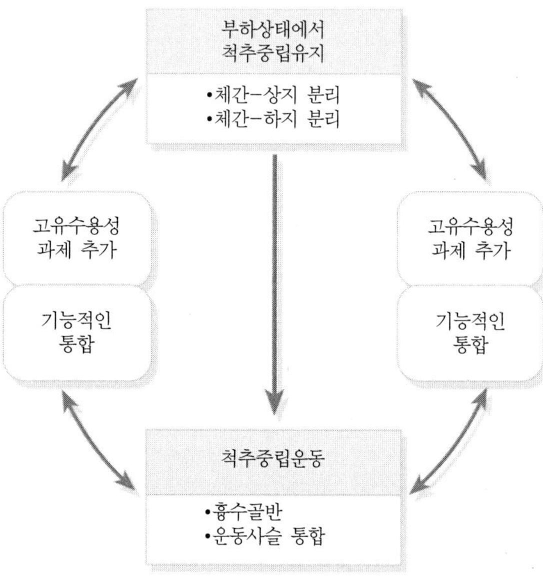

그림 10.63 국소 및 전체 시스템의 협조

연상 또는 고유수용성 입력(예, 저항운동 밴드를 이용), 전반적인 현수(sling)의 적절한 구성으로 부정 배열을 치료하는 것이 인체 전체의 조절을 활성화시키게 할 것이다.

전체근육을 국소 안정근들에게 추가시킬 때 분별 있는 치료사는 "어느 정도가 너무 과도한 전체 활동인가"를 생각해 볼 것이다. 가해진 힘을 조절하기 위해 충분한 전체적인 활동이 필요하다는 것은 분명하다. 그러나 과도한 전반적인 활동은 관절에 과도한 압박을 가하고 운동성을 제한하기 때문에 피하는 것이 좋다. 따라서 치료사는 추가된 근육활동이 어느 정도가 "충분한지" 또는 "너무 과도한지"를 확인할 수 있어야 한다. 각 환자들은 전체근육의 과활동의 특정한 패턴을 나타낼 것이고, 이 패턴은 평가검사를 통하여 확인될 것이다. 운동진행 과정 중 이런 근육들을 명확하게 촉진하고 관찰함으로써 치료사는 어느 정도의 근육활동이 있는가를 알게 될 것이고, 손상 부위와 손상받지 않은 부위 사이의 활성화에 대한 대칭성 비교가 흔히 나타난다. 앞에서 설명된 전반적인 경직성(rigidity)에 대한 체크포인트들을 종종 사용하고 운동을 반복하는 사이에도 사용하여야 한다. 언제라도 경직현상은 전체근육의 활동이 "너무 과도하다."는 것을 나타낸다. 가정운동프로그램을 위해 특정 근육들과 대상패턴을 어떻게 모니터하는지 환자에게 가르쳐 주어야 한다.

일반적 원리

• 먼저 연결한다. – 각 운동의 시작점으로서 심부 국소 안정근의 수축준비(precontraction)를 실행하도록 환자를 교육시킨다.

• 처음에 환자는 각 운동을 반복할 때마다 국소 안정근의 동시수축을 이완시킬 필요가 있다. 그러나 운동을 여러 번 반복하는 동안 대상작용이 관

찰되지 않을 때까지 국소 근육의 동시수축을 유지하도록 격려하는 것이 목적이다. 한 국소 근육활동의 가능한 반복횟수는 조절 능력이 향상되면서 증가될 것이다.

- 특히 다음 단계의 운동이 추가될 때 운동 중에 국소 근육동원과 관절 위치 조절을 촉진하고 모니터하여야 한다. 근육활동이 중단되지 않고 과운동 방향으로 조절 능력이 상실되는 징후가 없는 것을 확인한다.
- 저부하와 운동조절에 초점을 맞춘다.
- 반복 회수를 높이는데 목적을 둔다. 효과적인 국소 시스템 동시수축과 운동조절 능력으로 환자가 가능한 많이 반복할 수 있는 정도에서 시작하고 (때로는 3-5번의 낮은 반복회수), 운동이 쉬워지고 운동조절을 위해 최소의 집중력만 요구될 때 운동 반복회수를 15-20번 정도로 진행하게 한다.
- 운동과정 중 한 부위의 과운동이나 여러 관절의 붕괴현상이 발생하는 부위에 그 수준에서 촉각 피드백과 조절을 협조하기 위해 국소 안정근을 분리하며 척추의 중립자세를 유지하도록 앞에서 설명된 주요점들과 맨손 암시를 사용한다.
- 빠른 탄도성 운동(ballistic movement)을 피한다.
- 고유수용성 입력과 도전 목표를 증가시키기 위해 안정된 면에서부터 불안정한 면으로 진행한다.
- 호흡패턴(외측 늑곽과 복부 팽창이 계속적으로 관찰된다면)과 몸을 고정시키는 모습(bracing/rigidity, 전체적인 강직현상의 체크포인트 참조)을 관찰하면서 과도한 전체근육 활동을 검사한다.
- 가능한 일찍 그리고 자주 국소 근육의 동시수축을 일상적인 기능활동으로 사용한다. 기능적 작업들을 부분적인 운동으로 나누고 하나씩의 운동으로 사용한다.
- 단일 근육의 강화 대신에 동시수축과 자세 조절에 초점을 맞춘다.
- 회전조절을 위한 천장관절 기능부전 운동은 전반적인 기능을 회복시키기 위해 운동프로그램에 포함되어야 한다.
- 만약 작업이나 스포츠를 위해 고부하 및 고속활동들이 필요하다면 재활프로그램의 마지막 단계에 이러한 활동들을 포함시키는데, 먼저 똑같은 운동패턴으로 저부하 및 저속으로 조절하여야 한다. 고속, 고부하 활동들은 환자 운동프로그램의 한 부분으로만 이루어져야 하며, 국소 시스템의 지속적인 기능을 확보하기 위해서는 저부하 운동이 지속적으로 이루어져야 한다.
- 다음에 설명되는 모든 카테고리에는 많은 변화와 선택이 가능하다. 항목마다 몇 개의 진행법들이 소개된다. 그러나 독자는 특정 환자에게 필요한 다른 운동 진행법을 지도하기 위해서는 이 장에서 소개하는 운동 원리와 지침을 사용할 것을 권한다.

부하 상태에서 척추 중립자세 유지

이 절에서 모든 운동의 목적은 심부 국소 안정근의 공동수축을 유지하는 것이다. 그리고 하지에 부하를 추가시키면서 척추의 중립 자세를 조절하는데 있다. 모든 운동과정 중에 척추만곡이 모니터 되어야 하며 요추골반과 흉부 사이의 관계가 반드시 유지되어야 한다. 운동은 구심성과 원심성 단계 모두에서 천천히 통제되어야 한다. 두 형태의 운동이 사용될 수 있다. 하나는 체간으로부터 상지를 분리시키는 것을 조절하는 것이고 다른 하나는 체간으로부터 다리를 분리시키는 것을 조절하는 것이다. 기능적인 통합운동은 이 장의 뒷부분에서 논의된다.

관절의 불충분한 조절과 국소 안정근 활성에 대한 촉진은 중심위치의 조절 유무를 나타낼 것이다. 골반과 늑곽의 상태 그리고 서로간의 상대적 정렬에 대한 관찰은 전체적으로 균형이 이루어지고 있는지 또한 대칭적인 활동이 발생하고 있는지를 나타낼 것이다. 전체적인 근육조절의 상실을 바로잡기 위하여 각 부위들을 연결하는 연상이나 힘이 가해지는 방향을 따라 긴장을 유지하는 것에 대한 연상은 운동사슬(kinetic chain)에 따른 부위의 정렬을 회복시키기 위한 지시로 사용된다. 이러한 운동을 하는 동안에 흉곽-골반 조절을 위하여 다음과 같은 지시들이 사용될 수 있다.

- 흉부의 신전과 우측회전(그림 10.64)이 있는 경우 "운동을 하면서 오른쪽 늑곽 밑을 왼쪽 ASIS에 연결되도록 하세요."라고 지시한다(이러한 노력은 anterior oblique sling을 촉진시킨다.).
- 오른쪽으로 흉부의 굴곡과 회전이 있는 경우 "왼쪽 늑골 밑에서부터 오른쪽 둔부(또는 PSIS)로 이어지는 선이 있다고 연상하세요. 그리고 운동 중에 이 선에 긴장을 유지시키세요."라고 지시를 한다(이러한 노력은 posterior oblique sling을 촉진시킨다.).
- 골반이 왼쪽으로 회전되는 경우(그림 10.64) "오른쪽 ASIS을 통과하는 핀이 있어서 다리를 움직이는 동안 오른쪽 골반이 침대에 그대로 있다고 생각하세요."라고 지시한다(이러한 노력은 반대측 전방경사슬링(anterior oblique sling)과 동측 후방경사슬링(posterior oblique sling)을 촉진되게 한다.).

이러한 지시들은 심부 국소 안정 시스템의 동시수축 초기에 추가된다. 그리고 상지 또는 다리를 운동하는 동안에 강조된다. 이렇게 함으로써 사지에 부하가 증가되는 동안 적절한 global sling이 지속적으로 활성화 된다.

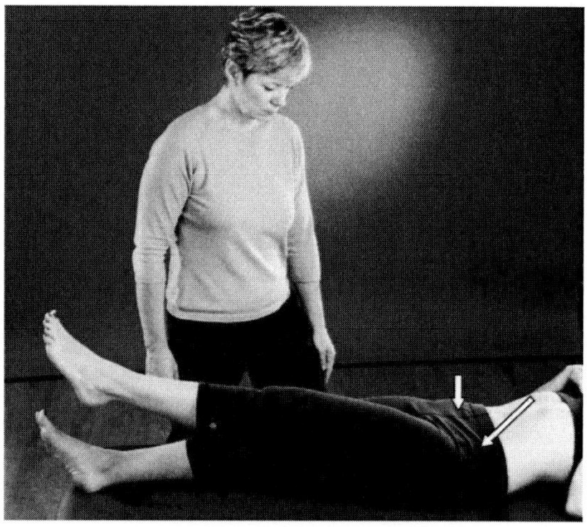

그림 10.64 흉부-골반 정렬을 바로잡기 위한 연상. 이 사진에서 환자의 다리에 부하가 있을 때 척추의 중립위치를 유지할 수 없다. 흉부가 신전과 오른쪽으로 회전되면서 골반은 왼쪽으로 회전된다. 화살표들은 흉부-골반 조절을 위해 만들어진 상상의 현가선(suspension wire)의 연결과 방향을 나타낸다. (Diane G. Lee Physiotherapist Corp. 게재 승인)

체간과 상지의 분리 – 바로 눕거나 갈고리 누운 자세

환자의 자세 : 평편한 면 위에서 척추를 중립위치로 하여 무릎을 세워 눕는다(crook lying). 양 팔을 90°로 굴곡시켜 손이 견관절 위에서 수직이 되도록 한다.

운동교육 : 요추골반 국소 안정근의 공동수축을 촉진한다는 연상을 하도록 지시한다. 기능부전 레벨에서의 복횡근과 다열근을 촉진하면서 치료사의 지시에 따라 근육의 동원이 일어나도록 한다. 팔을 다양하게 움직이는 동안 호흡을 하면서 척추의 위치를 유지하도록 환자에게 요구한다.

1. 상완삼두근 프레스(신전 조절)(그림 10.65) : 양 팔꿈치를 구부려서 손을 머리 쪽으로 가져온다. 그 다음 팔꿈치를 똑바로 편다(삼두근 프레스운동). 양 어깨는 굴곡이나 신전되어서는 안되며, 주관절에서만 운동이 일어나도록 한다.

2. 두상 굴곡(신전 조절) : 팔을 굴곡하여 들어 올릴 때 팔은 직선으로 유지한다. 환자는 요추 전만을 유지하면서 이 운동을 실행하기 위해 광배근의 적절한 길이가 필요할 것이다. 또한 이 운동은 팔을 90°로 굴곡하는 대신 측면에서 시작할 수도 있다.
3. 한 팔 날갯짓[one-arm fly(회전 조절)] : 한 번에 한쪽 팔만 수평외전으로 내리는 동안 팔을 직선으로 유지한다. 중립 자세가 흐트러지지 않도록 확인하기 위해 기능부전 부위(요추, 천장관절)를 촉진한다.

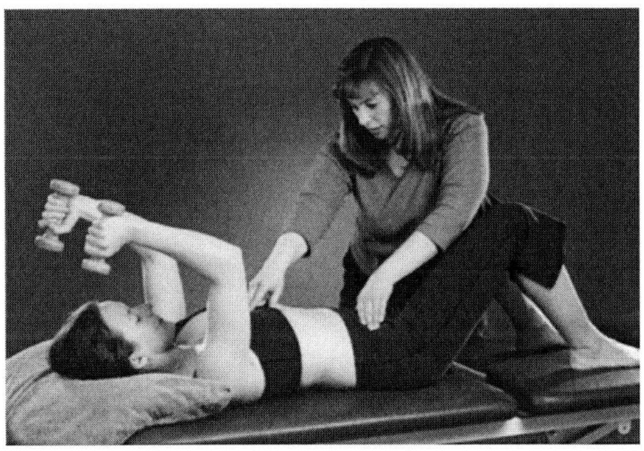

그림 10.65 부하 상태에서의 척추 중립자세 유지. 체간과 팔의 분리 - 갈고리 누운 자세에서 삼두근 프레스[crook lying triceps press(신전 조절)]. 치료사는 흉추 후만을 유지하고 척추 중립위치가 흉요추 신전으로 되는 것을 방지하기 위한 지시를 하며 흉골에 부드러운 압력을 가해 복횡근이 동원되면서 긴장성 수축을 하는 것을 촉진한다. (Diane G. Lee Physiotherapist Corp. 게재승인)

진행/고려사항 : half-roll 위에 눕거나 다른 받혀주는 것이 없는 면 위에서 진행한다. 팔의 근육을 강화시키는 동시에 척추에 가해지는 힘을 증가시키기 위해 아령을 사용할 수 있다. 이러한 운동은 앉은 자세, 공 위에 앉은 자세, 서있는 자세에서도 실행될 수 있다. 직립자세에서의 이러한 운동은 더 많은 집중과 척추의 조절이 요구된다. 만약 삼두근 프레스와 두상 굴곡운동을 일측성으로 양쪽을 번갈아 가며 실행한다면 척추의 신전과 회전 조절이 함께 운동될 것이다.

체간과 상지의 분리 – 앉은 자세

환자의 자세 : 견고한 의자에 앉아 양쪽 발은 바닥에 놓고, 골반은 좌골 위 정중앙에 위치하게 하며, 척추는 중립위치에 있게 한다(최적의 요추골반 피라미드 형태). 저항을 위해 운동 밴드가 사용된다면 환자가 팔을 움직일 때 밴드는 운동하는 반대 방향으로 당겨지는 선(line of pull)을 확인한다.

운동교육 : 요추골반의 국소 안정근에 동시수축을 촉진시킨다는 연상을 하도록 지시한다. 치료사는 기능부전이 있는 곳에서 복횡근과 다열근을 촉진하면서 치료사의 지시에 따라 근육 동원이 되는지 확인한다. 팔이 다양한 모습으로 운동하는 동안 호흡을 하면서 척추위치를 유지하도록 요구한다. :

1. 양측 상지 신전[bilateral arm extension(굴곡 조절)] : 양쪽 손을 몸 앞쪽 어깨 높이로 하고, 약간의 저항이 있는 저항운동 밴드를 잡고 있도록 한다. 척추는 중립자세를 유지하면서 양쪽 팔을 측면으로 당긴다(팔을 아래쪽으로 끌어당길 때 척추는 굴곡되고 골반은 후방경사되는 현상이 발생할 것이다.). 늑골 흔들기(rib wiggle) 검사와 고관절 내외측 회전검사를 하여 체간이 고정되지 않고 또한 둔부조이기(butt gripping)가 나타나지 않도록 확인한다. 양쪽 팔은 저항운동 밴드의 힘에 반하여 서서히 부드럽게 운동을 조절하면서 시작점으로 돌아가게 한다. 이 운동은 도르래를 사용하여 실행될 수도 있다. 일측성 운동은 회전운동이 추가된다.
2. 상지대각선 신전[diagonal arm extension(굴곡과 회전 조절)] : 한쪽 팔을 완전히 굴곡과 내전시킨 자세(body across)에서 시작한다. 그리고 반대쪽 어깨로부터 상부외측에 고정된 저

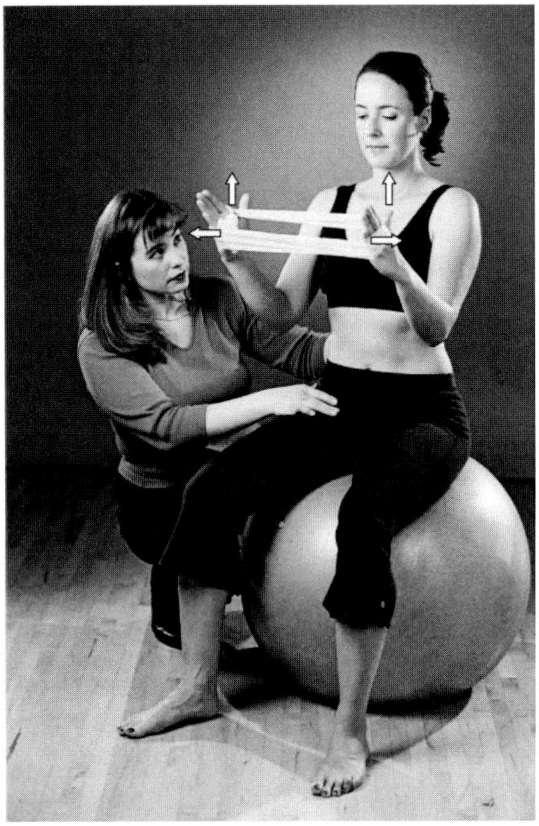

그림 10.66 부하 상태에서 척추 중립자세 유지 : 체간과 팔의 분리 - 앉은 자세. 양측 상지 굴곡(신전 조절). 치료사는 우측 복횡근의 수축을 모니터한다. 그리고 기능부전 부위에서 다열근을 촉진한다. 국소 시스템의 동시수축이 먼저 실행되어야 하며, 다음에 상지의 운동을 통해 긴장이 유지되어야 한다. 작은 화살표들은 저항운동밴드에 힘을 가하는 손의 방향을 나타낸 것이며 큰 화살표들은 팔의 굴곡을 나타낸다. (Diane G. Lee Physiotherapist Corp. 게재승인)

그림 10.67 부하 상태에서 척추 중립자세 유지: 체간과 팔의 분리 - 앉은 자세. 일측 상지 대각선 굴곡(신전과 회전의 복합조절). 환자는 운동을 통해 왼쪽 복횡근 수축을 모니터할 수 있다. 오른 손은 사진에서 보여주는 대로 왼쪽 골반 외측부에서 시작하여 저항운동밴드를 대각선 방향인 굴곡과 외전방향으로 끝까지 끌어당긴다. 골반 위에 있는 흉부의 중립위치가 흉요추 신전과 우측 회전으로 변화된 모습에 주목할 것(짧은 화살표). 이 현상은 우측 늑곽과 왼손이 연결된다는 지시로 정확히 이루어져야 한다(대각선 화살표). (Diane G. Lee Physiotherapist Corp. 게재승인)

항운동 밴드를 잡는다. 저항운동 밴드를 잡고 있는 팔을 신전과 외전시키면서 몸 앞쪽을 지나가도록 끌어내린다(동측 골반을 향하게 한다.). 운동하는 동안 환자는 척추와 골반을 굴곡과 회전시켜 팔의 운동을 촉진시키려는 현상이 나타날 것이다. 치료사는 이러한 대상운동을 예방하도록 손과 말로 지시를 해야 한다.

3. 저항운동밴드를 사용한 양측 상지굴곡(신전 조절) : 환자는 양쪽 측면에서 팔꿈치를 굴곡 시키고 손바닥이 마주한 모습을 취하게 한다. 가벼운 저항운동밴드로 양 손을 감싸 환자가 약간의 긴장을 느끼게 한다(그림 10.66).

환자에게 두 손으로 운동밴드를 천천히 밀도록 한다(5%의 외전력). 그리고 척추 자세를 바르게 유지하면서 양쪽 팔을 최대한 굴곡 되도록 한다. 그런 후 팔을 다시 몸의 측면으로 돌아오도록 내린다. 가벼운 저항운동밴드는 근위부의 고유수용성 입력을 증가시키고 운동조절학습을 돕는다고 생각된다. 이 운동의 시작점은 흉부골반 회전조절을 추가하는데 사용된 것과 같다(척추중립 운동법, 아래 참조).

진행/고려사항 : 고유수용성을 증진시키기 위해 공 또는 sissel 위에 앉거나, half-roll에 발을 놓고 앉거나, 다른 지지되지 않는 면 위에 앉는다. 이러한 운동은 무릎 자세, 기대고 선 자세, 기립자세에서도 실행될 수 있다. 상지대각선 패턴은 고관절과 견관절의 시작자세로 실행할 수 있으며(네 가지의 PNF 패턴), 복합적인 신전/회전 및 굴곡/회전의 기능적인 통합과 조절에 유용하다(그림 10.67).

체간과 상지의 분리 – 기립자세

위에서 설명한 상지의 운동과 같은 다른 변화된 방법들이 기대 선 자세, 공에 기대 선 자세 또는 바로 선 자세에서 실행될 수 있다(그림 10.68).
가능한 빨리 이러한 기능적 자세로 운동을 진행하는 것이 중요하다. 요추골반-고관절 기능부전환자를 위해 지지하고 선 자세(supported standing)에서의 상지의 운동은 쭈그린 자세(squat)에서 실행하는 것과 같이 서서 체간-둔부 분리운동을 하기 전에 할 수 있는 유용한 중간단계의 운동이다. 환자는 상지의 운동을 숙달한 후 쭈그린 자세에서의 운동(하지 운동)으로 진행할 수 있다. 재활운동프로그램의 후기단계에서 상지운동은 하지의 위치를 수정하여 지지면을 변경하기도 하고, 척추의 조절과 함께 상하지의 운동을 복합시킬 수도 있다. 예를 들어 상지를 대각선 패턴으로 운동하는 동안 split-squat stance 또는 벽에 있는 공에 기댄 일측성 기립자세로 유지될 수 있다. 끝으로 척추의 정렬을 중립위치로 유지하면서 하지와 상지를 함께 움직인다(대각선 방향으로 팔을 당기면서 dynamic lunge 자세를 취한다).

그림 10.68 부하 상태에서 척추중립자세 유지 : 체간과 팔의 분리 - 기립자세. 일측 대각선 신전(굴곡과 회전이 복합된 조절). 환자가 상지의 운동을 실행하는 동안 수축하기 전 상황과 지속적인 긴장성 활동을 모니터하기 위해 기능부전 부위의 요추천골의 양쪽 다열근을 촉진한다. 오른 팔은 외전과 거상 위치에서 시작하여 저항운동 밴드를 몸통을 지나 왼쪽 골반쪽으로 끌어당긴다. (Diane G. Lee Physiotherapist Corp. 게재승인)

체간과 상지의 분리– 4점 무릎자세, 공 위에 누운 4점 무릎자세

정확하게 실행한다면 이러한 자세들은 요추골반 부위의 안전성을 위해 매우 유용한 훈련이다. 이 때 둔부는 힘을 뺀 상태이어야 한다[둔부조이기(butt gripping)를 방지한다.].

환자의 자세 : 가슴에 공을 대고 엎드려 흉부가 중립적인 후만을 유지하면서 무릎을 꿇는 자세를 취한다. 골반과 요추는 지지되어서는 안되며 중립 위치로 자연스럽게 움직일 수 있어야 한다. 고관절의 굴곡 가동범위가 제한된다면 무릎을 공으로부터 더 멀

리 위치하게 하여 공이 골반 바로 밑에 있지 않게 한다.

운동교육 : 요추골반의 국소안정근에 동시수축이 촉진되도록 연상할 것을 지시한다. 치료사는 기능부전이 있는 부위에서 복횡근과 다열근을 촉진하면서 지시에 따라 보조근이 활동하는지 확인한다. 환자에게 호흡을 유지하도록 하면서 공에서 팔을 들어 올릴 때 척추를 움직이지 않도록 한다. 이 운동은 척추의 신전조절을 도모하게 한다.

진행/고려사항 : 공에 지지하지 않고 이 운동을 실행한다(그림 10.69). 동시에 반대쪽 다리를 들어 올리는 추가적인 노력은 이 운동의 강도를 높이며 정확한 조절을 필요로 한다. 때때로 환자는 4점 무릎자세에서 다리 들어 올리는 운동이 가능하기 전에 지지기립(supported standing)과 기립자세에서 이 운동을 실행할 수 있다. 어느 자세에서든지 얼마나 힘든 운동을 할 것인 가에 대한 결정은 환자의 기능적인 능력과 본인의 취미활동 목적에 달렸다(예를 들어, 환자가 오랫동안 앞으로 숙이는 자세를 요구하는 운동을 실행한다면 4점 무릎운동법이 중요할 것이다.).

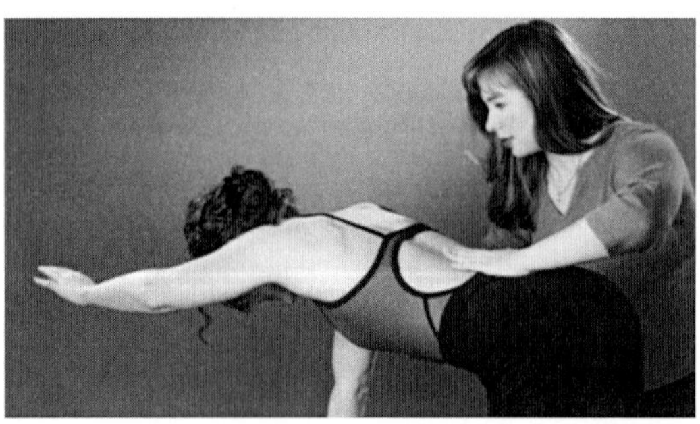

그림 10.69 부하 상태에서 척추 중립자세 유지. 체간과 상지의 분리 - 4점 무릎자세. 치료사는 환자가 팔을 들어 올릴 때 요추전만이 유지되는지 확인하기 위해 요추골반을 촉진한다. 그리고 조절이 약한 부위에는 특정한 촉각 피드백을 제공할 수 있다. (Diane G. Lee Physiotherapist Corp. 게재승인)

체간과 하지의 분리 – 갈고리 누운 자세

하지에 힘을 부하하는 다양한 운동과 운동 진행법은 여러 저자(Hall & Brody 1999, Richardson et all 1999, Sahrmann 2001)에 의해 설명되었다. 여기에서 설명되는 것들은 일부 특정한 예와 수정된 예들로서 요추골반–고관절 기능부전 환자들을 치료하는데 유용하다.

환자의 자세 : 평편한 바닥에서 척추를 중립 위치로 한 상태에서 갈고리 누운(crook lying) 자세를 취한다.

운동교육 : 요추골반 국소안정근의 동시수축을 촉진시키는 연상을 지시한다(국소 시스템에 "연결"한다는 생각). 기능부전이 있는 부위의 복횡근과 다열근을 촉진하면서 치료사의 지시에 따라 근육이 활동하는지를 확인한다. 다양하게 다리를 움직이는 동안 호흡을 유지하고 요추와 골반이 중립 위치로 유지되도록 환자에게 요구한다.

1. 발뒤꿈치 미끄러트리기(Heel slide)(신전/회전 및 굴곡/회전 조절) : 발이 바닥에서 쉽게 미끄러지는지 확인한다(환자에게 양말을 신도록 한다.). 환자에게 요추골반의 중립자세가 흐트러지지 않도록 하면서 발이 체간에서 멀어지도록 한쪽 발꿈치를 서서히 밀어 가능한 다리를 뻗도록 지시한다(그림 10.70). 요추나 골반에 회전현상이 나타나지 않도록 확인하기 위해 조절이 약한 부위를 촉진한다. 이 운동단계는 신전과 회전 조절을 촉발하는 것이며, 다리를 다시 굴곡 위치로 돌아오게 하면 굴곡과 회전 조절을 촉발하는 것이다. 발이 쉽게 미끄러지게 하기 위한 가장 쉬운 자세는 갈고리 누운 자세이다. 운동강도를 증가시키기 위해 환자로 하여금 다리를 똑바로 뻗게 한다. 이 운동은 한쪽 다리를 교대로 실행하다가 양쪽 다리를 동시에

실행하는 방법으로 변경시킬 수 있다. 또는 한 다리는 내리고 다른 다리는 끌어 올리는 방법으로 변경시킬 수 있다.

2. 굽힌 무릎 벌리기(bent knee fall-out)(회전 조절) : 갈고리 누운 자세에서 한쪽 다리를 서서히 측면으로 움직여 고관절이 외전과 외회전 되도록 한다(그림 10.70b, 화살표). 다른 쪽 다리는 움직이지 않고 고정된다. 환자가 둔부에 힘을 주지 않고 대퇴골두를 전방으로 밀지 않도록 자세한 관찰과 촉진이 필요하다. ASIS를 촉진하고 또한 요추의 극돌기 사이에서 회전조절이 되는지 촉진한다. 이 운동을 진행시키기 위해 움직이지 않는 다리는 곧게 뻗도록 한다(Hall & Brody 1999).
3. 90°에서 발 내려뜨리기(Heel drops from 90°)(신전 조절) : 운동을 시작하는 자세를 취하기 위해 환자는 고관절을 90° 굴곡시킨다(먼저 관절 또는 근막 제한에 역점을 둘 필요가 있다.). 환자는 두 고관절을 90°로 굴곡 시킨 자세를 취하고 두 슬관절이 고관절에 대해 직각이 되어야 한다. 요추전만이 중립 위치에 있는지 점검한다. 복벽을 이완시키고 호흡하도록 지시를 한 다음에 환자에게 국소안정근에 "연결"하도록 지시한다. 환자는 슬관절 굴곡을 유지한 상태에서 한쪽 발이 바닥에 닿을 때까지 천천히 아래로 내린다(또는 척추 조절이 상실될 때까지)(그림 10.70c). 그 다음에 발을 바닥으로부터 다시 들어 올려 고관절이 90°굴곡 되는 자세로 복귀시킨다. "사타구니 앞쪽 주름을 깊게 하고 사타구니 깊은 곳에서 무릎을 아래로 내리는 것을 조절한다."고 상상하는 것이 대퇴근막장근과 대퇴직근의 과도한 활동을 예방하는데 도움이 된다. 다음 운동 단계는 발을 내리면서 슬관절을 신전하는 것이다(지레 팔을 증가시킨다.). 이 운동은 바로 누운 자세 또는 앉은 자세에서 한쪽 발을 들어 올리는 것과 관련된 모든 운동에 앞서 유용한 운동이다. 이 운동은 특히 one leg standing test의 고관절 굴곡 단계에서 원심성 조절이 약한 환자에게 매우 중요한 운동이다.
4. 고관절 조절법(hip joint control progression) : 이 운동법의 목적은 고관절을 굴곡하는 동안 대퇴근막장근, 대퇴직근, 봉공근의 활동을 감소시키고, 운동하는 동안 관절축을 조절하기 위해 장요근을 촉진하는데 있다. 치료사와 환자는 운동을 하는 동안 대전자 주위를 촉진하고 외측 근육들의 활동을 감지해야 한다. 먼저 발을 벽에다 대고 고관절이 약 70-80°되도록 한다. 국소 시스템이 수축되려 할 때 환자에게 "사타구니 깊은 곳에 있는 에너지가 무릎을 몸 앞쪽으로 끌어당긴다고 생각하세요."라고 지시한다(그림 10.71a). 족관절 저굴(발꿈치 들기)은 발이 벽에서 떨어지게 하는데 도움이 된다. 대퇴근막장근, 대퇴직근, 봉공근의 과도한 활동이 있다면 저항운동밴드를 대퇴둘레에 사용하여 고관절 굴곡운동을 보조하도록 한다(그림 10.71b). 고관절에 대해 수직인 슬관절 내측범위에서는 골반의 전반적인 근육활동이 필요 없다. 이 운동은 환자가 벽으로부터 멀어질수록 운동이 진전된다. 마지막에는 침상 끝 부위에서 실행하며 환자의 발이 침상 아래로 내려가게 되어 고관절이 완전히 신전된 상태로 운동할 수 있게 된다(그림 10.71c).

진행/고려사항 : half-roll 또는 지지되지 않는 면 위에 누워 진행한다. 초기에 환자는 작은 가동범위로만 다리를 움직일 수 있을 뿐이다. 그러나 조절력이 향상되면서 다리는 더 큰 가동범위로 움직일 수 있을 것이다. 환자에게 조절 능력이 소실되었을 때의 느낌이 어떤 것인지를 교육시키는 것은 매우 중요하다. 그럼으로써 가정에서 운동을 모니터하고 진행할 수 있다. 전반적인 근육의 과도한 활동을 예방하기 위해 운동을 하는 동안 늑골을 흔들어보고, 고관절 내·외전을 사용하고, 가슴을 팽창시키면서 호흡하는 것을 관찰한다. 다리를 완전히 편 상태에서 바닥에서 다리의 무게를 들어 올리고 내리는 것은 높은 수준의 운동이다. 특히 근육이 많은 환자에게는 더욱 그렇다. 이러한 경우 바로 누운 자세에서 다리에 많은 부하를 준 운동을 시작하기 전에 앉거나 지지하고 선 자세와 같이 일어난 자세에서의 운동프로그램을 추가할 수 있다.

체간과 하지의 분리 – 엎드려 누운 자세

환자의 자세 : 요추와 골반을 중립 위치로 하고 엎드린 자세. 정확한 정렬을 위해 베개나 타월을 복부나 흉부 밑에 사용할 수 있다.

운동교육 : 원하는 국소적인 근육의 동시수축을 촉진시키는 상상을 하라고 환자에게 지시하며 피드백을 제공하고 동원되는 근육을 점검하기 위해 복횡근과 다열근을 촉진한다. 환자에게 한쪽 무릎을 90°로 굴곡 시켜서 발을 들어 올린 후 다시 내려놓게 한다(그림 10.72). 반대쪽도 이 운동을 실행한다.

진행/고려사항 : 이 운동은 효율적인 부하이동을 위한 검사로 사용될 수 있다. 국소 시스템 수축을 지시하기 전에 환자에게 무릎을 구부리라고 한다(골반과 척추의 조절을 생각하지 말고). 움직일 때 장골과 천골을 촉진한다. 장골이 천골에 상대적으로 전방으로 회전된다면, 특히 운동 초기단계에서 다리가 움직이고 대퇴직근에 긴장이 발생하기 전이라면 이것은 천장관절의 부하이동이 발생하지 않는다는 것을 지적하는 양성반응이다. 때로는 내측과 외측

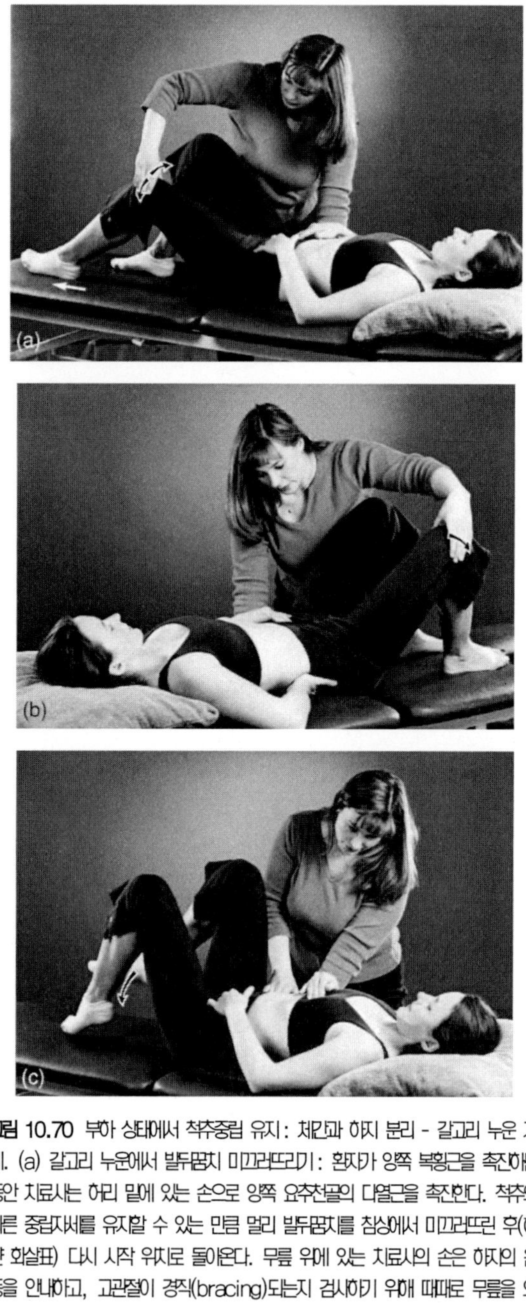

그림 10.70 부하 상태에서 척추중립 유지 : 체간과 하지 분리 – 갈고리 누운 자세. (a) 갈고리 누운에서 발뒤꿈치 미끄러뜨리기 : 환자가 양쪽 복횡근을 촉진하는 동안 치료사는 허리 밑에 있는 손으로 양쪽 요추천골의 다열근을 촉진한다. 척추의 바른 중립자세를 유지할 수 있는 만큼 멀리 발뒤꿈치를 침상에서 미끄러뜨린 후(하얀 화살표) 다시 시작 위치로 돌아온다. 무릎 위에 있는 치료사의 손은 하지의 운동을 안내하고, 고관절이 경직(bracing)되는지 검사하기 위해 때때로 무릎을 외측으로 가볍게 흔들어 본다(고관절 내외회전, 작은 검은 화살표). (b) 굽힌 무릎 벌리기 : 치료사는 척추의 중립자세가 유지되고 있는지를 확인하기 위해 요추 극돌기 사이의 공간을 촉진한다(요추의 회전이 일어나지 않도록 한다). 대체방법으로 심부 다열근을 촉진할 수 있다. 이 사진에서 환자는 왼쪽 복횡근와 오른쪽 다열근의 심부 섬유 사이가 대각선으로 연결된다는 연상을 촉진하기 위해 촉지하고 있다. (c) 90°에서 발 내려뜨리기 : 치료사는 오른쪽 복횡근과 다열근을 촉진한다. 환자는 왼쪽 복횡근과 흉골을 촉진한다. 발을 침상 쪽으로 내리면 척추는 중립자세를 잃고 신전되는 경향이 있다. 흉골의 손은 흉요추의 신전을 방지하는데 도움이 된다. (Diane G. Lee Physiotherapist Corp. 게재승인)

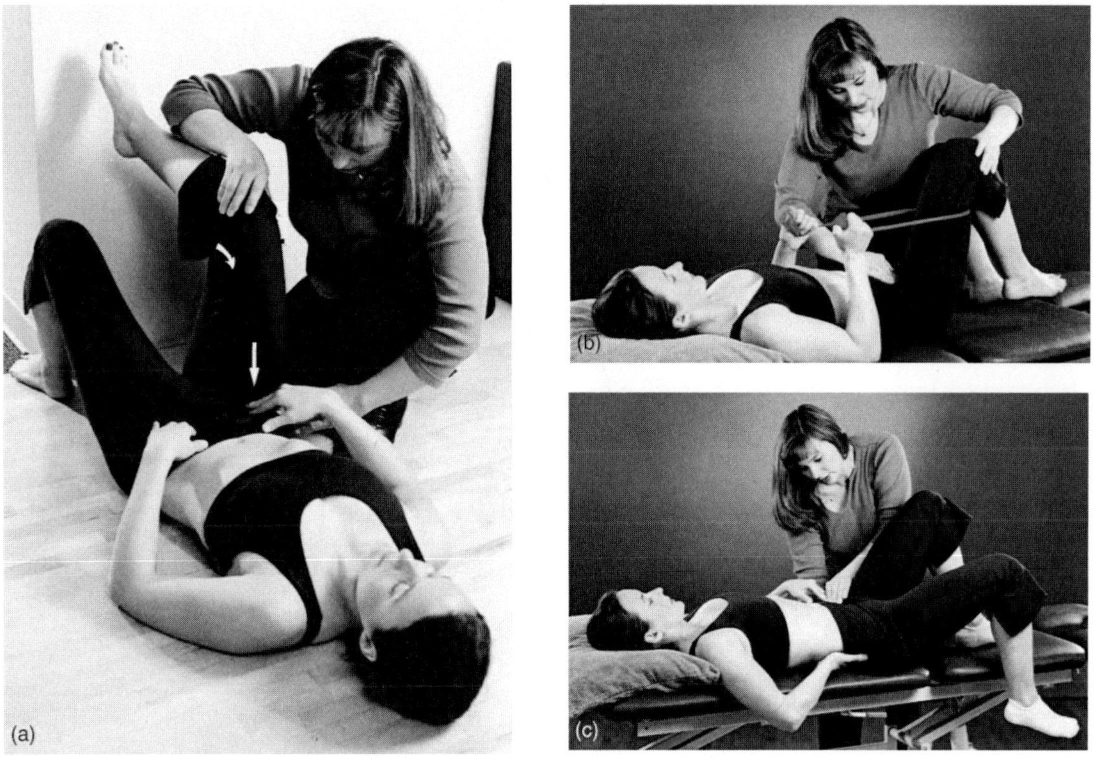

그림 10.71 부하 상태에서 척추중립 자세 유지 : 체간과 하지 분리 - 고관절 조절 방법. (a) 고관절 내측굴곡범위만큼 떼기(inner range hip flexion off the wall). 치료사가 측면의 대퇴근막장근, 대퇴직근, 봉공근을 촉진할 때 환자는 서혜부 전면을 촉진한다. 환자의 왼손은 복횡근을 촉진한다. 대퇴골을 수직으로 내려 눌러(수직 화살표) 고관절에 힘을 가하는 것은 적절한 근육동원과 운동패턴을 촉진시킨다. (b) 저항운동 밴드는 조절을 위한 부하량을 감소시키는데 도움이 된다. 이 예에서 치료사는 운동을 하는 동안 긴장성 활성화를 모니터하기 위해 양쪽 복횡근을 촉진하고 있다. (c) 외측범위로 움직임. 이 예에서 치료사가 척추의 위치를 모니터하는 동안 환자는 왼쪽 복횡근과 오른쪽 다열근의 동시수축을 촉진한다. 다리를 외측범위로 움직일 때 고관절 천층굴곡근이 약간 움직이지만 이러한 활동은 고관절을 경직(rigidity)되게 하지는 않는다. (Diane G. Lee Physiotherapist Corp. 게재승인)

슬괵근 촉진을 통해 비대칭성 활동을 감지할 수 있다. 천장관절의 맨손고정은 때때로 운동을 쉽게 시작할 수 있도록 하고 내 · 외측 슬괵근 동원에 균형을 맞춰준다. 만약 이 검사가 양성반응을 나타내면 운동을 실행하는 동안 천장관절을 모니터하여 국소근육의 동시수축이 중립적 구역을 조절하는 것을 확인하여야 한다. 환자는 장골의 전방회전을 느끼기 위해 ASIS에 손을 접촉하여 장골을 모니터할 수 있다. 특정 환자들에게 천장관절의 의식적인 국소조절 없이 실행하는 슬괵근 저항수축(resisted hamstring curl)과 같은 운동은 일반적으로 증세를 악화시키고 고착화시킬 수 있다. 이러한 환자들은 흔히 외상과는 관련 없이 내측 또는 외측 슬괵근에 애매한 통증을 호소하거나 슬괵근 정지부에 통증을 호소한다. 특정한 슬괵근 검사에서 약화현상을 나타낼 수 있다. 그러나 천장관절을 맨손고정한 후 슬괵근을 재검사하면 근력은 정상적으로 나타난다. 이것은 운동이 진전됨에 따라 하지를 추가시킬 때 근위부 조절에 대한 모니터의 중요성을 예로 든 것이다.

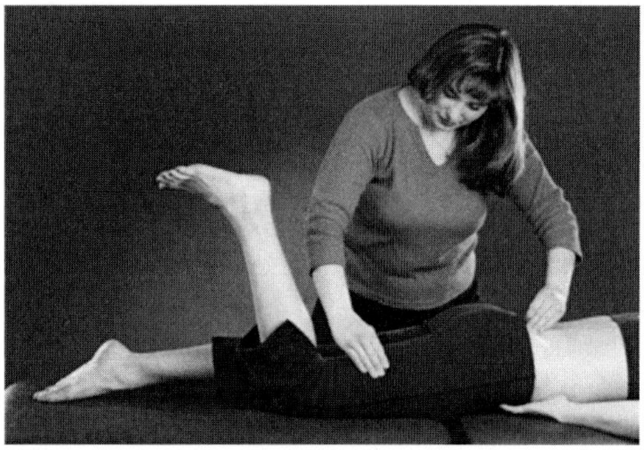

그림 10.72 부하 상태에서 척추중립 유지 : 체간과 하지 분리 - 엎드려 슬관절 굴곡 자세. 이 사진에서 치료사는 환자가 침상에서 오른쪽 발을 들어 올리며 무릎을 굽히는 동안 심부 섬유에서 수축현상이 일어나려하며 지속적인 긴장성 활동이 유지되는 것을 확인하기 위해 양쪽 천골의 다열근을 촉진하고 있다. 또한 치료사는 내·외측 슬괵근이 동일하게 활동하는지를 모니터한다. 환자는 전면에서 복횡근에 암시하고 모니터한다. (Diane G. Lee Physiotherapist Corp. 게재승인)

체간과 하지의 분리 – 앉은 자세

이 자세에서의 운동은 고관절 위에서의 체간운동 또는 체간 아래에서의 하지운동에 초점을 맞출 수 있다.

환자의 자세 –앉아서 앞으로 기울임(sitting lean–forward) : 침상 모서리, 의자, 공 등에 걸터앉는다. 고관절 굴곡에 제한이 있다면 대퇴골두에서 고관절 굴곡이 일어날 수 있도록 앉아 있는 면의 높이가 충분해야 한다. 양쪽 발은 바닥에 지지되어야 한다.

운동교육 : 척추는 중립자세(최적의 요추골반 피라미드)를 취하도록 지시하고 고관절 서혜부를 촉진한다(일측 또는 양측). 환자로 하여금 척추 중립 위치를 유지한 상태에서 국소 시스템을 연결시킨다는 연상을 하게한 후 고관절에서 체간을 전방으로 숙이도록 지시한다(그림 10.73).

가동범위 내에서만 운동이 일어나도록 한다. 작은 운동범위에서 시작하여 점차 운동범위를 증가시킨다.

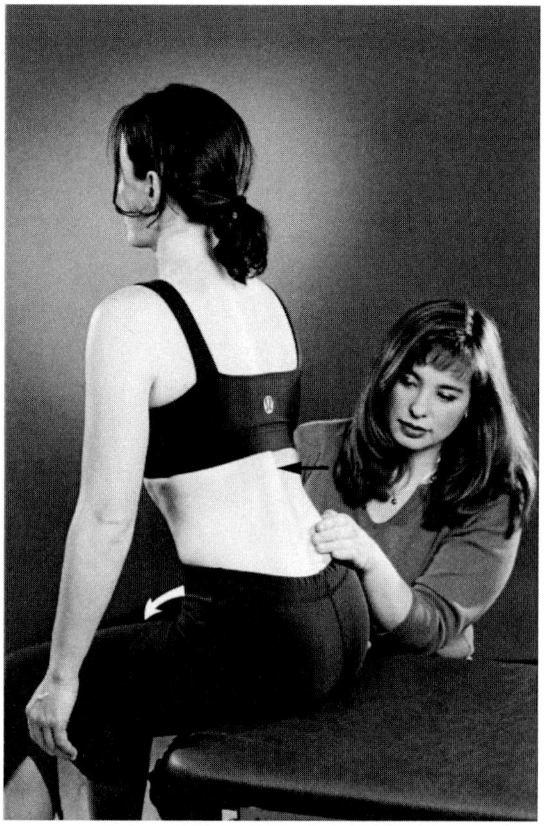

그림 10.73 부하 상태에서 척추중립 유지 : 체간과 하지 분리 - 앉은 후 앞쪽으로 숙인 자세. 치료사는 뒤쪽으로부터 요추의 전만을 촉진하고 오른쪽 서혜부 부위를 촉진한다(사진에서 보이지 않음). 환자가 대퇴골 위에서 골반을 앞쪽으로 전방경사시킬 때(하얀 화살표) 척추는 중립자세를 유지하여야 한다. 이 사진에서 환자가 운동을 시도할 때 하부 흉추가 신전되는 모습을 보여주고 있다(검은 화살표). (Diane G. Lee Physiotherapist Corp. 게재승인)

이 운동은 기립자세로 진행될 수 있다(Sahrmann's "waiter's bow" 2001). Hamilton & Richardson (1998)은 요통이 있는 환자와 없는 환자에서 앉아서 앞으로 기울이는 운동 중 척추의 자세를 조절할 수 있는 능력에 대해 연구하였다. 그들은 요통환자는 일괄적으로 운동 초기단계에서부터 척추의 중립자세를 유지할 수 없으며, 또한 요통환자는 건강한 사람보다 T12에서 S2 부위까지에서 변위가 2배나 많이 나타난다는 것을 발견하였다.

앉아서 슬관절 신전 또는 고관절 굴곡 : 척추 중립 위치로 앉아(최적의 요추골반 피라미드) 두 발은 바닥에 지지한다. 운동을 진전시키려면 환자를 공이나 다른 불안정한 면 위에 앉도록 한다.

운동교육 : "심부 국소 안정근을 연상하며 한쪽 발을 미끄러지듯 앞으로 밀면서 무릎을 펴세요. 그리고 다리를 펼 동안 척추를 바로 하고 요추만곡을 그대로 유지하세요." 또는 환자에게 사타구니 앞쪽에서 고관절을 촉진하도록 하면서 뒤꿈치를 들게 하여(족저 굴곡) 고관절 전면의 주름을 느끼고, "외측 근육(대퇴근막장근)"의 이완과 함께 고관절이 굴곡될 때 양쪽 골반에 똑같은 체중이 유지되도록 지시한다. 이 동작을 다른 쪽 다리에도 반복 실행한다. 이 운동을 발가락을 바닥에서 들어 올리는 동작으로 진행시킬 수도 있는데 이 동작은 특히 다리가 길고 근육질 환자에게 더 많은 부하를 주는 운동이 될 것이다. 만약 고관절의 굴곡/신전 조절훈련이 필요한 환자라면 이 운동은 바로 누운 자세에서 위에서와 같은 방법으로 실행하여야 한다.

체간과 하지의 분리 – 4점 무릎자세

정확하게 실행만 된다면 이러한 운동 자세는 둔부 근육을 이완시킨 상태(butt gripping 방지)에서 요추골반-고관절 부위의 안정성을 훈련에 매우 유용한 운동이다. 둔부의 운동성 유지를 위한 "hip rock"운동(그림 10.24)과 "hip rock 'n' roll"운동(그림 10.25)은 요추골반 안정성 강화를 위한 심층 안정근의 동시수축과 함께 실행될 수 있다. 이 자세에서 한쪽 다리를 들어 올리는 운동은 높은 안정성이 필요하므로 재활 프로그램 후반기에 추가되어야 한다. 운동 방법은 한쪽 다리 들기, 팔/다리를 교대로 들기, 그리고 저항운동밴드에 저항하면서 다리를 신전시키는 하지 프레스(leg press)가 있다(그림 10.74). 요추골반의 경사나 회전되는 일이 없도록 요추골반 자세를 주의 깊게 모니터해야 한다.

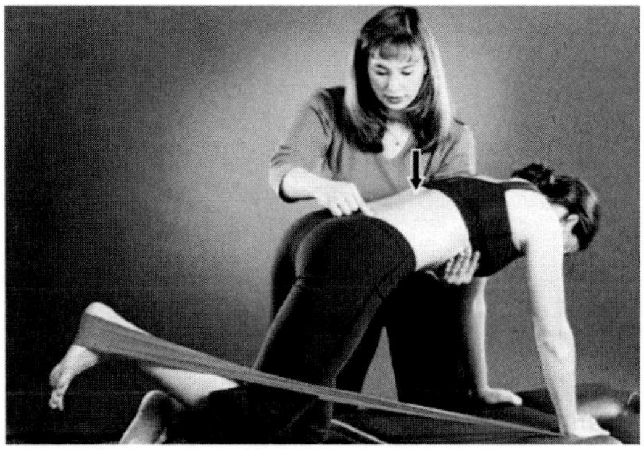

그림 10.74 부하 상태에서 척추의 중립 유지 : 체간과 하지의 분리-4점 무릎자세, 저항운동밴드로 프레스를 한다. 환자는 먼저 척추의 중립 위치를 찾도록 한다. 저항운동밴드는 발끝치의 족궁에 감고, 밴드의 끝부분은 같은 쪽 손으로 잡는다. 국소안정근을 수축시키면서 저항운동밴드를 밀어 고관절과 슬관절을 신전한다. 이 부분에서 치료사는 흉추만곡을 유지하도록 지시하면서 요천부의 다열근이 지속적으로 수축하는지 확인한다. 환자는 복사근의 과도한 동원에 의해 요추상부의 전만이 약간 없어진다(화살표). (Diane G. Lee Physiotherapist Corp. 게재승인)

체간과 다리의 분리–지지하고 서기

환자의 자세 척주를 곧게 하고 벽에 기대어 선다. 발은 벽으로부터 약 15cm 떼고 선다. 고관절은 20° 정도 굴곡하여 골반과 척주가 앞으로 기울어지고 흉곽과 머리가 벽에서 떨어지도록 한다. 고관절은 내,외회전의 중립위에 있도록 하며, 슬관절은 굴곡하고, 양 발의 둘째 발가락은 슬개골의 중심선에 위치시켜 양 발에 체중이 고르게 분포되도록 한다. 선 자세에서의 교정 기법에서 늑곽에서 발가락까지의 전체적인 경직(rigidity)에 대한 모든 점검표를 사용하는 것이 중요하다.

운동교육 환자에게 운동은 다리에서만 일어나도록 상기시키며 ; 척주는 움직이지 않게 한다. 슬관절을 내외측으로 움직이는 동안(고관절 내, 외회전) 호흡을 부드럽게 지속하도록 한다. 닭 운동(chicken exercise)을 위하여 양 무릎은 서로 벌리고 모은다(그림 10.75). 내반슬(무릎이 벌어진 것: butt gripping)이 있다면 동작의 제한이 있을 것이다. 교대로, 환자는 다른 고관절에 비하여 한 쪽 고관절의 조절에 어려움을 겪을 수 있다(덜덜 떠는 움직임, 운동 속력의 불규칙). 요추골반과 척주를 안정시키고 다리의 움직임을 부드럽고 일정하게 유지하는 데 초점을 맞춰야 한다. 발은 필요에 따라 내측과 외측으로 움직이는 것을 허용하지만 과도하게 해서는 안 된다. 운동은 양 무릎을 동시에 움직이는 스키 타는 것과 같은 동작으로 진전될 수 있다. 이렇게 함으로서 요추골반 자세에 회전 요소를 첨가할 수 있다. 환자는 이러한 두 가지의 운동을 하는 동안 양측 엉덩이의 압력이 동등하게 느껴져야 하는데 이것은 골반에서 회전이 일어나지 않았다는 것을 의미한다. 닭 운동이나 스키타는 운동은 슬관절과 고관절 굴곡을 다양하게 유지한 자세에서 수행 가능하다(좀 더 깊게 쪼그려 앉은 자세).

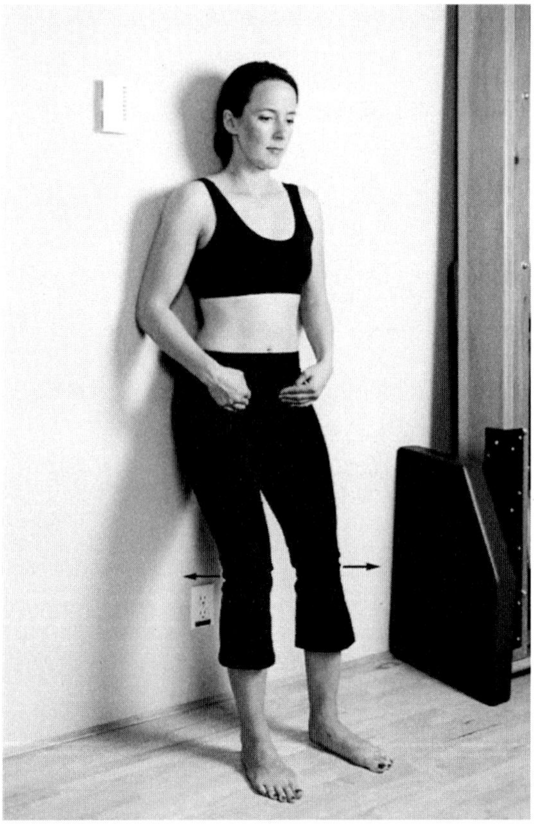

그림 10.75 체중을 부하하고 척주를 중립위로 유지한다.: 체간과 다리의 분리 - 지지하고 서기. 닭 운동: 환자는 지지하고 선 자세에서 척주를 중립위로 유지한 다음 시작한다. 환자는 이러한 예에서 양측성으로 복횡근을 촉지하고 스스로 신호를 보낸다. 화살표는 닭 운동을 할 때의 슬관절의 움직임을 의미한다. (Reproduced with permission from © Diane G. Lee Physiotherapist Corp.)

체간과 다리의 분리 – 선 자세에서 굴곡 조절

환자의 자세 척주는 중립위에 두고 다리는 어깨 넓이로 벌리고 선 자세. 이 운동의 초기 단계에 상체와 체간의 무게는 몸 뒤에 의자나 카운터 등을 놓고 손을 짚어서 지지할 수 있다.

운동교육 환자에게 움직임은 고관절에서만 일어나도록 주지시키며; 척주는 움직이지 않도록 한다. 바비 인형(Barbie doll)과 같이 고관절을 중심으로 엉덩이가 후방으로 향하고 체간은 전방으로 움직이도록 한다(웨이터의 인사 – Sahrmann 2001). 요부 만곡이 유지될 수 있는 만큼만 체간을 전방으로 기울이도록 한 다음 체간을 원래의 곧은 자세로 돌아오도록 한다. 고관절이 접히고 후방으로 움직이는 것을 느낄 수 있는 유용한 지점은 요부 만곡과 대결절 주위에 있다. 고관절에서 대칭적인 굴곡이 확실하게 일어나도록 해야 한다.

체간과 다리의 분리 – 선 자세에서 회전 조절

환자의 자세 다리는 입각기의 자세를 유지하고 척주는 중립위를 취한다. 뒤에 있는 다리는 발꿈치를 들고 앞부리로 지지한다. 체중은 앞에 있는 다리에 집중시킨다. 슬관절은 슬개골이 전방을 향하도록 하여 고관절과 둘째 발가락이 일직선상에 놓이도록 한다.

운동교육 요부골반의 국소 근육들이 보충되도록 유도한다. 다리를 움직이지 않도록 하고 골반과 체간이 다리 위에서 한 몸이 되어 회전하는 동안 슬관절이 앞으로 나아가도록 한다(대퇴골두 위에서 골반이 회전한다.). 전상장골극의 바로 내측에서 일어나는 회전 운동(골반으로부터의 움직임)을 유도한다.

그림 10.76 체중 부하와 함께 척주의 중립위 유지 : 체간과 다리의 분리 - 선 자세에서 회전의 조절, 편측 체중 부하. 치료사는 체중을 부하한 다리의 자세 유지를 관찰한다. ; 골반이 좌측, 우측으로 회전할 때 대퇴골과 다리의 나머지 부분은 움직이지 않도록 한다. 이러한 예에서, 골반의 우측 회전을 위해서는 환자는 우측 전상장골극의 내측 지점을 생각하고 그 지점으로부터 골반을 후방으로 당기는 것을 상상하여야 한다(백색 원). (Reproduced with permission from © Diane G. Lee Physiotherapist Corp.)

진행/고려사항 골반이 회전할 때 골반의 어떤 측방, 후방 경사도 허용하지 않는다. 슬관절을 관찰하며 슬관절이 전방을 향하도록 촉각 자극을 이용하고 고관절이 중심에 위치하도록(벌어지는 것을 허용하지 않는다. : no "butt gripping") 한다. 잘 조절되지 않는 분절을 관찰하며 나아가 천장관절(천골과 무명골 ; innominate) 또는 요추 안에서의 조절을 관찰한다. 앞에 있는 다리에만 체중을 부하하는 운동으로 진전시킨다(그림 10.76). 교대로, 무명골 위에서의 골반의 외측 조절은 환자에게 앞쪽 고관절 위에 골반을 떨어뜨려서 조절을 하게하고 다시 중둔근을 이용하여 골반을 약간 외측으로 경사지도록 함으로서 훈련될 수 있다. 이 동작은 반대편 요방형근이 대신 하지 않도록 조심스럽게 추적 관찰되어야 한다.

척주의 중립위 밖으로 움직이기

많은 기능적 활동에 있어서 척주가 중립위에서 밖으로 움직이는 것을 조절하는 일은 안정성을 위하여 기본적인 것이다. 물리치료사는 운동 연쇄(kinetic chain)의 각 구성요소로부터 각각의 분절에서 동등한 움직임과 부하가 확실하게 일어나는 운동을 하는 동안 추체간, 골반내에서, 그리고 고관절의 관계를 주의깊게 추적 관찰하여야 한다. 부하의 이동이 기능적으로 일어나도록 하기 위하여, 흉추 골반 관계(thoracopelvic orientation)의 변화가 일어나는 동안, 그리고 통합된 기능적 운동 연쇄의 구성 부분으로서 과도한 움직임을 보이는 분절을 조절하여야 한다.

흉추 골반 관계의 변화는 요추의 움직임을 초래할 것이다. : 굴곡, 신전, 측굴, 회전 또는 이들 움직임의 결합. 흉추 골반의 움직임을 조절하는 능력은 보행의 기초로서 그리고 더욱 복잡한 스포츠 활동까지 많은 기능적 활동을 위하여 본질적으로 요구되는 능력이다. 운동은 흉곽이 골반 위에서 움직이거나 골반이 흉곽 아래에서 움직이는 동작으로 계획될 수 있다. 이러한 운동들은 골반으로부터 흉곽의 움직임을 분리하는 능력 또는 역으로 수행하는 능력을 훈련하는데 초점을 맞춘다. 몇몇의 예를 여기에 제시하였고 그 개념은 기능적 움직임(골프 스윙)의 골반 구성 요소를 재훈련하는데 적용된다. 궁극적으로, 환자의 활동에 특수한 적절한 동작을 회복한다는 것은 복잡한 기능적 운동, 일, 스포츠 활동을 작은 구성단위로 쪼개어 나가는 것을 필요로 한다. 일단 요추골반의 국소적 안정근에 대한 독립/보충과 동시수축 지구력의 기초가 마련되고 전체 시스템의 통합이 기능적 자세가 획득되는 시점까지 진행되면, 일 또는 스포츠에 특수한 동작의 부분 구성 요소의 훈련이 시작될 수 있다. 이러한 범주의 동작 재훈련에 대한 첫째 단계는 흉곽골반 동작 구성 요소의 조절에 대한 교육이 포함된다.

흉곽골반 조절 – 배부 노 젓기(rowing back)

환자의 자세 환자는 바닥에서 무릎을 구부리고 앉은 자세로 출발한다. 운동을 하는 동안 전방 골반저에 대한 '연결'과 고관절의 중립위 배열의 유지를 촉진하기 위하여 대퇴 상부의 내측에 작은 공을 끼울 수 있다. 공을 대퇴 사이에서 쥐어짜서는 안되며 약간 눌리는 정도여야 한다. 척주가 중립위를 취하도록 교정하며(적절한 요추골반 피라미드), 다음 요추골반 국소의 안정근의 동원을 유도한다.

운동교육 환자에게 흉곽과 어깨의 자세를 유지하고 골반의 후방경사를 하도록 한다(그림 10.77). 아주 작은 움직임을 필요로 한다. 이 때 환자에게 맥주 통을 고정시킨 상태에서 뚜껑이 돌아가는 것을 생각하면서 골반을 고정시키고 흉곽을 천천히 좌우로 돌리도록 한다. 치료사는 회전하는 동안 늑곽과 장골능 사이의 거리가 변화하지 않고 외측으로 이동되거나 흉곽이 쓰러지지 않도록 하기 위하여 손으로 되먹이시킨다. 골반은 한꺼번에 회전하거나 골반 내부의 어떠한 비틀림도 받지 않도록 한다. 이 운동은 굴곡과 회전 조절을 훈련하며 ; 교대로, 단순한 회전을 유도하는 것만이(골반 경사가 아님) 척주가 중립위인 상태에서 회전을 훈련할 것이다.

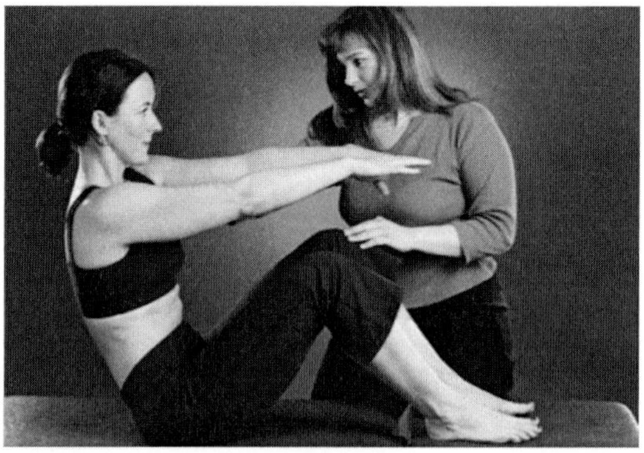

그림 10.77 척주의 중립위 밖으로 움직이기 : 흉곽 골반 조절. 배부 노 젓기. 팔과 흉곽이 좌우로 회전되기 전에 골반을 약간 후방경사시킨다. 골반은 운동이 이루어지는 동안 전방을 향하도록 한다(수평면에서의 회전은 없다). (Reproduced with permission from © Diane G. Lee Physiotherapist Corp.)

흉곽골반 조절 – 교각 자세와 회전(bridge and rotate)

환자의 자세 갈고리 누운 자세에서 출발한다. 호흡을 할 때 늑골의 외측 팽창을 점검한다.

운동교육 숨을 내쉬고 난 뒤, 깊숙이 위치한 국소 안정근의 동시 수축을 유도하며, 발을 밀어주고 바닥에서 엉덩이를 들어 골반을 후방경사 시키도록 한다. 고관절이 들어 올려질 때 요추의 굴곡이 지속되도록 하며 흉부의 중간은 바닥에 접촉되도록 한다. 가장 높은 교각 자세에서 고관절을 이완하여 골반이 중립위의 경사 자세가 되도록 하며("엉덩이를 내려서 고관절에 주름이 생기도록 하세요."), 중립위의 요부 전만을 만든다. 이 동작이 완벽하게 훈련되면, 흉곽 아래의 골반 회전 동작을 추가한다("뚜껑 아래의 통을 돌리세요.")(그림 10.78). 골반이 천천히 한 쪽으로 회전되었을 때 고관절이 접히도록 유도하고 ; 중립위로 돌아오기 위해서, 환자에게 골반이 전상장골극의 바로 안쪽으로부터 끌어올려지는 것을 생각하도록 한다. 반대편으로의 회전을 반복한다. 양측으로 회전하는 동안 동작은 조절되어야 한다. 흉부를 굴곡하여 출발자세로 돌아오며("가슴을 무겁게 하세요."), 다음 요추를 굴곡시키고("허리를 바닥에 붙이세요."), 마지막으로 요부 전만을 감소시킨다("골반을 전방으로 경사시키고 엉덩이를 넓게 하세요.").

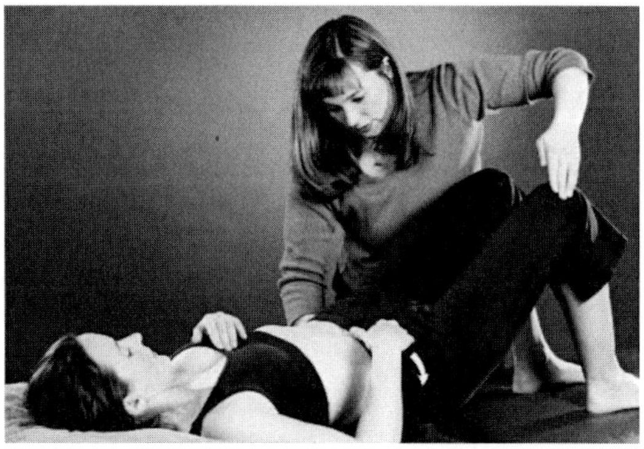

그림 10.78 척주 중립위로부터 움직이기 : 흉곽골반 조절. 교각자세와 회전. 교각자세에서 척주의 중립위로부터, 흉추의 자세가 유지되는 동안 환자는 골반을 우측으로 회전하고 있다. 치료사는 우측 대퇴골이 중립위에 정렬되도록 조절하는 신호를 주고 요추 다열근을 촉진한다. 좌측 전상장골극을 후방으로 당겨 골반이 중립위로 돌아오도록 한다. (Reproduced with permission from © Diane G. Lee Physiotherapist Corp.)

수정/고려사항 전방경사슬링(anterior oblique sling ; 복사근과 반대편 내전근)에 대한 연결이 취약한 환자에게, 운동하는 동안 조절을 촉진하기 위하여 상부 대퇴 내측에 작은 공을 끼워 줄 수 있다. 운동을 하는 동안 늑곽이 편측으로 부푼다면(흉추의 중립 자세가 무너짐) 전방경사슬링의 EO 구성요소가 그 방향으로 주의를 줘서 알릴 필요가 있다("운동을 하는 동안 왼쪽 늑곽과 오른쪽 전상장골극 사이의 장력선(line of tension)을 유지하는 생각을 하세요."). 교대로, 측방슬링(특히 중둔근 부분)에 대한 연결이 취약한 환자에 대해서는 운동을 하는 동안 보다 나은 조절을 촉진하기 위하여 대퇴 주위에 저항운동을 할 때 사용하는 밴드를 묶을 수 있다.

흉곽골반 조절 – 측굴(lateral bending)

환자의 자세 환자는 척주는 중립위로 하고 체중은 엉덩이뼈에 가도록 하여 공위에 앉고 국소 안정근들의 동시 수축에 의하여 척주가 매달리도록 한 자세.

운동교육 골반이 좌우로 흔들려 요추의 측굴이 유도되는 동안 흉추는 움직이지 않고 공간에 매달려 있도록 한다. 늑골이 외측으로 팽창되는 호흡을 확실하게 하도록 하고 그 움직임이 양 쪽 방향으로 구심성 수축과 원심성 수축이 부드럽게 일어나도록 한다.

흉곽골반 조절–선 자세 체간 회전

환자의 자세 환자는 양 발을 엉덩이 넓이로 벌리고 서서 척주는 중립위로 한 자세를 취한다. 양 손을 어깨 넓이로 벌리고 손바닥이 서로 마주보도록 한 다음 저항이 강하지 않은 밴드를 감는다. 그 손을 몸 앞에서 자연스럽게 이완되도록 한다. 이 동작과 국소 안정근을 연결하도록 신호를 준 다음 환자에게 양 어깨를 부드럽게 외전하여 밴드를 당기도록 하며(5%의 노력으로) 손이 거의 눈높이에 도달할 때까지 주관절을 굴곡시키고 팔을 올린다. 이 운동을 하는 동안 척주는 중립위를 유지한다.

운동교육 이 때 환자에게 늑곽과 골반 사이의 거리를 유지하고 호흡하면서 흉곽을 우측과 좌측으로 회전시키라고 한다(그림 10.79). 저항운동 밴드를 사용하고 팔을 올린다는 것은 체간이 회전하는 동안 근위 고유수용성 감각을 증진시키고 늑곽 붕괴의 예방 또는 광배근의 과활성화를 예방하는 것으로 생각된다.

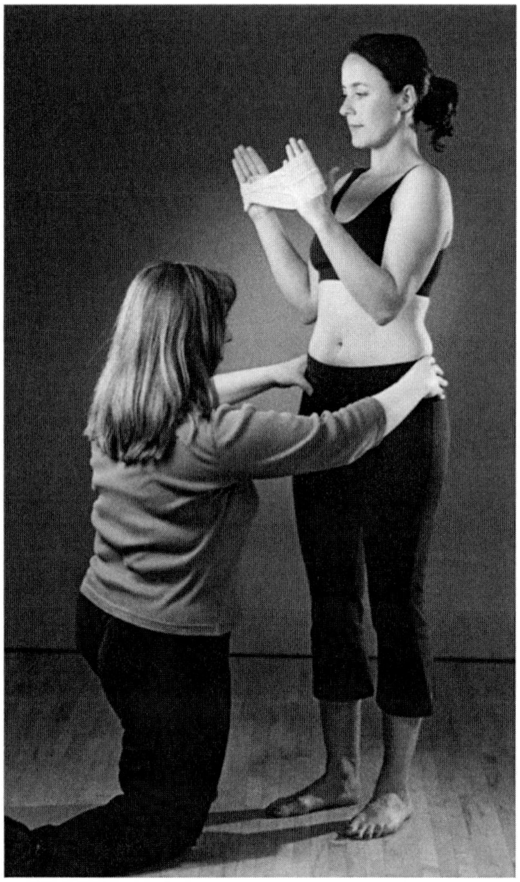

그림 10.79 척주 중립위로부터 움직이기 : 흉곽골반 조절. 선 자세 골반 회전. 치료사는 골반을 움직이지 않게 유지하도록 되먹이 기전을 제공하고 흉부 회전이 일어나는 동안 마주보며 양측 복횡근(transversus abdominis)을 촉진한다. (Reproduced with permission from © Diane G. Lee Physiotherapist Corp.)

흉곽골반 조절 – 선 자세 골반 회전

요추골반 기능 부전이 있는 환자들은 가끔 흉곽으로부터 골반의 회전을 분리하는 일에 어려움을 겪게 된다. 이것은 많은 기능적 활동과 스포츠 활동에 영향을 끼친다. 이 운동은 다양한 운동 연습에서 적용될 수 있는데 ; 출발 자세는 다양할 수 있지만 그 원리는 동일하다. 골퍼에 대해서는 이 운동은 스윙단계에서 처음 독립적 동작을 하고 다음 그 동작을 적절한 타이밍에 맞춰 통합하는 회전을 위하여 골반을 사용하는 방법을 재훈련한다.

환자의 자세 척주를 중립위로 하고 서 있는 자세에서 출발한다. 요추골반 국소 안정근에 연결되도록 신호를 한 다음 환자에게 골프 스윙의 시작자세(골프 클럽을 쥔 가상의 자세)를 취하도록 한다. 치료사는 고관절의 동일한 굴곡과 요추골반 만곡의 중립을 유지하는지 여부를 점검한다.

운동교육 국소 안정근들의 동시 수축을 유지하고 호흡을 정상적으로 하면서 환자에게 backswing 방향으로 골반을 회전시키도록 하며 동측의 전상장골극 바로 안쪽에서 동작이 시작되도록 한다(그림 10.80). 동작은 작아질 것이고 흉곽의 움직임이 있는지 주의하여야 한다. 다시 환자는 반대 방향으로 골반을 완전히 회전하도록 하고 마찬가지로 회전 방향과 동측의 전상장골극의 바로 내측에서 움직임이 시작되도록 한다. 환자는 다시 시작 자세로 돌아온다. 시작할 때는 골반 동작을 천천히 실습하고 골프 동작의 다른 구성 요소를 추가한다. backswing에 대해서는 순서는 다음과 같이 진행될 수 있을 것이다. : 골반 회전, 다음 흉곽 회전을 하지만 팔을 후방으로 흔들지는 않음 → 골반 회전, 흉곽 회전, 다음 팔의 후방 흔들림 → 세 동작을 함께 천천히 시행 → 세 동작을 함께 빠르게 시행. 스윙의 다른 부분은 유사하게 붕괴되고, 실습되며, 재통합된다.

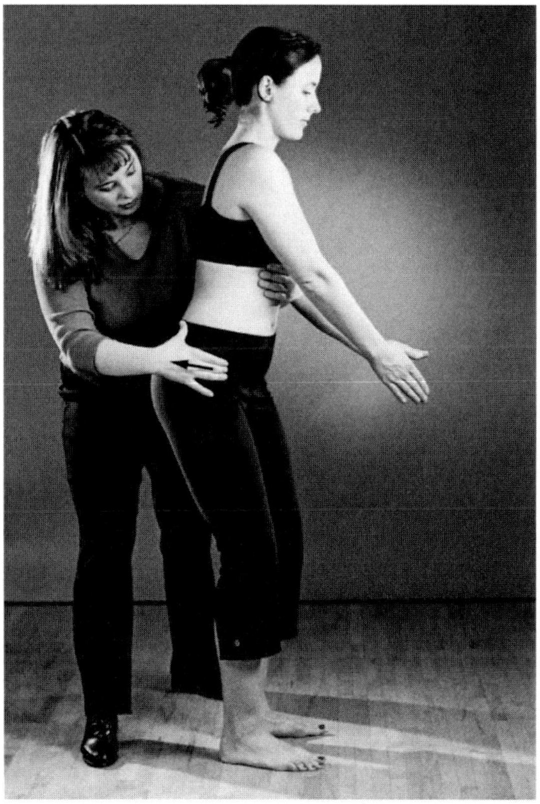

그림 10.80 척추 중립위에서 밖으로 움직이기 : 흉곽 골반 조절. 선 자세의 골반 조절. 치료사는 흉곽 아래에서 골반이 회전되도록(화살표) 우측 고관절 골(전상장골극)후방으로 당기도록 신호를 제공하면서 흉곽의 움직임을 억제하기 위하여 늑곽을 지지한다. 이 운동이 이루어지는 동안 우측 고관절은 굴곡하고 적절한 내회전을 한다. 중립 자세로 돌아오고 좌측으로 회전하도록 하기 위하여 바로 내측에서 좌측 전상장골극으로 유사한 이미지가 사용된다. (Reproduced with permission from © Diane G. Lee Physiotherapist Corp.)

통합된 기능적 운동 연쇄(Integrated functional kinetic chain)

재활 프로그램의 현재 단계에서 환자는 척주의 중립자세의 유지, 고관절 위에서 체간 움직이기 또는 체간과 관련시켜 팔 움직이기를 포함한 몇 가지 기능적 통합 운동을 수행하여야 한다. 환자가 척주의 중립위로부터 움직이는 운동을 성공적으로 배울 때 하나의 운동 연쇄에 많은 관절이 참여하여 협조하는 운동이 추가된다. 이미 전술한 모의 골프 운동은 하나의 특정한 활동에 대한 이러한 과정의 한 예이다. 다른 운동들은 아래에 기술되어 있지만 독자들은 이 장에서 제시하는 원리들을 따라야 한다는 것을 인식하여야 하며, 개별 환자들의 직업, 스포츠, 그리고 레크리에이션 목적에 특수한 많은 운동들이 창조될 수 있다.

기능적 통합(FUNCTIONAL INTEGRATION)

많은 기능적 활동들은 고관절에 대하여 체간이 움직이는 동안(쪼그려 앉은 자세에서 바닥에 앉기), 체간에 대하여 팔을 움직이는 동안(운전), 또는 이러한 동작을 동시에 하는 동안(들어올리기) 척주를 중립위로 유지하는 능력을 요구한다. 더욱이, 일상생활활동, 일, 그리고 스포츠는 팔다리가 움직일 때 중립위로부터 나가고 들어오는 척주의 움직임을 조절하는 능력을 요구한다. 어떤 활동들은 책상 앞에 앉는다든가 또는 몸을 앞으로 기울여 손으로 일을 하는 무릎으로 선 자세와 같은 자세를 오래 유지하는 능력을 필요로 한다. 이러한 서로 다른 기능적 상태는 척주가 중립위에 있을 때, 중립위에 있지 않을 때 모두 척주의 동적, 정적 조절 능력이 훈련되어야 한다는 것을 설명한다.

국소 안정근의 자동 기능과 긴장 기능을 촉진하기 위해서는 가능한 한 조기에 재활 프로그램에 기능적 통합 운동을 포함시키는 것이 중요하다. 몇 번의 치료에 한 번씩 환자에게 도전이 되거나 불편한 기능적 활동이 확인되고 훈련에 대한 목표로 설정되어야 한다. 두 가지의 접근 방법이 이용될 수 있다. 첫째, 환자가 특수한 기능적 활동을 수행하는 방법을 변화시키기 위한 실마리를 교육하고 제공함으로서 활동이 수행될 때는 언제나 환자가 척주의 자세, 호흡, 그리고 국소 근육의 수축에 관하여 점검하고 생각하는 시간을 가지도록 하며, 둘째, 활동을 구성하는 요소를 나누고 먼저 기본 요소를 실습하며 환자의 능력과 운동조절 능력이 증진되면 더욱 복잡한 요소로 실습을 진행하는 방향으로 운동을 고안하는 것이다. 환자의 조절 수준에 따라, 수정할 적절한 활동을 선택한다. 예를 들어, 앉은 자세에서 척주의 중립위를 유지하고 운동을 할 수 있는 수준의 환자를 위해서는, 운전하는 자세의 교육으로 시작될 수 있다. 환자는 어떻게 양측 좌골이 동등하도록 앉을 것인지, 엉덩이를 어떻게 이완할 것인지, 그리고 운전하는 동안 심부의 국소 안정근들을 가볍게 수축시킬 것인지를 교육받는다. 이것은 가능한 차를 출발시키기 전에, 정지 신호등에서, 또는 그것에 관하여 생각하는 때 마다 항상 수행한다. 이 환자는 서 있는 자세에서 들어올리기 또는 보다 복잡한 동작 속으로 새로운 안정 전략을 통합할 준비가 되어 있지 않을 수 있다. 이러한 것들은 후에 새로운 수준의 조절 수준이 획득될 때 재활과정에 도입될 수 있다. 핵심은 기능적 통합 활동이 안정 프로그램의 각 단계에서 도입된다는 것이다.

정적 자세의 훈련은 이미 자세 재교육, 환자마다 특수한 가능적 과제에 대한 중립위 척주 인지를 적용하기 위한 중립위 척주와 완화된 "butt gripper"에서 언급된 지침과 용도를 따른다. 핵심은 장시간 자세를 유지할 때 경직(rigidity)을 피하는 방법으로 환자를 교육한다는 것이다. 정적 자세에 있어서의 정상적인 기능은 사지의 동작(책상 앞에 앉아서 팔 움직이기), 체간 움직임에 의한 중력 중심의 이동(예, 체간 돌리기 또는 이동), 그리고 호흡의 자세적 영향에 대한 반응에 있어서의 작은 반응 동작을 포함한다. 전체적인 시스템에 있어서의 과도한 긴장으로 만들어진 강직성 척주는 안정성과 자세 평형을 유지하기 위하여 이러한 작은 완충 동작을 이용할 수 없다. 환자는 가동적 안정성의 유지를 확실하게 하기 위하여 장시간 자세를 유지하는 동안 주기적으로 전체적인 강직에 대한 점검표를 사용할 수 있다.

다음의 운동은 하지의 운동학적 연쇄(kinetic chain)를 포함하는 동적 활동이 이루어지는 동안 중립위 척주를 조절하는 훈련의 예이다. 이 운동들은 중립위 척주 자세에서 벗어나고 돌아올 때 척주의 조절을 필요로 하는 동작으로 진행된다. 운동이 수행되는 동안, 분절 수준 또는 전체적인 적응 수준 모두에서 조절이 잘 되지 않는 부위 또는 유연성이 부족한 영역이 명백하게 드러날 것이다. 분절 조절 능력의 상실은 국소 시스템의 수축 이전과 지구력에 대한 특수한 신호를 주거나 주의가 필요할 것이며, 이러한 기법들은 광범위하게 전술되었다. 전체적인 유연성의 상실(골반에 대한 흉곽, 고관절에 대한 골반, 슬관절에 대한 고관절, 발에 대한 슬관절)은 불충분하게 활성화되고 있는 전체적으로 매어 다는(global slings) 근육들에 대한 특별한 신호와 주의를 필요로 한다. 이러한 것들은 운동이 시행되는 동안 적절한 배열을 촉진하기 위하여 마음속의 단서 또는 도수적 단서를 사용하여 수행된다. 이것들의 일부는 흉곽골반 배열(국소적 시스템과 전체적 시스템의 협조 참조 : 부하가 가해진 척주의 중립위 유지)과 관련하여 이미 서술하였다. 하지를 추가할 때, 마음속으로 그리는 일은 동작에 관련되는 모든 관절을 포함한다. 예를 들어, 일반적인 패턴은 내전근 그리고/또는 경사내측광근(vastus medialis obliquus) 활성화의 감소인데 긴장도의 감소가 촉진되고 가끔은 가시적인 위축으로 증명된다. 이것은 전방경사슬링(anterior oblique sling)의 결함과 이 슬링이 하퇴와 발(후경골근과 내측 족궁) 안으로의 연결의 연속성에 있어서의 결함을 만들어낸다. 과도한 경골의 내회전과 발의 회내(pronation)가 관찰될 수 있다. 이러한 내측 슬링(내전근, 경사내측광근, 후경골근, 발의 내재근)에 있는 각각의 근육에 대한 특수한 운동을 서술하기보다는 내측 족궁으로부터 올라와서 내측 슬관절, 그리고 사타구니로 들어가는 현가 선(suspension wire)을 상상하는 방법이 이용된다(그림 10.81).

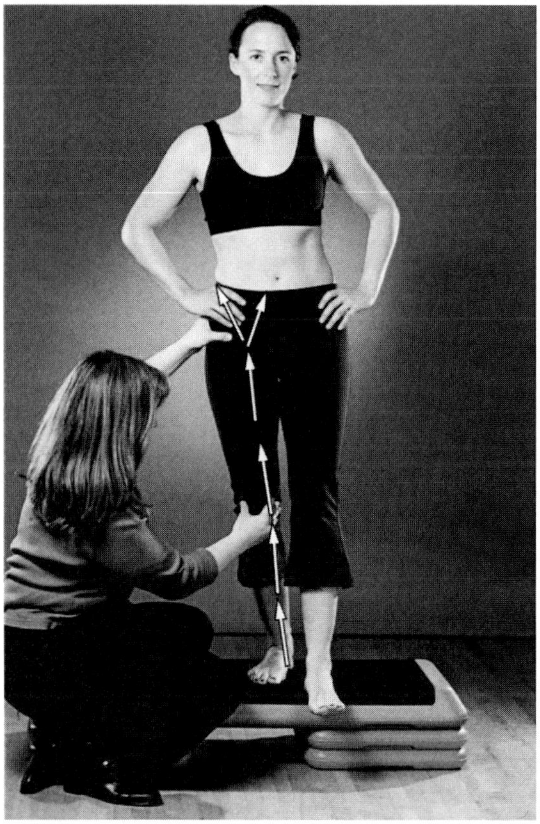

그림 10.81 기능적 통합 : 한 발을 내려놓을 때 적절한 정렬을 촉진하기 위한 심상. 이 경우, 내측 현수와 하퇴와 발가지의 연결을 유도하기 위하여 환자에게 족궁 내측 아래로부터 올라오는 현수 와이어가 슬관절 내측과 내측 대퇴를 따라 올라가 사타구니로 올라가는 것을 상상하도록 한다(화살표). 사타구니로부터, 현수 와이어는 환자가 조절 능력의 상실 여하에 따라 내측으로 계속 올라가 요추 다극근까지 또는 외측으로는 중둔근 후부까지 연장된다. (Reproduced with permission from © Diane G. Lee Physiotherapist Corp.)

초기 단계에 작은 공을 대퇴부 사이에 끼고 쥐어짜도록 하여 내전근의 촉진을 증가시키도록 한다. 환자에게 이미지가 생기도록 도수 촉진을 이용하고 새로운 자세와 정렬이 관찰될 것이다. 이 때 환자는 서서 시행하는 운동을 하는 동안 긴장 선(wire)을 따른 지지와 긴장에 관하여 생각할 수 있다. 어떤 경우에는, 특히 말초 손상(예, 족관절 염좌)을 가진 경우에는 부가적인 강화 운동이 필요할 것이다. 근위부 조절이 주된 문제인 경우에는 요추골반 조절을 회복하고 다음 적절한 정렬을 유도하는 기능적 패턴으로 새로운 운동 패턴을 통합하는 정도로 충분하다.

쪼그리기(Squats)

환자의 자세 척주를 중립위로 하고 벽에 기대어 선다. 발은 벽에서 약 15cm(6 in.) 정도 뗀다. 고관절을 약 20° 굴곡하여 골반과 척주가 고관절에서 전방으로 기울어지고 상흉부와 머리가 벽으로부터 멀어지도록 한다. 고관절은 중립 회전위치에, 슬관절은 고관절 아래에, 각 발의 두 번째 발가락은 슬개골의 중심선과 일치하도록 두어 양 발에 동등한 체중이 부하되도록 한다. 선 자세에서의 기법과 자세를 교정하는데 있어서는, 늑곽에서 발가락까지의 전반적인 경직(rigidity)에 대한 모든 점검표를 이용하는 것이 중요하다.

운동교육 운동은 다리에서만 일어나고 척주는 "guy wire"에 의하여 매달려 움직이지 않도록 충고한다. 환자에게 의자에 앉는 것처럼 쪼그리라고 하는데 고관절, 슬관절, 족관절을 굴곡하고 척주는 중립위로 유지하며, 엉덩이는 양 측이 동일하게 벽을 따라 아래로 미끄러져 내리도록 한다. 이 때 치료사는 움직이는 동안 조절 능력을 상실하지 않도록 확실하게 하기 위하여 요추, 천추, 그리고 무명골을 촉진할 수 있다. 천장 관절의 부하 이동 능력을 상실한 환자에게서는 부하 이동 능력을 상실한 쪽의 천골에 대하여 상대적으로 무명골이 앞쪽으로 회전된 것이 느껴질 것이다. 시작 자세로 돌아오는 동안고관절이 신전될 때 어떤 "butt gripping"을 지켜보고 교정한다.

진행/고려사항

- 벽은 골반이 동일한 관상면에 유지되도록 되먹이를 제공하는데 ; 어떤 회전이 일어난다면, 한쪽 엉덩이에 대한 압력이 변화할 것이다.
- 쪼그려 앉는 동작의 깊이가 동작의 조절에 따라 다양하지만 보통 슬관절을 90° 이상 굴곡할 정도로 쪼그려 앉도록 하지는 않는다(스포츠나 일을 위한 것이 아니라면).
- 벽 쪼그려 앉기는 현수 쪼그려 앉기로 진행한다. : 환자가 쪼그려 앉으면서 양 발꿈치를 들어 올린다(그림 10.82), 그런 다음 슬관절과 고관절을 펴서 일어서는데 이 때 발꿈치는 내리지 않고 시작 자세로 돌아오면 그 때 발꿈치를 내린다. 이러한 운동 패턴은 원심성 조절을 시도하기 위하여 역으로 실행할 수 있다. 양측 대퇴부 사이에 공을 끼우는 것은 내측 다리의 슬링 이미지가 적절한 운동 수행을 위하여 도움이 된다는 것을 말하는 것이다.
- 다른 진행방법에는 쪼그려 앉기와 공에 기댄 현수 쪼그려 앉기가 있다. 공이 요추 전만을 지지하고 흉곽이 중립위 척주 후만증을 유지하고 흉곽의 움직임을 제한하지 않도록 위치시켜야 한다. 쪼그려 앉기 동작이 시작될 때 요부 전만은 유지되어야 하며 고관절은 공 아래에서 후방으로 움직여야 한다.
- 공을 가지고 하는 쪼그려 앉기는 벌린 쪼그려 앉기로 진행될 수 있다(그림 10.83). 다시, 이 운동은 자유스럽게 선 자세와 공에 기댄 자세에서 실행될 수 있다.

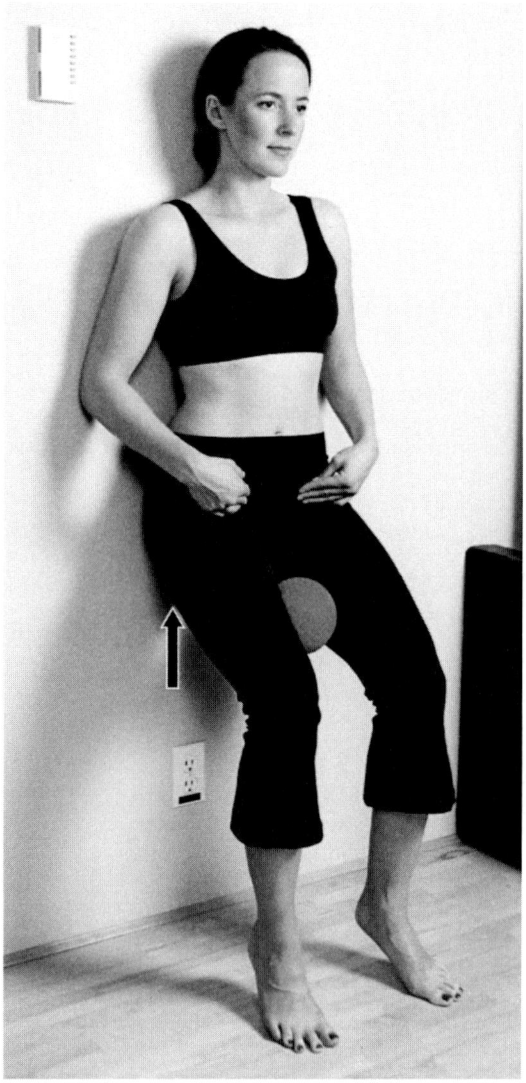

그림 10.82 기능적 통합 : 슬링 쪼그려 앉기, 벽 쪼그려 앉기의 진행. 시작 자세는 벽에 기대어 서서 척주를 중립위로 유지한 자세이다. 이 예에서 환자는 대칭적 수축을 위하여 복횡근을 양측성으로 촉지한다. 다음, 대퇴 내측에 있는 공을 고관절의 내 · 외회전 없이 부드럽게 쥐어짜며 ; 이 압력을 운동 전체를 통하여 지속한다. (Reproduced with permission from © Diane G. Lee Physiotherapist Corp.)

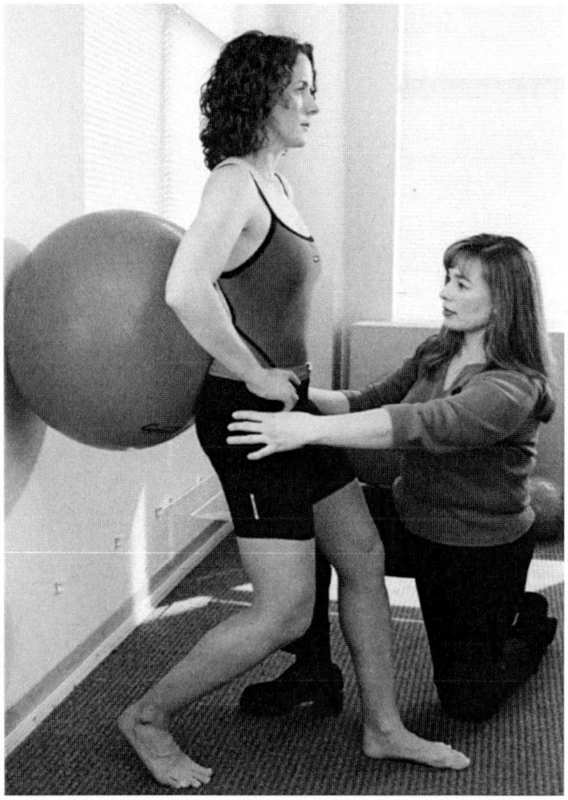

그림 10.83 기능적 통합 : 지주기저는 한 발은 앞에 놓고 한 발은 발끔치를 들어 뒤에 놓음으로서 감소된다(기본 쪼그려 앉기와 비교하여). 이 자세에서 고관절과 슬관절을 굴곡할 때 양측 다리의 체중의 분포는 동일하다. 이 예에서 치료사는 운동하는 동안 양측 고관절의 동일한 굴곡을 촉진하고 골반의 자세를 유지하기 위하여 앞쪽 고관절 주름에 촉각 되먹이를 제공한다. (Reproduced with permission from © Diane G. Lee Physiotherapist Corp.)

- 이 운동을 최초로 소개할 때 대퇴 하부에 저항 운동 밴드를 묶어 사용함으로서 중둔근 하부 섬유에 대한 촉진이 될 것이다. 운동하는 동안 환자에게 5%의 노력으로 슬관절로 밴드를 당기도록 지시한다. 고관절의 외회전 동작이나 슬관절과 발의 정렬의 변화가 가시적으로 나타나서는 안 되지만 중둔근 후섬유의 활동성의 증가가 촉진될 것이다. 운동은 밴드를 제거하고 환자가 스스로 중둔근의 조절과 활동성을 유지하는 방향으로 진행된다.
- 환자의 팔의 자세는 정확한 운동 수행을 위해서 어느 부위에 촉각 되먹이가 필요한지에 따라 달라진다. 처음에는 다극근과 복횡근에 대한 촉지가 필요하다. 교대로, 고관절의 촉지가 전방 굴곡과 운동하는 동안의 고관절 운동축의 유지가 촉진될 것이다. 운동 패턴이 좀 더 자동적으로 이루어질 때, 촉각 되먹이를 적게 사용하며 환자가 다리를 움직일 때 팔을 흔들도록 한다. 쪼그려 앉기 동작이 일어나는 동안, 양 팔은 몸 앞으로 들어올린다. 벌리고 쪼그려 앉기에서는 팔과 다리는 반대 패턴으로 움직인다(좌측 다리가 앞으로 움직이면, 좌측 무릎을 구부리고, 좌측 팔은 몸 뒤로 신전하며, 우측 팔은 전방으로 굴곡한다).

앞뒤로 내디디기(Step forward, step back)

이 운동의 목표는 점진적인 방법으로 보행 주기의 구성 요소들을 자극하기 위함이다. 처음에는, 이 운동은 체중이 앞에서 뒤로 이동하는 활보 서기(stride standing)에서 수행된다(그림 10.84a,b). 환자는 초점이 맞춰진 핵심 근육(다극근, 중둔근의 후섬유, 복횡근 등)을 촉지한다. 운동은 앞에 있는 다리에도 반복되며 다음과 같이 양측성 체중 부하에서 편측성 체중부하로 진행된다. 동일한 체중 이동 운동이 수행되지만, 체중이 전방으로 이동되는 마지막에 뒤에 있는 발을 들어 올려 수 초 동안 유지한 다음 뒤로 내디디고 체중이 후방으로 이동되는 마지막에 앞에 있는 발을 들어 올린다. 다음 진행은 한 다리로 유각기를 수행하는 것을 포함하는데 ; 양측성 활보 서기로부터 체중이 앞에 있는 다리로 이동되고, 뒤에 있는 발을 들어 올리며, 고관절을 굴곡하여 다리를 앞으로 가져간다. 동일한 다리를 뒤로 내디딘다. 촉각 되먹이가 덜 필요하면 팔 흔들기가 추가된다. 보장의 크기는 기능적인 정도가 될 때까지 점진적으로 증가시킨다. 이 운동의 최초 단계에서의 목표는 체중이 앞뒤로 이동될 때 척주를 중립위로 유지하는 것이지만, 운동이 정상 보행과 유사하게 진행되면, 척주의 자세는 중립 자세에서 안과 밖으로 넘나들 것이다(그러나 그리 심하지는 않다.).

한 다리를 앞으로 내밀기와 변형 운동(Lunges and variations)

환자의 자세 척주를 중립위로 하고 선다. 환자는 정확한 운동 수행을 위하여 부가적인 지시와 주의를 필요로 하는 근육을 촉지하는데 ; 이것은 복횡근 그리고/또는 다극근, 또는 중둔근 후섬유, 또는 고관절 앞(이완과 굴곡에 싸인을 주기 위하여)이 될 수 있다. 치료사는 처음에는 부하 이동에 기능 장애를 가진 영역(천골과 좌골, 요추, 대결절 주위 등)을 촉지한 다음, 운동 기법을 교정을 위하여 필요할 때 다른 촉지 지점을 이용한다.

운동교육 요추골반 국소 안정근의 동시 수축을

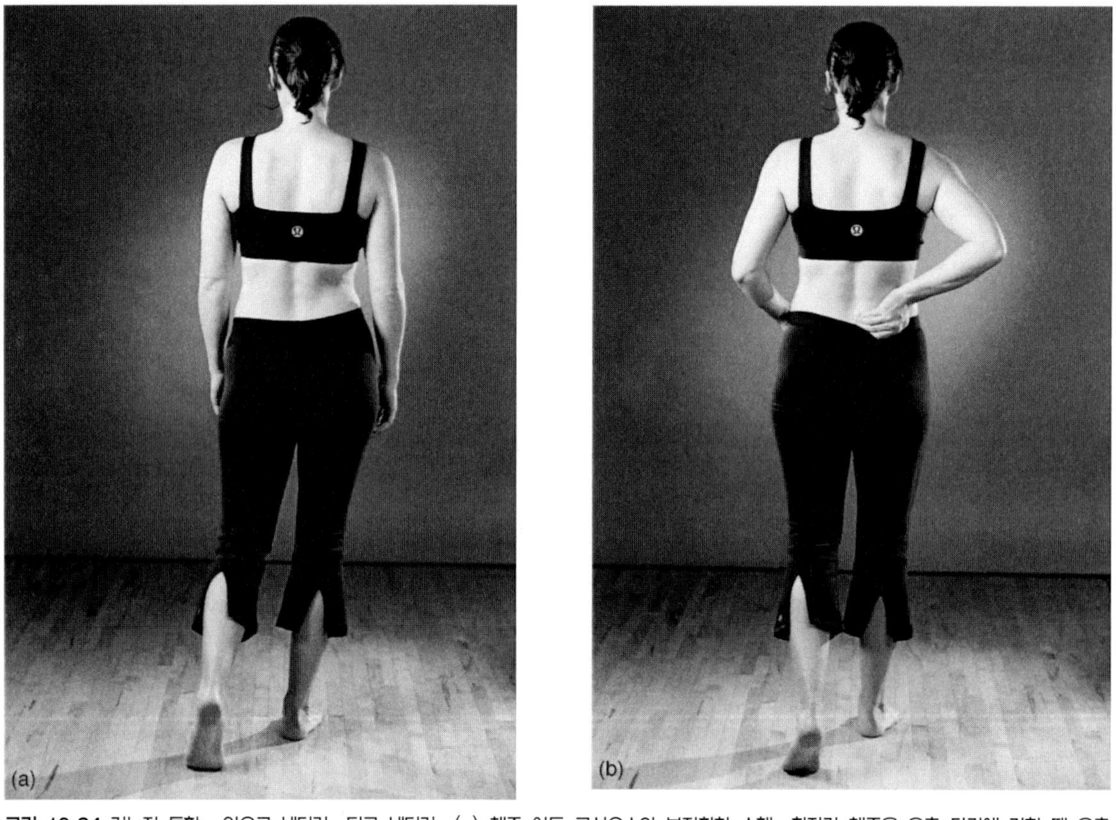

그림 10.84 기능적 통합 : 앞으로 내딛기, 뒤로 내딛기. (a) 체중 이동 구성요소의 부정확한 수행. 환자가 체중을 우측 다리에 가할 때 우측 천장관절과 고관절의 조절을 잃고 있다. 우측의 Trendelenburg를 주목하라. (b) 정확한 기법. 앞에 있는 다리에 체중을 이동시키기 전에, 환자가 우측 심부 다극근을 촉지하고 이미지와 연결한 다음, 우측 다리에 체중이 부하될 때 근육의 활동을 계속 유지한다. "골반을 고관절 위에서 수직으로 유지하세요"라고 하는 지시가 고관절의 조절과 Trendelenburg의 교정에 도움이 된다. (Reproduced with permission from © Diane G. Lee Physiotherapist Corp.) 내딛기. (a) 체중 이동 구성요소의 부정확한 수행. 환자가 체중을 우측 다리에 가할 때 우측 천장관절과 고관절의 조절을 잃고 있다. 우측의 Trendelenburg를 주목하라. (b) 정확한 기법. 앞에 있는 다리에 체중을 이동시키기 전에, 환자가 우측 심부 다극근을 촉지하고 이미지와 연결한 다음, 우측 다리에 체중이 부하될 때 근육의 활동을 계속 유지한다. "골반을 고관절 위에서 수직으로 유지하세요."라고 하는 지시가 고관절의 조절과 Trendelenburg의 교정에 도움이 된다. (Reproduced with permission from © Diane G. Lee Physiotherapist Corp.)

지시한다. 환자는 한발을 앞으로 내디디고, 체중이 뒤에 있는 발의 앞부리에 부하되도록 뒤에 있는 발의 발꿈치를 지면에서 뗀다. 환자에게 양 다리에 체중이 고루 분포되도록 유지하는 한편 몸이 양 다리 사이에 들어오도록 양 무릎을 구부리라고 지시한다. 무릎을 구부릴 때 앞에 있는 무릎이 족관절과 수직선상에 있어야 한다. 고관절이 굴곡될 때 요추 전만을 중립위로 유지하면서 고관절을 구부리라고 지시한다. 시작 자세로 돌아오기 위하여, 환자는 앞에 있는 발꿈치를 후방으로 밀고 다리를 뒤로 가져가 고관절과 슬관절을 곧게 펴 중립위 선 자세로 돌아간다.

진행/고려사항 다리를 내 미는 정도는 환자의 조절에 따라 다양할 수 있다. 골반의 어떤 외측 경사나 과도한 회전이 있는지 설펴본다. 발을 앞으로 내디디는 동안 고정된 다리(후방에 있는 다리)를 관찰한다. 천장 관절에서의 부하의 이동 오류 또는 후방에 있는 다리의 중둔근의 활성화 감소는 때로는 동작에 대한 불안정한 기저 때문에 고관절의 하이킹(hip hiking)과 골반 회전과 같은 다른 다리의 보상성 고관절 전략에 대한 원인이 된다. 이 운동을 처음 가르칠 때 대퇴 하부에 저항 운동 밴드를 묶는 것은 중둔근 후섬유에 대한 촉진 효과를 제공할 것이다(그림 10.85). 환자의 팔의 자세는 정확한 운동수행을 위하여 촉각 되먹이가 어디에 필요한지에 따라 달라진다. 운동 패턴이 좀 더 자동적이 되면 촉각 되먹이를 덜 사용하며 환자에게 다리를 움직일 때 팔을 흔들도록 한다. 다리를 전방과 대각선 방향으로 내밀(lunges) 때 팔은 대측 흔들기 패턴으로 사용하며 ; 옆으로 내밀 때는 양 팔을 쪼그려 앉기에서처럼 몸 앞에서 같이 움직일 수 있다(위 참조).

그림 10.85 기능적 통합 : 저항 운동 밴드의 촉진을 사용하는 앞으로 내밀기. 정상적인 선 자세에서, 밴드는 환자의 대퇴부에 단단히 묶는다. ; 그런 다음 여러 운동을 수행하는데, 예를 들어, 앞으로 내밀기. 이 운동의 진전은 밴드를 제거함으로서 이룰 수 있다(구유수용성 감각의 입력 감소). (Reproduced with permission from © Diane G. Lee Physiotherapist Corp.)

한 무릎을 올려 내미는 것으로부터 보행 내밀기(lunge)로 진행하는 것을 포함한다. 기본적인 내밀기는 몸의 중력 중심이 두 다리 사이로 떨어지는 지점까지 수행된다. 이제, 앞에 있는 다리를 뒤로 밀어서 제자리에 놓는 동작 대신, 뒤에 있는 무릎을 들고 고관절을 굴곡하여 전방으로 이동시키면서 몸을 앞에 있는 다리 위로 전진시킨다(앞에 있는 다리에 편측 체중 부하를 한다.). 이 마지막 자세는 한 다리 서기 검사 자세와 유사하고 수 초 동안 균형 조절의 부담을 주면서 이 자세를 유지한다. 시작 자세로 돌아오기 위하여 체중이 부하되지 않은 뒤에 있는 다리를 후방으로 내딛는다. 마지막 단계의 후방으로 내디디는 동작을 제거하고 변화된 슬관절 들어 올려 내밀기를 연합시킴으로서 환자가 각각의 다리를 내밀면서 전방으로 움직이는 것이 더 진전된 단계이다. 이것들이 이제는 보행 내밀기가 된다. 환자가 보행 내밀기 사이에서 올려진 슬관절을 멈추고 잠시 그 자세를 유지하는 것은 고유수용성 감각에 도전이 되는 부가적 운동이다.

- 후방 내밀기(backward lunge) : 한 다리를 신전하여 발의 볼이 지면에 닿도록 함으로서 전방으로 쪼그렸을 때와 같은 동일한 자세에서 쪼그리는 동작이 수행되지만, 이 운동의 유발은 서로 다른 근육 패턴을 필요로 한다. 이것은 한 다리 서기에서 대둔근의 원심성 수축 조절을 목표로 하는데 유용하다.
- 측면 또는 대각선 내밀기(side or diagonal lunge) : 다리를 옆으로 움직여 쪼그리기가 일어나서 체중이 양 다리에 균등하게 부과되도록 한다. 교대로, 다리를 전방 대각선 방향으로 또는 후방 대각선 방향으로 움직인다. 발이 지면에 닿을 때 환자가 이미 양 발 사이에 동등하게 분배된 체중을 가지고 어떻게 착지할 것인지를 가르치기 위하여 몸의 자세를 교정하고 ; 이러한 재훈련은 인체의 중력 중심을 더 잘 인지하도록 교정하고 촉진하는데 도움이 되며, 이러한 것은 가끔 요추-골반 기능 부전 환자에게서 변화되어 나타난다. 신체 중력 중심을 인지하는 운동은 자동 반응을 증진시키기 위하여 여러 다양한 속력으로 수행될 수 있다.
- 저항 운동 밴드에 저항하는 내밀기 : 환자의 후방, 어깨 위치에 저항운동 밴드를 묶는다. 환자는 척주를 중립위에 두고 서서 동측 손으로 밴드를 잡는다(주관절은 굴곡). 국소 안정 기능을 발휘하는 근육을 먼저 수축시킨 상태에서 편측 저항 밴드에 대항하여 동적 내밀기를 수행한다 (그림 10.86).

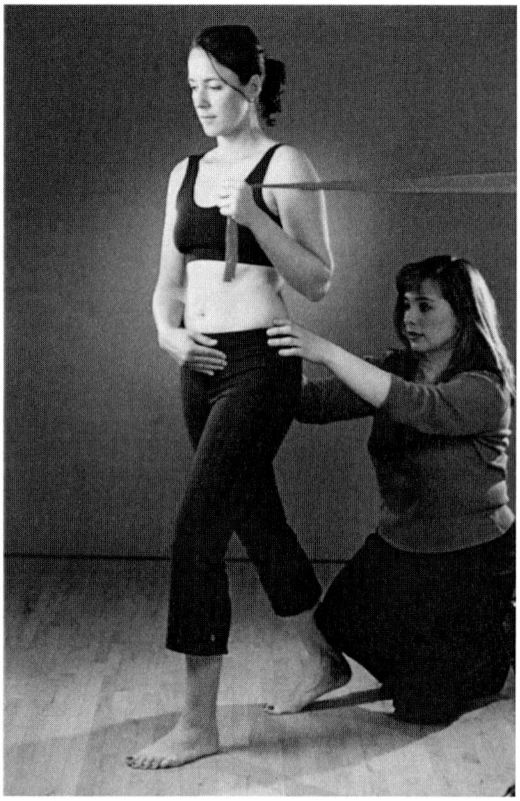

그림 10.86 기능적 통합 : 저항 운동 밴드에 대항한 전방 내밀기. 내밀기가 수행 될 때 환자가 척주를 중립위로 유지하도록 단서를 제공하고 밴드를 향하여 회전되지 않도록 하여야 한다. 이 운동은 전방 사각 현수(anterior oblique sling)를 통한 등척성 조절을 훈련한다(회전과 신전에 대항한). 이 사례에서 치료사는 동작이 이루어지는 동안 좌측 천장 관절의 조절을 확실하게 하기 위하여 좌측 좌골과 천추를 촉지한다. (Reproduced with permission from © Diane G. Lee Physiotherapist Corp.)

이러한 내밀기는 동측 다리에 또는 밴드를 잡은 팔과 반대측에서 수행될 수 있다. 두 경우에 있어서 체간에 회전력이 전달된다. 환자는 운동을 수행하는 동안 척주를 중립위로 유지하도록 하여야 한다.

- 교차-끈 내밀기(cross-tubing lunge) : 이 운동은 Alex McKechnie와 Rick Celebrini의 Hard Core Strength Exercise Protocol로부

그림 10.87 기능적 통합 : 교차-끈 내밀기. (a) 상체 교차-끈 장치를 위해서는 노란색 저항 밴드가 사용되며 ; 족관절을 묶는 데는 빨간색 밴드가 사용된다(McKechnie & Celebrini). 시작 자세는 벽에 기대어 요추 전만을 지지하고 선 자세에서 척주를 중립위로 유지한 자세이다. (b) 동작이 일어나기 전에 심부의 국소 안정근들을 수축시키고 우측 다리를 옆으로 내디뎌 쪼그리도록 한다. 화살표는 팔의 움직임을 의미하며 ; 환자가 조절을 잘 하게 되면 팔을 더 높이 든다. (Reproduced with permission from © Diane G. Lee Physiotherapist Corp.)

터 변형된 것이다. 이 사람은 마지막 단계의 재활 훈련 프로그램에서 적절한 운동 패턴과 운동 수행을 촉진하기 위하여 가벼운 저항 밴드의 사용을 교차 패턴 내에 통합하였다(그림 10.87a). 팔을 연결하기 위하여 두 개의 긴 밴드가 사용된다. 각각의 밴드를 끝에서 묶어 하나의 큰 원을 만든다. 한 쪽 끝에서 고리를 만들고 환자는 한 발을 옮겨서 밴드가 다리를 미끄러져 올라가 대퇴 주위를 묶도록 한다. 고리의 다른 쪽 끝은 반대편 손에 걸친다. 두 번째 밴드도 같은 방식으로 만들어 반대편 손에 걸친다. ; 이렇게 하면 상체 교차-끈 장치가 완성된다. 또 다른 고리를 만든 밴드는 족관절 주위에 걸친다. 이와 같은 다양한 내밀기 운동을 위한 시작 자세는 무릎을 약간 구부리고 벽에 공을 대고 기댄 지지하고 선 자세이다. 요추 전만은 공에 의하여 지지되며 흉추 후만이 유지된다. 고관절은 대칭으로 굴곡한 채 골반은 중립 자세를 취하여야 하며 ; 골반의 전방 경사나 요추의 굴곡을 허용해서는 안된다. 양 손은 흉추 중간 앞 쪽에서 모은다(그림 10.87a). 심부의 국소 안정근의 동시 수축을 유도하고 환자에게 한 쪽 옆으로 쪼그리도록 하며 체중이 양 다리에 고루 분포되도록 한다. 다리가 외측으로 움직일 때, 양 팔은 상방으로 그리고 외측 대각선 패턴으로 움직인다(10.87b). 환자의 조절 능력과 균형력에 따라서, 팔을 올리는 높이는 견관절 외전 위치까지(손이 머리 위에 오는 수준) 할 수 있으며 쪼그리는 동작은 다양하게 조절할 수 있다. 옆으로 내디디기의 진전 운동은 한 다리를 후방으로 신전시키고 발끝을 지면에 닿도록 하기 위하여 대각선 패턴으로 외전하는 대각선 방향 내밀기이다. 동시에, 동측 팔은 대각선 방향으로 신전하도록 하고(다리를 따라서 후방으로, 바깥쪽으로 내린다.) 반대편 팔은 전과 같이 대각선 방향으로 굴곡/외전시켜 들어올린다.

- 반대측 체간 회전 내밀기 : 이 운동은 완전한 운동 연쇄 동작이 일어나는 동안 흉곽과 골반의 조화되지 않는 회전을 완전하게 하는 운동이다. 환자는 저항 운동 밴드에 대항하여 체간을 회전하면서 동시에 하지의 내밀기를 수행한다. 우측 다리의 내밀기를 위해서는, 밴드를 우측 견관절의 상부와 앞쪽에 묶는다. 좌측 팔로는 몸을 가로질러 거상시켜 밴드를 잡는다(그림 10.88a). 환자에게 우측 발을 내디디고 내밀기를 하도록 지시하며, 다음 우측 다리를 곧게 펴서 좌측 고관절을 올리고 슬관절을 굴곡한다. 우측 다리가 곧게 펴질 때 좌측 손으로는 좌측 고관절 방향

그림 10.88 기능적 통합. 반대측 체간의 회전과 함께 하는 내밀기. (a) 환자는 심부 국소 안정근의 동시 수축을 하며, 우측 다리를 앞으로 내디디고 내밀기를 수행한다. (b) 마지막 단계의 운동에는 우측 골반의 회전과 좌측 흉곽 회전을 포함하며 이렇게 함으로서 반대측 흉곽 골반 운동에 대한 훈련이 이루어진다. 치료사는 골반의 조절을 관찰한다. (Reproduced with permission from © Diane G. Lee Physiotherapist Corp.)

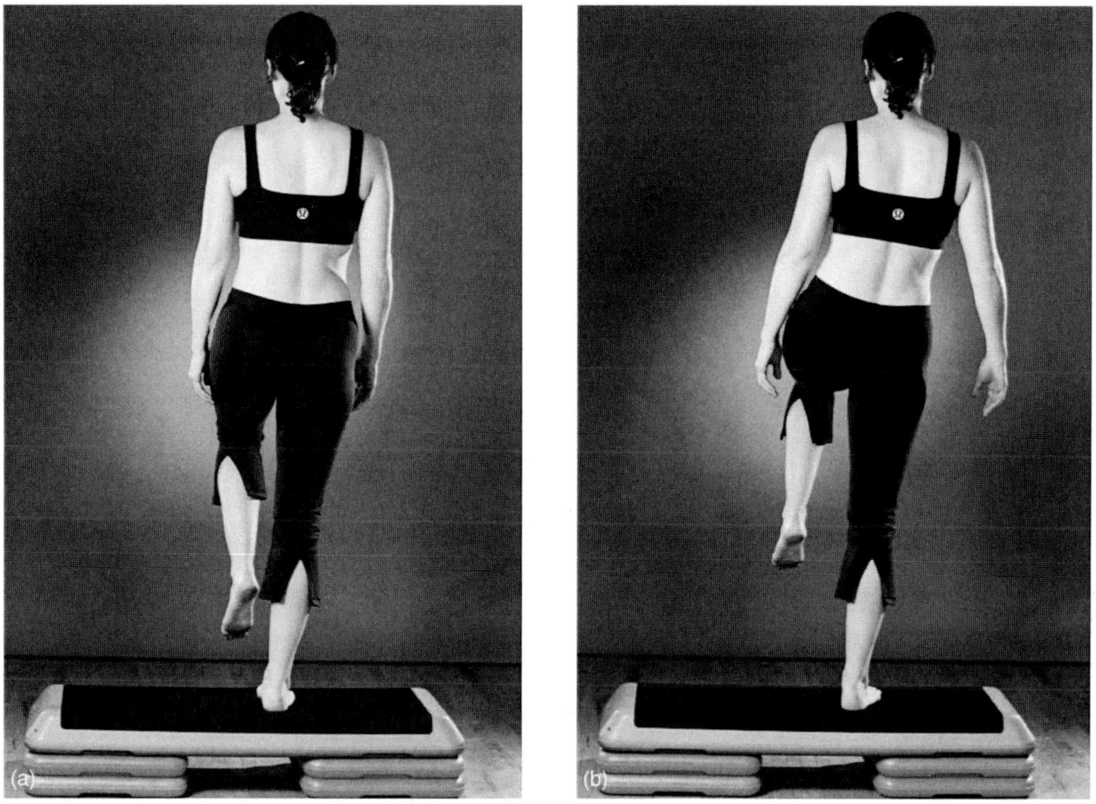

그림 10.89 기능적 통합 : 올라가기. (a) 양호한 운동 기법. 골반이 수평이며 체간의 측방 이동(lateral shift)이 최소이다. (b) 조절 불량. 체간이 과도하게 우측으로 이동되었고 좌측 고관절이 올라갔으며(hiked), 우측 엉덩이는 주름이 잡혔다(대결절 후방의 접힌 곳을 주시하라). (Reproduced with permission from © Diane G. Lee Physiotherapist Corp.)

으로 몸을 가로질러 밴드를 당겨 내리고(대각선 방향으로 신전과 외전) 흉곽은 좌측으로 회전한다(그림 10.88b).

한 다리 쪼그리기(One-leg squat)

환자의 자세 척주를 중립위로 하고 선 자세. 환자는 작용하도록 부가적 신호를 필요로 하는 근육을 촉지하며 정확한 운동 수행을 위하여 주의를 기울인다. 치료사는 처음에는 부하 이동의 기능 부전 영역(천추와 좌골, 요추, 대결절 주위 등)을 촉지하며 다음에 운동 기법을 교정하기 위하여 필요로 할 때 다른 지점을 촉지한다. 체중을 부하한 다리에 좀 더 많은 주의와 신호가 필요할 것이다.

운동교육 요추 골반 안정근들이 동시 수축을 하도록 신호를 준다. 환자는 발이 지면에서 떨어지도록 슬관절과 고관절을 구부리며 발을 들어올린다. 골반은 수평을 유지하도록 하고 중립위의 회전 상태에 있어야 한다. 다른 다리에서 쪼그리기가 수행된다. 고관절은 구부리고 골반은 대퇴골 위에서 전방으로 움직인다. 환자에게 "당신은 지금 의자에 앉기 위하여 점차 낮추고 있으며 고관절이 의자를 향하여 뒤로 움직이고 있다."고 신호를 준다. 슬관절은 둘째 발가락과 일직선상에 있어야 하며 대퇴골은 과도하게 내회전 되거나 외회전 되어서는 안 된다. 발가락이 구부러지거나 체간이 긴장하여 뻣뻣하게 되는 것을 주목한다. 다리를 곧게 폄으로서 운동이 완료

되며 좀 더 쪼그린 운동은 동일한 다리 또는 교대로 다른 다리에 반복할 수 있다.

진행/고려사항 쪼그리기의 깊이는 환자의 조절 능력에 따라 다양하게 수정할 수 있다. 골반의 어떠한 측방 경사나 회전도 주시한다. 체중 부하를 하지 않은 다리의 위치는 발을 몸의 앞에, 몸과 같은 선상에, 또는 몸 뒤에 놓아 다양하게 변화시킬 수 있다. 환자가 완전한 편측 체중 부하를 조절할 수 없다면, 체중을 부하하지 않은 발가락을 다른 발 약간 뒤에 가벼운 체중 부하 베개에 올려 바닥에 놓을 수 있다. 환자의 팔의 자세는 정확한 운동 수행을 위하여 촉각 되먹이의 필요성에 따라 달라진다. 동작 패턴이 좀 더 자동적으로 이루어지면 촉각 되먹이를 적게 사용하고 환자에게 쪼그리기와 반대 패턴으로 팔을 흔들게 한다.

올라가기(Step up)

환자의 자세 한 발 앞에 척주를 중립위로 하고 선 자세. 환자는 부가적 신호를 필요로 하는 근육을 촉지하며 정확한 운동 수행을 위하여 주의를 기울인다. 치료사는 처음에는 운동이 반복되는 동안 부하 이동의 기능 부전 영역(천추와 좌골, 요추, 대결절 주위 등)을 촉지하며 필요할 때 운동 기법을 교정하기 위하여 다른 지점을 촉지한다.

운동교육 요추 골반 안정근들이 동시 수축을 하도록 신호를 준다. 한 발을 올리고 발꿈치를 먼저 대고 완전하게 올라가기 위하여 전방으로 체중을 이동시킨다. 이 때 다른 다리의 고관절과 슬관절을 굴곡하여 지면에서 들어 올려놓는다(그림 10.89a). 이 운동은 체중 부하를 하지 않은 다리를 후방으로 신전하여 제자리에 내려놓으면 완료된다. 다른 다리에도 반복한다.

진행/고려사항 양 다리의 대상 전략을 주시하고 (예를 들어 Trendelenburg 또는 고관절 올리기) 환자가 다리를 올릴 때 뒤에 있는 다리, 편측 체중 부하가 이루어질 때 앞에 있는 다리의 대상 전략을 주시한다(그림 10.89b). 골반의 어떠한 측방 경사나 과도한 회전도 주시한다. "엉덩이 접힘(butt gripping)은 골반 운동으로부터 고관절의 운동을 분리하지 못한(예를 들어, 다리가 앞으로 움직일 때 굴곡) 결과로 초래될 것이다. 이것이 편측으로 일어난다면 고관절 굴곡이 시도되었을 때 골반의 후방 경사, 측방 경사, 그리고/또는 회전이 일어날 것이다. 배열 상태를 조사하고 운동 연쇄를 통하여 전체적인 경직(rigidity)에 대한 점검 사항을 관찰한다. 전체적 연결이 약하면 운동이 이루어지는 동안 하지의 배열 상태가 변화될 것이다. 어떤 편위를 교정하기 위하여 도수 촉지와 이미지 훈련 방법을 사용한다. 정상 보행 패턴에서와 같이 팔을 흔들도록 하며 ; 처음에는 적절한 운동 수행이 확실하게 되도록 하기 위하여 손을 장골능에 놓거나 특정 근육을 촉지할 필요가 있을 수 있다. 진전은 대각선 방향으로 발을 올리는 동작을 포함하며(발판의 구성에 올리기) 흉곽 골반 회전을 추가한다(전술한 반대측 체간 회전을 함께 하는 내밀기에서처럼).

내려오기(Step down)

환자의 자세 척주를 중립위로 하고 한 발로 선 자세. 환자는 부가적 신호를 필요로 하는 근육을 촉지하며 정확한 운동 수행을 위하여 주의를 기울이며 ; 양 손은 골반의 자세를 유지하기 위한 되먹이를 제공하도록 장골능에 놓는다. 치료사는 처음에는 운동이 반복되는 동안 부하 이동의 기능 부전 영역(천추와 좌골, 요추, 대결절 주위 등)을 촉지하며 필요할 때 운동 기법을 교정하기 위하여 다른 지점을 촉지한다. 배열 상태를 교정하기 위해서는 편측으로 체중을 부하할 다리로 동측에 무릎서기를 하거나 선 자세를 취하는 것이 도움이 된다.

운동교육 요추 골반 안정근들이 동시 수축을 하도록 신호를 주며 다음에 흉곽 골반 배열과 하지의 배열을 유지하기 위하여 필요한 어떤 줄을 마음에 그리도록 신호한다. 환자는 한 발을 떼고 지면에 내려놓기 위하여 체중이 부하된 고관절, 슬관절, 족관절을 구부린다(그림 10.81). 발이 내려올 때 중력 중심은 천천히 전방으로 이동시킨다. 발의 앞부리가 먼저 지면에 닿아야 한다. 체중이 앞쪽에 있는 발에 부하될 때 슬관절과 고관절은 충격 흡수 기전 역할로서 그리고 계단을 연속적으로 내려가기를 자극하는 역할의 일부로서 굴곡시켜야 한다. 운동은 양 발을 바닥에 모두 모으도록 가져오면 완료된다. 다른 다리에도 반복한다.

진행/고려사항 공중전화 박스 턱만큼 낮은 걸음으로 시작하여 점점 높은 걸음으로 진행한다. 이 운동은 여러 단계로 세분하여 진행하면서 수행하는데 ; 처음에는 중력 중심의 이동 없이 슬관절과 고관절의 굴곡 요소만을 실습하며, 다시 발을 내려놓는 것뿐만 아니라 발가락을 완전히 지면에 접촉시키며, 마지막으로 완전한 체중의 이동이 허용된다. 골반의 어떤 측방 경사나 과도한 회전이 일어나는지를 주시한다. 대퇴의 내회전 또는 외회전을 촉지하며, 내측 슬관절 tracking, 내측 궁 붕괴, 그리고 발가락 구부리는 것을 관찰한다. 대퇴 하부에 묶은 저항 운동 밴드는 중둔근 후섬유를 촉진할 것이며 대퇴의 과도한 내회전의 교정에 도움이 될 것이다.

고유수용성 자극의 추가(ADDING PROPRIOCEPTIVE CHALLENGE)

고유수용성 감각과 균형에 도전이 되는 평평하지 않은 표면과 기구를 이용하는 것은 운동프로그램에서 중요한 구성 요소이다. 국소 안정근의 의식적 동시 수축과 장기간의 전체적인 경직을 예방하기 위한 신호 주기가 결합될 때 고유수용성 자극에 대한 추가적인 도전은 국소 시스템의 자동 보충에 대한 재훈련을 촉진하며 자세 평형을 유지하기 위한 능력을 훈련한다. 일반적으로, 환자는 심부 국소 안정근의 동시 수축을 유지하고 중립 영역의 조절 능력을 제공할 수 있어야 하며 중력 중심의 방향 변화에 따라 다양한 자세 유지 근육들이 낮은 부하의 활동을 유지할 수 있어야 한다. 그렇게 함으로서, 전체적 경직에 대한 이미 앞서 언급한 점검 사항들이 사용될 수 있다. 그러나, 전체 근육들이 높은 수준의 활동성을 보이는 순간은 중력 중심이 크게 편차를 보일 때 그러한 많은 근육들이 넘어지지 않기 위하여 활성화되는 그러한 때인 것으로 생각된다. 많은 다양한 변수들이 사용되며 고유수용성 자극에 대한 도전을 만들기 위하여 결합된다. 여기에 포함되는 것들은 ; 시각 입력의 제거(시야를 가린다), 지주 기저의 변화(한 다리 또는 두 다리 서기, 평평하지 않은 표면), 지주 기저를 변화시킨 상태에서 신체의 다른 부분을 움직이기(머리, 팔, 한 다리), 지주 기저를 변화시키면서 동시에 팔 운동하기(공 튀기기, 치료용 공 던지고 받기, 저항 운동 밴드 대각선으로 움직이기), 그리고 동적 활동 사이에 정적 자세 유지하기(한 다리로 가볍게 뛰는데 매회 뛰고 나서 한 다리 선 자세를 정적으로 유지한다.) 등이다. 다음의 운동은 기능적 자세에서 고유수용성 감각의 자극에 추가적인 도전이 되는 아이디어를 제공하지만 환자의 목표라는 관점에서 다양한 변수들을 결합함으로서 더욱 많은 적응과 선택이 이루어질 수 있다.

흔들 판 쪼그리기(Rocker board squats)

환자의 자세 환자는 척주를 중립위로 하며 슬관절과 고관절은 약간 구부리고 흔들 판에 선다. 판은 전후 방향, 내외측 방향으로 불안정하도록 자리한다. 환자는 안정된 지점을 찾도록 지지하며 국소 안정근들을 미리 연결하고 지지를 철회한다.

운동교육 척주의 중립위 자세의 조절을 유지하면서 쪼그리기를 하게 하는데 판이 수평위를 유지하도록 한다(그림 10.90). 일반적으로 굴곡/신전 조절이 잘 되지 않는 환자들은 전후 방향의 조절이 어려울 것이며, 회전 조절이 잘 되지 않는 환자들은 내외측 조절에 더 많은 어려움을 겪을 것이다. 양 방향 모두 점검되어야 하며 ; 가끔 자신감을 기르고 좀 더 도전적인 자세에서 적용하기 위한 좋은 운동조절 전략의 강화를 하기 위하여 좀 더 잘 조절이 되는 자세에서 시작하기도 한다.

그림 10.90 고유수용성 자극에 대한 추가적 도전 : 흔들 판 쪼그리기. 여기에서 환자는 좌측 심부 다극근과 우측 복횡근을 추적하는데 이것은 이 환자가 잘 보충하지 못하는 "완전한 원(circle of integrity)"의 일부이다. (Reproduced with permission from © Diane G. Lee Physiotherapist Corp.)

Sissel 위에 내밀기(Lunge on a sissel)

환자의 자세 앞에 있는 발을 sissel 또는 다른 불안정한 표면 위에 올려놓은 정적 내밀기 자세를 취한다. 환자에게 요추골반의 안정근들이 동시 수축하도록 지시하며 특히 앞에 있는 다리의 둔부에 주름이 생기는 것(butt gripping)을 점검하기 위하여 고관절의 내, 외회전이 좁은 범위에서 일어나도록 한다.

운동교육 환자에게 내밀게 하고, 다리 사이에 몸의 중심이 오도록 하며, 앞 뒤 다리 사이에 체중 부하가 동일하게 유지한다(그림 10.91). 부가적으로 조절을 촉진하고, 중둔근의 활성화를 촉진하기 위하여 대퇴에 저항 운동 밴드를 감아 사용할 수 있다.

그림 10.91 고유수용성 자극에 대한 추가적 도전 : sissel 위에 내밀기. 이 예에서 환자는 도수 촉진이 더 이상 필요하지 않는 시점까지 요추 골반 국소 안정근의 보충을 성취하기 위하여 요구되는 내적 심상을 발달시킨다. 내밀기가 수행되는 동안 정상적이고 기능적인 상호 교대 패턴으로 흔들도록 한다.(Reproduced with permission from © Diane G. Lee Physiotherapist Corp.)

공위에 무릎 서기(Kneeling on the ball)

환자는 공위에 무릎서기 자세를 취하는 동안 손으로 지지할 수 있는 것을 붙잡는다. 다음 손을 놓고 공위에 무릎서기 자세에서 척주를 중립위로 유지하려는 노력을 한다. 이 운동은 체간 유지 시스템에 대한 대단한 도전이 되며, 이 운동이 엉덩이에 주름을 잡지 않고, 체간이 경직되지 않은 상태에서 수행된다면 대단히 유익한 운동이다. 치료사는 초기에는 밀착하여 감독하고 지지할 필요가 있으며 환자는 전체적인 경직성에 대한 점검사항을 마음 속에 두어야 한다.

특수한 전체 근육 "약증" 다루기 (ADDRESSING SPECIFIC GLOBAL MUSCLE "WEAKNESS")

가끔 기능적 운동을 사용하고, 적절한 배열에 대한 신호를 주고, 비활동적인 근육들을 한 끈으로 연결하도록 상상하는 방법을 사용함으로서 보충되고 있지 않은 근육들이 적당히 보충되고 강화될 것이다. 그러나 어떤 경우에는, 어떤 전체 근육에 대한 특별한 초점을 두어야 할 필요가 있다. 다음의 운동은 특별한 주의를 필요로 할 수 있는 요추-골반-고관절 부위의 근육에 대한 것들이다. 그 목적은 기능부전이 있는 근육의 독립과 인지를 목표로 하는 운동을 처방하는 것이다. 물론, 이것이 진정한 독립을 의미하는 것은 아니며, 첫째, 심부의 국소 안정근들은 신호를 받을 필요가 있고 바로 아래의 전체 근육이 활성화될 필요가 있으며, 둘째, 운동을 수행하기 위하여 협력근들이 활성화 될 필요가 있다. 그러나, 특정 운동은 특정 핵심 주동근의 활동성을 현저하게 촉진할 수 있다. 한 번 보충이 성공적으로 이루어지면, 근육을 강화하는 운동이 근력 증진 프로그램과 함께 수행된다(저항의 증가, 8-12회 반복, 2-3세트). 다시, 치료사는 환자의 자세와 움직임이 주동근에 집중되도록 수정할 수 있을 것이다. 이러한 운동들은 초기의 독립, 강화 운동이다. 이러한 운동들은 동작이 조절되는 즉시 기능적 통합 운동으로 진행하며 기능적 운동이 이루어지는 동안 기능 부전근들을 관찰하고 유지하도록 준비되어야 한다.

중둔근 – 후섬유(GLUTEUS MEDIUS – POSTERIOR FIBERS)

대합조개 껍질(Clamshell)

환자의 자세 해당 다리가 위를 향하도록 옆으로 누운 자세. 척주는 중립위를 유지하도록 수동적으로 지지하며 위에 있는 고관절은 약간 앞으로 가도록 롤을 받쳐준다. 환자는 고관절을 이완하고 회음부의 골들이 넓어져야 한다는 것을 이해하도록 한다. 치료사는 위에 있는 고관절의 후방에서는 중둔근의 후섬유를, 앞에서는 대퇴근막장근을 촉지한다.

운동교육 심부 국소 안정근들이 수축하도록 신호를 주며 특히 다극근 심부 섬유의 수축을 점검한다. 환자에게 위에 있는 슬관절을 부드럽게 올려 조개껍질이 열리는 것과 같은 동작을 하도록 한다(그림 10.92). 고관절의 심부 외회전근의 활동을 주시한다(대퇴골두가 전방으로 움직이고 대전자 뒤의 구(groove)는 드러나거나 깊게 들어갈 것이다.). 대퇴근막장근의 활동성을 촉지한다. 이들 두 근육 모두에서 활동성이 감지되면 다음의 신호를 주는 일을 한다. ; "고관절(중둔근 후섬유를 촉지)에서 슬관절까지 끈으로 연결되었다고 상상하세요. : 그 줄을 당겨 슬관절을 올리도록 노력하세요." "슬관절을 올린다고 생각하기 보다는 다리를 올리기 위하여 몸을 향하여 끌어당긴다고 생각하세요."

정확한 반응 다리를 올리기에 앞서 심부 다극근에 종창이 느껴졌다. 중둔근 후섬유의 수축이 촉지되었고 대퇴근막장근의 활동성이 없었다. 대퇴골두는 무명골구의 중심에 있다. 만약 대퇴근막장근의 수축이 현저하게 일어나지 않고 운동이 수행될 수 없다면 중둔근을 위하여 변화된 운동이 사용되어야 한다(아래 참조).

진행/고려사항 이 운동은 다극근의 심부 섬유가 심각하게 위축된 환자에게는 훌륭한 진행 방법이다. 환자에게 다리가 올라올 때 심부 다극근의 긴장이 유지되는 동안 촉지하도록 가르치며 다극근이 수축되고 있는 한 10초 이상 다리를 올린 채 유지하도록 한다. 이 운동은 슬관절을 올린 후 발을 들어 올려 진행하거나 슬관절 주위에 저항 운동 밴드를 묶어 저항을 추가함으로서 진전시킨다.

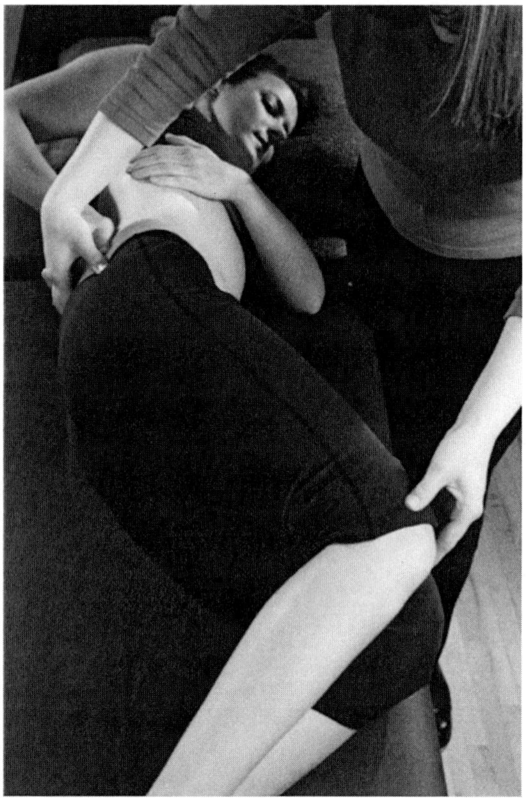

그림 10.92 특수한 전체 근육 "약증" 다루기 : 대합조개 껍질. 환자는 외측 늑골 팽창을 관찰하며 다극근을 촉지한다. 치료사는 다리를 들어 올리도록 신호를 주면서 다극근과 우측 중둔근의 후섬유를 촉지한다. (Reproduced with permission from © Diane G. Lee Physiotherapist Corp.)

등척성 벽 밀기(Isometric wall press)

환자의 자세 등을 벽에 기대어 옆으로 눕는데 머리와 어깨는 고관절보다 좀 더 벽에서 떨어지도록 한다. 골반은 약간 전방으로 기울도록 롤을 대주고 위에 있는 고관절은 외회전하고 신전하여 발꿈치가 벽에 닿도록 한다. 요추 전만이 과도하게 증가하지 않도록 점검한다(가능한 중립위에 가깝도록 한다.). 치료사는 위에 있는 고관절의 중둔근 후섬유와 대퇴근막장근을 촉지한다.

운동교육 심부 국소 안정근들이 동시 수축하도록 신호를 주고 환자에게 발꿈치로 벽을 밀도록 한다(등척성 신전). 운동의 진전은 신전하여 벽을 미는 동작을 유지하면서 벽을 따라 발꿈치를 끌어 올려 고관절을 외전함으로서 이루어진다. 운동이 이루어지는 동안 체간이 기울어지거나 비틀리는 일이 있는지 주시한다.

정확한 반응 중둔근 후섬유의 수축이 촉지되며 대퇴근막장근의 활동성은 없다.

진행/고려사항 환자가 체간의 조절을 유지할 수 없거나 과도한 전체 근육의 활동성이 감지된다면 이 운동은 벽에 기대어 선 자세에서 수행될 수 있다. 핵심 요소는 고관절의 외회전과 신전이다. 기둥이 체간의 무게를 지지하는데 도움이 되도록 사용될 수 있다. 이 운동은 벽 대신 저항 운동 밴드 또는 저항 운동 활차를 사용하여 진전시킬 수 있으며 ; 체간의 조절과 균형이 좀 더 필요하다.

등척성 외회전과 함께 내밀기(Lunge with isometric external rotation)

환자의 자세 선 자세에서, 환자의 대퇴 하부에 저항 운동 밴드를 묶는다. 이 때 환자는 정적 내밀기 자세를 취한다(이 자세는 갈라진 쪼그린 자세로 알려져 있다.). 체중은 앞, 뒤에 있는 다리 사이에 균등하게 분배된다. 뒤에 있는 발은 저측 굴곡하여 체중이 발의 앞부분에 부하되도록 한다. 앞, 뒤에 있는 다리의 고관절, 슬관절, 발이 정확하게 배열되어 있는지 점검한다(이미 서술한).

운동교육 심부 국소 안정근들이 수축하도록 신호를 하면서 환자에게 슬관절을 실제로는 움직이지 않고 양 무릎으로 밴드를 부드럽게 미는 것을 상상하도록 한다(그림 10.85). 이 운동의 첫 단계는 양측 중둔근 후섬유의 활동성을 증진시켜 촉지가 가능할 것이다. 환자에게 어떻게 근육을 느끼는지 보여줄 것이며 근육(그리고 밴드에 대항하는 압력)의 활동성을 유지하도록 지시하고 다시 시작 자세로 돌아온다.

정확한 반응 내밀기 동작을 하는 동안 중둔근 후섬유의 활동성이 유지되며 대퇴근막장근의 활동성은 운동의 고관절 굴곡을 제한하는 지점까지 과도하게 되지 않도록 한다.

진행/고려사항 이 운동은 중둔근의 활동성을 증가시키기도 하지만 근육을 기능적 운동으로 통합하기도 한다. 운동이 일어나는 동안 하지의 배열과 전체 경직성에 대한 모든 점검 사항을 관찰하는 것과 환자에게 자가 관찰 기법을 어떻게 가르칠 것인가 하는 것이 중요하다. 엉덩이에 주름이 잡히는(butt gripper) 환자에 대해서는 내미는 동작이 일어나는 동안 고관절의 굴곡을 촉진하기 위하여 촉각 자극과 구두 자극을 이용한다. 굴곡은 양측성("고관절이 앞으로 접히는 것을 생각하고 뒤의 엉덩이는 뻣뻣하게 되는 것을 생각한다.")으로 일어나야 한다. 이 운동에서 사용되는 원리는 이미 언급한(앞으로 내딛기, 올라가기 또는 내려가기 등) 다른 기능적 통합 운동에 적용될 수 있다.

엎드린 자세 고관절 신전과 외전(Prone hip extension and abduction)

환자의 자세 척주를 중립위로 하고 엎드린 자세. 대퇴 하부에 저항 운동 밴드를 묶을 수 있으며 ; 어떤 경우에는, 환자에게 운동이 더 어렵게 하며(외전에 대한 저항의 증가) 다른 경우에는, 환자가 운동을 더 쉽게 하도록 한다(증가된 고유수용성 되먹이에 의하여).

운동교육 심부 안정근들이 수축하도록 신호를 주며 환자에게 가능한 한 요추 골반의 자세를 흐트러뜨리지 않고 다리를 바닥에서 떼도록 한다(고관절 신전). 그리고 다리를 외전시키는 동안 다리를 올린 상태로 유지한다("다리를 한 쪽 옆으로 벌리세요."). 요추골반 자세가 변화되지 않도록, 외전하는 동안 다리가 떨어지지 않도록 확실하게 하기 위하여 되먹이를 제공한다.

진행/고려사항 이 운동은 다리를 올리는 동안 척주를 조절하기 위하여 상당한 요추골반의 안정성을 필요로 한다. 이 운동은 전술한 중둔근의 유용한 진전 방법이며 한 다리 체중 부하 자세에서 기능적 통합을 위하여 근력의 증가가 필요할 때 처방된다. 안정 운동 프로그램의 이 단계 즈음에서 환자는 운동을 정확하게 수행할 수 있도록 충분한 요추골반 조절 능력을 가져야 한다.

대둔근(GLUTEUS MAXIMUS)

앉는 부분인 중둔근 꽉 쥐기와 일어서기(Seated gluteus maximus squeeze and sit to stand)

환자의 자세 양 발을 바닥에 붙이고 딱딱한 자리에 앉아서 적절한 요추골반 삼각과 체간의 중립위를 유지한다. 고관절 굴곡에 제한이 있다면 자리를 올려서 고관절이 골반의 중립위 경사를 제한하지 않도록 한다. 환자가 나아지면 낮은 자리를 다시 사용한다.

운동교육 심부 안정근들이 수축하도록 신호를 주며 환자에게 척주의 중립위 자세와 넓은 직각 뿔 기저를 유지하는 동안 엉덩이를 꽉 쥐도록 한다. 골반이 후방으로 흔들리지 않도록 한다. 환자가 중둔근의 활성화와 더불어 후방 골반 경사를 수행한다면 증상이 악화될 수 있다는 것이 본질적인 것이다. 더욱이, 기능적 자세에서는 근육은 활성화되지 않는다. 동일하게 활성화되도록 근육을 촉지하며 보충을 증가시키기 위하여 촉각 되먹이를 이용한다.

진행/고려사항 환자가 앉기 보충에 어려움이 있다면 엎드린 자세가 이용될 수 있다. 다시, 척주의 중립위가 관찰된다. 앉기 운동은 등척성 보충 운동에서 환자에게 앉은 자세에서 선 자세로의 운동을 천천히 수행하도록 하는 기능적 구심성/원심성 수축으로 진전시킨다. 양 발은 앉은 자리 후방으로 이동시키고, 체간은 고관절에서 앞으로 기울이며, 환자는 좌석을 밀고 일어선 자세를 취하는데 엉덩이를 이용하는 생각을 한다. 앉은 자세로 돌아오는 것은 동작이 일어나는 동안 양쪽 고관절이 동등하고 부드럽게 굴곡되면서 천천히 그리고 조절된 방법으로 일어나야 한다. 환자가 앉은 자세에 가까이 올 때 마지막 단계가 특히 중요하며 ; 이 외측 범위는 가끔 원심성 약증을 나타낸다(좌석에 주저앉는 것을 주시한다.). 좌석에서 일어나는 동안 운동량이나 속력을 이용하지 않도록 한다. 높은 자리에서 시작하여 낮은 자리로 진전시킨다. 안정된 표면 대신 공을 이용할 수 있다. 환자의 중둔근과 대둔근이 모두 약하다면 부가적 촉진을 위하여 대퇴 하부에 저항운동 밴드를 묶어 사용할 수 있다.

교각 자세(Bridging)

중립 척주에서 밖으로 나가기의 교각 자세 : 흉곽 골반 조절–교각 운동과 회전 운동, 상기 운동 들은 중립위의 척주 자세에서 대둔근 등척성 수축의 부하를 증가시키기 위하여 사용될 수 있다. 이 운동은 한 발을 지면에서 떼는 것으로 그리고 한 번에 한 다리에 체중을 부하하는 것으로 진전시킬 수 있다. 엉덩이에 주름이 잡히는 것(butt gripping)과 골반의 후방 경사를 예방하기 위하여 척주의 중립위와 고관절의 자세를 주의 깊게 관찰하여야 한다.

엎드린 자세 고관절 신전 – 슬관절 굴곡(Prone hip extension – knee flexed)

구심성, 원심성 수축에 대한 부하를 증가시키기 위하여, 8장에서 서술한 검사 자세(그림 8.65c)가 수정되어 환자가 침대 가장자리에서 슬관절 굴곡 자세에서 고관절의 신전을 수행한다. 이렇게 하면 운동 범위가 증가한다. 다시, 엎드린 자세 중둔근에 대한 운동으로서, 이러한 진전은 상당한 요추골반의 안정성을 필요로 한다. 기능적 통합 운동과 이것들의 진전 동안 근육들의 성공적인 활성화가 일어난다면 이러한 것은 항상 필요한 진전은 아니다. 그러나, 현저한 위축이 존재하는 경우에는, 엎드린 자세 고관절 신전 운동을 지시할 수 있다.

내전근과 내측 경사 광근(ADDUCTORS AND VASTUS MEDIALIS OBLIQUUS)

기능적 검사를 하는 동안 내전근 그리고/또는 내측경사 광근의 편측성 또는 양측성 활성화 부족을 관찰하는 것은 보편적인 것이며, 촉지 가능한 긴장도의 감소와 흔히 관찰 가능한 위축으로 명백해진다. 이것은 전방 경사 슬링과 이 슬링이 하퇴와 발로 연결되는 연속성에 결합을 초래한다(후경골근과 내측 족궁). 보통 이러한 보충 부족 패턴은 단순히 작은 공을 대퇴 상부 내측에 끼워 환자에게 대퇴부로 공을 "연결하세요.", 그리고 고관절의 내회전 또는 외회전을 일으키지 않고 가볍게 쥐라고 함으로서 촉진될 수 있다. 운동이 일어나는 동안 내전근과 내측 경사 광근의 활동성을 촉진하며 유지되어야 한다. 어떤 경우에는 부가적 강화 운동이 필요하다.

환자의 자세 위에 있는 고관절과 슬관절을 굴곡하여 슬관절 또는 발이 아래에 있는 다리의 앞에 놓이도록 한 옆으로 누운 자세. 아래에 있는 다리는 슬관절을 굴곡하여 운동의 목표 근육은 대퇴의 짧은 내전근이 되도록 한다(Comerford M – Kinetic Control, 출판되지 않은 노트).

운동교육 심부 국소 안정근의 동시 수축을 하도록 신호를 주며 환자에게 척주와 골반의 자세를 유지하면서(경사 또는 회전 없이) 아래 대퇴를 올리도록 한다. 요추골반 자세가 조절될 수 있는 운동범위만을 허용한다.

진행/고려사항 다리를 곧게 펴고 들어 올리는 동작은 장내전근을 활성화 한다. 모든 동작이 검사될 수 있으며 지시된 자세는 보다 약한 요소에 기초한다. 교체 운동 선택은 활차를 가지고 하는 선 자세 내전을 포함한다(또는 저항 운동 밴드에 대항한 내전). 선 자세는 영향 받지 않는 다리(체중 부하 다리)의 충분한 요추골반 안정성과 고관절 조절을 필요로 한다. 만성 요통 또는 골반 통증을 가진 환자에 있어서는 양측으로 영향 받을 수 있는 부하 이동 수행이 보편적이며, 결과적으로 한 다리로 선 자세에서의 운동은 적당하지 않다.

장요근(ILIOPSOAS)

고관절 조절과 장요근의 활성화를 촉진하는 운동

은 부하를 가한 중립위 척주 유지하기에서 이미 서술하였다. : 체간과 다리의 분리 – 갈고리 눕기. 그림 10.71 a–c 참조. 갈고리 눕기의 진전은 장요근의 근력과 조절에 더한 도전이 되도록 앉은 자세와 선 자세에서 사용될 수 있다.

슬괵근(HAMSTRINGS)

내외측 슬괵근은 골반에 대한 서로 다른 근막, 인대성 연결을 가지고 있으며, 요추골반–고관절 기능 부전을 가진 환자에게서 활성도와 근력에 있어서의 비대칭이 자주 나타난다. 이것은 슬관절을 통한 염력(torsional forces)에 영향을 끼친다. 엎드린 자세에서 슬관절 구부리기 운동(부하를 가한 중립위 척주 유지하기 : 체간과 다리의 분리– 엎드린 자세, 그림 10–72 참조)을 하는 동안 내측 슬괵근(반건양근/반막양근)과 외측 슬괵근(대퇴이두근)의 촉지는 비대칭을 나타낼 것이다. 이 자세에서 저항에 대항하는 슬관절의 굴곡과 경골의 내외측 회전의 결합은 근력의 정도를 나타낼 것이다. 그러나, 천장관절이 잘 조절되지 않는다면 이러한 기능 부전이 먼저 다뤄져야 할 필요가 있다. 이렇게 되었을 때 비로소 슬괵근 재훈련이 시작된다. 슬괵근의 강화를 위해서는 몇 가지 선택이 가능한데 : 쪼그려 앉기, 벌리고 쪼그리기, 내밀기와 같은 닫힌 사슬 운동은 대칭적 내외측 보충을 훈련하는 가장 좋은 환경을 제공한다. 덜 보충되는 슬괵근의 더 나은 훈련을 위해서는 운동하는 동안 활동성을 증가시키기 위하여 촉각 신호("이 근육을 찾으시오.")와 구두 신호("당신의 슬관절 바깥쪽[환자의 비골을 건드린다.]에서 고관절의 외측까지 와이어가 있다고 상상하시오. : 운동하는 내내 와이어에 긴장을 유지하시오.")를 사용한다. 열린 사슬에서 슬관절 굴곡 운동을 시행한다면 운동하는 동안 동등한 활동성을 보이도록 촉지하여야 하며 경골은 중립위에 있어야 한다(발이 내측 또는 외측으로 돌아가지 않도록 한다.).

특수한 전체 근육 "팽팽함" 다루기 (ADDRESSING SPECIFIC GLOBAL MUSCLE "TIGHTNESS")

이미 토론한 바와 같이, 요추골반–고관절 기능 부전은 가끔 특수한 전체 끈을 통한 결과적 제한을 동반한, 전체 근육의 저긴장증 그리고/또는 단축을 초래한다. 주의 깊게 사정하면(8장) 진정한 근육의 단축이 있는지 또는 근육에 신경학적 예민함/과긴장성이 있는지를 알게 될 것이며, 결과적으로 요구되는 도수 중재 방법의 유형을 정하게 된다. 두 경우 모두에 있어서, 단축된 근육의 신전성의 증가 그리고/또는 과긴장 근육에서 얻어진 운동성을 유지하는 목적을 가진 가정에서의 보충 운동이 처방되어야 한다. 이 절에서는 가끔 단축되고/과긴장 상태에 있는 요추골반–고관절 근육에 대한 가정 운동을 소개한다. 독자들은 근육의 길이를 검사하는 자세(8장)의 대부분은 가정에서는 수정될 수 있다는 사실을 기억하여야 한다. 처방된 운동의 기준은 운동의 목적에 따라 다양한데 ; 짧은 근육의 길이를 유지하거나 증가시키기 위해서는 적어도 20–30초(1분 이상) 동안 당기는 운동을 2–3회 반복하는 것이 필요하다. 이 운동은 환자에게 근육이 완전히 늘어난 새로운 운동 패턴을 가르치기 위하여 10초 동안 고정하고 전체 운동 범위를 통하여 천천히, 율동적으로 수행되는 운동과 결합될 수 있다. 여기까지는 엉덩이 뭉침(butt gripper)을 완화하는 기법과 함께, 척주의 중립위를 회복하기 위한 기법과 함께, 그리고 적절한 호흡 패턴의 회복을 위한 기법과 함께 몇 가지 연상이 기술되었지만 이것들은 결과를 최적화하는 이러한 운동들과 결합되어 사용될 수 있다.

광배근(LATISSIMUS DORSI)

환자는 손을 모은 네발 기기 자세로 출발한다. 이 자세에서 엉덩이를 발에 붙일 때 척주는 굴곡을 허용할 수 있으며 손을 앞으로 멀리 내밀고 걷는다. 팔을 머리 위로 신전하였을 때 흉추부와 요추부는 굴곡된 채 있어야 하며 양손은 모아야 한다. 치우치게 하기 위하여 체간의 측굴이 일어나게 하면서 손을 우측으로 또는 좌측으로 옮기면서 걸을 수 있다. 이 운동은 또한 요방형근 요소를 늘일 것이다.

척주 기립근(ERECTOR SPINAE)

환자가 광배근보다 척주 기립근의 제한이 더욱 심하다면, 위에 언급한 신장운동은 척주 기립근을 위한 효과적인 기법이 될 것이다. 변형된 방법은 "공 위에 늘어뜨리기(ball hang)"이다(그림 10.93).

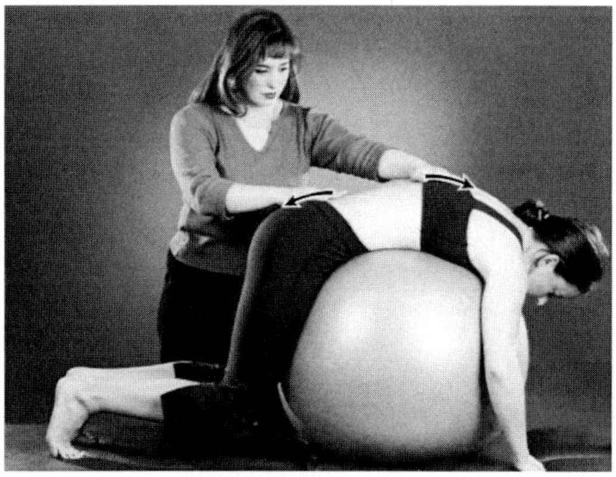

그림 10.93 특수한 전체 근육 팽팽함 다루기 : 척주 기립근. 치료사는 양 손으로 부드러운 견인력을 가할 수 있으며 다리가 공에 매달릴 때 등을 "늘리고 열도록" 고무시킨다. (Reproduced with permission from © Diane G. Lee Physiotherapist Corp.)

환자는 큰 공을 마주하고 무릎으로 서서, 발로 밀고 공위에 구부려 척주가 바닥과 평행하게 되도록 한다. 팔을 바닥에 놓고 약간의 외측 안정성을 얻는 한편, 다리의 무게는 체간에 대한 부드러운 굴곡력으로 작용한다. 후외측 늑골 팽창 호흡법이 강조되며, 각각의 호기 동안 근육을 의식적으로 이완하여 녹이는 것과 같이 신호를 준다.

복사근(Oblique abdominals)

복사근의 비대칭은 흉곽 골반의 배열을 변화시킬 것이며 ; 안정화 운동이 진행되는 동안 상상을 이용하는 척주의 중립 자세의 교정과 이 자세의 유지는 반대편 복사근이 능동적으로 신장하는 동안 약하거나 부족한 보충을 하고 있는 복사근을 활성화시키는 효과적인 방법이다(그림 10.64). 외측 늑골 호흡은 복사근을 늘이는데 필요한 또 다른 유용한 기법이다(그림 10.36). 엎드려서 체간을 신전시키고 주관절로 지지한 자세는 전방 늑곽이 열리게 하며 외복사근과 복직근을 양측성으로 신장하는 호흡 기법과 결합시킬 수 있다. 바로 누운 자세에서 체간의 회전 신장이 처방될 수 있지만(갈고리 누운 자세에서 슬관절을 부드럽게 한 방향으로 흔들고 다른 방향으로 다시 흔든다.) 주의 깊게 관찰하여야 한다. 요부 또는 천장관절에 과운동성이 있으면 고관절의 회전에 앞서 국소 안정근이 동시 수축을 일으키도록 신호를 줌으로서 과운동성이 조절된다. 제한된 근육이 신장되지 않도록 하고 결국 이 운동이 비효과적이 되게 하는 흉곽의 대상 운동(편측 굴곡, 신전, 외측 편위, 또는 회전)을 관찰하여야 한다.

슬괵근(Hamstrings)

이 운동은 8장에서 서술한 검사 방법을 수정한 것이다(그림 8.70c-e). 환자는 고관절을 굴곡하고 슬관절을 구부리며 발은 벽 또는 문틀에 지지하고 눕는다. 다른 다리는 문을 통과하여 슬관절을 약간 굴곡하거나 곧게 편다. 신장은 벽에 있는 발을 위쪽으로 천천히 미끄러뜨림으로서 수행되며 대퇴 후부에서 신장이 느껴질 때까지 슬관절을 편다. 교대로, 환자는 곧게 편 다리를 벽에 놓는다. 신장의 정도는 몸을 벽을 향하여 얼마나 가깝게 움직이느냐에 따라 다양하다(그림 10.94).

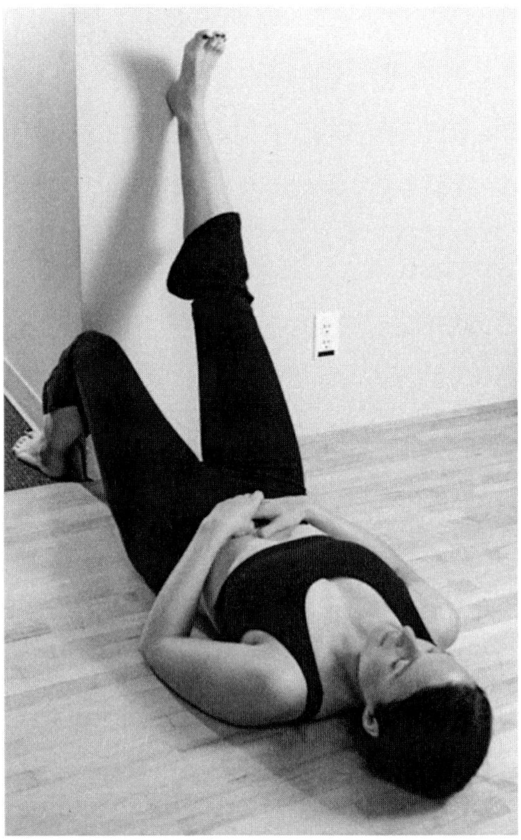

그림 10.94 특수한 전체 근육 팽팽함 다루기 : 슬괵근 벽 신장. (Reproduced with permission from © Diane G. Lee Physiotherapist Corp.)

경골/비골을 회전하고 발을 외회전함으로서 내측 슬괵근이 신장되고, 내회전함으로서 외측 슬괵근이 신장된다. 앉은 자세에서의 슬관절 신전 운동(부하를 가한 척주 중립위의 유지 : 체간과 다리의 분리 - 앉은 자세)은 대퇴사두근의 활동성에 기인한 부가적인 상반 억제의 이점을 가진 능동적이고 효과적인 슬괵근 신장 방법이다. 발이 중립 회전 위치에 놓인다면, 내외측 슬괵근은 동일하게 늘어날 것이다.

대퇴직근과 대퇴근막장근(RECTUS FEMORIS AND TENSOR FASCIA LATAE)

이 운동은 다양하게 변형될 수 있다. 핵심 요소는 고관절과 다리가 신전될 때 골반의 위치를 조절하는 것이다. 두 근육을 위하여, 골반을 안정시키고 대퇴직근과 대퇴근막장근이 당기는 것에 저항하기 위하여 골반의 후방 경사가 일어나도록 신호를 준다. 대퇴직근을 신장하기 위하여, 환자는 옆으로 누워 아래에 있는 고관절과 슬관절을 90° 굴곡한 자세를 취한다. 환자는 스스로 자기의 발목을 잡기 위하여 위에 있는 슬관절을 구부린다. 골반을 후방 경사시키며, 이 때 대퇴의 앞쪽을 따라 신장이 가볍게 느껴질 때까지 고관절을 신전하고 슬관절을 굴곡한다. 치료사는 골반의 전방 경사 징후가 있는지 관찰한다(그림 10.95). 신장이 대퇴근막장근에 집중되도록 하기 위하여 고관절 신전 요소를 유지하는 동안 슬관절 굴곡을 약간 느슨하게 이완하고, 고관절은 외회전하며(골반이 중립위에 있는 동안 - 뒤로 구르지 않는) 내전한다. 고관절을 굴곡하거나 골반이 후방으로 넘어가면 대퇴근막장근이 신장되지 않는다. 신장은 장골의 근복에서 느껴져야 하거나 장경 밴드의 근막 연결을 따라 느껴질 수 있다. 대퇴근막장근은 또한 무릎서기 자세에서 한 발은 바닥에 놓고 다른 무릎을 앞에 있는 발꿈치와 일직선상에 놓음으로서 신장될 수 있다. 무릎을 꿇은 다리의 고관절이 내전하고 외회전한다. 골반은 후방으로 경사되며 이 때 몸은 고관절을 신전하기 위하여 앞에 있는 발을 향하여 앞으로 흔들린다. 다시, 몸이 전방으로 움직일 때 골반 경사와 고관절 신전 요소가 유지되는 것은 효과적인 대퇴근막장근 신장을 위하여 중요한 것이다.

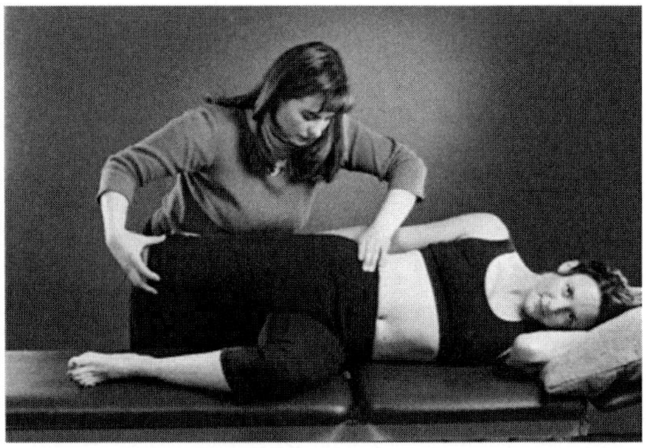

그림 10.95 특수한 전체 근육 팽팽함 다루기: 대퇴직근과 대퇴근막장근. 치료사는 우측 고관절이 신전될 때 골반이 움직이지 않도록 한다.(Reproduced with permission from © Diane G. Lee Physiotherapist Corp.)

우측 고관절 후부 근육을 신장하기 위하여, 우측 족관절을 좌측 무릎에 걸치고, 우측 고관절이 외회전되고 굴곡되도록 한다. 이 때 환자는 좌측 대퇴 후부를 잡는다. 환자에게 우측 엉덩이를 쳐지게 하고 좌측 무릎을 가슴을 향하여 당기라고 지시한다. 이 동작은 부드러운 신장이 엉덩이 후면에서 느껴지면 중단한다. 양측 사타구니에서 어떠한 꼬집는 느낌이나 끼는 느낌을 가져서는 안 된다. 좌측 대퇴를 부드럽게 외전, 내전함으로서, 우측 고관절의 내전과 외전을 변화시킬 수 있으며 제한이 가장 많이 감지되는 위치를 발견할 수 있다.

둔부 후면 – 이상근/고관절의 심부 외회전근 (Posterior buttock–piriformis/deep external rotators of the hip)

네발기기 자세에서 흔드는 운동을 이미 서술한 바 있으며(그림 10.24) 동작 패턴 운동(체간–고관절 분리를 가르치기 위한)으로 수행될 수 있으며 둔부 후면의 근육을 신장하기 위하여 고관절 굴곡의 끝 위치에서 멈출 수 있다. 더 이상의 신장은 운동을 시작할 때 고관절을 약간 내회전함으로서("슬관절을 약간 안쪽으로 돌리시오.") 얻을 수 있다. 교대로, 약간 다른 근섬유가 pretzel 신장의 목표가 될 것이다. 환자는 슬관절을 굴곡하고 바로 눕는다.

Summary

요추골반-고관절의 주요 요구 조건은 부하의 이동이며 이것은 다음에 의존한다. :

1. 골, 관절, 그리고 인대의 적절한 기능(형태폐쇄 ; form closure)
2. 근육과 근막의 적절한 기능(힘폐쇄 ; force closure)
3. 적절한 긴경 기능(운동조절, 감정 상태)

요추골반-고관절 동통과 기능 부전의 효과적인 관리는 완전한 분석(8장)과 형태폐쇄, 힘폐쇄, 운동조절의 치료와 운동조절과 자세에 감정적 상태가 어떤 영향을 끼치는지를 이해하는 것이 필요하다.

궁극적으로, 목표는 환자에게 더 건강하게 살아가는 방법과 어떤 한 구조물에 지속적인 압력 그리고/또는 인장력을 피하고 움직이는 방법을 가르치는 것이다. 핵심은 운동성을 갖춘 자신있는 안정성을 회복하는 것이다. 치료사는 손을 이용한 기술(가동화 기법, 도수 기법, 그리고 접촉), 교육, 그리고 이러한 과정을 촉진하기 위한 운동을 이용한다.

찾아보기

ㄱ

ㄴ

ㄷ

ㄹ

ㅁ

ㅂ

ㅇ

ㅊ

ㅋ

ㅌ

ㅍ

ㅎ

골반의 검진과 치료

2007년 7월 13일 초판 발행

저　　자 / Diane Lee
역　　자 / 강순희 · 구희서 · 김호봉 · 박홍기 · 안소윤 · 유병규 · 윤범철 · 이완희 · 임인혁 · 장정훈 · 정진우 · 최병옥 · 최재청
발 행 인 / 윤 진 영
발 행 처 / 도서출판 대학서림

110-530
서울특별시 종로구 혜화동 78-2
전　화 — (02)745-1220, 763-1220
FAX — (02)744-1210
등　록 — 1965. 1. 20
번　호 — 1-88

정가 18,000원

ISBN 978-89-8016-659-6 93510

www.daihaks@com